FAMA E ANONIMATO

Coleção Jornalismo Literário — Coordenação de Matinas Suzuki Jr.

41 inícios falsos, Janet Malcolm
A sangue frio, Truman Capote
Anatomia de um julgamento, Janet Malcolm
Berlim, Joseph Roth
Chico Mendes: Crime e castigo, Zuenir Ventura
Dentro da floresta, David Remnick
Elogiemos os homens ilustres, James Rufus Agee e Walker Evans
Esqueleto na lagoa verde, Antonio Callado
Fama e anonimato, Gay Talese
A feijoada que derrubou o governo, Joel Silveira
Filme, Lillian Ross
Hiroshima, John Hersey
Honra teu pai, Gay Talese
O imperador, Ryszard Kapuściński
O livro das vidas, org. Matinas Suzuki Jr.
O livro dos insultos de H. L. Mencken, seleção, tradução e posfácio de Ruy Castro
A milésima segunda noite da avenida Paulista, Joel Silveira
Na pior em Paris e Londres, George Orwell
Operação Massacre, Rodolfo Walsh
Paralelo 10, Eliza Griswold
Radical Chique e o Novo Jornalismo, Tom Wolfe
O reino e o poder, Gay Talese
O segredo de Joe Gould, Joseph Mitchell
Stasilândia, Anna Funder
O super-homem vai ao supermercado, Norman Mailer
Tempos instáveis, Fernando de Barros e Silva
A vida como performance, Kenneth Tynan
O voyeur, Gay Talese
Vida de escritor, Gay Talese
A vida secreta da guerra, Peter Beaumont
Vultos da República, org. Humberto Werneck
O xá dos xás, Ryszard Kapuściński

GAY TALESE

Fama e anonimato

Tradução
Luciano Vieira Machado

Posfácio
Humberto Werneck

7ª reimpressão

JORNALISMO LITERÁRIO
COMPANHIA DAS LETRAS

Copyright © 2004 by Gay Talese. Todos os direitos reservados.
Copyright do posfácio © 2004 by Humberto Werneck

Grafia atualizada segundo o Acordo Ortográfico da Língua Portuguesa de 1990, que entrou em vigor no Brasil em 2009.

Título original
Fame and obscurity

"Na ponte" foi publicado na revista The New Yorker, *em dezembro de 2002. "Como não entrevistar Frank Sinatra" foi publicado no número 6 da revista* Creative Nonfiction

Capa
João Baptista da Costa Aguiar

Preparação
Victor Aiello Tsu
Paulo Werneck

Revisão
Carmen S. da Costa
Renato Potenza Rodrigues

Dados Internacionais de Catalogação na Publicação (CIP)
Câmara Brasileira do Livro, SP, Brasil
_____

Talese, Gay
    Fama e anonimato / Gay Talese ; tradução Luciano Vieira Machado ; posfácio Humberto Werneck. — 2ª ed. — São Paulo : Companhia das Letras, 2004.

    Título original: Fame and obscurity.
    ISBN 85-359-0489-1

    1. Nova York (N. Y.) – Descrição e viagens 2. Repórteres e reportagens I. Werneck, Humberto. II. Título.

04-1912   CDD-920.073
_____

Índice para catálogo sistemático:
1. Coletâneas de biografias de pessoas residentes
   nos Estados Unidos   920.073

[2021]
Todos os direitos desta edição reservados à
EDITORA SCHWARCZ S.A.
Rua Bandeira Paulista 702 cj. 32
04532-002 — São Paulo — SP
Telefone (11) 3707-3500
www.companhiadasletras.com.br
www.blogdacompanhia.com.br
facebook.com/companhiadasletras.com.br
instagram.com/companhiadasletras
twitter.com/cialetras

Sumário

Prefácio do autor 9

PARTE I — NOVA YORK: A JORNADA DE UM SERENDIPITOSO

Nova York é uma cidade de coisas que passam despercebidas 19
Nova York é uma cidade de anônimos 39
Nova York é uma cidade de personagens 57
Nova York é uma cidade de profissões estranhas 77
Nova York é uma cidade dos esquecidos 113

PARTE II — A PONTE

1. Os *boomers* 135
2. Pânico no Brooklyn 146
3. Sobrevivência dos mais aptos 158
4. Calouros e empurradores 175
5. Roubando a roda de Benny 183
6. Morte numa ponte 202

7. Palco no céu	215
8. Os índios	228
9. De volta a Bay Ridge	239
10. A febre da estrada	248

PARTE III — EXCURSÃO AO INTERIOR

Frank Sinatra está resfriado	257
O perdedor	308
A psique sensível de Joshua Logan	335
O outono de um herói	357
Peter O'Toole de volta à terrinha	387
VOGUElândia	400
Procurando Hemingway	412
A festa acabou	435
A ética étnica de Frank Costello	438
Joe Louis: o rei na meia-idade	460
Sr. Má Notícia	478

APÊNDICE

Na ponte	497
Como não entrevistar Frank Sinatra	508

Posfácio
A arte de sujar os sapatos — Humberto Werneck	523

FAMA E ANONIMATO

Frank Sinatra em 1962

Floyd Patterson em 1954

Construção da ponte
Verrazano-Narrows, em 1963

Prefácio do autor

A maioria dos textos deste livro se enquadra num tipo de reportagem que se costuma classificar de "novo jornalismo", "nova não-ficção" ou "parajornalismo", sendo a última uma forma pejorativa cunhada pelo falecido crítico Dwight MacDonald, que tinha lá suas desconfianças em relação a esse gênero, pois achava, assim como alguns outros críticos, que seus autores deturpavam os fatos para conseguir um maior efeito dramático.

Eu não concordo. Embora muitas vezes seja lido como ficção, o novo jornalismo não é ficção. Ele é, ou deveria ser, tão fidedigno quanto a mais fidedigna reportagem, embora busque uma verdade mais ampla que a obtida pela mera compilação de fatos passíveis de verificação, pelo uso de aspas e observância dos rígidos princípios organizacionais à moda antiga. O novo jornalismo permite, na verdade exige, uma abordagem mais imaginativa da reportagem, possibilitando ao autor inserir-se na narrativa se assim o desejar, como fazem muitos escritores, ou assumir o papel de um observador neutro, como outros preferem, inclusive eu próprio.

Eu procuro seguir os objetos de minha reportagem de forma discreta, observando-os em situações reveladoras, atentando para suas reações e para as reações dos outros diante deles. Tento apreender a cena em sua inteireza, o diálogo e o clima, a tensão, o drama, o conflito, e então em geral a escrevo do ponto de vista da pessoa retratada, às vezes revelando o que esses indivíduos pensam durante os momentos que descrevo. Esse tipo de insight depende, naturalmente, da cooperação total da pessoa sobre a qual se escreve, mas se o escritor goza de sua confiança, é possível, por meio de entrevistas, fazendo as perguntas certas nas horas certas, apreender e reportar o que se passa na mente de outras pessoas.

Recorri muito a essa técnica em meus quatro últimos livros, inclusive *A mulher do próximo*; este, publicado em 1980, descreve a vida sexual privada e os valores morais cambiantes de muitos casais americanos na era "liberada" de antes da aids. E em 1990 meu interesse jornalístico pela esfera da intimidade fez com que eu me afastasse de meu papel de "observador neutro", e me surpreendi invadindo minha própria privacidade e a de meus antepassados estrangeiros, em meu livro *Unto the sons*, publicado há pouco tempo.

Mas relendo *Unto the sons* agora, em 1992, notei que ele contém numerosas observações, e mesmo frases, que foram publicadas pela primeira vez nos idos da década de 1960, quando eu estava envolvido com o livro que o leitor tem nas mãos, *Fama e anonimato*. E embora *Fama e anonimato* não chegue a pôr em prática tudo que creio ser possível na não-ficção criativa, com certeza marca a passagem do "velho" jornalismo que eu praticava no *New York Times* na década de 1950 para o estilo de reportagem mais livre e mais desafiador que a revista *Esquire* aceitava e estimulava, sob a editoria do falecido Harold Hayes.

Comecei a escrever na *Esquire* em 1960, com um ensaio sobre as pessoas anônimas de Nova York, uma série de vinhetas sobre aqueles que ninguém vê, fatos estranhos e acontecimentos bizarros que me seduziram durante minhas andanças pela cidade como jornalista. Quando a *Esquire* publicou o ensaio, eu decidi ampliá-lo para produzir um livro ilustrado que a Harper & Row lançou em 1961, com o título de *New York — A serendipiter's journey* [Nova York — A jornada de um serendipitoso]. O texto desse livro constitui a primeira parte desta edição de *Fama e anonimato*; para mim, agora ele representa minha visão juvenil de Nova York, dinamizada por uma mistura de admiração e espanto, e me lembra também de quão destrutiva uma cidade pode se tornar, quanto ela promete muito mais do que pode cumprir, e de como estava certo E. B. White quando escreveu, muitos anos atrás: "Ninguém deve vir morar em Nova York a menos que esteja disposto a ter muita sorte". Há também nesses escritos os primeiros sinais de meu interesse pelo uso de técnicas de ficção, um desejo, de certa forma, de dar à reportagem o tom que Irwin Shaw e John O'Hara deram ao conto.

Na segunda parte de *Fama e anonimato,* chamada "A ponte", minha escrita é menos difusa, porque me concentrei, meses a fio, num grupo de homens extraordinários que começaram a trabalhar em Nova York, em 1961, na construção da grande ponte Verrazano-Narrows, entre Staten Island e o Brooklyn. Entre 1961 e 1964 passei todo o tempo que me foi possível no canteiro de obras da ponte, não apenas visitando os barracões dos operários de ambos os lados do rio Hudson, mas também muitas vezes pondo um capacete e misturando-me aos homens nas vigas de aço e nos cabos que se estendiam cerca de 180 metros acima do mar. Muitos desses operários de pés firmes eram índios da reserva de Caughnawaga, perto de Montreal, e vez por outra eu os acompanhei nas visitas que faziam a suas famílias nos fins de semana, achando as viagens de carro, com motoristas encharcados de uísque, muito mais assustadoras que minhas andanças nas alturas, nas estreitas vigas da ponte, em dias de mais vento. Nunca vou esquecer as ocasiões em que vi nosso carro sair da estrada e atingir de raspão renques de sequóias e, uma vez, um cervo saltitante, que fez um pequeno estrago.

Essas excursões acabaram para mim em 1964, com a publicação, pela Harper & Row, do livro ilustrado *The bridge*, texto que é reproduzido nesta edição de *Fama e anonimato* tal qual foi escrito; assim sendo, a linguagem que nele usei nem sempre é "politicamente correta", segundo o jargão desta década de 1990: não transformei meus índios em "americanos nativos" nem impliquei com meus personagens masculinos que assobiavam para belas "garotas" e não para "jovens mulheres"; tampouco atualizei as minhas cifras, mesmo se minha definição de "abundância" hoje em dia se reduza à linha de pobreza.

A terceira parte de *Fama e anonimato* se concentra nos sonhos e nas aspirações declinantes de muita gente bastante familiarizada com o errático vaivém dos holofotes da fama — pessoas como o cantor Frank Sinatra, a lenda do beisebol Joe DiMaggio, o ex-campeão de boxe Floyd Patterson, o ator Peter O'Toole, as garotas da capa da *Vogue*, a personalidade literária George Plimpton e o que um agente chamou de "gangue nova-iorquina de East Side" de Plimpton — esses e vários outros temas da terceira parte são apresentados num estilo que se aproxima bastante da invejável e aparentemente fácil leveza de meus contistas preferidos.

Um dos primeiros exemplos desse estilo é o perfil que fiz para a *Esquire* em 1962, de Joe Louis, um pugilista que, embora afastado do boxe, insiste em lutar; a matéria começa com o cinqüentão Louis, cansado de três dias e noites de diversão em Nova York com algumas fãs, desembarcando no aeroporto de Los Angeles, onde é recebido por sua terceira mulher, uma advogada — uma cena em que eles se desentendem, com diálogos que parecem ter sido inspirados pela cena de rua entre marido e esposa do conto "Girls in their summer dresses", de Irwin Shaw.

Em meu perfil do diretor teatral Joshua Logan ("A psique sensível de Joshua Logan"), eu estava no teatro certa tarde assistindo Logan ensaiar sua peça quando, de repente, ele e a atriz principal, Claudia McNeil, entraram numa discussão que, além de assumir um tom mais dramático que a própria peça, revelava algo do caráter de Logan e de McNeil que eu não poderia ter apreendido se tivesse adotado um estilo de reportagem mais convencional.

Quando estava pesquisando para traçar o perfil de Frank Sinatra ("Frank Sinatra está resfriado") descobri que a cooperação — ou a falta dela — por parte da pessoa a ser retratada não importa muito, desde que o escritor possa acompanhar seus movimentos, ainda que à distância. Durante o tempo que passei em Los Angeles, Sinatra não se dispôs a cooperar. Eu cheguei num momento muito ruim para Sinatra, pois ele padecia de um resfriado e de muitos outros incômodos, e não consegui a entrevista que me havia sido prometida. Mesmo assim, pude observá-lo durante as seis semanas que passei fazendo a pesquisa, assistindo a sessões de gravação em estúdio, vendo-o no *set* de filmagem, nas mesas de jogo de Las Vegas, e testemunhei suas mudanças de humor, sua irritação e desconfiança quando achava que eu estava me aproximando demais, e seu prazer e gentileza quando, cercado de gente de sua confiança, conseguia relaxar. Foi mais proveitoso observá-lo, ouvir as suas conversas, estudar a reação das pessoas à sua volta do que me sentar e conversar com ele, caso tivesse me concedido a entrevista.

Joe DiMaggio ("O outono de um herói") se mostrou ainda mais relutante, no início de minha pesquisa sobre ele em San Francisco, em 1965. Eu conhecera DiMaggio seis meses antes, em Nova York, e na ocasião ele tinha prometido cooperar.

Mas sua atitude mudou radicalmente quando cheguei à porta de seu restaurante em Fisherman's Wharf, em San Francisco. Ainda assim, o modo tenso e irritado como ele me recebeu em San Francisco me valeu uma interessante cena de abertura que não apenas testemunhei mas da qual participei, sendo expulso do local pelo próprio DiMaggio. Consegui me reaproximar dele alguns dias depois porque lhe pedi, por intermédio de um amigo seu, também parceiro de golfe, que me permitisse acompanhar as duas duplas de jogadores em sua volta pelos dezoito buracos. Durante a partida de golfe, DiMaggio, que odeia perder bolas de golfe, perdeu três. Eu as encontrei. A partir daí sua atitude com relação a mim mudou sensivelmente; fui convidado a assistir a outras partidas de golfe e a acompanhá-lo num encontro com outros amigos no Reno's, um bar em San Francisco onde fiz boa parte do trabalho.

Exceto uma ou outra mudança de palavras, como as que fiz visando recuperar as obscenidades pitorescas de Peter O'Toole, amenizadas pelos editores da *Esquire*, não atualizei nenhum dos textos deste livro. Eles se apresentam simplesmente como uma coletânea de meus primeiros trabalhos; não obstante, como já disse, existe uma relação entre estes trabalhos e os que eu viria a desenvolver em meus livros mais conhecidos. Os textos sobre Joe DiMaggio, Frank Sinatra e também o que trata do gângster Frank Costello ("A ética étnica de Frank Costello") contêm temas que aprofundei mais tarde em meu livro sobre a máfia — *Honrados mafiosos*. Esse material é retomado e desenvolvido de forma diferente e pessoal em meu livro mais recente, acima mencionado, *Unto the sons*, há pouco publicado pela Ivy em brochura. O último perfil de *Fama e anonimato* ("Sr. Má Notícia") descreve a vida de um obscuro jornalista especializado na redação de obituários, que conheci à época em que eu trabalhava na editoria de Notícias Locais do *New York Times*. Escrevi sobre ele para a *Esquire*, e aquela foi a primeira vez que descrevi um colega de jornalismo para os leitores de todo o país; quatro anos depois, em 1969, continuei com uma galeria desses colegas num livro sobre o *New York Times* que se tornou meu primeiro best-seller, *O reino e o poder*. *A mulher do próximo* nasceu de minha curiosidade pelos "maus pensamentos" e pelos pecados sexuais de que as freiras da minha escola paroquial e o vigário não paravam de falar durante toda a minha infância — infância que retomei em *Unto the sons*.

E por aí vai. As obsessões de um escritor vêm à tona e voltam a aflorar numa espiral imprevisível; as técnicas evoluem, mas a imaginação permanece.

Gay Talese
Agosto de 1992

PARTE I
NOVA YORK:
A JORNADA DE UM SERENDIPITOSO

Nova York é uma cidade de coisas que passam despercebidas

Nova York é uma cidade de coisas que passam despercebidas. É uma cidade que tem gatos dormindo debaixo dos carros, dois tatus de pedra que escalam a catedral de St. Patrick e milhares de formigas que rastejam no alto do Empire State Building. As formigas provavelmente foram levadas para lá pelo vento ou pelos pássaros, mas ninguém sabe ao certo; ninguém em Nova York sabe mais sobre as formigas do que sobre o mendigo que toma táxis para o Bowery; ou sobre o homem alinhado que retira lixo dos latões da Sexta Avenida; ou sobre o médium das imediações da rua 77 Oeste que afirma: "Sou clarividente, clariaudiente e clarissensorial".

Nova York é uma cidade para excêntricos e uma central de pequenas curiosidades. Os nova-iorquinos piscam 28 vezes por minuto, quarenta quando estão tensos. A maioria das pessoas que comem pipoca no Yankee Stadium para de mastigar por um instante, pouco antes de um jogador fazer um arremesso. As pessoas que mascam chicletes nas escadas rolantes da Macy's param de mascar por um instante, logo antes de descer — para se concentrar no último degrau. Os funcionários que limpam o tanque dos leões-marinhos do zoológico do Bronx costumam encontrar moedas, clipes de papel, canetas esferográficas e bolsinhas de meninas.

Todo dia os nova-iorquinos enxugam 1,74 milhão de litros de cerveja, devoram 1,5 mil tonelada de carne e passam 34 quilômetros de fio dental entre os dentes. Todo dia morrem cerca de 250 pessoas em Nova York, nascem 460, e 150 mil andam pela cidade com olhos de vidro.

Um porteiro da Park Avenue tem três fragmentos de bala na cabeça — que estão lá desde a Primeira Guerra Mundial. Muitas jovens filhas de ciganos, influenciadas pela televisão e pelas leituras, fogem de casa porque não querem crescer e virar cartomantes. Todo mês, quinhentos quilos de cabelo são entregues a Louis Feder, no número 545 da Quinta Avenida, onde se confeccionam perucas loiras com cabelos de mulheres alemãs e perucas morenas com cabelos de francesas e italianas. Não se fazem perucas com cabelos de americanas, diz o sr. Feder, porque são muito fracos devido ao excesso de lavagens e permanentes.

Alguns dos homens mais bem informados de Nova York são ascensoristas, que raramente falam, mas sempre escutam — da mesma forma que os porteiros. O porteiro do Sardi's ouve os comentários dos espectadores das estreias, que passam pelo bar depois do último ato. Ele ouve de perto. Atentamente. Dez minutos depois de cair o pano, ele é capaz de dizer quais espetáculos serão um fracasso e quais serão um sucesso.

Na Broadway, ao anoitecer, pára um grande Rolls-Royce 1948 preto — e dele sai uma senhora baixinha, munida de uma Bíblia e de um cartaz em que se lê "Os condenados perecerão". Ela se dirige a uma esquina, onde fica bradando às multidões de pecadores da Broadway até as três da manhã, quando então o Rolls-Royce a leva de volta a Westchester. A essa altura a Quinta

Avenida está praticamente vazia, exceto por uns poucos caminhantes insones, um ou outro taxista procurando clientes, e um grupo de mulheres sofisticadas que fica nas vitrines noite e dia, exibindo sorrisos frios e perfeitos — compostos de lábios de argila, olhos de vidro e rostos que não deixarão de brilhar enquanto a pintura não perder a cor. Como sentinelas, elas se enfileiram na Quinta Avenida — esses manequins de vitrine, que fitam a rua silenciosa, cabeças inclinadas, dedos dos pés delgados, e nas mãos compridos dedos de borracha estendendo-se para pegar cigarros inexistentes. Às quatro da manhã, algumas vitrines se tornam um estranho reino encantado, de deusas magricelas, todas paralisadas, prestes a correr para uma festa, mergulhar numa piscina ou flutuar em direção ao céu num vaporoso robe azul.

Essa ilusão fantástica se deve, em parte, a uma imaginação delirante, mas também à incrível capacidade dos fabricantes de manequins, que os dotaram de certos traços individuais — partindo do princípio de que não existem duas mulheres totalmente iguais, nem mesmo de plástico ou de gesso. O resultado é que os manequins da Peck & Peck são feitos para parecerem jovens e esbeltos, enquanto os da Lord & Taylor têm ar mais grave e cabelo curto, penteado para a frente. Na Saks eles são tímidos porém maduros, ao passo que na Bergdorf's possuem uma elegância sem idade e dão a impressão de serena opulência. Os perfis dos manequins da Quinta Avenida foram modelados a partir das mulheres mais encantadoras do mundo — mulheres como Suzy Parker, que posou para a empresa Best & Co., e Brigitte Bardot, que serviu de inspiração para alguns manequins da Saks. A preocupação em fazer manequins quase humanos, dotando-os de curvas, talvez seja responsável pelo estranho fascínio que muitos nova-iorquinos têm por essas virgens sintéticas. É por isso que alguns vitrinistas muitas vezes conversam com manequins e lhes dão apelidos, e que os manequins nus nas vitrines sempre atraem os homens, enojam as mulheres e foram proibidos na cidade de Nova York. Isso explica por que alguns manequins são atacados por tarados, e por que o esbelto manequim de uma loja de White Plains foi encontrado no porão, pouco tempo atrás, com as roupas rasgadas, a pintura manchada e o corpo apresentando marcas de uma tentativa de estupro. Certa noite a polícia montou uma armadilha e pegou o agressor — um homenzinho tímido: o porteiro.

Quando o trânsito diminui e a maioria das pessoas está dormindo, algumas regiões de Nova York começam a fervilhar de gatos. Eles se movem rapidamente nas sombras dos edifícios; guardas-noturnos, policiais, lixeiros e outros viandantes noturnos os veem — mas nunca por muito tempo. A maioria fica rondando os mercados de peixe, no Greenwich Village, e as vizinhanças de East e West Side, onde abundam as latas de lixo. Nenhuma parte da cidade está livre, porém, dos animais perdidos, e manobristas do turno da noite, numa área movimentada como a da rua 54, chegaram a contar, de manhãzinha, vinte gatos nas proximidades do Ziegfeld Theatre. Esquadrões de gatos patrulham os píeres da orla marítima durante a noite, à procura de ratos. Fiscais de linha do metrô se depararam com gatos que vivem na escuridão. Parece que nunca são atingidos pelos trens, mas vez por outra um deles é morto pelo trilho de energia. Cerca de 25 gatos vivem 22 metros abaixo do extremo oeste do Grand Central Terminal, são alimentados pelos trabalhadores das galerias subterrâneas e nunca saem à luz do dia.

Os gatos das ruas, vagabundos e independentes, vivem uma vida estranhamente diferente da dos gatos de apartamento. A maioria tem pulgas. Muitos morrem devido às intempéries, comida envenenada e desnutrição; vivem em média dois anos, ao passo que os gatos que moram em casas vivem de dez a doze anos, ou mais. A cada ano a Associação Americana de Prevenção à Crueldade contra os Animais (ASPCA) mata cerca de 100 mil gatos de rua nova-iorquinos, para os quais não se encontrou um lar.

A ascensão social entre os gatos perdidos de Gotham* não é coisa muito comum. Eles raramente obtêm um endereço melhor por escolha própria. Em geral morrem nos quarteirões onde nasceram, embora haja casos como o de um gato pulguento que foi recolhido pela ASPCA e adotado por uma mulher rica; agora ele vive num luxuoso apartamento do East Side e veraneia na propriedade da senhora em Long Island. Certa vez a Sociedade Americana de Felinos levou dois gatos para a sede das Nações Unidas, quando se descobriu que alguns arquivos estavam infestados de ratos. "Os gatos agora estão cuidando deles", diz Robert Lothar Kendell, presidente da Associação. "E eles parecem muito contentes nas Nações Unidas. Um dos gatos costuma dormir sobre um dicionário de chinês."

Em cada região de Nova York os gatos de rua são dominados por um "chefe" — o gato maior e mais forte. Mas, exceto pela existência do chefe, não há muita organização na sociedade dos gatos de rua. Dentro da sociedade, porém, são três os "tipos" de gatos — gatos selvagens, gatos boêmios e gatos de mercearia (ou de restaurante), estes últimos em regime de meio período.

Os gatos selvagens têm de contar, para se alimentarem, com ratos ou com uma lata de lixo eventualmente mal tampada; eles têm muito pouco ou nada a ver com pessoas — nem mesmo com as que poderiam alimentá-los. Esses gatos, de todos os mais malcuidados, têm um olhar assustado fácil de reconhecer, olhos arregalados e uma expressão selvagem, e podem ser encontrados para os lados da zona portuária.

---

* *Gotham*: Nova York. (N. T.)

Os boêmios, porém, são mais dóceis. Eles não fogem das pessoas. Não são raros os que recebem alimentação nas ruas, todos os dias, de gente que gosta de gato (em geral mulheres), que os chama de "crianças", "anjos" ou "queridinhos", e fica indignada quando os objetos de seu amor são chamados de "gatos de rua". A maioria dos gatos boêmios é tão pontual na hora de se alimentar que um amante de gatos está convencido de que eles têm noção das horas. Citou o caso de um gato cinza malhado que aparece, cinco dias por semana, precisamente às 17h30, em um edifício de escritórios na esquina da Broadway com a rua 17, onde o ascensorista lhe dá comida. Mas o gato nunca aparece aos sábados e domingos; ele parece saber que as pessoas não trabalham nesses dias.

Os gatos de mercearia (ou de restaurante), em regime de meio período, em geral boêmios regenerados, comem bem e mantêm os roedores à distância, mas costumam usar mercearias como hotel e preferem passar as noites vagando pelas ruas. A despeito do horário de trabalho bastante folgado, gozam dos mesmos privilégios de outro tipo de gato em condição próxima da sua — o gato de mercearia em tempo integral —, até mesmo o direito de dormir na janela. Um boêmio regenerado de uma delicatessen da Bleecker Street fica escondido atrás da porta e expulsa todos os outros boêmios em busca de restos.

Aliás, o número de gatos de mercearia em regime de tempo integral diminuiu muito desde o declínio das mercearias e a ascensão dos supermercados em Nova York. Com formas mais eficientes de combate aos ratos, métodos aperfeiçoados de embalagem de alimentos e melhores condições de higiene, cadeias de supermercados como a A&P raramente mantêm gatos em tempo integral.

Na zona portuária, porém, a demanda continua grande. Certa vez um estivador alérgico a gatos os envenenou. No dia seguinte o lugar já estava infestado de ratos. Para onde quer que se virassem, os homens viam ratos nos caixotes. No Píer 95, os ratos começaram a roubar a comida dos estivadores e até atacaram os homens. Por causa disso, os estivadores arrebanharam gatos das áreas vizinhas, e agora os ratos estão sob controle.

"Mas os gatos não podem dormir sossegados por aqui", disse um estivador. "É impossível. Os ratos cairiam em cima deles. Tivemos casos em que o rato estraçalhou o gato. Mas isso é meio raro. Os gatos da zona portuária, em sua maioria, são uns desgraçados."

Às cinco da manhã, Manhattan é uma terra de trompetistas exaustos e de garçons a caminho de casa. Os pombos dominam a Park Avenue e passeiam tranquilamente no meio da rua. Esse é o horário mais agradável de Manhattan. A maioria das pessoas *da noite* já desapareceu de vista, mas o pessoal *do dia* ainda não chegou. Os motoristas de caminhão e de táxi estão a postos, mas não perturbam o ambiente. Não perturbam a tranquilidade do Rockefeller Center, totalmente deserto, nem dos guardas noturnos impassíveis do mercado de peixe Fulton, tampouco do frentista adormecido, com o rádio ligado, perto do restaurante Sloppy Louie's.

Às cinco da manhã, os empregados da Broadway já foram para casa ou para os bares que ficam abertos a noite inteira, onde, sob a luz forte, ficam visíveis suas costeletas e seus trajes peculiares. E na rua 57 um veículo da imprensa está estacionado no meio-fio, com um fotógrafo que não tem nada para fazer. Por isso ele permanece ali sentado por algumas noites, olhando pelo para-brisa, e logo se torna um fino observador da vida depois da meia-noite.

"À uma da manhã", diz ele, "a Broadway se enche de sujeitos presunçosos e de garotos que saíram do Astor Hotel de summer jacket — garotos que pegam o carro dos pais e saem para dançar. Veem-se também faxineiras voltando para casa, sempre de lenço na cabeça. Lá pelas duas da manhã, alguns bêbados começam a se descontrolar, e chega a hora das brigas de bar. Às três da manhã já acabou o último show nas boates, e a maioria dos turistas e dos encarregados de compras de outras cidades já está de volta aos seus hotéis. Às quatro da manhã, quando os bares fecham, você vê os bêbados nas ruas — e também os proxenetas e as prostitutas que tiram vantagem dos bêbados. Às cinco, porém, reina a calma quase por toda parte. Nova York é uma cidade completamente diferente às cinco da manhã."

Às seis da manhã os primeiros trabalhadores começam a emergir das estações de metrô. Na Broadway, o trânsito flui como um rio. E a sra. Mary Woody salta da cama, corre para o escritório e telefona para dezenas de nova-iorquinos sonolentos para dizer-lhes numa voz animada, raramente ouvida com prazer: "Bom dia. Hora de levantar". Durante vinte anos, como funcionária do serviço despertador da Western Union, a sra. Woody já tirou milhões da cama.

Às sete da manhã um homenzinho de aspecto bastante robusto, parecendo um parisiense com sua boina azul e suéter de gola rulê, anda a passos lépidos pela Park Avenue rumo às casas de suas amigas ricas, para garantir que cada uma delas receba uma vigorosa massagem antes do café da manhã. Os porteiros uniformizados o cumprimentam efusivamente e o chamam de "Biz" ou de "Mac", porque ele é Biz Mackey, um extraordinário massagista de senhoras.

O sr. Mackey é um sujeito ativo e empertigado que sempre carrega uma maleta de couro com os linimentos, cremes e toalhas que usa em seu ofício. Lá sobe ele pelo elevador; meia hora depois ele desce e vai ao encontro de outra senhora — uma cantora de ópera, uma atriz de cinema, uma tenente da polícia.

Biz Mackey, ex-pugilista peso-pena, começou a massagear profissionalmente as mulheres em Paris, nos anos 1920. Ele perdera uma luta num torneio europeu e resolveu dar um basta naquilo. Um amigo sugeriu que ele procurasse uma escola de massagistas; seis meses depois ele conseguiu sua primeira cliente — Claire Luce, atriz que na época atuava no *Folies Bergère*. Ela gostou dele e lhe mandou novas clientes — Pearl White, Mary Pickford e uma gorda soprano wagneriana. Foi preciso a Segunda Guerra Mundial para tirar Biz de Paris.

Quando ele voltou para Manhattan, sua clientela europeia continuou a recorrer aos seus serviços quando vinha para cá. Biz, agora na casa dos setenta, continua forte. Ele atende mais ou menos sete mulheres por dia. Seus braços grossos e dedos fortes têm um toque milagrosamente suave. Ele é discreto, e é por isso que as senhoras nova-iorquinas o preferem. Ele as visita em casa, e tem chaves especiais de portas que dão para o quarto de cada uma; muitas vezes é o primeiro homem que elas veem de manhã. As mulheres permanecem deitadas na cama, a esperá-lo. Ele nunca revela os nomes de suas clientes, mas quase todas são ricas e de meia-idade.

"As mulheres não querem que as outras saibam da vida delas", explica Biz. "Você sabe como são as mulheres", ele acrescenta de repente, sem deixar nenhuma dúvida de que ele, de sua parte, sabe.

Em geral os porteiros pelos quais Biz passa toda manhã constituem um grupo de obsequiosos e articulados diplomatas de calçada, que contam entre seus amigos alguns dos homens mais poderosos, algumas das mulheres mais belas e alguns dos poodles mais empertigados de Manhattan. Normalmente são altos, têm os traços um tanto grotescos e uns olhos de águia capazes de enxergar um cliente generoso nas gorjetas a um quarteirão de distância, no dia mais enevoado do ano.

Alguns porteiros do East Side são orgulhosos feito magnatas e figurões, e seus uniformes, profusamente engalanados, parecem ter vindo do alfaiate do marechal Tito. A maioria dos porteiros de hotel são grandes mexeriqueiros, fanfarrões e dados a respostas insolentes; têm uma enorme capacidade de lembrar nomes e de avaliar a qualidade do couro das malas. (Eles avaliam a riqueza de um hóspede pelas suas malas, e não pelas roupas.)

Existem atualmente em Manhattan 650 porteiros de edifícios de apartamentos, 325 porteiros de hotéis (catorze no Waldorf Astoria) e um número desconhecido, mas muito grande, de porteiros de restaurantes e de teatros, de boates, porteiros aliciadores, e porteiros sem portarias.

Os porteiros sem portaria, errantes e não sindicalizados, não costumam trabalhar de uniforme (mas usam chapéus alugados), andam sorrateiramente pela cidade abrindo portas de carro em dias de grande movimento — noites de ópera, concertos, convenções e torneios de lutas. O porteiro do Brass Rail, Christos Efthimiou, diz que os porteiros sem portaria sabem quando ele está de folga (segundas e terças-feiras) e que nesses dias assumem o seu posto na esquina da Sétima Avenida com a rua 49.

Os porteiros aliciadores, que muitas vezes usam uniformes alugados (mas têm seus próprios chapéus), postam-se diante de clubes de jazz que apresentam shows, como os da rua 52. Além de abrir portas e conseguir táxis, os porteiros aliciadores às vezes sussurram para os passantes: "Psiu! Não tem couvert — tem várias garotas lá dentro... a nova Rainha do Alasca!".

Embora certamente não exista um porteiro na cidade que não viva jurando ser mal pago e menosprezado, muitos porteiros de hotel admitem que numa boa semana de chuva chegam a ganhar quase duzentos dólares só em gorjetas. (Quando chove, aumenta a procura por táxis, e porteiros que providenciam guarda-chuvas e táxis raramente deixam de receber gorjetas.)

Quando chove em Manhattan o trânsito fica lento, compromissos se perdem e, nos saguões de hotel, as pessoas somem por trás de jornais ou ficam andando à deriva sem lugar para sentar, sem ninguém com quem conversar, sem nada para fazer. É mais difícil conseguir um táxi; nas lojas, as vendas caem entre 15% e 25%, e os macacos do zoológico do Bronx, sem o público costumeiro, resmungam macambúzios em suas jaulas, com ar mais entediado que o dos desocupados dos saguões dos hotéis.

Muitos nova-iorquinos ficam mal-humorados com a chuva, mas outros a apreciam. Gostam de andar sob a chuva e dizem que quando chove os edifícios da cidade de certa forma parecem mais limpos — banhados num tom opalino, como uma pintura de Monet. Há menos suicídios em Nova York quando chove; quando o sol brilha, porém, e os nova-iorquinos se mostram felizes, as pessoas deprimidas mergulham mais fundo na depressão e o Hospital Bellevue recebe mais gente que tentou tirar a própria vida.

Mas um dia de chuva em Nova York é um belo dia para os vendedores de capas impermeáveis e guarda-chuvas, para chapeleiras e mensageiros de hotel, e para membros do Consulado-Geral Britânico, que gostam da chuva pois ela lembra sua terra natal. Segundo a companhia energética Consolidated Edison, gastam-se 120 mil dólares a mais com eletricidade, em comparação com os dias de sol; milhares de calças perdem o vinco por causa da chuva, e a lavanderia Norton, da rua 45, passa em média 125 calças a mais em dias assim.

A chuva borra o rímel dos olhos das modelos que não conseguem táxis; e a chuva estraga o dia dos policiais, dos manifestantes, dos engraxates e dos ladrões de Times Square — que tendem a ficar desanimados quando se molham.

Toda manhã, pouco depois das sete e meia, enquanto a maioria dos nova-iorquinos ainda está com os olhos inchados de sono, centenas de pessoas formam filas na rua 42 esperando a abertura, às oito da manhã, de oito salas de cinema, que ficam praticamente vizinhas umas das outras, entre Times Square e a Oitava Avenida.

Quem são essas pessoas que vão ao cinema às oito da manhã? São os guardas-noturnos da cidade, os homens de rua, ou pessoas que não conseguem dormir, não podem ir para casa ou simplesmente não têm casa. São motoristas de caminhão, homossexuais, policiais, taxistas, faxineiras e empregados de restaurante que trabalharam a noite inteira. São também os alcoólatras que esperam as oito horas para conseguir, por quarenta centavos, um assento macio, onde poderão dormir na penumbra acolhedora e esfumaçada do cinema.

Além da penumbra que oferecem, cada cinema de Times Square tem a sua qualidade (ou falta de qualidade) particular. No cine Victory só passam filmes de terror, ao passo que o cine Times Square só apresenta filmes de caubói. O Lyric apresenta filmes inéditos por quarenta centavos, e no Selwyn dá para ver reprises por trinta centavos. Tanto o Liberty como o Empire passam relançamentos, e o Apollo só apresenta filmes estrangeiros. Fazia vinte anos que os filmes estrangeiros rendiam uma boa bilheteria ao Apollo; William Brandt, um dos proprietários, nunca entendeu por quê. "Até que um dia", disse ele, "fui dar uma olhada e vi gente na entrada falando com as mãos; percebi que eram quase todos surdos-mudos. Eles frequentam o Apollo porque leem as legendas dos filmes estrangeiros; o Apollo tem provavelmente o maior público de surdos-mudos de todo o mundo."

Nova York é uma cidade que tem 8485 telefonistas, 1364 mensageiros da Western Union e 112 office-boys de redação de jornal. Um público médio de beisebol no Yankee Stadium usa mais de 38 litros de sabonete líquido por partida — um recorde de limpeza não oficial nas duas ligas mais importantes de beisebol profissional; o estádio tem o maior número de lanterninhas (360), de varredores (72) e de banheiros masculinos (34) da liga.

Em Nova York há quinhentos médiuns, desde os tipos que entram em transe leve até os que entram em transe profundo. A maioria vive entre as ruas 77, 80 e 90 Oeste, e aos domingos alguns desses quarteirões ficam em comunicação com os mortos, ressoando trombetas e resolvendo todos os problemas.

Em Nova York, a loja de lingerie Fifht Avenue [Quinta Avenida] fica na Madison Avenue; a Madison Pet Shop fica na Lexington Avenue; a floricultura Park Avenue fica na Madison Avenue, e a lavanderia Lexington fica na Terceira Avenida. Nova York é uma cidade com 120 casas de penhores; é uma cidade em que o irmão do bispo Sheen, o dr. Sheen, divide um escritório com um certo dr. Bishop.*

Num tranquilo predinho *brownstone* da Lexington Avenue, na esquina da rua 82, um farmacêutico chamado Frederick D. Lascoff há anos tem vendido sanguessugas para pugilistas al-

---

* *Bishop*: em inglês, bispo. (N. T.)

quebrados, óleo de erva-dos-gatos para caçadores de leões e milhares de poções estranhas para gente de todas as partes do mundo.

Todo mês, numa lúgubre fábrica de West Side, uma longa faixa de papelão desliza de um lado para outro, como um réptil interminável, numa máquina impressora, depois do que é cortada em milhares de pedacinhos irritantes. Cada pedacinho destina-se aos bolsos de um policial, e vai enfeitar o para-brisa de um carro parado em local proibido, aliviando um motorista da quantia de quinze dólares. Todo ano, a empresa May Tag and Label Corp., localizada na rua 19 Oeste, imprime 500 mil cartões de quinze dólares para a polícia de Nova York. Muitas vezes os empregados da empresa veem o produto de seu trabalho pousar em seus próprios para-brisas.

Nova York é uma cidade com duzentos vendedores de castanha, 300 mil pombos e seiscentas estátuas e monumentos. Quando o cavalo da estátua equestre de um general está com ambas as patas dianteiras levantadas, isso significa que o general morreu no campo de batalha; quando umas das patas dianteiras está no chão, o general morreu de ferimentos recebidos em combate; quando todas as patas estão no chão, é provável que o general tenha morrido na cama.

Em Nova York, o tempo todo, dia após dia, dá para ouvir o barulho de pneus no concreto da ponte George Washington. A ponte nunca está completamente imóvel. Ela treme com o trânsito. Ela balança com o vento. Suas grandes veias de aço se dilatam com o calor e se contraem com o frio; no verão, seus arcos costumam ficar três metros mais próximos do rio Hudson do que no inverno. É uma bela e graciosa estrutura, sempre em movimento, que, como uma deusa irresistível, guarda os segredos

dos românticos que a contemplam, dos escapistas que dela saltam, da moça gorducha que percorre penosamente os seus mil metros tentando perder peso, e dos 100 mil motoristas que a atravessam todo dia, se chocam contra ela, tentam trapaceá-la e ficam presos em seus engarrafamentos.

Poucos dos nova-iorquinos e turistas que atravessam a ponte às pressas tomam conhecimento dos trabalhadores que andam em elevadores entre as torres gêmeas 185 metros acima, e pouca gente sabe que já aconteceu de bêbados subirem tranquilamente até o topo e adormecerem lá em cima. De manhã eles ficaram petrificados e tiveram de ser retirados de lá por equipes de socorro.

Pouca gente sabe que a ponte foi construída numa área onde os índios costumavam passar, onde se travaram batalhas e onde, durante os primeiros tempos da colônia, piratas foram enforcados às margens do rio, para servir de advertência a outros marujos imprudentes. A ponte se encontra no lugar onde as tropas de Washington recuaram diante dos invasores britânicos que mais tarde conquistariam Fort Lee, Nova Jersey. Eles ainda encontraram chaleiras no fogo, o canhão abandonado e roupas espalhadas pela rota de fuga da guarnição de Washington, que batia em retirada.

A pista da ponte George Washington está mais de trinta metros acima do pequeno farol vermelho que ficou obsoleto quando a ponte foi construída, em 1931; o acesso à ponte pelo lado de Jersey fica a três quilômetros do lugar onde o mafioso Albert Anastasia viveu, por trás de uma muralha guardada por dobermanns; a praça de pedágio no lado de Jersey fica a seiscentos metros do lugar onde um caminhoneiro não habilitado tentou transportar para o outro lado da ponte, numa carreta, quatro elefantes — e teria conseguido se um deles não tivesse caído lá embaixo. O arco mais alto fica a 67 metros do ponto em que um guarda do Departamento de Transportes subiu, em certa ocasião, para dizer a um aspirante a suicida: "Ouça, seu filho da puta, se você não descer, vou te dar um tiro" — e o homem desceu imediatamente.

Os guardas da ponte ficam alerta o tempo todo. Tem que ser assim. A qualquer momento pode haver um acidente, uma avaria ou um suicídio. Desde 1931, uma centena de pessoas pulou da ponte. Mais de duzentas foram impedidas de fazê-lo. As pessoas que querem se matar pulando da ponte agem rápido e em silêncio. Na beira da pista, elas deixam os carros, casacos, óculos e às vezes um bilhete em que se lê "A culpa é toda minha" ou "Não quero mais viver".

De passagem por Nova York, um solitário encarregado de compras que tinha tomado uns drinques se hospedou certa noite num hotel próximo à rua 64, foi para a cama e acordou no meio da noite com uma visão aterradora. Ele viu, flutuando ao lado de sua janela, a imagem tremeluzente da Estátua da Liberdade.

Imediatamente ele se imaginou dopado e sequestrado, navegando próximo da Liberty Island, onde fica a estátua, com destino a uma desgraça em alto-mar. Mas então, depois de olhar melhor, percebeu que na verdade estava vendo a *segunda* Estátua da Liberdade de Nova York — a pouco conhecida, quase ignorada estátua que fica no alto do armazém Liberty-Pac, no número 43 da rua 64 Oeste.

Essa réplica, bastante convincente, feita em 1902 a pedido de William H. Flattau, proprietário de armazém e patriota, mede dezesseis metros a partir do pedestal, contra os 46 metros da estátua de Bartholdi, em Liberty Island. Essa estátua menor também tinha uma tocha acesa, uma escada em espiral e uma abertura na cabeça, por onde se podia ver a Broadway. Mas em 1912 a escada começou a se deteriorar, a tocha foi carregada pelo vento numa tempestade, e as crianças foram proibidas de correr de um lado para o outro lá dentro. O sr. Flattau morreu em 1931, e com ele se perdeu boa parte das informações sobre a história da estátua.

De vez em quando, porém, os turistas perguntam sobre a estátua aos empregados do armazém e às pessoas do bairro. "Muitas vezes, chegam e dizem: 'Ei, o que é que *aquilo* está fazendo *ali em cima?*'", conta um empregado do estacionamento que fica do outro lado da rua, de frente para a estátua. "Outro dia um texano parou o carro, olhou para cima e disse: 'Eu pensava que essa estátua ficava na água, em algum outro lugar'. Mas algumas pessoas se interessam realmente pela estátua e tiram fotografias. Considero um privilégio trabalhar perto dela, e quando os turistas vêm eu sempre digo a eles que esta é a 'Segunda Maior Estátua da Liberdade do Mundo.'"

Mas a maioria das pessoas na vizinhança não dá atenção para a estátua. As ciganas cartomantes que trabalham à sua esquerda não se importam com ela; os fregueses do bar da sra. Stern, que fica no pé da estátua, também não; tampouco os ruidosos papa sopas do restaurante Bickford's, do outro lado da rua. Um taxista de Nova York, David Zickerman (táxi nº 2865), passou centenas de vezes perto da estátua e nunca soube de sua existência. "Quem diabos olha para cima nesta cidade?", ele pergunta.

Décadas a fio a estátua empunhou uma tocha apagada sobre este bairro de amantes do beisebol de rua, cozinheiros de pratos rápidos, vigias de armazém; sobre mensageiros de hotel mal pagos, policiais e travestis de salto alto que depois da meia-noite saem de entre paredes chamuscadas e vagam por esta cidade que talvez tenha liberdade demais.

Nova York é uma cidade sempre em movimento. Artistas e beatniks vivem no Greenwich Village, antes reduto dos negros. Os negros vivem no Harlem, outrora reduto dos judeus e dos alemães. A riqueza migrou do West Side para o East Side. Os porto-riquenhos se agrupam em toda parte. Só os chineses têm estabilidade em seu enclave, na região da velha esquina da Doyer Street.

Para algumas pessoas, o que melhor simboliza Nova York é o sorriso de uma aeromoça no aeroporto LaGuardia, ou a paciência de um vendedor de sapatos da Quinta Avenida; para outros, a cidade lembra o cheiro de alho dos fundos de uma igreja da Mulberry Street, ou uma área disputada por gangues de jovens, uma propriedade a ser comprada e vendida por Zeckendorf.

Mas fora dos guias turísticos e da Câmara de Comércio, Nova York não é nenhum festival de verão. Para a maioria dos nova-iorquinos, é uma cidade de trabalho duro, de carros demais, gente demais. Muitas pessoas são anônimas, como os motoristas de ônibus, faxineiras e aqueles pornógrafos que picham cartazes de propaganda e nunca são pegos. Muitos nova-iorquinos parecem ter apenas um nome, como os barbeiros, os porteiros, os engraxates. Alguns nova-iorquinos vão pela vida com o nome errado — como Jimmy Brioches, que mora na casa defronte à Delegacia de Polícia da Center Street. Quando Jimmy Brioches, cujo verdadeiro sobrenome é Mancuso, era criança, os policiais que trabalhavam do outro lado da rua gritavam para ele: "Ei, garoto, que tal ir ali na esquina comprar café e brioches pra nós?". Jimmy sempre ia, e logo passaram a chamá-lo "Jimmy Brioches", ou simplesmente "Ei, Brioches". Agora Jimmy é um senhor de cabelos brancos que tem uma filha chamada Jeannie. Mas Jeannie nunca teve sobrenome; todo mundo a chama de "Jeannie Brioches".

* * *

Nova York é a cidade de Jim Torpey, que opera as lâmpadas do painel de notícias de Times Square desde 1928, sem nunca ter figurado nele uma vez sequer; e de George Bannan, o cronometrista oficial do Madison Square Garden, que se manteve como um impávido relógio de pêndulo ao longo de 7 mil lutas de boxe e tocou o sino 2 milhões de vezes. É a cidade de Michael McPadden, que fica sentado atrás de um microfone numa cabine do metrô próxima à linha do trem, e que passa gritando por Times Square, num tom que oscila entre a inanidade e a frustração: "Cuidado ao descer, por favor, cuidado ao descer". Ele dá esse aviso quinhentas vezes por dia, e às vezes gostaria de improvisar. Apesar disso, ele raramente tenta. Há muito ele se convenceu de que é uma voz perdida na barulheira de portas que batem e de corpos que se entrechocam; e antes que possa pensar em alguma coisa espirituosa para dizer, outro trem já chegou da Grand Central, e o sr. McPadden deve dizer (de novo!): "Cuidado ao descer, por favor, cuidado ao descer".

Quando começa a escurecer em Nova York, e todos os fregueses já saíram da Macy's, dez dobermanns pretos começam a andar para cima e para baixo nos corredores, farejando em busca de ladrões que podem estar escondidos atrás de balcões ou entre as roupas dos cabides móveis. Eles percorrem todos os vinte andares da grande loja, e são treinados para subir escadas, pular através de janelas, saltar sobre tabiques e latir diante de qualquer coisa fora do normal — um vazamento no aquecedor, um furo na tubulação de vapor, fumaça ou um ladrão. Se um ladrão tentar fugir, eles o alcançam facilmente, se metem entre suas pernas e o derrubam. Seus latidos já chamaram a atenção dos guardas para muitos problemas sem maior gravidade, mas nunca para um ladrão — ninguém ousou permanecer na loja depois da hora do fechamento, desde que os cachorros chegaram, em 1952.

Nova York é uma cidade com grandes falcões dos penhascos que se empoleiram em arranha-céus e muitas vezes se precipitam para pegar um pombo no Central Park, em Wall Street ou no rio Hudson. Observadores de pássaros já viram esses falcões-peregrinos circulando tranquilamente sobre a cidade. Eles os viram no topo de edifícios altos, até mesmo nas cercanias de Times Square.

Cerca de doze desses falcões, alguns com quase noventa centímetros de envergadura, patrulham a cidade. Eles já fizeram voos rasantes sobre mulheres que estavam no terraço do Hotel St. Regis, bicaram homens que trabalhavam na manutenção de chaminés e, em agosto de 1947, dois deles atacaram internas de uma instituição judaica para cegos, quando elas estavam no pátio de recreação. Homens que trabalham em serviços de manutenção da igreja Riverside viram falcões comendo pombos no campanário. Os falcões ficam ali pouquíssimo tempo. Logo eles alçam voo em direção ao rio, deixando a cabeça dos pombos para os serventes da igreja Riverside limparem. Quando os falcões voltam, chegam de mansinho — *sem que ninguém os veja*, da mesma forma como não se veem os gatos, as formigas, o porteiro com três balas na cabeça, o massagista de senhoras e a maioria das coisas estranhas dessa cidade sem tempo.

Nova York é uma cidade de anônimos

Nova York é uma cidade de homens sem cabeça que ficam dia e noite enfiados em guichês de metrô, vendendo bilhetes para pessoas apressadas. A cada dia de semana, mais de 4 milhões de usuários passam por esses homens que parecem não ter cabeça, nem rosto, nem personalidade — apenas dedos. A não ser quando dão informações, seu vocabulário é constituído basicamente de três palavras: "Quantos, por favor?".

Mas na rua 14 há um bilheteiro chamado William DeVillis que se rebela abertamente contra o anonimato. Do lado de fora de sua cabine na Oitava Avenida, ele pregou o cartaz: "Por favor, sorria. Este trabalho já é duro demais".

As pessoas sorriem.

Ele dá bom-dia a todo mundo. Alguns nova-iorquinos ficam desconcertados. Ele escreve em pedaços de papel instruções sobre como achar um endereço, e chega a emprestar bilhetes às pessoas que esqueceram o dinheiro. E é muito falante. Quando o telefone de sua cabine toca, ele atende e diz:

"Bom dia, aqui é da cabine 78, esquina da rua 14 com a

Oitava Avenida, Agência Independente do Sistema de Transportes Rápidos de Nova York, metroviário William F. DeVillis, licença número 216680, falando. Em que posso ajudá-lo?"

Como passa oito horas por dia vendo nova-iorquinos indo e voltando, empurrando-se e acotovelando-se, precipitando-se para portas de trem prestes a fechar, o senhor DeVillis teve a oportunidade de ver, se não de entender, muito da natureza humana em ação.

"Uma das coisas que notei", diz ele, "é que a maioria dos nova-iorquinos tem o hábito de passar pela mesma catraca toda manhã, e nunca passam por outra. Notei também que muitos compram apenas dois bilhetes de cada vez. Outros, que compram muitos bilhetes, quando usam um logo se apressam em comprar outro para repor o que acabaram de usar."

O sr. DeVillis, que trabalha no metrô desde 1939, acredita que sua campanha por relações amigáveis tem tido bastante sucesso. Todos os dias, depois de ler os cartazes de sua cabine, as pessoas vão embora sorrindo. Todavia, uma vez no trem, os sorrisos somem. E logo elas recomeçam a se empurrar e se acotovelar; ou então procuram, com o olhar férreo, um lugar para sentar, escondem-se atrás de jornais ou lançam olhares furtivos a uma moça bonita — perguntando-se: "O que fazer para conhecê-la?".

Ele a viu quando ela atravessava a Lexington Avenue, vindo da Bloomingdale's, e logo se pôs a acompanhar os seus passos. Ela passou pelo quiosque do metrô, passou pela catraca e se postou na plataforma, entre uma máquina de chicletes e o enorme pôster de um homem de sorriso arreganhado que conseguira um emprego por meio de um anúncio no New York Times.

A moça teria uns 25 anos. Tinha pernas compridas e bronzeadas, cabelos loiros curtos e puxados displicentemente para trás —

talvez com os dedos. Trajava um vestido amarelo simples, luvas brancas, e estava sem maquiagem. Seu corpo era esguio e anguloso. Era o tipo de jovem que se vê no East Side, fazendo compras na Bloomingdale's, saindo de delicatessens caras, carregada de sacolas ou indo para casa de ônibus, pela Quinta Avenida, depois do trabalho. Essas jovens costumam evitar o metrô, mas vez por outra se enfiam nele, e quando ela entrou, ele a ficou observando.

Outros homens também a olhavam. Certamente a moça tinha consciência disso, mas não passava recibo. Fazia parte do jogo. Os homens tentavam ser sutis, andando na plataforma fingindo indiferença, vez por outra observando a imagem da moça refletida no espelho da máquina de chicletes. Muitas vezes eles se surpreendiam uns aos outros nesse jogo, e às vezes trocavam um sorriso torto. Às vezes se recompunham, assumindo uma postura altiva. Quando o trem chegou, ele a seguiu, mantendo-se alguns passos atrás dela, e a viu sentar-se do outro lado do corredor, os joelhos bem juntos, as mãos enluvadas recatadamente pousadas no colo, os olhos azuis inocentemente fixos em frente.

O trem começou a ranger nos trilhos, rumo à Quinta Avenida, as luzes do túnel escuro passando rápido, uma senhora gorda com uma sacola da Macy's balançando sem parar, os homens espiando a moça bonita por cima dos jornais; ela não ousava olhar para eles — para não estragar a imagem da inocência no metrô.

Se ao menos acontecesse alguma coisa — se ao menos o trem tivesse uma pane, se as luzes se apagassem, se a mulher gorda caísse —, haveria um pretexto para falar com aquela deusa sentada a um metro e meio de distância, do outro lado do corredor. Mas nada aconteceu. O trem seguiu em frente normalmente, como sempre acontece quando a gente não quer que seja assim.

Parou na Quinta Avenida.

Depois na rua 49.

Depois na rua 42, e então a jovem levantou-se rápida, fir-

mou-se no balaústre por um instante e se foi — como todas as outras garotas encantadoras e atraentes que ele vira em Nova York, com as quais nunca falara, e que ele provavelmente nunca mais veria.

Os 10 mil motoristas de ônibus de Nova York enfrentam todo dia o pior trânsito do mundo, ao mesmo tempo que são insultados por velhinhas, enganados por estudantes, fechados por táxis e obstruídos por caminhões; tudo isso enquanto dirigem com uma mão e dão o troco com a outra, entregam bilhetes de baldeação, respondem perguntas, se apressam para pegar o sinal verde, procuram cumprir o horário, evitam os buracos da companhia de eletricidade, pedem aos passageiros que se dirijam para o fundo do ônibus, ouvindo o contínuo tilintar da campainha de parar e sofrendo de dor nas costas, úlceras, hemorróidas ou um desejo quase incontrolável de enfiar o ônibus num muro de pedra e sair andando.

Apesar de todo esse tormento e labuta, o motorista de ônibus de Nova York continua a ser, em grande medida, uma pessoa anônima que passa a vida mostrando apenas metade do rosto no retrovisor. Ele nunca terá o prestígio dos motoristas dos vistosos Greyhound, que usam quepe e disparam feito pilotos; ou dos motoristas de ônibus de subúrbio, que são chamados pelo nome pelos passageiros e ganham presentes no Natal; ou ainda dos motoristas de ônibus de excursão, que levam as pessoas a piqueniques e em geral são convidados a participar; tampouco dos motoristas de ônibus escolares, que eventualmente podem bater num passageiro barulhento e não sofrer nenhuma punição, se o Departamento de Educação local não for progressista demais.

O motorista de ônibus de Nova York é subestimado. Quando levanta os olhos para o retrovisor, ele vê a multidão dos que pagam quinze centavos e o ignoram. Ele os vê olhando através da janela, olhando para os próprios pés ou tentando ler o jornal de outras pessoas. Ele vê um boy desgrenhado apertando os olhos para ler um envelope pardo, uma senhora gorda segurando a sacola de compras enquanto disputa com um homem o único lugar vazio no ônibus. Vê passageiros de pé, pendurados nas alças como quartos de boi no açougue, e os odeia porque se recusam a sair do lugar quando ele pede pela enésima vez:

"Um passinho à frente, por favor, tem bastante lugar no fundo do ônibus."

Os passageiros o ignoram, e continuarão a ignorá-lo até o momento em que ele perturbe a paz deles — ao dar uma freada brusca, ao deixar de responder uma pergunta ou de parar num ponto quando eles tocam o sinal. Dia após dia os motoristas padecem dessa rotina interminável, sabendo o que esperar — e quando — dos 3 milhões de nova-iorquinos que andam de ônibus a cada dia da semana.

Às seis da manhã, por exemplo, os motoristas de ônibus pegam telefonistas, enfermeiras, empregadas domésticas, empregados de hotel; depois deles, às sete horas, é a vez dos comerciários, estivadores, ascensoristas e uma infinidade de outros leitores da imprensa marrom que entram no serviço antes das oito. Durante essas horas ouve-se o ruído ininterrupto de moedas tilintando dentro da caixinha de dinheiro, porque esses passageiros das primeiras horas, que também pertencem à classe trabalhadora, procuram facilitar a vida do motorista trazendo a quantia exata da tarifa. O trabalho do motorista de ônibus só começa a ficar desagradável às oito da manhã, quando os estudantes, livros debaixo do braço, começam a entrar, abrindo caminho a cotoveladas.

Às nove da manhã, o ônibus fica repleto de secretárias, de recepcionistas e de perfume. Às dez, são as secretárias executivas (que trabalharão até as seis) e funcionários de escritórios que ainda não podem se dar ao luxo de andar de táxi, e também as primeiras vagas da maior *bête noire* dos motoristas de ônibus — as senhoras que vão às compras.

"A senhora que vai às compras pode estar com a bolsa tilintando, cheia de moedas, mas me dá uma nota de cinco dólares", diz Barney O'Leary, que começou como motorneiro em Nova York, há 34 anos, e parece ter acabado de sair de *O delator*.* "Ou então ela está com uma amiga e diz: 'Pode deixar, Sophie, eu tenho'. Aí ela põe a luva na boca e começa a procurar moedas — enquanto todo mundo espera do lado de fora, na chuva."

"Quando chego num ponto cheio de gente", continua ele, "a primeira da fila é invariavelmente uma mulher carregada de compras. Quando entra no ônibus, ela põe os embrulhos no chão, fica remexendo na bolsa e, depois que lhe dou o troco, me pede um bilhete de baldeação de três centavos. Assim, tenho que arranjar troco para ela duas vezes! Claro que quando pede o bilhete de transferência ela sussurra, a gente mal pode ouvir, mas quando ela te xinga, o ônibus inteiro ouve."

"Essas mulheres são tão más", acrescenta ele, "que em Nova York os homens não lhes dão mais lugar. Eles sempre se sentam no fundo do ônibus e fingem que não estão vendo as senhoras de pé no corredor. Ou então enfiam a cara em jornais, tiram um pedaço de papel do bolso e fingem estar ocupados em escrever coisas importantíssimas. Muitas vezes os homens ficam tão preocupados em manter o assento que deixam o ponto passar."

Para os motoristas que conseguem aguentar o tranco, o trabalho dá uma certa segurança e um salário médio próximo de 120 dólares por semana, incluindo as horas extras. Os motoristas percorrem cerca de 97 quilômetros durante o expediente de oito

---

* *O delator* [*The informer*], filme de John Ford (1935). (N. E.)

horas e arrecadam perto de cem dólares em passagens, e têm de prestar contas de cada centavo. Embora existam homens obstinados como Barney O'Leary, que conseguem passar a vida inteira insistindo para que as pessoas passem para o fundo do ônibus, outros há que dão um basta depois de dez ou quinze anos. Esses últimos trocam de profissão e passam a trabalhar nas viações como mecânicos ou encarregados de manutenção, por exemplo, e muitos deles ficam muito satisfeitos, e até simpáticos — ali, longe da multidão enlouquecedora e do barulho da campainha, longe dos engarrafamentos e das cartas de reclamação, longe das arrogantes freguesas de lojas que, por quinze centavos, pensam poder controlar o destino de um motorista de ônibus.

Ao cair da tarde, enquanto milhares de secretárias nova-iorquinas saem dos edifícios de escritórios batendo os saltos e fazendo ouvir o frufru de suas roupas, outro grande exército de mulheres se prepara para entrar. E do anoitecer ao amanhecer também essas mulheres vão dominar Nova York: elas ocuparão cadeiras na Bolsa de Valores, presidirão reuniões em salas vazias e levantarão o punho a publicitários invisíveis. Elas entrarão sem bater nos redutos luxuosos dos magnatas, farão discursos em ditafones. Elas manterão acesas as luzes dos arranha-céus a noite inteira, e ao longo das janelas suas silhuetas e vassouras serão comoventes e tocantes como um balé de bruxas.

Então, quando a luz do sol começar a banhar a cidade, o ruído de seus baldes ressoará nos corredores, suas vozes surdas ecoarão no saguão de mármore do pavimento térreo. Pouco depois, elas estarão em fila lá fora, na calçada, com grossos casacos, sorridentes, esperando a hora de encher os ônibus de *babuchkas*.

É assim que elas se movimentam em Nova York — essas 12 mil faxineiras sindicalizadas que, armadas de pás de lixo, toda noite acariciam trezentos metros de espaço e de telefones adormecidos cada uma, espanando com brusquidão, nas mesas de trabalho, as fotos de outras mulheres. Lá pelas seis horas da tarde, duzentas faxineiras, sapatos baixos e uniforme azul, vão entrando rapidamente nas 3 mil salas do Empire State, onde todo ano encontram no chão cerca de 5 mil dólares em cédulas e moedas, e às vezes amantes silenciosos por trás dos móveis. As mulheres, cumprindo o seu dever, devolvem todo o dinheiro e denunciam os amantes — uma tarefa ingrata em ambos os casos.

Às sete e meia da noite, outras 350 faxineiras já se encontram no Rockefeller Center, onde retiram o lixo das latas e o colocam em cestos. O lixo ficará em depósitos por 48 horas. Os aspiradores de pó também só serão esvaziados doze horas depois, norma que já permitiu a recuperação de ouro em pó de joalheiros, anéis de diamante e muitas gemas minúsculas.

Por volta da meia-noite mais faxineiras já estão nas salas de Wall Street, onde os tapetes são mais grossos. Elas sempre têm o cuidado de só jogar fora pedaços de papel que estão no chão, e não tocam em nada que esteja em escrivaninhas ou mesas. Muitas vezes alguns executivos deixam papel de rascunho na ponta da mesa, só para testar se as mulheres estão seguindo as regras.

As faxineiras, muitas delas ucranianas, tchecoslovacas ou polonesas, trabalham 35 horas por semana e ganham um salário semanal inicial de 54,95 dólares. Elas trabalham para ajudar a sustentar famílias numerosas, para completar sua pensão ou para ficar longe de casa à noite. Muitas vezes, porém, elas evitam falar sobre o trabalho, e dizem aos vizinhos que trabalham em escritórios, no turno da noite.

Às vezes seus próprios filhos sabem tão pouco sobre elas quanto aqueles ingratos fumantes compulsivos do turno das nove às cinco, que chegam de manhã e já se põem a abarrotar cinzeiros, a encher cestas de lixo e a levantar mais poeira e espalhar sujeira para aquelas não proclamadas damas noturnas do esquadrão do balde.

Nas noites de sexta e de sábado, alguns ciganos, vagabundos e batedores de carteiras se somam àqueles que afluem ao número 133 da Allen Street, para a visita semanal aos últimos banhos públicos de Manhattan. Para eles e para milhares de outros pobres que os frequentam, os banhos públicos são uma espécie de Taj Mahal azulejado.

Todos se aproximam deles em silêncio e ficam sentados quase de cabeça baixa, em fileiras de cadeiras, até serem admitidos a um dos noventa boxes individuais. Quem leva toalha e sabão próprios não paga nada. Caso contrário, pagam uma taxa de 25 centavos, cinco dos quais são devolvidos se não roubarem a toalha.

A cada ano, mais de 130 mil pessoas vão ao banho público de Allen Street, entre elas ex-pugilistas, bêbados e algumas senhorinhas envergonhadas que dizem ter sido dançarinas do *Floradora*.*

O banho pode durar até vinte minutos, ao fim dos quais os empregados tocam uma sirene e saem gritando através das salas cheias de vapor até que todo mundo vá para fora da sala de banho... de volta para a sujeira.

Todo dia em Nova York 90 mil pessoas discam WE 6-1212 para saber a previsão do tempo; 70 mil discam ME 7-1212 para saber a hora certa, e 650 mil discam 411 quando não sabem

---

* *Floradora*: musical britânico montado na Broadway em 1900, que fez grande sucesso em sucessivas montagens. (N. E.)

para onde discar. A telefonista leva uns quinze segundos para achar o número desejado; então, depois de procurar cerca de 130 números num período de duas horas, ela faz uma pausa de quinze minutos para fumar e/ou tomar café. Mesmo quando não está trabalhando, ela continua a pronunciar as palavras pau-sa-da-men-te, e às vezes gostaria de conseguir não pronunciar os números assim, qua-tro,
        cin-co
                se-te
                        no-ve
                                  Mas não é fácil.

Se ao menos as pessoas se dispusessem a procurar os números dos telefones no catálogo...

Se as pessoas fizessem isso, seu trabalho poderia ser tão mais fácil — pensa ela enquanto joga fora o cigarro e volta para sua bancada
                        para os 4,1 milhões de números de telefone de Nova York e seus psicopatas com fobia de lista telefônica que precisam de números, de respostas, que simplesmente se sentem sozinhos e querem conversar, querem apenas marcar um encontro com a telefonista e seduzi-la...

Mas eles não querem procurar os números no catálogo de Manhattan, que tem 780 mil nomes, 1830 páginas, pesa 2,3 quilos e é grosso demais para ser rasgado mesmo por Charles Atlas e pelos "tigres" de Vic Tanny, que de todo modo dizem estar cansados desse truque e parecem perguntar: quem *precisa* disso?

Quem precisa dos 1795 milhão de catálogos de Manhattan que são impressos todo ano?

— um quarto dos catálogos se perdem, são destruídos ou picados em Wall Street e jogados de cima dos arranha-céus sobre personalidades homenageadas em desfiles na baixa Broadway até a sede da prefeitura; os outros

— três quartos são recolhidos todo ano por homens que os folheiam para encontrar cartas de amor esquecidas, selos, apólices de seguro, gravatas, dinheiro — depois embarcam os volumes numa chata que sobe o rio Hudson rumo a uma fábrica de papelão, onde os catálogos reencarnam em placas para dobrar camisa em lavanderias, caixas para ovos, capas de livros de bolso e outras bugigangas para nova-iorquinos que vão procurar
ou não
números de telefone.

"Vai um brilho aí?"
"Vai um brilho aí?"
"Ei, moço, vai um brilho aí?"

É isso o que se ouve nas calçadas de Nova York quando o sol está brilhando e quando os engraxates ambulantes se alinham feito aves de rapina para arranjar trabalho — às vezes espreitando nas esquinas, às vezes andando em meio à multidão sussurrando "vai um brilho?, vai um brilho?" como um vendedor de fotos pornográficas.

Em Nova York existem oitocentos engraxates sem licença, que vivem com medo da polícia; como têm de trabalhar rápido, o risco de seu freguês ter as meias engraxadas é maior do que se este usasse os serviços dos engraxates que trabalham em lojas e hotéis, instalados, como a realeza, em cadeiras altas e ornamentadas.

Além disso, esses engraxates mais velhos, de elite, não são tão anônimos como os meninos que trabalham nas ruas, e muitas vezes adquirem uma posição de destaque, como David, o Rei dos Engraxates, que trabalhou no Juizado de Pequenas Causas do Bronx; ou o finado Biaggio Velluzzi, engraxate do Lambs Club, conhecido como Murph; ou ainda Charlie, o engraxate da Companhia 8 do Corpo de Bombeiros; e também James Rinaldi, o engraxate das Nações Unidas que sabia perguntar "Vai um brilho aí?" em 27 línguas. E às vezes adquirem notoriedade, como Tony Chapéu de Seda, o estiloso engraxate da esquina da Broadway com a Canal, que lança um olhar acusador a todos os pares de sapatos sujos que passam e do qual, como muitos tipos misteriosos desta cidade, se suspeita que seja muito, muito rico.

Mas é impossível saber quanto um engraxate ganha, em média, por semana. Em geral eles não são de falar muito (quando terminam de engraxar, avisam com uma batidinha no salto do sapato ou no tornozelo do freguês — mas não olham para cima nem dizem nada).

De todo modo, o preço de um bom polimento em Nova York chegou, recentemente, a vinte centavos nas estações de trem. Mas ainda continua a quinze centavos na maioria dos lugares. E na esquina da rua 49 com a Broadway há um adolescente ambicioso que escreveu em sua caixa: "Brilho, 5 centavos, imposto, 20 centavos — Total 25 centavos". Mas ele tem um concorrente, um jovem engraxate da Terceira Avenida que ostenta uma tabuleta onde se lê: "*Polimento Grátis!* — Gorjeta, 25 centavos".

Acredita-se que os engraxates de hotel são os mais prósperos. Eles ganham entre sessenta e oitenta dólares por semana. Suas principais presas são os turistas e as pessoas que estão de passagem pela cidade, embora muitos turistas limpem os sapatos com os lençóis e toalhas do hotel. "Mas a gente sempre percebe quando eles fazem isso", diz um engraxate do Astor. "As pessoas que engraxam os sapatos em casa ou nos quartos de hotel costumam passar graxa demais, e ela fica grudada em volta da sola. É um trabalho sujo."

Quando o chefão mafioso Albert Anastasia foi morto por pistoleiros, enquanto cortava o cabelo no hotel Park Sheraton, em 1957, havia onze pessoas (além de Anastasia) na barbearia — cinco barbeiros, dois outros clientes, uma manicure, um camareiro e dois engraxates. Anastasia não gastava dinheiro com engraxates, pois engraxava os sapatos sozinho — o que não passou despercebido ao repórter Meyer Berger. Descrevendo a cena para o *Times* na manhã seguinte, Berger escreveu:

"Anastasia [...] entrou na barbearia do hotel lá pelas 10h15 [...], pendurou o sobretudo no cabide e desabotoou a camisa branca. Estava todo vestido de marrom — sapatos marrons muito mal engraxados, terno marrom [...]."

Os engraxates de Nova York não têm a menor compaixão por gente como Anastasia.

Quando está quente em Nova York, as mulheres passeiam em vestidos diáfanos, as capotas dos conversíveis se abrem, e veem-se cotovelos fincados como barbatanas nas janelas dos ônibus. Os adoradores do sol se bronzeiam nos terraços dos hotéis e nos bancos da orla, e os peões de obra andam, a passos incertos, no alto das vigas, em mangas de camisa, camisetas ou com o torso nu.

O Central Park e a Quinta Avenida ficam cheios de gente que não quer saber de pressa. As pessoas andam na sombra. Elas remam devagarinho no lago do parque. Algumas tentam, em vão, fazer com que os leões-marinhos parem de cochilar e entrem na água fria. Nas janelas dos edifícios de apartamentos de Manhattan veem-se mulheres de braços gordos, mãos no queixo, observando as pessoas queimarem energia lá embaixo. No Greenwich Village jogadores de bocha diminuem o ritmo. Os lojistas anunciam vestidos que secam rápido ao vento e ternos que dispensam o ferro de passar. Nas lojas dos bairros, os fregueses comentam o calor usando a frase habitual: "Que calorão, hein?".

"Que calorão, hein?"
"É mesmo."
"Que calorão, hein?"
"É..."
"Que calorão, hein?"
"Sí."
"An-ham."
"É."
"É."
"É."

E por aí vai, dia após dia em Nova York; as pessoas só têm uma coisa a dizer umas às outras. Nova York, como disse Hamilton Basso, é uma cidade de vizinhanças em que as pessoas não têm vizinhos.

Se ao menos acontecesse alguma coisa diferente...
Se acontecesse alguma coisa inesperada — aí talvez o rapaz pudesse conversar com a moça bonita do metrô...

Se ao menos as pessoas procurassem os números de telefone no catálogo, a telefonista poderia se dar ao luxo de fumar mais um cigarro e tomar mais um pouco de ar...

Se ao menos...

Aconteceu uma coisa inesperada às 14h49 do dia 12 de maio de 1959, uma quarta-feira, numa grande área de Manhattan: faltou luz e, em muitos bairros, a escuridão cobriu tudo, os relógios pararam, a cerveja esquentou, a manteiga amoleceu e as pessoas ficaram conversando agradavelmente à luz de velas em salas sem televisão. Foi uma beleza. As pessoas tinham uma coisa *diferente* para comentar.

Podia-se tomar um drinque tranquilamente e passar em sinais vermelhos imaginários. Para variar, os moradores de prédios, mal-acostumados, tiveram de subir pelas escadas. As pessoas tomavam banho e se enxugavam no escuro. Homens se barbeavam às cegas.

Só os cegos continuaram sua rotina normalmente. Às 15h10, no número 1880 da Broadway, no sombrio prédio de quatro andares de uma instituição judaica para cegos, duzentos trabalhadores cegos, que conheciam pelo tato cada centímetro do lugar, conduziram setenta pessoas sem problemas visuais até a avenida, ajudando-as a descer as escadas.

No dia seguinte, entretanto, a luz voltou. Os cegos foram esquecidos nesta grande cidade da "conversa sobre o clima". As coisas na cidade de Nova York seguiriam a mesma rotina até acontecer um outro incidente — outro apagão, um incêndio, quem sabe um assassinato. Um assassinato! Nada como um assassinato em Nova York para causar comoção nas redondezas, ainda que só por algumas horas.

E houve um assassinato na ensolarada manhã de 10 de agosto de 1959, uma segunda-feira. Um editor-assistente de cotidiano, depois de tomar o segundo café do dia e querendo impressionar o chefe com sua imaginação, estava mexendo nos boletins de sua mesa quando deparou com a seguinte notícia: "COMUNICADO! Os moradores de Lower East Side de Nova York estão em pé de guerra por causa do latrocínio que vitimou Philip Schickler, um bondoso senhor de 65 anos, proprietário de um pequeno restaurante no número 207 da East Broadway. A polícia informa...".

O editor-assistente mandou imediatamente um repórter ao número 207 da East Broadway, com instruções para descrever o clima reinante no lugar. Ao chegar ao local, o repórter viu, aglomerados em frente ao restaurante, dezenas de moradores do bairro ouvindo uma senhora baixa e robusta que dizia: "Eles precisavam matar? Ele deu o dinheiro a eles. Precisavam matar?".

Nem ela nem ninguém conseguia entender como alguém podia roubar e matar o bondoso sr. Schickler. Isto aqui era uma comunidade pacífica, dizia a senhora. Aqui ainda secamos roupas nas escadas de incêndio, ainda se vendem ternos usados pela bagatela de dois dólares e meio. Ainda somos uma comunidade judaica de *bagels** e de homens barbudos fiéis à tradição, mas a tradição está sendo desafiada.

Os conjuntos habitacionais estão tomando o lugar das velhas casas de cômodos, e os porto-riquenhos estão mudando em massa para lá. Essas mudanças trazem conflito, e o conflito às vezes leva ao roubo ou ao assassinato — e naquele 10 de agosto houve o assassinato de um dono de restaurante chamado Schickler, que vendia café por cinco centavos e dava *bagels* aos que não podiam pagar.

Repórteres e cinegrafistas invadiram o quarteirão com os seus refletores e perguntas.

"O que aconteceu?", perguntavam eles.

"Quem vocês acham que fez isso?"

Os vizinhos, incomodados com perguntas de desconhecidos, balançavam a cabeça. Os repórteres e os cinegrafistas subiram para o apartamento que ficava em cima do restaurante, onde encontraram os parentes do sr. Schickler, que choravam e praguejavam dizendo "Vão embora, vão embora".

---

* *Bagel*: variedade de pão judaico, muito comum em Nova York. (N. T.)

"O senhor pode contar aos espectadores da NBC-TV o que aconteceu, senhor Greene?"

Os cinegrafistas e os repórteres mostravam-se compassivos, falavam delicadamente, em voz baixa, pois se não o fizessem os parentes não responderiam às perguntas, e então se perderia a primeira edição do jornal, não haveria falas gravadas no local para serem inseridas entre comerciais de filtro para cigarro no noticiário das onze horas.

Como nada conseguiram com os parentes, voltaram para a rua, citaram e gravaram as vozes abafadas dos judeus americanos dizendo "Precisavam matar?".

"Um homem tão bom, Philip Schickler."

"A questão é: quem vai ser o próximo?"

"Esse bairro... a gente devia se mudar daqui."

"O que aconteceu, senhor Cooperman?"

"O que aconteceu, senhorita Rosenbloom?"

A srta. Rosenbloom disse: "Os porto-riquenhos começaram a vir para cá há seis anos, e a primeira vez que notei a grande mudança no bairro foi quando vi caminhões de políticos passando e falando em espanhol, em vez de iídiche e...".

Testemunhas disseram à polícia que os agressores eram porto-riquenhos, e o inspetor de polícia Edward Feeley, chefe dos detetives do East Side, logo destacou cinquenta investigadores para o caso, doze deles de língua espanhola.

Os líderes porto-riquenhos ficaram furiosos e denunciaram que todo mundo estava perseguindo os porto-riquenhos. Assistentes sociais, que também odiavam esse tipo de publicidade, negavam que houvesse "conflitos" no bairro. Como poderia haver, depois de terem trabalhado tanto para reunir porto-riquenhos, judeus, italianos, poloneses, irlandeses, ciganos e homossexuais numa feliz harmonia? Os assistentes sociais escreveram cartas furibundas ao editor-assistente, que àquela altura desejava que a notícia não tivesse saído na primeira página, porque seu emprego de 8500 dólares ao ano não lhe parecia tão seguro na manhã seguinte, depois da segunda xícara de café.

À noitinha os repórteres e os refletores tinham sumido das calçadas do bairro. Os parentes do morto foram deixados com seu pesar. Alguns meses depois, os assassinos foram presos e se fez justiça. Os jornais que noticiaram o sensacional caso tinham servido para embrulhar lixo fazia tempo, e estavam todos sepultados num aterro sanitário, somando-se às toneladas de outros detritos, o que dará à assessoria de imprensa do Departamento de Limpeza Urbana impressionantes cifras anuais que justificarão a solicitação anual, dirigida ao prefeito, de novas contratações de trabalhadores para a limpeza urbana.

Se hoje você voltar ao número 207 da East Broadway, nada o lembrará do assassinato, exceto o fato de que o restaurante nunca reabriu. Não que as pessoas tenham esquecido o homem assassinado. É que elas quase só falam do tempo... e dizem: "Que calorão, hein?".

Nova York é uma cidade de personagens

Em Nova York, há um passeador de cães profissional nas imediações das ruas 70 Leste, um psicólogo de gatos no número 141 da Lexington Avenue e uma senhora baixinha que divide seu apartamento na rua 46 com dois pombos que têm pernas de pau. Em Sutton Place, um homem pesca enguias de sua janela no décimo oitavo andar, e no número 880 da Quinta Avenida há uma mulher contratada pela Sociedade Norte-Americana de Pesquisa Psíquica para investigar fantasmas e outros fenômenos paranormais. Em várias partes da cidade existem clubes de gente que não bate bem da bola e de gente que está pela bola sete, e todo ano as prostitutas enchem a bola dos proxenetas e promovem um Baile dos Cafetões num hotel do centro da cidade.

Acontecem coisas em Nova York que provavelmente não acontecem em nenhum outro lugar.

Todos os dias tem gente que comparece a um consultório de psicodrama na rua 58 para gritar e esbravejar contra dois bonecos mascarados encostados na parede; os bonecos representam patrões, encarregados de cobranças, pais, esposas e outros tiranos que algumas pessoas ainda não têm coragem de enfrentar.

Na Cartier você pode ver uma senhora e um senhor examinando joias. De repente ele vê uma pulseira de diamante, compra-a e a enfia no braço da senhora. Ela sorri e balança no ar uma chave presa a uma corrente. Ele a agarra, e os dois saem juntos e desaparecem na Quinta Avenida.

No número 608 da rua 48 Oeste, pode-se alugar um leão a 250 dólares por dia, e no 410 da 47 Oeste alugam-se esqueletos de verdade a 35 dólares por dia. No número 155 da Lexington Avenue a empresa Plumb Trading and Sales Company vende miçangas para índios, que as vendem aos turistas, e uma professora da New School, Charlotte Selver, ministra cursos de "Andar, Levantar, Sentar, Deitar".

Uma senhora de Murray Hill trouxe da Flórida um barco avariado e mandou que o pusessem em seu telhado. Quando os vizinhos perguntam por que colocar um velho barco no telhado, ela responde simplesmente: "Gosto de olhar para ele". No verão um homem pendura suas velas náuticas para secar em seu apartamento de um só cômodo e vai passar a noite num hotel; e toda manhã de sol uma loura e encantadora governanta sueca, Eivor Berstrom, sai de River House, anda devagar até a Franklin Delano Roosevelt Drive, deita-se na calçada e toma um banho de sol. É assim que ela trava contato com as pessoas em Nova York.

Em Nova York você encontra todo tipo de gente. Existem bares frequentados por homens em busca de mulheres, por mulheres em busca de homens, por homens em busca de homens que se pareçam com mulheres, ou por mulheres em busca de mulheres que se pareçam com homens. Estima-se que existam em Nova York cerca de 5 mil prostitutas e 250 mil homossexuais.

E todo ano, no Dia de Ação de Graças, na rua 155, mil homens com vestidos caros e salto alto vão ao baile de Phil Black. O ponto alto do evento é quando o sr. Black, em cujo guarda-roupa se encontra uma dúzia de vestidos chiquérrimos, entrega o prêmio de Rainha do Baile — o homem cujos modos mais se assemelhem aos de uma mulher.

Nova York é, por excelência, uma cidade de comitês. Existem comitês pela Estônia Livre, por uma Política Nuclear Sadia, um Comitê para as Esposas Franco-Americanas, um comitê para Proteger os Dentes de Nossos Filhos, para Preservar a Arte Americana, para Ajudar os Alunos de Heildelberg, para Fazer Justiça a Monton Sobell — isso para não falar da Cooperativa para Remessas de Dinheiro dos Estados Unidos para Toda a Parte, Inc. Nova York é a cidade preferida da especialista em vodu Maya Deren, que mora no número 61 da Morton Street com dezenove gatos e o marido, Teiji Ito, que toca 39 instrumentos musicais — principalmente à noite. É uma cidade promissora para Billy Klenosky, compositor cuja obra-prima, "Abril na Sibéria", foi considerada a Bomba do Mês pela emissora de rádio WINS.

Algumas pessoas em Nova York são pagas para serem simpáticas; outras, para serem desprezadas. Larry Hamilton, um dos vertebrados mais toscos do lado de fora do zoológico do Bronx, ganha cerca de 35 mil dólares por ano para ser um vilão da luta livre. Não é fácil para Larry conseguir ser odiado o tempo todo, mas não é por falta de esforço. Ele passa quatro noites por semana enfiando os dedos nos olhos dos lutadores heróis, puxando as orelhas deles, desarrumando seus penteados, arrancando-lhes caspas. Como todos os malvados, Larry termina por ser massacrado pelo herói, mas nunca perde com classe. Ele franze os lábios, reclama do árbitro; depois, encarando a multidão do Madison Square Garden, brande o punho de forma ameaçadora. Os fãs respondem atingindo-o com frutas podres, garrafas de uísque e, de vez em quando, uma cadeira. Quando a luta acaba, os ingênuos espectadores esperam Larry fora do ringue, contando agredi-lo mais uma vez. Mas Larry passa por eles impetuosamente, corre para um táxi e em pouco tempo está no hotel King Edward, perto da Broadway, descansando para a refrega da noite seguinte.

Nova York é uma cidade doida, encantadora, totalmente fora do comum. É para lá que uma senhora da Pensilvânia vai periodicamente à cata de clientes para o seu Teatro Nu de verão, e é onde um consultor de recursos humanos avalia os candidatos a emprego pelo formato da cabeça. É onde Pathétique, um palhaço sem-teto que pede esmolas, maquia o próprio rosto no metrô, e onde um ex-publicitário, Stuart Bart, ganhou uma fortuna lavando apenas gravatas. Ele chama a si mesmo de *tie-coon*, ou magnata das gravatas.

No centro de Manhattan há uma escola para redatores de *gags* desempregados; em West Side há uma escola de dança do ventre, frequentada por alunas promissoras; no East Side há uma escola flutuante. É o antigo cargueiro *John W. Brown*, ancorado no Píer 22, que é usado para treinar mais de trezentos estudantes de náutica; a escola ministra também o programa normal do ensino médio.

No Brooklyn há um bar, The Wigwam,* frequentado sobretudo por índios que trabalham como metalúrgicos; há determinados quarteirões em Nova York em que praticamente só se vendem joias, em outro, apenas flores, em outro, vestidos de noiva.

Em Nova York existe um sindicato de fabricantes de bagels, um de atores italianos e um de massagistas russos que traba-

---

* *Wigwam*: cabana dos índios da América do Norte. (N. T.)

lham em saunas. Mas os massagistas russos, membros do único sindicato a brigar pelo direito de suar a camisa, parecem caminhar para a última massagem. A maioria de seus membros, já na casa dos setenta, está surda — por causa da água e das altas temperaturas.

Há mulheres em Nova York que às vezes aparecem na janela de robe azul, às vezes de robe branco, e às vezes sem robe nenhum. Nova York é uma cidade de mulheres em trajes sumários nas janelas — e de voyeurs que as espiam. Uma mulher da rua 4 Oeste costumava ser observada quando, nas noites muito quentes, ficava nua diante da geladeira aberta — até o dia em que recebeu pelo correio uma foto sua naquelas condições, tirada por um vizinho.

Em Nova York há táxis aquáticos que levam os passageiros atrasados ao navio; na Nona Avenida, a lavanderia Swift tem um receptor telegráfico que funciona o dia inteiro numa sala dos fundos, para que se saiba a hora exata em que os navios vão voltar. Quando eles voltam, já encontram os empregados da Swift a postos para recolher a roupa suja dos tripulantes.

Toda vez que um lutador de boxe de Nova York é esmurrado na boca, nos dentes ou nas gengivas, o dr. Walter H. Jacobs fica muito preocupado — não por causa do pugilista, mas por causa do seu protetor bucal. O dr. Jacobs é um dentista que faz protetores bucais para boxeadores, e nada o aborrece mais do que ver alguém estragar seu trabalho.

Nova York é uma cidade de quinze lutadores anões. Todos eles cabem no elevador do hotel Holland, seis deles cabem numa cama, oito podem ser confortavelmente transportados de um lado para o outro em uma limusine com motorista. Nova York é a cidade onde Moshe Pumpernickel, carpidor profissional, é pago para chorar em enterros, e onde Nathan Groob coleciona bandeiras dos Estados Unidos com 48 ou 49 estrelas — por achar que algum dia os colecionadores pagarão muito dinheiro por elas.* Toda primavera aparece no Yankee Stadium um pequeno e estranho grupo de fãs que gostam de colecionar bolas de beisebol perdidas; eles assistem a jogos pouco importantes, porque assim têm mais espaço para correr pelas arquibancadas e recolher as bolas perdidas. Alguns desses "falcões das bolas perdidas" sabem exatamente como se posicionar para recolher as bolas de cada batedor da liga.

Às vezes Nova York se torna uma mistura de coisas irritantes e sons inesperados. Irritante é ver um Alfa Romeo estacionado em fila dupla na frente do restaurante Colony, com placas de Maryland; a alegria pode vir do som de um negro tocando piano no meio da rua 61. O negro fica em êxtase por alguns instantes, e as pessoas que moram nos predinhos *brownstone* apuram os ouvidos. Mas infelizmente ele tem de parar de tocar para empurrar o piano, por uma rampa, para um enorme caminhão da transportadora Dard's. Seu trabalho principal é fazer mudanças; a música vem em segundo lugar.

Nova York é uma cidade esquizofrênica para a modelo glamourosa que posa junto a um Cadillac no lobby do hotel Waldorf Astoria, trajando um vestido Simonetta com joias no valor de 100 mil dólares — e então, às 16h30, ela muda de roupa rapidamente, pega o metrô e se apressa para ir preparar o jantar da família num apartamento de três cômodos no Queens.

Nova York é uma cidade sempre suja para os lavadores de janelas das Nações Unidas, e uma cidade frustrante para gerentes de hotel que todo dia se desesperam com as centenas de cinzeiros e toalhas roubados pelos hóspedes. Há momentos em que toda a cidade parece capaz de enlouquecer, de explodir numa revolta.

* Em 1959, a bandeira americana oficial passou a ter cinquenta estrelas. (N. E.)

Em 20 de setembro de 1960, numa terça-feira, quando Kruchev, Fidel Castro e outros líderes estrangeiros visitaram as Nações Unidas, em Nova York, as pessoas pareciam furiosas umas com as outras. Os ucranianos fizeram manifestações contra a presença de Kruchev; Kruchev reclamou da brutalidade da polícia; muitos policiais ficaram furiosos por terem de trabalhar nos feriados judaicos; os rabinos de Nova York puseram a culpa no chefe de polícia, que pôs a culpa em Kruchev. Na frente das Nações Unidas os gregos amaldiçoavam os albaneses, os niilistas atacavam os pacifistas, os estudantes da Guiana zombavam da Inglaterra e um grupo de cubanos anti-Castro andava para cima e para baixo gritando "Fi-de-lis-ta... Co-mu-nis-ta!". Na frente do Waldorf Astoria, gente da direção do movimento dos trabalhadores católicos fez piquetes para impedir a convenção da Associação dos Bancos Americanos, e na rua 55 Leste um motorista de caminhão chamado Tom Horch denunciou a National Biscuit Company, exigindo aumento de salário. Por toda a cidade as sirenes disparavam, policiais à paisana se postavam como gárgulas nos telhados e motoristas de táxi insultavam todo mundo. Na rua 44 a srta. Sylvia Kraus, da rua 77 Leste, portava um cartaz em que se lia: "Acordem, americanos — A guerra biológica já começou".

"Sei que andam colocando coisas em minha comida", disse ela à multidão que estava na rua. "Estão tentando me eliminar desde 1956, mas eu sei como me defender." Então ela desapareceu na multidão sem explicar como.

Nova York é uma cidade de 38 mil motoristas de táxi, 10 mil motoristas de ônibus, mas de um único chofer que tem chofer. O chofer rico é Roosevelt Zanders. Ele ganha 100 mil dólares por ano, é um cavalheiro absolutamente distinto e, embora possua um Rolls-Royce de 23 mil dólares, não despreza seus amigos que têm Bentleys. Por 150 dólares por dia, o sr. Zanders leva qualquer pessoa a qualquer lugar em seu grande Rolls prateado. Diplomatas usam os seus serviços, modelos posam ao seu lado, e todo dia ele recebe cabogramas do mundo todo, de pessoas que lhe pedem que as espere em Idlewild,* no cais, na frente do hotel Plaza.

Os porteiros do East Side de Manhattan o conhecem. Os motoristas de táxi buzinam para ele. Seu Rolls pára o trânsito. Para onde ele vai com seu carro, é observado por sonhadores — como ele próprio.

Roosevelt Zanders, que nasceu pobre, há 45 anos, em Ohio, sonhava com o dia em que teria um carrão. Ele trabalhou numa farmácia, num vestiário, num hotel — sempre poupando. Dez anos atrás ele já tinha economizado o bastante para comprar um Cadillac. Decidiu se tornar chofer — um chofer de luxo, que realizasse os sonhos e caprichos de pessoas com pretensões de elegância. Seu primeiro cliente foi a falecida Gertrude Lawrence. Ela gostou de Zanders e falou de seu charme e eficiência às amigas. Outras celebridades passaram a contratá-lo para ocasiões especiais, e a certa altura ele já era dono de cinco Cadillacs e de uma próspera empresa que oferecia o tipo de serviço em que ele se especializara.

Mas ele ainda não realizara o sonho de sua meninice. Ele queria um Rolls-Royce feito sob encomenda; há três anos ele o encomendou. Ele recebeu o carrão dois anos atrás. Forrado com tapetes de peles, o Rolls tem dois aparelhos de som de alta-fidelidade e um macaco do tamanho de um lutador anão. Há noites,

---

* Idlewild: antigo nome do aeroporto John Fitzgerald Kennedy, em Nova York. (N. T.)

porém, em que o sr. Zanders está cansado demais para dirigir. Então Bob Clarke, seu chofer, assume o volante, e ele relaxa no banco de trás.

Todos os dias as salas dos tribunais de Foley Square, em Nova York, sofrem a invasão de um curioso grupo de espectadores. Sua onipresença (e capacidade de encontrar lugares para sentar) lhes valeu uma brilhante carreira em que se destacam pela capacidade de prever a decisão do juiz. Eles podem ser vistos todos os dias vagando de tribunal em tribunal, examinando júris, avaliando os advogados, citando ousadamente Cardozo,* pronunciando sentenças uns para os outros.

"Os aficionados dos tribunais são, em geral, aposentados que não têm o que fazer", disse William Higgins, um homem de 77 anos que também faz parte desse grupo. "Então a gente vem aqui e assiste aos julgamentos. É interessante e instrutivo. Evita aborrecimentos. Só um trouxa vai ao cinema; nós vamos aos tribunais e vemos atores de carne e osso."

Existe um "efetivo" de uns cem aficionados em Foley Square. Em geral eles se conhecem, almoçam juntos, e são *connaisseurs* de martelos de juiz. Mas as pessoas desse grupo não costumam frequentar o mesmo tipo de tribunal.

Os aficionados da Vara Federal procuram apenas os processos federais, e pouco têm a ver com os aficionados da Vara Criminal, que gostam de casos de assassinato, estupro e assalto.

Há também os aficionados da Suprema Corte, que ainda se dividem entre os que apreciam os casos de divórcio, acidentes e negligência.

---

* Benjamin Nathan Cardozo (1870-1938): escritor e jurista que atuou na Suprema Corte americana.

"Houve tempo em que muita gente gostava de casos de sequestro", diz outro velho palpiteiro. "Esses casos de sequestro eram muito bons. Mas o FBI afastou essas pessoas, e não as vemos mais por aqui."

Além dos aficionados atraídos por certos tipos de casos, há outros mais interessados em observar o desempenho de determinado advogado ou juiz. Eles afirmam ir assistir ao juiz Sidney Sugarman por sua eloquência, a Irving R. Kaufman por sua voz de barítono, a Thomas F. Murphy por seus suspiros. O juiz Mitchell J. Schweitzer também tem um fã-clube, liderado por Louis Schwartz, que há anos tem cadeira cativa no tribunal do juiz.

Como constituem uma classe privilegiada, esses aficionados — vez por outra também chamados de "advogados de corredor" — não hesitam em afirmar sua influência sobre tribunais de diversas instâncias. Sabe-se até que eles conseguiram fazer com que o juiz Ed Weinfeld vez por outra fechasse a janela da sala, ele que é conhecido pelo grupo como o "juiz do ar fresco", expondo-se às críticas dos que frequentam os tribunais só para fugir do frio.

Se você quiser saber o que esse grupo faz à noite, a resposta é simples: vão aos julgamentos noturnos.

Na porta do minúsculo escritório de Bernard A. Young, na rua 51 com a Broadway, estão escritos os nomes de catorze firmas sobre as quais ele exerce um poder incontestе — porque ele é seu presidente, membro da diretoria, ou único membro. O sr. Young reconhece que ter catorze nomes em sua porta despertou a curiosidade de desconhecidos e enfureceu o carteiro. "O carteiro joga tudo o que é correspondência duvidosa no meu escritório", diz o sr. Young. "E em geral ele tem razão."

A última pessoa jurídica da qual o sr. Young adquiriu o controle, numa disputa feroz com os dois únicos (além dele) nova-

-iorquinos que tinham ouvido falar dela, é a Fundação de Pesquisa sobre Pássaros Ltda. Trata-se de uma entidade fundada por Young e duas senhoras, ambas amantes de pássaros, que procura dar assistência a pássaros engaiolados.

"A entidade não tem fins lucrativos", diz o sr. Young, um cinquentão de Harvard que tem uma longa história com entidades sem fins lucrativos. "Nós divulgamos informações sobre os cuidados que as pessoas devem ter com pássaros de estimação, mas não nos preocupamos com os pássaros das ruas, tarefa que cabe a instituições como a Audubon..."

Muitas das empresas do sr. Young figuram em sua porta por pouco tempo. Quando abandona um negócio e parte para outro, ele troca o nome das firmas. Cada vez que isso acontece ele gasta dez dólares para mudar a relação de empresas de sua porta. Das firmas que normalmente figuram na porta, uma dúzia é de gravadoras ou editoras de partituras musicais; há uma empresa de cartões comemorativos e a fundação que cuida de pássaros.

"Não sei como você poderia me qualificar", diz ele. "Sou advogado por Harvard, mas nunca exerci a profissão. Sou solteiro. Sou membro da Phi Beta Kappa* e agraciado com *magna cum laude*. Publiquei partituras e gravei músicas, mas sempre gostei de pássaros. Eu próprio sou um pássaro. Minha maior queixa é o fato de os compositores não serem pagos pela execução de suas músicas. Os compositores são como pássaros. Só recebem esmolas e migalhas."

A lista telefônica de Manhattan tem 780 mil nomes, dos quais 3277 são Smith, 2811 são Brown, 2446 são Williams, 2073

---

* Phi Beta Kappa: instituição fundada em 1776 que congrega estudantes detentores de grande distinção acadêmica. (N. T.)

são Cohen — e um é Mike Krasilovsky. Quem duvidar desta última afirmativa, basta ver no alto da página 894 onde, em grandes letras pretas, se lê:

Só existe *um*	Lembre-se de	Só existe *um*
Mike Krasilovsky	Mike	Mike Krasilovsky
Sterling 3 — 1990	Sterling 3 — 1990	Sterling 3 — 1990

Para encontrar o sr. Krasilovsky é preciso ir até o Brooklyn, onde, no número 426 da Lafayette Avenue, ele dirige uma grande empresa especializada no transporte de máquinas pesadas, cofres, estátuas enormes e pequenos montes de terra. Ele emprega 43 maquinistas e aparelhadores, possui 32 caminhões e pregou um cartaz na frente de seu edifício de dois andares: "Transportamos qualquer coisa, para qualquer lugar, a qualquer hora".

O sr. Krasilovsky é um homem de 58 anos, de aspecto viril, cabelo cortado à escovinha, rosto redondo, braços compridos e unhas sujas.

"Sou capaz de desmontar, transportar e remontar qualquer coisa — por maior ou menor que seja, por maior que seja a dificuldade — mais rápido do que qualquer pessoa em Nova York", diz, modestamente. E logo começa a contar como transportou a estátua de Thomas Jefferson, que tem mais de treze toneladas, de Astoria para Washington; a estátua de George Washington, de quase nove toneladas, de Providence para Mount Vernon; como levou um acelerador de partículas para dentro do hospital Mount Sinai; mais de treze toneladas de sinos para a igreja Grace; uma árvore de Natal de dezesseis metros de altura para Wall Street; como fez passar quatro computadores Univac por uma janela do terceiro andar da Remington Rand, contrariando a opinião de alguns céticos, que diziam ser impossível.

O sr. Krasilovsky começou a aprender o ofício de transportador de maquinaria no Brooklyn, aos nove anos, com seu sábio mas pouco instruído tio Samuel Krasilovsky, que assinava com um X e era chamado de Charley pelos amigos. Naquela época o tio Charley transportava cofres por toda a cidade, usando um cavalo e uma carroça, com alguma ajuda de seu irmão, David, e, naturalmente, de seu jovem sobrinho, Mike Krasilovsky. O nome oficial da empresa era S. Krasilovsky & Irmão. Os três trabalharam juntos durante cerca de vinte anos; quando David resolveu integrar à empresa seus dois filhos, Monroe e Harry, Mike foi contra. Em 1939 ele saiu da firma e abriu sua própria transportadora. E é aí que a história começa a se complicar.

As duas empresas Krasilovsky começaram a roubar clientes uma da outra, e a fazer uma guerra de propaganda. Os clientes, confusos, quase nunca sabiam com qual Krasilovsky estavam tratando, falando, ou a quem estavam xingando ou pagando. Por isso, para deixar as coisas bem claras na lista telefônica, Mike começou a anunciar:

Lembre-se de Mike. Só existe *um* Mike Krasilovsky.

Começou também a escrever seu nome KrasiloUsky, para passar na frente da KrasiloVsky & Bro, nas listas telefônicas.

Em 1957, o terceiro filho de David, Milton Krasilovsky, entrou no ramo de transportes de maquinaria. Milton, um jovem brilhante do Brooklyn College, resolveu mudar seu nome, nas listas telefônicas, de Milton para Mick, e tirar o v de seu último nome: assim a firma recebeu o nome de Mick KrasilOsky no catálogo, passando também a roubar muitos clientes de Mike.

Isso enfureceu Mike. Ele então mudou o nome de sua empresa para Atlas-York Safe Corp., e foi para o início da lista telefônica.

Então um primo de Milton criou a Acme Safe Co.

Foi aí que o outro primo de Milton, Marvin, deu a ideia da AAA Acme Krasilovsky Safe Co.

Ninguém sabe o que Mike pretende fazer para chegar ao início do catálogo telefônico, mas ele só precisa passar na frente de um serviço de recados telefônicos que fica no 237 da Primeira Avenida e se chama A.

De qualquer forma, só na página 894 Mike conseguiu fazer figurar o número de seu telefone dezoito vezes — em Krasilovsky Mike, Krasilo*U*sky Mike e Krasilovsy Bros., sem contar Ace Transportes ou Atlas-York Safe Corp.

O número de Milton invadiu as páginas treze vezes — como Krasilovsky Milton Inc., Krasil*O*sky Mick, Krasilovsky D. & S. (o *D*. é de David, e o *S*. do velho tio Samuel, conhecido como Charley); e/ou alternando as quatro últimas letras de seu sobrenome de -vsky para -osky, mas ainda não para -usky.

"Essa besteirada não ajudou em nada os nossos negócios", reconhece Milton Krasilovsky, em seu escritório na Green Street, no Brooklyn. "Os clientes agora estão usando os serviços de outras empresas onde há menos confusão."

E enquanto metade dos Krasilovsky está tentando passar na frente uns dos outros no negócio de transportes, a outra metade está saindo desse ramo.

Um dos filhos de Mike é advogado. O outro filho está em Viena fazendo um curso para pastor da Igreja Congregacionalista. A filha de Mike, Phyllis Krasilovsky, se tornou uma bem-sucedida autora de livros infantis. A mulher de Mike, professora em regime de meio período da Nova Escola de Pesquisa Social do Greenwich Village, mudou o nome para Harriet Krass. (Aliás, a mulher de Monroe, irmão de Mike Krasilovsky, também mudou o nome para Harriet Krass.)

Monroe II, filho de David, em grande parte responsável pela primeira cisão da dinastia Krasilovsky, desde então passou a empregar o seu talento no ramo de conserto de automóveis. Seu irmão, Harry, está desempregado. O pai deles, David, se aposentou.

Mas Mike Krasilovsky continua firme. Nada o perturba — pelo menos enquanto houver *apenas um* Mike Krasilovsky em Nova York.

Com uma capa curta sobre os ombros e uma peruca na calva, Henry W. Dubois consegue ganhar a vida em Nova York interpretando George Washington. Nos últimos dezenove anos o sr. Dubois encarnou Washington centenas de vezes em shows beneficentes, escolas, igrejas e clubes. Milhares o conhecem apenas como o "sr. Washington", e é normalmente sob esse nome que recebe sua correspondência — em sua casa, em Washington Heights.

Cerca de quarenta vezes por ano o sr. Dubois é contratado para fazer o papel de Washington. Às vezes ele se apresenta num encontro da Christian Arts Fellowship; outras vezes na Escola Pública 115, ou na E.P. 83, ou ainda no hall da instituição de Maçons Veteranos de Guerras Estrangeiras. Ele repetiu a oração de Washington dezenas de vezes no Broadway Temple, no hospital Rockland State e na ala infantil de hospitais por toda a cidade. Em todos esses lugares, o sr. Dubois mantém uma postura augusta e solene, é um homem de importância histórica.

O sr. Dubois, já na casa dos setenta e poucos e inclinado a grandes mudanças, confessa que não teve sucesso interpretando vozes de animais nos primeiros tempos do rádio. Vivia desempregado — ele lembra — até arranjar um emprego como vigia na capela St. Paul, no centro da cidade, onde o próprio George Washington costumava orar. De repente, diz o sr. Dubois, renasceu toda a sua reverência juvenil por Washington. Ele começou a repetir a oração de Washington (que aprendera de cor na escola) para os amigos, e quando lhe pediram que se apresentasse na comemoração do aniversário de George Washington na igreja metodista John Street, ele ficou encantado.

"De repente me pareceu que minha vida tinha um sentido místico", disse o sr. Dubois. "Repeti a oração e, não sei por quê, senti o espírito do velho George. Quando terminei a oração o pregador me passou uma nota de um dólar — e nela havia um retrato de George."

O sr. Dubois comprou um uniforme colonial de um ator amigo seu. Devido, porém, a seus constantes compromissos, raramente ele o recebe de volta da lavanderia a tempo de usá-lo na apresentação seguinte. Como interpreta Washington o ano inteiro — Dubois é contratado para o Dia da Bandeira, o Dia da Constituição e muitas outras datas comemorativas —, descansa muito pouco.

Mas ele sempre arranja tempo para visitar hospitais à noite. Nos hospitais ele procura alegrar os pacientes com suas imitações de cachorros, de carros, barcos a vapor e aviões; as crianças do hospital Bellevue adoram suas imitações, sendo muito mais capazes de apreciá-las que os antigos patrocinadores do sr. Dubois. Elas lhe deram um nome — "Dr. Alegria" — e nem imaginam que milhares de nova-iorquinos o veem como o primeiro presidente do país.

Joe Barbagallo, barbeiro-chefe das Nações Unidas, sempre conseguiu manter boas relações com o Oriente e com o Ocidente, adotando uma política de não discutir, não interromper o interlocutor e não fazer corpo mole no serviço. Alguns dos mais importantes diplomatas do mundo têm a maior confiança em sua tesoura, admiram-se com a sua rapidez, e relaxam confortavelmente sob sua navalha. Já lhe telefonaram de Washington para marcar hora e, uma vez em sua cadeira, quase nunca lhe dizem como deve fazer o seu trabalho; o sr. Barbagallo não lhes diz como dirigir as Nações Unidas e não espera que lhe digam como cortar cabelo.

Os doze anos que passou cortando cabelo nas Nações Unidas lhe ensinaram, entre outras coisas, que os cabelos dos russos devem ser cortados curtos, acima das orelhas; os dos franceses, compridos no alto da cabeça e curtos na nuca; os dos britânicos, bem longos na nuca e cheios nas costeletas; e o dos chineses, bem curtos em cima, dos lados e na nuca.

"Tem gente que me diz como quer que corte seu cabelo", confessa o sr. Barbagallo, "mas nove em cada dez vezes as instruções estão erradas. Eu concordo com eles, mas faço como me parece certo. Ao cortar sempre menos cabelo do que o cliente pede, dificilmente erro."

Ele lista entre seus clientes fiéis líderes como Trygve Lie ("só uma aparadinha"); Dag Hammarskjöld ("cabelo muito fino, tem que ir com calma"); Andrew W. Cordier ("curto dos lados e atrás"); dr. Ralph J. Bunche ("só um pouquinho em todos os lados"); e Henry Cabot Lodge ("apare um pouco em volta das orelhas, mas não curto demais").

Raramente, ou nunca, se discute política na cadeira do sr. Barbagallo. Como quer manter sua política de esplêndido isolacionismo, com os ingleses ele fala principalmente sobre críquete, com os americanos, sobre o tempo, com os italianos, sobre mulheres.

Quando a ONU inaugurou sua sede em Lake Success, Joe Barbagallo, que trabalhava no Queens, candidatou-se para trabalhar e foi contratado "a título de experiência". Nunca saiu oficialmente desse período de "experiência", e lá continua ele todos esses anos, da forma mais discreta possível, em sua pequena sala no edifício do Secretariado.

Um de seus dois auxiliares é seu irmão Gus. Gus corta o cabelo de Joe, Joe corta o do irmão, mas ambos preferem fazer a própria barba. Ninguém prestigiou mais a competência de Joe Barbagallo que o ex-ministro das Relações Exteriores do Paquistão, Muhammed Zafrulla Khan, que sempre telefonava de Washington para marcar hora e depois pegava o avião para ir cortar o cabelo. Alguns anos atrás, à época do conflito na Caxemira, os jornalistas surpreenderam o representante do Paquistão saindo discretamente das Nações Unidas. Eles imaginaram que estava acontecendo alguma coisa importante e apressaram-se em ligar para a delegação paquistanesa. Mas eis o que disseram aos repórteres: "Muhammed foi fazer a barba. Lá é o único lugar em que lhe aparam a barba direito".

O homem mais alto de Nova York, Edward Carmel, mede dois metros e meio, pesa 215 quilos, come feito um cavalo e mora no Bronx. Os nós de seus dedos são como bolas de golfe, e quando ele aperta a mão de alguém, cobre seu punho com carne tépida. Ele paga 150 dólares por um par de sapatos, 275 dólares por um terno feito sob encomenda e dorme na diagonal numa cama de pouco mais de dois metros. Quando vai ao cinema, senta-se na última fileira ou fica de pé, ou então procura sentar-se na fileira da frente, para poder esticar as pernas. Ele nasceu há 25 anos em Tel Aviv, com quase sete quilos. Aos onze anos, tinha 1,80 metro, aos catorze, dois metros, aos dezoito, 2,40 metros. "Não me lembro de quando eu era mais baixo do que meu pai", diz ele.

O pai do Homem Mais Alto de Nova York, um corretor de seguros, tem um 1,67 metro de altura. Sua mãe tem 1,65 metro. Mas seu bisavô, Emanuel, tinha 2,29 metros, e era chamado de o Rabino Mais Alto do Mundo.

Até agora Ed Carmel vem ganhando a vida com seis fontes de renda, embora a soma de todos os seus ganhos não chegue a 10 mil dólares por ano. Ele atuou como monstro em filmes, foi contratado como Palhaço Feliz, atuou como lutador, gravou comerciais para o rádio com sua voz grave, interpretou O Maior Caubói do Mundo no Madison Square Garden, na apresentação do circo Ringling Bros., e vendeu fundos mútuos. Seu escritório na Fundos Mútuos fica na rua 42, não muito longe do hotel onde se hospedam os lutadores anões — ele já os viu, mas nunca tropeçou neles. Em seu último filme, *A cabeça que não queria morrer*, que não ganhou nenhum Oscar, Ed interpretou o filho de Frankenstein. Nesse filme ele mordeu o braço de um médico, jogou uma moça nua numa mesa, incendiou uma casa, e teria feito muito mais baderna, ele disse, "não fosse tão baixo o orçamento do filme".

"Um ano atrás", disse ele, "um promotor de lutas me descobriu e logo me anunciaram como 'Eliezer Har Carmel — Lutador de Israel Campeão do Mundo'. Nunca havia lutado antes de me tornar campeão. Todos me pediam que fizesse como se costuma ver em shows de luta livre, que eu esganasse o locutor do ringue, que agisse como um verdadeiro louco, vendo os outros lutadores darem o fora. Participei de uns poucos espetáculos, mas nunca travei uma luta. Abandonei o ringue invicto."

Ed Carmel chegou aos Estados Unidos com seus pais quando tinha três anos e meio. "Minha infância", disse ele, "foi terrivelmente difícil." Ele era alvo de zombarias, era retraído na escola, e fora dela tendia à reclusão.

"Nunca punha a mão em ninguém", disse ele, "a menos que fosse atacado. Eu sabia que se perdesse o controle e batesse em alguém o juiz não teria a menor complacência comigo. Assim, durante toda a minha vida aguentei todo tipo de chateação — de jovens bêbados ou desses covardes escrotos do metrô: gangues de jovens que só me insultam quando estão em grupo."

Depois que se formou na Taft High School em 1954, ele frequentou o City College, onde participava de um grupo de teatro, escrevia sobre esportes no jornal do campus, candidatou-se a vice-presidente de sua turma — e ganhou. "Depois de dois anos no City College de Nova York, achei que já devia cair na vida e conseguir um emprego como apresentador ou ator de televisão", disse ele. "Então saí da faculdade, mas em todo lugar me perguntavam 'Que experiência você tem?'. Candidatei-me para trabalhar no espetáculo da Broadway *The tall story*, sobre um jogador de basquete, mas eu era alto *demais*."

A única coisa que ele conseguia fazer na televisão era o papel de monstro, e suas falas limitavam-se a uma série de grunhidos e gemidos. Talvez seu único consolo na vida seja a convicção de que, em Nova York, é melhor dar muito na vista do que passar inteiramente despercebido. "Em Nova York", disse o Homem Mais Alto, "sinto que sou alguém. Sinto que tenho que passar uma impressão de prosperidade no metrô, que não posso sair sem paletó e gravata. Sei que todas as pessoas que encontro em Nova York vão ter uma reação positiva ou negativa em relação a mim, por causa do meu tamanho."

O Homem Mais Alto de Nova York tem um sorriso irônico, é extremamente inteligente e tem um senso de humor cáustico. "Nova York", reflete ele, "é uma cidade movimentada e interessante. Cada dia é um novo desafio — mais um passo para se adquirir uma úlcera. Nesta cidade a gente está sempre esperando o telefonema de algum filho da puta — e ele não liga."

Nova York é uma cidade de profissões estranhas

Toda tarde em Nova York um saxofonista meio maltrapilho, as bochechas enfunadas feito uma vela de barco, fica na calçada tocando "Danny Boy" de um jeito tão melancólico, tão sensível, que em pouco tempo metade dos moradores das redondezas se põe a olhar pelas janelas, jogando moedas de cinco, dez e 25 centavos a seus pés. Algumas moedas rolam para baixo de carros estacionados, mas com sua mão estendida ele consegue apanhar a maioria delas.

O saxofonista é um músico de rua chamado Joe Gabler; nos últimos trinta anos ele tocou em cada quarteirão de Nova York e já chegou a ganhar, num só dia, cem dólares em moedas. Mas ele também recebe baldes de água na cabeça, latas de cerveja vazias, e acontece de ser perseguido por crianças e cães bravos. Vez por outra, em companhia de Carl, seu irmão, um guitarrista magrelo que recende a cerveja, Joe anda 32 quilômetros por dia, sete dias por semana. Joe e Carl foram criados em Lower East Side e estudaram até a terceira série. Mais tarde Joe foi para um reformatório. E antes de chegar à adolescência, os dois já andavam pelos bares tocando música.

"Desde então a gente tem andado aí pelas ruas", diz Joe. "Carl presta atenção nas ruas que percorremos cada dia, e nunca vamos à mesma rua duas vezes num ano. O East Side de Manhattan é o melhor em termos de gorjetas, exceto no verão, quando os ricos vão viajar. Quando vamos às vizinhanças porto-riquenhos em West Side, sempre tocamos música hispânica e usamos chapéus de palha. Há uma senhora na rua 49 que nos dá cinco dólares toda vez que tocamos 'When irish eyes are smiling.'"

"O que você faz com todo esse dinheiro?", perguntaram a Joe.

"Ele vai embora", respondeu o músico.

"Vocês nunca vão sair das ruas e arranjar um emprego?"

"Não vamos sair das ruas até o dia da nossa morte", disse Joe em tom dramático.

"Não temos escolha", disse Carl serenamente.

Entre os funcionários do Departamento de Limpeza Urbana, quem tem mais estômago são dois homenzinhos que trabalham na única "carrocinha de cavalos mortos" da cidade de Nova York. Toda semana em média quatro cavalos caem mortos na cidade, e é tarefa de Matthew Di Angelo e Philip Tortorici levar as carcaças embora — e também as carcaças de outros animais que morrem em zoológicos, em pistas de corrida ou estábulos.

Anualmente, Di Angelo e Tortorici recolhem uma média de duzentos cavalos, cinquenta bezerros, trinta cordeiros, vinte touros, dez veados, cinco vacas, dois burros e, quase sempre, um leão, elefante ou macaco. E nos últimos anos eles foram chamados para guindar um hipopótamo de 2,2 toneladas do zoológico de Prospect Park, recolher uma tartaruga de quase quinhentos quilos da Bowery Bay e tirar um tubarão de 2,75 metros que alguém deixou certa noite na esquina da Park Avenue com a rua 150, no Bronx.

"Nosso trabalho", explica o sr. Tortorici, "é como o de registrar baixas no exército. Ninguém quer." É claro que ninguém quer, exceto os srs. Tortorici e Di Angelo, que se candidataram à função e confessam que é menos monótono que a coleta do lixo. Além disso, anda-se menos que no trabalho de varrer as ruas.

Esse Carontes do reino animal nova-iorquino ficam parados todas as manhãs no Departamento de Limpeza Urbana do Píer 70, na rua 22, em East River, e esperam os três toques do sino que significam que um animal caiu morto em algum lugar de Nova York. Um funcionário do Departamento de Limpeza traz o endereço, e então Tortorici e Di Angelo entram em seu caminhão equipado com cabos e manivelas — e vão embora.

"No caso dos cordeiros, temos que correr para chegar antes que os vermes tomem conta deles", disse Tortorici. "Cordeiros mortos têm um cheiro horrível, muito pior que o dos cavalos. Os cordeiros tiram o apetite da gente. E nas noites em que eu tenho fome, nunca quero comer carne de cordeiro."

Os dois homens amarram as pernas traseiras do animal com nós de marinheiro, içam-no até o caminhão e tomam o rumo da empresa de aproveitamento de carcaças de Van Iderstein, passando pela Quinta Avenida e pela Park Avenue; nenhuma das pessoas que estão fazendo compras presta atenção ao grande caminhão do Departamento de Limpeza Urbana — embora com certeza sintam de leve o cheiro que ele exala.

Os animais mortos são um presente da cidade de Nova York para Van Iderstein. Além de usar o couro dos animais, ele transforma ossos em cola e fertilizantes, e pedaços de carne em ração para galinhas e animais de estimação. Ele aproveita até os cravos dos cascos dos cavalos.

Embora ninguém saiba ao certo o valor comercial de um cavalo morto, os carneadores de Van Iderstein consideram muito mais valioso um pangaré bem fatiado de um carroceiro do que um veloz puro-sangue do hipódromo de Belmont. "Tiramos muito mais gordura de um cavalo velho, e sua gordura rende muito mais sebo", disse um dos empregados de Van Iderstein. "Os cavalos de corrida são magros demais."

Depois que Di Angelo e Tortorici despejam sua carga na fábrica de Van Iderstein, o caminhão é borrifado com uma substância perfumada. Os dois aspiram o perfume e sorriem. Depois entram no caminhão e voltam para o Píer 70, cheirando a vendedores de desodorante.

Sexta feira, 15 de julho de 1960, foi um dia típico na cidade de Nova York. Puseram mais sete placas de "Proibido jogar lixo" no Central Park. John T. Jackson se tornou vice-presidente da Gerência de Planejamento da Remington Rand e sua fotografia foi estampada na página 26 do *New York Times*. A Casa dos Israelitas Idosos e Enfermos de Nova York anunciou ter recebido a soma de 2 milhões de dólares, legados à instituição pelo testamento de Solomon Friedman, comerciante de algodão. A loja de quinquilharias John's alugou, de um certo Louis Cella, um edifício no número 184 da rua 231 Oeste, perto da Broadway. A empresa de transportes Fifth Avenue abriu um processo contra o sindicato liderado por Michael J. Quill, exigindo uma indenização de 500 mil dólares, por este ter promovido ilegalmente uma greve de ônibus. Às 11h15, Joseph J. Marinello, 77, entrou chispando em Times Square com sua bicicleta, pediu um suco de tomate e falou: "Acabo de andar mais de mil quilômetros nesta bicicleta". (Um balconista meio sonolento ficou muito impressionado.) Uma certa quantidade de óxido nitroso insinuou-se pelas máscaras de gás e prostrou vinte bombeiros num incêndio em um loft no 12º andar dos números 107-109 da rua 38 Oeste. Às oito da noite, a temperatura estava na marca dos 26 ºC. Eleanor Steber cantou "Il Trovatore" no Lewisohn Stadium e agradou a todos. Uma faxineira polonesa ficou presa durante cinco minutos num elevador de Wall Street, no 37º andar. Um carro com um homem e uma mulher caiu de uma altura de doze metros e mergulhou no rio East, depois de passar em alta velocidade pelo píer da Tiffany Street, pouco antes da meia-noite. Ninguém mais os viu até sábado à noite, no dia 16 de julho, quando um mergulhador troncudo, que estava vasculhando na lama escorregadia, achou os dois corpos debaixo d'água, prendeu um gancho no para-choque traseiro do carro e o trouxe de volta à superfície.

Barney Sweeney é o mergulhador que consegue resgatar mais objetos nas águas da cidade. Durante 25 anos ele explorou as águas profundas de Nova York em busca de cadáveres, de armas usadas em assassinatos, de anéis de diamante, e até da dentadura de um comandante de navio. Ele foi contratado para desobstruir o sistema de drenagem no fundo de um lago do zoológico do Bronx, retirar cabos emaranhados nas hélices de um navio a vapor, recuperar cargas que caíram do píer. Sua Nova York não é a cidade dos arranha-céus; é a fria e escura água quinze metros abaixo da Estátua da Liberdade, 27 metros abaixo da ponte Hell Gate, 55 metros sob a ponte George Washington.

Os caminhos de seu mundo são obstruídos por carros corroídos por cracas, motocicletas enferrujadas e pneus que ninguém mais quer. Há um avião no fundo do rio próximo ao estaleiro do Brooklyn, um navio da marinha de guerra (com dois esqueletos a bordo) sob a Hell Gate, uma peça de aço inoxidável, no valor de 6 mil dólares, no fundo da baía de Nova York, na altura da rua 57, no Brooklyn, e um anel de diamantes de 25 mil dólares perto de Shelter Island. Depois de passar uma semana procurando o anel, Barney Sweeney desistiu, e nunca conseguiu chegar perto o bastante da peça de aço para nela prender um gancho; ela afundou na lama, e toda vez que ele chega perto a peça vai afundando mais. "Quando as coisas nos escapam assim, nós, mergulhadores, dizemos que ela 'foi para a China'", diz Barney.

A Nova York de Barney é um chão de lama, e em geral ele tem que afundar nela até os joelhos. Raramente consegue ver trinta centímetros na sua frente quando está no fundo das águas, e quando os rebocadores passam lá em cima, revolvem ainda mais o lodo do rio e deixam Barney temporariamente cego. Por isso ele precisa procurar o caminho no escuro. Mesmo assim, ele é capaz de ter insights agudos sobre o comportamento humano — insights sobre como as pessoas morrem.

"Segundo a polícia, o homem que jogou o carro do píer da Tiffany Street estava furioso com a mulher", disse Barney. "Bem, quando achei os corpos, concluí que na última hora, antes de cair na água, ele tinha mudado de ideia. Ele tentou sair do carro desesperadamente. Notei marcas de pneus na beira do píer, e eu o encontrei com metade do corpo para fora da janela."

O carro estava com os pneus para cima, como em geral ficam quando chegam ao fundo. Isso acontece, segundo Barney, porque o carro desce de bico, por causa do peso do motor, e, ao chegar ao fundo, o *momentum* gira o carro e o deixa de teto para baixo. Na noite de 16 de julho havia quatro outros carros nessa posição, na altura da Tiffany Street. Ele os descobriu tateando e, pela quantidade de cracas que havia neles, concluiu que devia fazer pelo menos oito meses que eles estavam lá. "Aquela área próxima à Tiffany Street é procurada pelas pessoas que querem dar o golpe nas companhias de seguros", disse ele. "Elas empurram os carros do píer e recebem a indenização."

Barney Sweeney, que tem 48 anos, pesa 180 quilos quando está vestido para trabalhar; despido, pesa 102. Em geral, ele cobra 125 dólares por dia de trabalho, embora em algumas ocasiões mergulhe em troca de uma percentagem do valor a ser resgatado; acontece também de ele mergulhar sob o sistema "duas vezes ou nada": se ele recuperar o objeto perdido, recebe 250 dólares, o dobro do valor do mergulho; se não achar, não recebe nada. Ele trabalha uma média de 150 dias por ano, principalmente para o Departamento de Polícia, para a Administração Portuária, para estivadores, ou particulares; nesse tipo de trabalho, ele já resgatou um anel de diamante de 20 mil dólares que uma senhora deixara cair de um barco de pesca (e com isso ganhou mil dólares), toneladas de blocos de sulfato que afundaram quando uma balsa bateu num píer de concreto, e a dentadura superior do capitão de um navio. A dentadura, que caíra no rio East, valia 165 dólares, e Barney não cobrou nada pelo serviço.

Como lá embaixo é extremamente frio e o trabalho é muito extenuante, Barney permanece no fundo apenas uma hora e meia por dia. Ele mergulha de um flutuador, onde sua equipe, de apenas dois homens, cuida das mangueiras de ar. Excetuando-se as enguias e os peixes sujos de Nova York, há pouquíssima vida na Nova York de Barney. Ele conversa pela linha direta mergulhador-auxiliar com seu filho Jack, um adolescente que sempre o assiste — da mesma forma como Barney ajudava o próprio pai. "Meu pai morreu num acidente de mergulho", diz Barney. "Seu coração não aguentou. Com aquela idade, ele não devia mergulhar. Quando o puxamos para cima pela última vez, ele estava com setenta e dois anos."

Barney não espera que o filho Jack leve adiante a tradição da família. "Não o pus na universidade para ser mergulhador", diz. No verão passado, Jack trabalhou meio período como auxiliar de seu pai e meio período como funcionário do banco

Chase Manhattan. Um dia, quando operários estavam trabalhando nas fundações de um novo edifício, uma valiosa broca de diamante caiu por um buraco de 76 centímetros e afundou trinta metros. Chamaram Barney Sweeney. Mas Barney, que bebe oito garrafas de cerveja escura por dia — "para esquentar no inverno e refrescar no verão" —, estava gordo demais para fazer o serviço. E o jovem Jack era muito inexperiente. Contratou-se então um mergulhador magro de uma firma concorrente, e aquela foi uma das poucas vezes, em Nova York, em que os Sweeney não puderam fazer valer o seu lema: "Sua perda é o nosso ganho".

David Amerman, um homem baixo e roliço que trabalha num porão escuro em Lower East Side, é o mestre construtor de carrinhos usados pelos vendedores ambulantes de Nova York. Seu falecido pai e, antes dele, seu avô, com finas artes, fizeram do nome da família uma espécie de Stradivarius entre os mais exigentes negociantes de ferro-velho, vendedores de frutas e de cachorro-quente.

"Meu avô, Benny, começou na Rússia, fazendo carrocinhas com eixos de madeira", diz o sr. Amerman. "E Max, meu pai, fazia carrinhos num porão do número 193 da East Houston Street. As pessoas chegavam lá e diziam: 'Ei, Max, quando é que você vai sair desse porão?'. E meu pai respondia: 'Foi aqui que comecei, e é aqui que vou ficar'. Meu pai tinha muita vergonha de entregar um trabalho malfeito", ele continua, encostado a uma carroça em seu porão do número 541 da rua 11 Leste. "Ele se queixava a minha mãe quando meu irmão e eu fazíamos um serviço malfeito, e estava sempre dizendo: 'Por que não pôr mais um prego?'. E eu respondia: 'Pai, não se preocupe; quando o senhor estiver morto os carrinhos ainda estarão vivos...'."

O sr. Amerman para por um instante e depois acrescenta, num tom entre o sentimental e o dramático: "Se você passar na Bleecker Street hoje vai ver homens puxando carrinhos que meu pai fez há quarenta anos — os carrinhos continuam vivos. E se passar na avenida C, ou até mesmo no Brooklyn, vai ver o trabalho de meu pai... ainda firme...".

Ele diz que seus carrinhos "continuam vivos" por pelo menos quarenta anos, e com eles gerações de vendedores ambulantes passaram bons e maus bocados. Ele leva duas semanas para fazer cada carrinho. Ele próprio faz as rodas de nogueira e vende um carrinho de cachorro-quente, totalmente equipado, por 350 dólares; um carrinho de frutas por 125, carroças de lixo por 105, carrinhos para mercearias por 75 dólares.

"Meu pai fazia carroças por doze dólares na época da Depressão", diz o sr. Amerman. "Isso quando havia oito mil carroças em Nova York. Mas quando o prefeito LaGuardia saiu, a prefeitura obrigou os vendedores ambulantes a tirar um alvará, e agora eles não podem mais ficar parados. Como ninguém consegue ficar andando das sete da manhã às seis da tarde, muitos ambulantes tiveram de desistir desse trabalho."

O sr. Amerman não ganhou muito dinheiro com seu ofício, mas, como seus ancestrais, se orgulha de fabricar os melhores carrinhos da cidade. A única coisa que lamenta, embora não muito, é que seus filhos não tenham interesse em manter a tradição.

Em algumas partes da cidade de Nova York, um pouco de ar custa quase um dólar, um metro quadrado de terreno custa 7500 dólares e há um ponto de venda de cachorro-quente na rua 34 que não pode ser comprado nem por 1 milhão de dólares. Existem alguns hotéis de Nova York que não parecem tão chiques quanto outros — mas valem mais; na verdade, na cidade inteira há hotéis e edifícios de escritórios, pedaços de terra e porções da ar que são gemas preciosas no negócio imobiliário — não porque eles assim *parecem*, mas porque um dinâmico homenzinho de Wall Street *diz* assim.

O homem, Gordon I. Kyle, é considerado pela maioria dos plutocratas e especuladores como alguém que dá a última palavra quando se trata de avaliar terrenos, espaços ou edifícios — sobretudo edifícios altos. Ele é principalmente um avaliador de arranha-céus. Os banqueiros, construtores e corretores de seguros lhe pagam uma pequena fortuna para que ele se poste na calçada e fique olhando para cima, contemplando arranha-céus. Acontece muito de tomarem-no por turista. Mas ele avalia com o olhar competente de um penhorista e, segundo William Zeckendorf, "Kyle nunca se enganou".

Na última avaliação que fez, Kyle declarou que o edifício da Pan Am, de 59 andares, que deverá ser erguido em 1962, próximo ao Grand Central Terminal, valerá "mais que o dobro" do Empire State Building, avaliado por ele, em 1951, em 45 milhões de dólares. Ele chegou a essa soma trabalhando em apenas um fim de semana, com informações da Pan American e com plantas dos andares, e cobrou dos empreiteiros, Edwin S. Wolfson e alguns sócios britânicos, 50 mil dólares pela avaliação. Mas a avaliação do sr. Kyle baseava-se em quarenta anos de experiência — quarenta anos nos quais ele não permitiu que nada perturbasse sua indefectível correção.

Esse tipo de avaliação não admite erros de cálculo. Bancos e companhias de seguros dependem dela para avaliar corretamente a propriedade, antes de ser comprada, vendida ou hipotecada. Todo grande banco ou companhia de seguros de Nova York já contratou os serviços do sr. Kyle. Com base na palavra dele, eles concederam empréstimos de 60 milhões de dólares. Dizem que Gordon Kyle já avaliou 70% dos edifícios de Manhattan que têm vinte ou mais andares. Entre eles estão o Empire State, o edifício da Chrysler e dezenas de outros edifícios de escritórios e hotéis, além de edificações diversas como o Carnegie Hall, a estação Bush, no Brooklyn, a Saks da Quinta Avenida, o Metropolitan Club, o Grossinger's, a Bolsa, a Cleveland Welding Plant, Knickerbocker Village e o haras de Belair, perto de Baltimore, do falecido William Woodward Jr.

Os anos que passou batendo perna em Nova York para cobrar aluguéis, trabalhando como corretor de imóveis, assumindo finalmente a presidência da Cruikshank Company e do Departamento Imobiliário de Nova York ajudaram a dar ao velho Gordon I. Kyle ("Jimmy"), 63 anos, a experiência que agora lhe permite dizer: "Eu conheço cada metro quadrado de Manhattan" e "Diga-me em que quarteirão andas, e eu lhe direi o que há nele".

Ele sabe também quanto valia cada metro quadrado dez anos atrás, e quanto deverá valer daqui a uns dez anos. Ele sabe que determinado edifício de escritórios da Quinta Avenida recebe ar e raios de sol porque o proprietário paga, pelo "direito ao ar", 35 mil dólares por ano ao proprietário do pequeno edifício vizinho, para impedir que outro arranha-céu surja e venha bloquear a visão e desapontar inquilinos que pagam preços fantásticos pela luz do sol. Ele sabe que o terreno do número 1 da Wall Street, onde fica a Irving Trust Company, foi vendido a 7500 dólares o metro quadrado, e diz que é o mais valorizado de Manhattan. Segundo ele, o local mais movimentado de Manhattan é do ponto de venda de cachorro-quente Nedick's, na esquina da rua 34 com a Broadway, por onde passam diariamente 300 mil pessoas.

Com esses dados na ponta da língua e um extraordinário conhecimento do mercado imobiliário sob o chapéu de aba flexível, o sr. Kyle foi capaz de avaliar o edifício da Pan Am, ainda que não o tivesse diante de si. Mas a planta do edifício mostrava que ele teria a maior área para locação da cidade de Nova York — 223 quilômetros quadrados, setenta elevadores, 21 escadas rolantes e espaço para 25 mil pessoas trabalharem. Como já avaliara muitas vezes as cercanias da Grand Central, foi relativamente simples avaliar o edifício ainda em projeto.

Mas quando tem diante de si o edifício a ser avaliado, o sr. Kyle sempre o percorre do terraço até o porão, e sua atitude e aparência são as de um inspetor-geral. Ele é um homem baixo e troncudo que anda com os ombros inclinados para trás, tem o queixo protuberante e o rosto quase sempre franzido. Seu nariz afilado parece sempre pronto a farejar alguma falha; seus olhos azul-claros se movem o tempo todo, no sentido horário, quando ele está examinando um arranha-céu. Seu estilo é direto; suas palavras, breves e objetivas.

"Quantas cadeiras podemos pôr aqui?", perguntou ele, recentemente, ao gerente de um hotel no centro de Manhattan, de pé no meio do restaurante principal.

"Mil duzentas e quarenta e quatro", disse o homem.

"O aquecimento vem da estrada de ferro?"

"Sim. Vapor."

"Queria ver uns dois quartos", disse o sr. Kyle.

"Sim, senhor."

"Vocês não têm elevadores automáticos em nenhum lugar?", perguntou Kyle no elevador.

"Não, senhor", disse o homem, e o levou a um quarto.

"Esses quartos são os mais baratos?"

"Sim."

"Eles são pouco procurados?", perguntou Kyle.

"Não, *senhor*", disse o homem. "Por quê?"

"Pouca luz", disse Kyle.

O homem do hotel deu de ombros. Kyle fez anotações.

"O hotel está cheio?", perguntou Kyle.

"Temos setenta e oito por cento de ocupação", disse o homem. "A estação mais vazia é o verão, quando temos entre cinquenta e cinco e sessenta por cento."

Kyle perscrutou os móveis, olhou atentamente pelas janelas, observou os ladrilhos do banheiro, depois se concentrou no piso.

"Os carpetes aqui são todos assim?", perguntou ele, erguendo uma sobrancelha.

"Não, com certeza", disse o homem.

Ao sair, Kyle passou a mão pelo papel de parede, para saber se era de boa ou má qualidade. Chegaram então ao quarto 1701.

"É bem novo, mas não estou vendo nenhuma TV", disse Kyle.

"É um quarto de solteiro de oito dólares", disse o homem.

"Está precisando de uma pintura", disse Kyle.

"Ele tem bons armários", disse o homem.

Kyle tomou mais notas, depois passou os dedos sob a porta para ver se estava suja. Cinco minutos depois, Kyle se despediu do gerente do hotel, andou pelo terraço, falou com os ascensoristas, que são uma grande fonte de informação para ele, sobretudo quando avalia edifícios de apartamentos ou de escritórios. Os ascensoristas sabem das últimas fofocas, quantos quartos estão vagos, sabem das posses dos inquilinos, da sobriedade dos zeladores e detêm outras pequenas informações, porque as pessoas falam livremente na frente deles.

No terraço, Kyle examinou o papel alcatroado, as placas de proteção de cobre, a qualidade da alvenaria, e então enfiou o dedo indicador entre os tijolos para ver se o cimento estava fraco, gasto ou se era permeável à chuva. "Vazamento sempre dá problemas com os hóspedes", disse ele. Então examinou o aparelho de ar-condicionado no teto, deu-lhe umas pancadas com o punho e tomou mais algumas notas.

"É muito importante inspecionar esses edifícios pessoalmente", disse ele. "Você fica com uma impressão geral, observa deficiências e impedimentos. Primeiro você percorre o lugar com o proprietário ou com o gerente, depois continua sozinho. Os proprietários em geral mostram o lugar rapidamente. Estão ansiosos para agradar. Se desconfio que estão tentando esconder alguma coisa, começo a olhar tudo com muito mais atenção. É claro que há os casos em que me dão valores incorretos sobre o custo de operação ou de aluguel. Ou então eles colocam "valor estimado" antes de um número. "'Estimado' pode significar qualquer coisa. Mas eu sei o valor do espaço." E acrescenta de forma enfática: "Eu entendo de aluguéis".

Ele saiu do terraço e começou a descer, examinando, no caminho, quartos e escritórios. À medida que descia, o chão em que pisava ia ficando mais barato; os andares de cima, que chegam a valer setenta dólares por metro quadrado, são sempre mais caros que os dos andares de baixo, porque têm mais luz e mais ar.

"Atualmente, todo mundo paga pelo ar e pela luz do sol", diz o sr. Kyle.

Duas horas depois ele chegou ao porão, onde, sob o olhar apreensivo do zelador, examinou as tubulações de água e o sistema de aquecimento. Depois voltou à rua, cruzou a Park Avenue, que vale entre 2150 e 2700 dólares o metro quadrado; em seguida se dirigiu à Quinta Avenida, cujo metro quadrado vale até 3200 dólares. Ele disse que a Quinta Avenida é mais valorizada que a Park Avenue porque a ferrovia passa por baixo desta, o que elimina o espaço para os porões, e dá para ouvir o barulho dos trens da Grand Central em muitos apartamentos da Park Avenue.

Uma hora depois o sr. Kyle estava de volta ao seu escritório no número 48 de Wall Street, examinando folhas espalhadas em sua mesa. Os telefones tocavam; eram ligações locais e interurbanas, de banqueiros e proprietários de edifícios, solicitando que ele examinasse tal coisa ou outra. Naquele exato momento, William Zeckendorf, na cobertura de luxo da empresa imobiliária

Webb & Knapp, ordenava à sua secretária, em altos brados, que fizesse uma ligação para Kyle. A telefonista de Wall Street disse:

"A linha do senhor Kyle está ocupada."

"Será que vai demorar?", perguntou Zeckendorf.

"Não sei", respondeu a moça.

"Veja se ele vai demorar", disse Zeckendorf.

Um minuto depois Kyle estava ao telefone.

"Alô."

"Jimmy?"

"Sim, Bill."

"Como está sua cabeça hoje?"

"Cada dia mais fraca, Bill."

"Bem, é o seguinte, Jimmy... Você leu nos jornais sobre o Astor... e me pergunto se você vai dar uma olhada nisso..."

"Bill, eu vou, mas tenho uma reunião com o pessoal da imobiliária amanhã..."

"Que vão para o diabo", disse Zeckendorf.

"Depois eu faço isso", disse Kyle, num tom mais firme.

"Está bem, garoto", disse Zeckendorf, em tom mais brando.

"Você vai estar aí amanhã?"

"Por que não estaria?", disse Zeckendorf.

"Então a gente se vê", disse Kyle.

"Está bem, garoto", disse Zeckendorf.

(Clic.)

Esse tipo de conversa entre magnatas do ramo imobiliário e Kyle em geral são informais. E quando Kyle dá o seu veredicto, eles não costumam questioná-lo. Se bem que algumas vezes um ou outro resmungue que o edifício vale mais (principalmente quando pretendem vender) ou menos (se querem comprar). Mas Kyle não arreda pé. "Nesse ramo de negócios não podemos fazer concessões", ele diz. "Você não pode fazer o que as pessoas lhe pedem. Posso provar tudo o que assino. Cada uma das minhas avaliações é feita pensando na possível necessidade de prová-las no tribunal."

Em grande medida, a capacidade de avaliação do sr. Kyle foi adquirida à época em que fazia cobranças de aluguel, atividade a que passou a se dedicar quando deu baixa do exército e depois de sair da Wesleyan University, em Middletown, Connecticut. Ele trabalhava para a United Cigar Company, então a maior proprietária de imóveis em Nova York. "Eles detinham praticamente todos os lugares de valor da cidade", lembrou Kyle. "E eu passei dois anos andando com os bolsos cheios de dinheiro por vestíbulos escuros em edifícios de apartamentos e galpões empoeirados. As pessoas que pagavam os aluguéis mais baratos costumavam guardar o dinheiro em garrafas de leite. Uma vez, depois de receber o dinheiro de um homem furioso, levei vários chutes no traseiro enquanto descia as escadas. Eu era apenas um garoto. Mas aqueles foram os anos mais importantes de minha vida. Eles me ensinaram, sem que me desse conta, o valor do espaço."

Em 1921 ele parou de fazer cobrança de aluguéis e abriu sua própria firma de corretagem e de avaliação de imóveis. Nos primeiros anos da década de 1930, foi contratado pela Supervisão Geral de Bancos de Nova York para avaliar as propriedades imobiliárias de bancos em todo o estado. Em 1936, entrou na Cruikshank Company, e há dois anos tornou-se presidente da empresa. Em qualquer lugar, ele cobra entre 15 mil e 20 mil dólares para avaliar um arranha-céu, e em geral não leva mais de uma semana para avaliar qualquer um deles. Em 1951, levou duas semanas percorrendo o Empire State Building de cima a baixo, antes de sua venda, e cobrou 25 mil dólares pelo trabalho. A soma de 50 mil dólares que ele cobrou da Pan Am é considerada o maior preço pago por um trabalho de avaliação — um preço ainda mais espantoso quando se considera que o edifício ainda nem existia.

"Estou num negócio", diz o sr. Kyle aspirando a fumaça de um cigarro com piteira, "extremamente especializado e lucrativo."

Uma senhora carnuda, com uma sacola da Macy's numa das mãos e a mão de seu filho na outra esperava impaciente no balcão de cachorro-quente da Nedick's. Então olhou para o filho e perguntou:
"O que você quer, Marvin?"
"Hambúrguer", respondeu ele.
"Leve um cachorro-quente", disse ela.
"Eu quero hambúrguer", ele gritou.
Plaft! Ela deu com a bolsa na cabeça dele. Ele gritou, mas ela insistiu: "Coma um cachorro-quente".
Marvin levou um cachorro-quente.

Ninguém na Nedick's prestou atenção; estavam todos ocupados em se empanturrar; além do mais, esse tipo de perturbação acontece quase todo dia na Nedick's, na rua 34 com a Broadway — a barraquinha de cachorro-quente mais movimentada do mundo.

Todo dia, como observou o sr. Kyle, 300 mil pessoas passam por aquela esquina. E 8 mil vão (ou são empurrados) até a Nedick's, onde passam uns quatro minutos engolindo uma média de setecentos hambúrgueres, mil xícaras de café, 5 mil cachorros-quentes e 5500 refrescos de laranja. A Nedick's ocupa apenas 93 metros quadrados de terreno, e fica na esquina da R. H. Macy's. "Mas a gente sempre diz que a Macy's fica perto da Nedick's", diz o presidente da cadeia Nedick's, Lewis H. Phillips.

A barraquinha de cachorro-quente prospera naquela esquina desde 1947, o faturamento anual é estimado em 400 mil dólares, com refrescos de laranja a dez centavos, cachorros-quentes a vinte

e hambúrgueres a quarenta. Dia e noite, ouve-se o tilintar das caixas registradoras, salsichas giram nos espetos, a laranjada jorra nos copos e o ar fica saturado de ansiedade e do chiado da carne de porco, em meio a diálogos rápidos entre fregueses e balconistas.
"Pois não, senhorita?", pergunta a garçonete.
"Hambúrguer", diz a freguesa.
"Hambúrguer!", grita a garçonete para o cozinheiro.
"Hambúrguer saindo!", grita ela de volta.
"Copos!", avisa o lavador de pratos à garçonete.
Quase sem exceção, as outras 84 banquinhas Nedick's — 54 só em Manhattan —, comparadas a esta, parecem tranquilas.
"É que nós temos de fazer as pessoas chegarem e saírem da banquinha em menos de quatro minutos, senão perdemos dinheiro", diz o sr. Phillips, que chegaou a presidente da cadeia, tendo começado como balconista. "É por isso que não temos assentos. Se tivéssemos, as pessoas iam fumar um cigarro, iam se demorar demais. Durante o verão, paramos de servir café na rua 34 às dez e meia da manhã, porque os fregueses demoram muito a tomá-lo. Uma vez apareceu um executivo que sugeriu que incluíssemos salada de frutas e sanduíches de queijo no nosso cardápio, mas eu sabia que os fregueses levariam quinze minutos para comê-los. É tempo demais. Eu recusei."
Calculou-se que se um freguês fumasse um cigarro na Nedick's da rua 34, a loja perderia cerca de dois dólares em rotatividade. Acredita-se que a Nedick's pague anualmente 95 mil dólares pelo pequeno ponto de esquina e que precise vender milhares de cachorros-quentes e refrescos de laranja por dia só para cobrir os gastos com aluguel, salários e outras despesas. Toda essa comida é servida num balcão de dezoito metros de comprimento, que comporta, por vez, apenas 32 fregueses apertados uns contra os outros. Alinhados atrás do balcão, os 26 empregados da Nedick's recebem as moedas, preparam hambúrgueres,

cortam cachorros-quentes e colocam refrescos de laranja para gelar. O famoso refresco é composto de 20% de suco de laranja, água, suco de limão e açúcar.

De vez em quando os empregados recebem uma visita do sr. Phillips, que é considerado o rei do *fast-food* e está sempre disposto a dar aos amigos um cartãozinho onde se lê: "Um cachorro-quente. Um suco. (De graça.) L. H. Phillips".

"Quando entro numa loja, todo mundo sabe que eu comecei recheando cachorro-quente, ganhando dezoito dólares por semana, na esquina da rua 27 com a Broadway", diz o sr. Phillips, fumando um charuto. "Dei duro para subir na vida. Não tinha parentes nem amigos. Não tinha isto, não tinha aquilo. Eu era cuidadoso e pontual. E escrevi algumas sugestões para tornar o serviço da Nedick's mais rápido. Por exemplo: tive a ideia de guardar o suco de laranja concentrado em galões de dois litros; eliminamos aqueles galões de lata, de quase quatro litros, que ocupavam muito espaço, viravam entulho depois de usados e machucavam os funcionários. Tive a ideia de servir os cachorros-quentes em caixinhas de papelão, e muitas outras ideias que não recordo agora. Mas vou lhe dizer uma coisa. Se eu tivesse sido presidente quinze ou vinte anos atrás, hoje não haveria em Nova York a cadeia de cafés Chock Full o'Nuts."

Embora a maioria dos apressados fregueses da Nedick's não se dê conta, a banca de cachorro-quente ocupa um prédio antigo e estreito, de cinco andares. A Nedick's usa apenas o térreo e o primeiro andar, onde ficam os armários para os empregados e o pequeno escritório do gerente, Thomas F. Magee. Os três andares superiores estão vazios e não servem para nada. Esse velho edifício há muito é alvo de uma disputa entre a família Smith, proprietária do imóvel e senhoria da Nedick's, e a família Straus, proprietária da Macy's. Essa disputa familiar remonta a mais de meio século, quando o comerciante de tecidos Robert S. Smith tinha uma loja de departamentos na rua 14 Oeste, próximo à Macy's. Naquela época havia uma concorrência cerrada entre as duas lojas. O sr. Smith às vezes pendurava na frente de sua loja uma tabuleta em que se lia "Anexo" ou "Entrada principal" — e muitos dos fregueses da Macy's entravam por engano na R. Smith & Co.

Quando a Macy's resolveu mudar para a rua 34, o sr. Smith, assim como outros comerciantes da rua 14, perceberam que o movimento de fregueses iria diminuir muito na região. Enquanto isso, na surdina, a Macy's procurava comprar todos os pontos comerciais do quarteirão da rua 34 para construir uma loja imensa. Mas houve um pequeno lote que a Macy's não conseguiu adquirir: o lote da esquina, pertencente a um padre, Alfred Duane Pell, que na ocasião estava na Espanha e se recusou a aceitar a oferta de 250 mil dólares feita pela Macy's antes de voltar aos Estados Unidos. Quando ele voltou, o sr. Smith logo o procurou e lhe ofereceu 375 mil dólares pelo lote da esquina. Não se sabe exatamente que motivos teria o sr. Smith; segundo a versão da Macy's, ele agiu por despeito; os herdeiros de Smith afirmam que foi uma tentativa de acompanhar o ritmo dos novos tempos. De todo modo, Pell aceitou os 375 mil dólares de Smith, e a família Straus se recusou a cobrir a oferta, lançando-se à construção da grande loja em volta do pequeno lote. O terreno, pequeno demais, não permitia que o sr. Smith construísse uma loja de tecidos; então ele alugou a velha casa de Pell a vários inquilinos e, em 1947, a Nedick's apareceu e transformou o térreo numa lucrativa banca de cachorro-quente.

Além do que ganham com o aluguel pago pela Nedick's, os herdeiros de Smith também cobram uma gorda soma da Macy's pela permissão de colocar um painel publicitário no alto da fachada do edifício de cinco andares.

"Estamos ganhando um bom dinheiro com esse lote",

disse Roberth Smith Kiliper, tesoureiro da empresa da família Smith. "E ele permanece como uma espécie de monumento ao vovô. Além disso, sempre gostei da ideia de algum dia poder alugar esse outdoor à Gimbel",* ele acrescentou, com um sorriso azedo, bem de acordo com a tradicional amizade entre os Smith e os Straus. "Por isso, não se surpreenda se algum dia olhar para cima e vir um cartaz da Gimbel ali em cima — não se surpreenda."

Toda manhã, bem cedo, um senhor baixinho, de gravata-borboleta, vai para a central de abastecimento da cidade e começa a cheirar carregamentos de feno com a fina percepção (e a sobrancelha erguida) de um meticuloso provador de chá. John Muhlhan cheira feno e cobra por hora de trabalho; ele é considerado um dos maiores conhecedores de feno para cavalos do país. O estranho é que passou 45 anos vendendo feno no coração da rua 42 — e quase nenhum de seus vizinhos sabe disso.

Por outro lado, o sr. Muhlhan não consegue entender por que alguém poderia estranhar que um comerciante de feno fizesse bons negócios na Madison Avenue. "Tenho meus escritórios na 42 e na Madison porque é cômodo", diz ele. "Aqui é fácil pegar um trem, metrô ou táxi para as docas do Brooklyn, para o rio Hudson ou para qualquer outro lugar onde barcaças ou trens cheguem com feno."

Quando o feno chega, o sr. Muhlhan se inclina sobre a carga e começa a aspirar. "Sem nem ao menos abrir a porta do vagão, consigo dizer se o feno é bom ou ruim", diz ele. Ele compra cerca de quinhentas toneladas de feno por semana de Michigan, de

---

* Gimbel: loja de departamentos, concorrente da Macy's. (N. T.)

Ohio e do norte do estado de Nova York, e então, depois de cheirá-lo e aprová-lo, ele o vende a varejistas da cidade e de todo o país. Mais tarde esse feno é dado a cavalos de corrida, cavalos da polícia e a vários tipos de gado que têm estômago para digeri-lo.

Antes dele, o pai do sr. Muhlhan vendia feno e palha para proprietários de cavalos do Bronx. Em 1923 havia 28 comerciantes de feno e cereais na cidade de Nova York que pertenciam à Associação Nacional de Feno. Agora só resta o sr. Muhlhan. Em seu escritório, no número 50 da rua 42 Leste, ele mantém uma bolsa cheia de feno fedorento, que ele cheira o tempo todo para que seu olfato mantenha a percepção do odor de feno ruim. Quando recebe visitas, costuma passar a bolsa de mão em mão, como se se tratasse da entrada de um jantar fino; quando alguém recua para evitar o fedor, ele faz um longo sermão contra os fazendeiros que produzem esse lixo — e então fica parecido com um camelô qualquer da Madison Avenue.

A pele de um número surpreendentemente grande de nova-iorquinos é decorada por artistas da tatuagem, uma casta persistente de artesãos cujo interesse pela humanidade não vai além da pele, mas cujas marcas costumam durar a vida inteira. Em Nova York há uma meia dúzia de tatuadores profissionais, e seu trabalho já foi visto em lugares que vão desde o palco do nightclub Copacabana até o banheiro do New York Racquet and Tennis Club.

Stanley Moskowitz, artífice da agulha famoso em todo o país e rebento de uma conhecida família de picadores de pele do Bowery, calcula que haja cerca de 300 mil nova-iorquinos tatuados — clientela que mantém a meia dúzia de tatuadores ocupada o ano inteiro nas ruas menos movimentadas de Nova York e na zona portuária.

O cliente típico dos profissionais da tatuagem tem entre dezoito e 25 anos, em geral é musculoso, e sempre está disposto a investir de três a cinco dólares para ser picado 3 mil vezes por minuto, durante dez minutos, por oito agulhas minúsculas de uma tatuadora elétrica, que emite um som semelhante ao de uma broca de dentista e parece uma caneta-tinteiro debaixo d'água. A tinta é aplicada na pele a uma profundidade média de 0,04 centímetro, uma sensação que muitas vezes foi descrita como a da "picada de um mosquito" ou como "uma tortura". Os homens, em sua maioria, preferem ser tatuados no peito ou nos braços; os marujos adoram âncoras, navios equipados, nomes de suas namoradas mais recentes e mulheres seminuas. Os soldados preferem bandeiras americanas, águias, panteras negras, números de ordem, nomes de suas namoradas mais recentes e mulheres seminuas.

Não se sabe ao certo o que leva uma pessoa a fazer uma tatuagem. Vários psicólogos afirmam que é algo puramente ornamental, ou sexual, ou apenas o gosto que algumas pessoas têm por desenhos grosseiros. Alguns rapazes fazem para demonstrar virilidade, algumas moças, para se rebelar contra o fato de serem moças, como as mulheres da tribo Ainu, do Norte do Japão, que costumavam usar bigodes tatuados. Algumas pessoas também têm motivos práticos para se tatuar, como disfarçar cicatrizes e sinais de nascença ou imprimir seu tipo sanguíneo ou o número de inscrição no instituto de previdência, por exemplo. Outros confessam que têm tatuagens porque foram desafiados, ou porque a turma tem, ou para provar que são capazes de suportar a dor, ou ainda porque seus pais disseram claramente "não faça isso".

Os ídolos da cena tatuada de Nova York são Dick Hylan, que mandou tatuar estrelas no rosto, na palma das mãos e na parte interna do lábio, e Jack Dracula, que tem na testa uma águia com patas e asas abertas; duas águias voando nas bochechas e estrelas em volta dos olhos, das orelhas e nariz.

Jack Dracula, que quando criança sonhava em ser um mosaico, tem 244 tatuagens no corpo. Ele diz: "As pessoas pensam que sou louco, mas não tenho vergonha de minhas tatuagens. As pessoas gritam para mim na rua, e todo mundo pergunta: 'Por que você fez isso?'. Eu respondo que quero ser o homem tatuado mais bonito do mundo. Pensam que sou louco".

Pouco depois de duas da manhã, um trem de metrô de aspecto fantasmagórico entra devagar numa estação do Grand Central Terminal com os bancos e corredores vazios e as luzes tão fracas como as de um clube noturno de East Side. É o trem do lixo, e em seus vagões-plataforma vão seis dos trinta homens que percorrem, depois da meia-noite, os túneis escuros limpando a sujeira deixada pelas multidões. Toda noite, sete trens desse tipo recolhem oito toneladas de lixo, enquanto suas rodas deslizam em meio a copinhos de café vazios e papéis de bala jogados nos trilhos. Os homens levam cerca de cinco minutos em cada parada para recolher o lixo, embora às vezes sejam obrigados a permanecer um pouco mais no local, lutando contra um bêbado que insiste em entrar no trem. Os lixeiros o expulsam. Ele se afasta e fica encostado numa máquina de chicletes. Então o trem se move devagar, com o barulho das latas vazias ecoando pelo túnel silencioso.

"A gente recolhe chiclete do piso das estações o ano inteiro", diz um dos lixeiros. "O chiclete é o que sustenta o piso do metrô. No verão recolhemos montes de meias laranjas das bancas de laranjada da região; no inverno, recolhemos mais copinhos de café. As mulheres largam lenços de papel atrás dos bancos no metrô e acham que ninguém nota. Dois anos atrás achamos um esqueleto humano perto da rua 76 Oeste. Ninguém sabe como foi parar lá."

Embora muitos dos lixeiros sejam condutores habilitados, eles dizem preferir o trem do lixo, apesar de terem de trabalhar a noite inteira. "Gostamos mais de lixo do que de gente", explicou um deles.

Certa manhã, quatro faxineirinhas de cabelos brancos do Ethel Barrymore Theatre, inclinadas para a frente feito camponesas num arrozal, estavam limpando as cadeiras de 6,90 dólares quando Jo Mielziner chegou, a passos rápidos, para ver a cortina subir numa das menos divulgadas produções da Broadway — o ensaio da iluminação.

O sr. Mielziner, conhecido cenógrafo e especialista em iluminação, desempenhou o papel principal nessa produção, no teatro vazio. Até os atores estavam ausentes; provavelmente dormindo, porque ainda era cedo — onze da manhã. Seu público, além das faxineiras, eram contrarregras e eletricistas, entre o quais se destacava o sr. Mielziner, por ser o único que usava gravata.

"Sinto muito, minhas senhoras", disse Mielziner, enquanto tirava o casaco e sentava-se na 14ª fileira. "Mas agora vamos ter que apagar as luzes."

"Oh, tudo bem", disse uma delas, e então as senhoras pararam de limpar e foram andando devagar para o fundo do teatro, sentaram-se nos degraus acarpetados e se puseram a conversar e a observar as luzes da sala se apagarem, a cortina se erguer e o show começar.

Luzes azuis, verdes e amarelo-vivo varriam o palco em diferentes ângulos e banhavam o cenário de um azul suave, que iluminava de leve a casa de pensão projetada por Mielziner; então, bem devagar, uma luz forte focalizou uma sala com uma cadeira e uma mesa onde se viam livros empilhados de forma desordenada.

Mal se podia ver o rosto de Mielziner, iluminado fracamente por uma lâmpada de 10 watts, instalada numa mesa improvisada à sua frente. Um sistema de comunicação em forma de caixa permitia a Mielziner falar de sua cadeira com o eletricista-chefe, George Gebhardt, que controlava miríades de interruptores nos bastidores, mergulhado numa parafernália de equipamentos de iluminação, escadas e um emaranhado de fios.

Depois de semicerrar os olhos e observar por um instante a luz refletida na casa de pensão, disse Mielziner, em tom brando: "Parece que não está bom, George. Vamos tentar outra vez".

George disse o.k., a cortina baixou novamente, e a iluminação da cena I foi revista uma segunda vez, depois uma terceira... até que enfim Mielziner ficou satisfeito. O ensaio da iluminação continuou, repassando todas as cenas da peça — sem atores em cena, sem música, sem aplausos, apenas luzes dançando pelo palco — durante três horas. Então acabou.

A estreia seria na noite seguinte. Mas para Mielziner e para a maior parte dos carpinteiros e técnicos contratados para construir o cenário e montar a iluminação, aquilo era o fim do trabalho. O roteiro detalhado da iluminação, impresso com todo cuidado numa folha de papel, foi entregue à equipe que trabalha nos bastidores; todas as noites ela o segue: o roteiro funciona como o rolo de papel perfurado de uma pianola.

Todos os dias em Nova York sete detetives com distintivos de prata e faro para a cultura se põem a circular e espionar para pegar alguns dos criminosos mais instruídos que existem — os ladrões de livros. Esses sete detetives, empregados da Biblioteca Pública de Nova York, procuram recuperar os milhares de livros que são subtraídos a cada ano por leitores esquecidos, descuidados, de mão leve ou viciados em drogas. Das 13 mil pessoas que tomam diariamente livros emprestados das bibliotecas, cerca de quinhentas não os devolvem na data prevista, e cerca de 25 atrasam a devolução em dois ou três meses. Muitos desses 25 são viciados que pegam os livros emprestados com carteirinhas falsas e os vendem aos sebos para comprar drogas. Quando se passa um mês da data da devolução e o livro não é devolvido, os sete detetives, sob as ordens de um veterano chamado John T. Murphy, são avisados. Eles começam a procurar no último endereço conhecido do usuário da biblioteca, e a partir daí a caça pode levar (e em geral leva) os detetives a alguns dos lugares mais estranhos e mais remotos da cidade de Nova York — e também fora dela. Nos últimos anos o sr. Murphy e seus homens se viram às voltas com o teimoso chofer André Porumbeanu, que, antes de fugir e se casar com a socialite Gamble Benedict, não devolveu um exemplar de *God's country and mine*. Dois anos atrás, os detetives também conseguiram estabelecer uma ligação entre seis livros não devolvidos e o corpo do falecido Julian A. Frank, suspeito de ter levado a bomba para dentro do avião que explodiu sobre a Carolina do Norte com setenta passageiros, e talvez também com os seis livros de aventuras e viagens espaciais que ele tomara emprestados da biblioteca.

Embora as pessoas que, de má-fé, atrasam a entrega dos livros por trinta ou mais dias sejam passíveis de prisão, Murphy se contenta em recuperar os livros, cobrar a multa de cinco centavos por dia de atraso e proibir o culpado de entrar em bibliotecas públicas. Muitas multas chegaram a centenas de dólares por pessoa. Não faz muito tempo, os homens de Murphy pegaram uma senhorinha do Brooklyn com 1200 livros em atraso. Eles conseguiram localizá-la debaixo de todos os seus pseudônimos, comparando a caligrafia em diversas carteirinhas e observando que ela sempre pedia emprestados romances leves. Os bibliotecários foram alertados para a caligrafia e para a preferência literária da senhora, e aí foi só uma questão de tempo. Quando a prenderam, encaminharam-na a um hospital psiquiátrico; era uma cleptomaníaca insaciável — mas uma das escroques mais letradas de Nova York.

Num desejo frenético de descobrir o que vai acontecer no futuro, os duzentos adivinhos de Nova York, em algum momento, perscrutaram bolas de cristal, leram cartas de tarô, estudaram as estrelas, tábuas com inscrições para receber mensagens mediúnicas, examinaram palmas de mãos, plantas de pés e protuberâncias em cabeças.

Hoje em dia é rara a região da cidade em que não haja alguma forma de ocultismo. Mestres de religião hindu fazem fortuna no centro de Manhattan. Livros de interpretação de sonhos são um filão de ouro no Harlem. Em East Side as pessoas se dispõem a pagar uma fábula para ouvir sobre as pessoas de que mais gostam — elas mesmas. Alguns restaurantes chiques oferecem místicos com a entrada, e do Bronx a Bayside existem astrólogos, quiromantes e médiuns que prometem resolver qualquer problema.

Cerca de 80% das pessoas que procuram os adivinhos são mulheres, e os problemas que as preocupam têm a ver com amor, casamento, saúde e dinheiro — nessa ordem. Os homens se preocupam em primeiro lugar com dinheiro, depois com amor. Como os adivinhos (por dois dólares) em geral querem agradar, costumam prever melhora da situação para todo mundo, daí a seis meses ou um ano. "As mulheres nos perguntam: 'Meu marido está me enganando?', 'Esse homem está interessado no meu dinheiro?' e 'Onde posso arranjar um homem bacana?'", disse uma adivinha. "Se eu soubesse onde encontrar um homem desses, *eu mesma* me casaria com ele." Como os seres humanos tendem a se lembrar de previsões que se realizam, esquecendo-se das outras, um espantoso número de pessoas respeita muitíssimo (e teme) os adivinhos. São esses nova-iorquinos que, mais cedo ou mais tarde, se tornam vítimas dos golpes aplicados pelos ciganos. Os ciganos ainda recorrem ao mais velho dos contos do vigário, que começa com o adivinho convencendo o cliente de que seu dinheiro é "maligno" e deve ser trazido para ser "benzido". Quando o freguês o traz, o adivinho o embrulha e diz que o dinheiro só deve ser desembrulhado dentro de 24 horas — tempo suficiente para o ladrão fugir antes que a vítima descubra que o dinheiro foi substituído por papel.

Policiais disfarçadas de garotas de programa ingênuas e apaixonadas procuram adivinhos, fazem consultas e esperam que lhes apliquem o golpe. "Na verdade, só podemos prender adivinhos como perturbadores da ordem quando eles preveem o futuro ou quando são pegos roubando dinheiro", explica Clare Faulhaber, uma policial nova-iorquina. "Se eles se limitam a dizer que você é gente fina e que ninguém gosta de você, não podemos fazer nada. De todo modo, esse jogo de gato e rato com adivinhos de Nova York é um grande esporte. Os ciganos recortam dos jornais fotografias de policiais de Nova York, fazem cópias e enviam para todos os outros ciganos de sua tribo. Conhecemos um monte de ciganos pelo primeiro nome, e somos muito amigos deles."

As policiais desempenham muitos papéis quando investigam os vários bairros de Nova York. A srta. Faulhaber explica: "Às vezes, quando vamos a salões de chá em determinadas regiões, temos de nos vestir como prostitutas. Quando vamos para

Houston Street, em Downtown, em geral usamos roupas caseiras e sapatos de salto baixo. Na Orchard Street, em Lower East Side, temos que nos vestir da forma mais desleixada possível. Na Oitava Avenida e nas ruas 40, entramos com sacolas de compras nos salões de chá, às vezes até levando o filho de alguém pela mão, para dar a impressão de que moramos nas redondezas. Em East Side a gente se veste com certa distinção: usamos chapéu e luvas".

Numa recente sessão espírita na região das ruas 80 Oeste, a srta. Faulhaber, ainda solteira e feliz da vida, apesar das constantes previsões dos ciganos de que um "homem moreno e bonitão" estaria interessado nela, vestia roupas de gestante. "Era um domingo, às seis da tarde, e umas cinquenta pessoas — todas muito simpáticas — estavam num predinho *brownstone*, sentadas em cadeiras dobráveis, ouvindo um mau pianista tocando hinos", diz a srta. Faulhaber. "Era uma dessas sessões em grupo, bastante comuns em Nova York, de que é muito fácil participar. Basta dar uma olhada, aos sábados, nas páginas religiosas do *Times*, que logo damos com os anúncios de reuniões 'espiritualistas'. Finalmente a médium entrou. Era uma mulher baixa, idosa, de cabelos brancos, trajando um vestido de noite. As pessoas se puseram em círculo à sua volta, e então ela começou a falar: 'Estou sentindo vibrações — vibrações para uma mulher que está com uma nova vida dentro de si. Há alguém aqui que esteja carregando uma nova vida dentro de si?'"

"E lá estava eu", continuou a srta. Faulhaber, "com o vestido de gestante, à vista de todos, e a única coisa que eu tinha debaixo dele fazendo volume era o cinto e o coldre com minha pistola calibre 32. Mais tarde a médium mandou passar uma bandeja entre as pessoas, que nela colocaram notas de um e de cinco dólares, e as luzes se suavizaram. Então ela começou a entrar em transe profundo e se pôs a falar. Primeiro ela era o 'tio Bill' de alguém, depois a mãe de alguém, mas o que mais me irritava era que, quaisquer que fossem os espíritos, eles sempre repetiam os mesmos erros gramaticais."

Como o médium que se comunica com os espíritos um dia também será um deles, é sempre necessário treinar novos talentos; assim, existem em Nova York "aulas de desenvolvimento" para médiuns em toda a região das ruas 70 e 80 Oeste, em Manhattan e também no Brooklyn. Nessas aulas, médiuns veteranos ensinam aos aprendizes os macetes do ofício. Muitas vezes os médiuns concorrem, nesse negócio, com a mesma agressividade que há entre a Macy's e a Gimbel's, e às vezes se travam guerras de preços. Isso acontece quando um médium, para passar a perna em outro, oferece cursos de dez dólares pela metade do preço.

Quiromantes e cristalomantes — é raro a polícia de Nova York encontrar bolas de cristal em Manhattan, mas já as encontraram em Coney Island — também disputam fregueses com médiuns e outros tipos de videntes, e assim a concorrência pode ficar muito acirrada. Segundo as policiais nova-iorquinas, alguns ciganos informam a polícia sobre as práticas pouco recomendáveis de outros ciganos, o que parece ser uma forma de manter a concorrência dentro de limites razoáveis.

Apesar de todo o prestígio da ciência nos dias de hoje, os ciganos e os médiuns participam bastante da vida de Nova York, e podem prever para si mesmos um futuro próspero enquanto houver mulheres que suspeitam de seus maridos e moças solteiras querendo saber "Onde posso encontrar um homem bacana?".

Muitas outras nova-iorquinas que procuram um homem bacana, porém, utilizam os serviços de um dos oito agenciadores de casamentos da cidade, um grupo cujos arquivos estão cheios de nomes de funcionários de bancos em ascensão, nobres sem dinheiro e ricos alpinistas sociais. O fato de cinco desses oito agenciadores de casamentos não serem casados parece não afetar em nada sua popularidade.

Por uma taxa de inscrição de cem dólares em média, os agentes marcam tantos encontros quanto o cliente puder aguentar. Depois de cada encontro, o agente espera que os clientes lhe digam se um simpatizou com o outro; caso não tenham gostado, ele dá outros telefones aos clientes homens, e apresenta outros homens às mulheres. Se desses encontros resultar um casamento, cada cliente paga mais cem dólares. Se o casamento der errado, os clientes não recebem o dinheiro de volta.

"Você ficaria espantado em ver como as pessoas procuram as agências de casamento em Nova York", disse Sam Pauline, que tem um escritório em frente à Macy's. "Certa vez atendi um texano corpulento que queria conhecer uma mulher bem gorda. Encontrei em meus arquivos uma mulher do Bronx, de 102 quilos, divorciada, de 45 anos. Quando lhe telefonei, ela me perguntou: 'Sam, você disse a ele que tenho uns quilinhos a mais?'. Eu disse que sim, e marquei um encontro dos dois para o dia seguinte, no meu escritório. Bem, quando os dois se viram pela primeira vez, já deu para perceber que se sentiram atraídos um pelo outro. E no momento em que estavam saindo para tomar um drinque, ele lhe deu o braço. Quatro semanas depois eles se casaram. Quando a vi novamente, ela estava de casaco de vison, cheia de diamantes, dirigindo um Cadillac. E gorda como nunca."

O sr. Pauline, que conheceu a esposa há 32 anos através de um agente de casamentos (seu próprio pai), diz que muitas mulheres preferem profissionais liberais, mas que a maioria das que procuram os seus serviços deseja apenas um homem provedor, sóbrio, sem nada de excepcional. "Elas não querem saber de artistas, de atores, nem nada do tipo", diz ele. "Certa vez tivemos um ator que era o substituto de Sam Levene no musical *Guys and dolls*. O cara morava em The Lambs Club, mas não consegui encontrar nenhuma mulher que quisesse casar com ele. As mulheres simplesmente não querem homens sem emprego fixo, que fazem pontas em espetáculos. Elas sempre preferem um encanador ou um carpinteiro a um ator."

"Outra coisa sobre as mulheres", continua ele, "é que a idade não é tão importante quanto a altura. A mulher prefere casar com um homem vinte anos mais velho a casar com alguém mais baixo que ela. A maioria dos homens, por outro lado, deseja mulheres bonitas ou muito atraentes. Alguns homens querem mulheres ricas. E poucos homens — bem poucos — querem mulheres inteligentes."

Se os homens quiserem mulheres inibidas, o sr. Pauline também as consegue. Ele tem um arquivo especial com duzentas mulheres que não fumam e quatrocentas mulheres que não bebem. Se os homens desejarem loiras de origem alemã, um agenciador de casamentos da rua 59 Oeste, Anthony Wagner, tem um bom número delas, além de um par de condes europeus sem dinheiro, princesas gordas e uma dúzia de arquiduques. E no Serviço Científico de Apresentações de Lee Morgan, na rua 79 Leste, existem fotos, estatísticas e números de telefone de muitas mulheres inteligentes e bem-sucedidas cuja dedicação a uma carreira, até o momento, fez com que o amor passasse ao largo.

Alguns agentes de casamento afirmam ter em seus arquivos 10 mil nomes de pessoas solteiras, e uma dessas agentes, Clara Lane, da rua 42, orgulha-se de ter realizado 8 mil casamentos na última década. Eles conseguem seus clientes por meio de anúncios na lista telefônica classificada, em jornais que os aceitam (muitos não aceitam), ou lendo as notas de falecimento e mandando cartas para os viúvos e viúvas. Eles dizem verificar todas as credenciais e informações dos potenciais clientes antes de arranjar-lhes encontros, e parecem ter uma atitude de permanente ceticismo diante da vida, o que talvez explique por que mais da metade deles parece não arranjar um casamento para si mesmos. Ellen Joy, uma agente da rua 42, afirma que um em cada seis homens que ela entrevista a pede em casamento. Mas diz que, quando o homem certo aparecer, ela vai perceber.

"Não posso generalizar", disse ela, "mas meu homem ideal seria muito compreensivo. Ele teria de vir de um bom meio social. Teria que ser instruído. O que eu quero não é um homem que possa me dar a Lua, mas um homem que deseje fazer isso."

Enquanto falava, fitava o vazio com um olhar sonhador, as mãos cruzadas, e em seus olhos parecia haver o mesmo cartaz que vemos em tantas agências de casamento, no qual se lê: "Nunca é tarde demais".

As tendências agressivas de alguns nova-iorquinos se liberam quando eles jogam uma bola de ferro de duas toneladas contra uma parede, bombardeiam um bulevar e esmigalham o trabalho dos outros. Nada é tão grande, compacto e indestrutível o bastante para sobreviver a esses assassinos; nada tem um valor sentimental tão duradouro que o ponha a salvo, para sempre, dos golpes desses especialistas que manejam a bola de ferro.

Há na cidade pelo menos quarenta homens aptos a manejar a bola de ferro, mas entre eles certamente só se encontra uma meia dúzia com habilidade bastante para acertar uma parede, tijolo por tijolo, a uma distância de trinta metros. Eles conseguem jogar a bola em cima de uma moeda de dez centavos à mesma distância. Eles conseguem fazer a bola ir de um lado para o outro, como se estivessem jogando bilhar, fazendo-a ricochetear entre as paredes, destruindo em seguida uma chaminé. Às vezes eles lançam a bola com toda a força contra uma parede, às vezes martelam devagar o concreto. Já aconteceu de empreiteiros terem de adiar uma demolição durante semanas, rezando para que um desses seis craques da demolição estivesse livre para fazer o trabalho, e às vezes chegam a lhes pagar mais de trezentos dólares por semana para reduzir as coisas a migalhas.

Esses homens já destruíram milhares de edifícios de Nova York nos últimos trinta anos. Suas façanhas e seus rostos são conhecidos de centenas de curiosos que adoram observar o trabalho deles. Um desses ases é Benny Newberg, um demolidor de 61 anos, ossudo, quase legendário, que demoliu a penitenciária The Tombs; outro é Jim Allitt, um inglês de 66 anos, braços grossos, que derrubou o Hipódromo; há Mike Catusco, 52, que acabou com Ebbets Field; há também Ralph Principe, 54 anos, que pôs abaixo o Produce Exchange, e Gil Schultz, 39, que destruiu tudo o que estava no caminho do novo edifício da Time-Life, e acabou também com um grande número de cortiços. Um dia, no Brooklyn, Schultz deu um golpe tão forte num velho edifício de apartamentos de cinco andares que ele veio abaixo sem que fosse necessário um segundo golpe.

 Os cortiços são os mais fáceis de destruir, ao passo que arsenais, prisões, bancos e igrejas, com suas grossas paredes, são os mais difíceis. Newberg levou um ano para destruir The Tombs, que em toda sua existência encerrou 500 mil criminosos e foi construída como um castelo medieval.

 Uma das casas particulares que ofereceu mais dificuldades foi a velha mansão Schwab, na esquina de Riverside Drive com a rua 72. A casa tinha paredes de granito de sessenta centímetros de espessura. Charles Schwab a construíra para a eternidade, mas depois que sua esposa morreu ele se cansou de seus 75 cômodos e mudou-se para um hotel. Jim Allitt levou quase seis meses para destruir as torres altas e as densas paredes.

Mas os homens que manejam as bolas de ferro ficam mais contentes quando as paredes são grossas e o desafio é maior. Para eles, é como se fosse um esporte sádico. Eles vibram tanto quanto os curiosos quando, depois de um golpe violento, as paredes começam a rachar, os pisos cedem, e toda a estrutura se põe a desabar numa avalanche de poeira.

Embora ganhem 4,90 dólares por hora, e sejam mestres em sua arte, os homens pagos para destruir coisas nunca poderão ter uma alegria — nunca poderão apontar para uma obra benfeita e dizer com orgulho: "Fui eu que fiz".

Nova York é uma cidade dos esquecidos

A Oitava Avenida é uma artéria triste e doentia cujas luzes de neon dançam sobre a caspa dos garçons e iluminam prostitutas fumando, boinas de marinheiros e garrafas de cerveja que de vez em quando se espatifam contra jukeboxes, fazendo surgir policiais que dizem: "Muito bem, muito bem, vamos parar com isso!". É uma rua de casas de penhores, de cortiços e de miseráveis mendigos de olhos injetados. É uma mistura do barulho do Garment Center,* da fumaça dos ônibus, de vapores da Pennsylvania Station e do alho de uma dúzia de pizzarias.

A Oitava Avenida começa num velho banheiro público desativado, próximo à rua 120 Oeste, e se estende pelo centro de Manhattan até o estádio Coliseum; entre esses dois pontos há inúmeros edifícios de apartamentos com escadas de incêndio enferrujadas e gente ansiosa para mudar de casa. Elas desejam fugir da incerteza da Oitava Avenida, que é uma mistura infernal

---

* Garment Center ou Garment District: centro de fábricas e atacadistas de roupas. (N. T.)

de pecadores, fanáticos religiosos, luz e trevas, cerveja por cinco centavos e uma festa de Mike Todd que enche o Madison Square Garden. Foi na Oitava Avenida que um incêndio começou no corpo de bombeiros, e onde um marinheiro inglês que participava de uma exibição militar em junho passado caiu de uma altura de 26 metros e morreu, levando os 10 mil espectadores ao êxtase, achando que aquilo fazia parte do espetáculo.

Foi na Oitava Avenida que alguns delinquentes atacaram um estivador caolho chamado Clifford Johnson e jogaram seu olho de vidro no esgoto. Foi lá que um cozinheiro chamado Raphael Torres, furioso porque um ônibus não parou para ele, entrou num táxi, conseguiu alcançar o motorista do ônibus — e o esfaqueou.

Em setembro, quando Manhattan se agitava com os protestos contra a presença de Kruchev, Fidel Castro e Tito nas Nações Unidas, uma menina de nove anos foi morta por uma bala perdida no restaurante El Prado — na Oitava Avenida.

Todo ano o circo chega à Oitava Avenida e invariavelmente um leão ou um touro escapa, se enfia no meio do trânsito, fornecendo bastante publicidade para os administradores do circo. Todo mês a polícia é chamada para controlar multidões que protestam contra a bomba atômica, exigem aumento de salários ou brigam por um autógrafo do pugilista Antonino Rocca.

Observando quem está do lado de fora, quase dá para adivinhar o que acontece dentro do Madison Square Garden. Quando Rocca está lutando, a entrada da Oitava fica tomada de porto-riquenhos, e é possível escutar um locutor gritando: "¡Amigos! ¡No tiren más objetos en el ring!". Nas noites de luta, veem-se os apostadores, uns tipos baixinhos, vestidos de terno escuro e camisa branca, aglomerados de pé em volta da bilheteria. Antes de uma exposição hípica veem-se homens de fraque e cartola, e garotas loiras da *Town & Country*. Quando há jogos de basquete, veem-se rapagões de cabelo militar, usando suéter, na frente do Garden. Nas imediações do circo, uma multidão de adultos apressados, cada um com três ou quatro crianças pequenas, e entre os clientes do Nedick's há anões e caubóis. Nas proximidades da Oitava Avenida há muitas *drugstores* barateiras, algumas com telefones tão ensebados que dá nojo aproximá-los do ouvido. É uma avenida onde as multidões que frequentam os teatros apressam o passo em direção ao restaurante Downey's, e os que moram em cidades-dormitórios disparam em direção à Penn Station, fingindo não notar os mendigos, os homossexuais e o pregador postado na rua 42, agitando os braços e gritando: "Pecadores! Pecadores! A Bíblia ensina que sem derramamento de sangue não há redenção dos pecados...". Um menino com o rosto marcado pela varíola, cabelos compridos e ensebados, grita: "O senhor está por fora!". Ao que o pregador, com o semblante em brasa, responde: "Garoto, você precisa ser salvo". Então aparece um corpulento policial irlandês e diz à multidão: "Circulando, circulando". Alguns se aproximam um pouco mais do pregador, mas a maioria vai embora, não com a rapidez dos que moram longe e correm para o terminal de ônibus, onde toda semana esquecem dúzias de guarda-chuvas, casacos e valises nos 1300 guarda-volumes existentes ali. As bagagens e os guarda-chuvas esquecidos vão formando um volume tão grande que todo ano o departamento de trânsito promove um leilão no subsolo da estação da rua 41, o que atrai ainda mais gente para a Oitava Avenida, à procura de pechinchas, e pelotões de negociantes de ferro-velho e outros trastes da Ludlow Street, conhecidos como Os Quarenta Ladrões, e também Harry Velhaco, Eddie de Poughkeepsie e Charley Galinha-Morta, que alega ter o bricabraque com a maior coleção de luvas sem par do mundo. "Muito bem", dirá o leiloeiro em seu irritante barítono, olhando de cima os compradores, que estão de pé no subsolo

enfumaçado. "Tenho aqui um casaco de peles. Não estou dizendo que é de vison..."
"É de lobo", diz Harry Velhaco.
"Posso passar a mão?", diz uma senhora.
"Catorze dólares", fala Charley Galinha-Morta.
"Dezesseis dólares", grita Harry Velhaco.
"É seu", diz o leiloeiro.
"Posso passar a mão?", protesta a senhora.
O leiloeiro a ignora. Ele tem coisas demais para leiloar naquele dia e não pode perder tempo com uma amadora. Isso agrada os donos de bricabraques, que não gostam de amadores, que aumentam demais o valor dos lances, roubando-lhes as galinhas-mortas.
"A coisa mais valiosa que deixaram num armário de um terminal de ônibus foi a importância de cinquenta mil dólares em títulos ao portador", diz John M. Hanrahan, encarregado do guarda-volumes do departamento de trânsito. "Isso nós não leiloamos. Encaminhei à administração e, pelo que sei, ainda está lá. Um milionário excêntrico da região de Greenpoint, no Brooklyn, os esqueceu, desaparecendo em seguida, e ninguém sabe o que foi feito dele."
Enquanto ele falava, o trânsito lá em cima continuava a rugir na Oitava, e mais adiante, em Abingdon Square, crianças jogavam beisebol de rua, lançando a bola contra a parede do velho banheiro público. Elas não prestavam atenção nos estivadores que voltavam do trabalho, nas gordas senhoras italianas carregadas de compras feitas nas mercearias, nem no porto-riquenho alto e descarnado, de dedos finos, olhos atentos e rosto marcado por uma navalhada. Alguns quarteirões ao norte, a caixa registradora tilintava em La Ideal Market, e o cheiro de peixe do DiMartino's quase chegava ao bairro grego, com seu bar Port Said, o som de castanholas, e uma jovem curvilínea, ca-

belos maravilhosos e umbigo bamboleante, entregue à dança do ventre.

Nas ruas 30 os contrabandistas do Garment Center empurravam entre caminhões araras carregadas de roupas, chocando-se com os passantes, e na escola de barbeiros da 43 cinco aprendizes cortavam cabelos a 45 centavos por cabeça; à sua frente lia-se num cartaz: "Homens! Agora vocês podem tingir seu cabelo de sua cor natural, inclusive loiro-acinzentado, loiro-platinado, loiro-dourado, e qualquer tom de vermelho, castanho ou preto. Todo o trabalho é feito dentro da mais absoluta privacidade".

Na parte alta das ruas 40 e 50 há mais cortiços, mais delicatessens, mais pessoas mal-encaradas. Nesse trecho a Oitava Avenida é uma artéria de pugilistas obscuros e de bares que os servem. Biz Mackey, o ex-lutador de boxe, atualmente massagista de senhoras, bebe no Bill Dun's. Outros homens de nariz quebrado se encontram no Mickey Walker's, do outro lado da rua. No bar Neutral Corner, na rua 55, há centenas de fotografias de boxeadores que hoje estão gordos e esquecidos.

Atrás do balcão do Neutral Corner há um jovem bem constituído que era pugilista, mas agora é gordo. Seu nome é Tony Janiro. Muitas das fotos na parede mostram Janiro em ação — golpeando as costelas do adversário com os punhos, esmurrando outro homem contra as cordas, de pé no canto neutro, em postura altiva, enquanto o árbitro lhe dá a vitória, por nocaute, sobre o adversário semiconsciente. As fotos foram colocadas no bar pelo dono, Frankie Jacobs, que foi empresário de Janiro e achava que ele podia se tornar campeão peso-médio, se conseguisse dominar sua fraqueza: as mulheres. Mas Janiro não conseguiu. Ele vivia atrás delas, tomava uísque, e aos 25 estava um bagaço. Janiro parou de lutar; Jacobs comprou o bar Neutral Corner e o contratou como barman.

Agora o ex-pugilista enxuga copos de cerveja no Neutral Corner, e o ex-empresário continua a recriminar o lutador, comentando em voz alta, para que os fregueses ouçam:

"Uísque e mulheres — foi isso o que acabou com Tony Janiro. Ah, bem que eu vigiava o Tony; encostava minha cama na porta, à noite, para que ele não pudesse escapulir. Mas ele fugia. Fugia ou não fugia, Tony?"

Janiro, ainda enxugando copos, volta-se devagar para seu ex-empresário e diz calmamente: "Não me arrependo de nada que fiz, Jay. Só das coisas que não fiz".

Os fregueses mal escutam a conversa, porque já a ouviram antes, centenas de vezes: a história de como, entre 1945 e 1951, Janiro tinha tudo para ser campeão, e certamente teria sido se treinasse mais, se não fosse o garanhão que era.

É isso que se costuma ouvir em meio à fumaça dos charutos em volta do balcão marrom-escuro: empresários e treinadores lamentando, feito mulheres nas lavanderias automáticas, o fato de seus rapazes não seguirem as regras do treinamento.

"Como é possível que, depois de 120 lutas, você não tenha o rosto marcado?", perguntou um freguês a Janiro.

"Eu tenho um tipo de pele que não se corta", diz Janiro. "Veja por exemplo o meu irmão Freddie, que era lutador; se você o acerta no cotovelo, ele fica de olho roxo. A pele dele é assim. Se você bate em seu cotovelo, ele fica de olho roxo."

"Como você fazia para ter tantas mulheres atrás de você?"

"Em Nova York, se você tem dinheiro", disse Janiro, "você atrai mulheres, certo? Dinheiro chama mulher."

"Quanto você ganhou?"

"Uns quinhentos mil dólares. Perdi treze das 120 lutas. Ganhei grandes prêmios com Greco, Graziano e Beau Jack. Eu era um menino pobre de Youngstown, vim para Nova York com dezesseis anos e aos dezenove já lutava no Garden. Vivia rodeado de caras que gastavam os tubos em bebidas, por minha conta, no meu hotel. E se eu comprava um terno para mim, tinha que comprar para eles também..."

É difícil acreditar, contemplando a Oitava pela janela do Neutral Corner, que um século atrás ela era uma avenida elegante, e que à porta da mansão Havemeyer, na esquina da rua 58, havia carruagens em fila. Muitas das chácaras mais famosas ficavam em torno do que hoje é o Columbus Circle, e os casarões da avenida tinham extensos gramados, jardins e pomares que se estendiam na direção oeste até o rio Hudson. Essas chácaras pertenciam às famílias de Matthew Dyckman, Jacob Horn, Isaac Varian, James Stewart e Samuel Van Norden, e na esquina da rua 53 com a Oitava Avenida ficava a mansão do general Garrit Hooper Striker, que na guerra de 1812 comandou o 5º Regimento da 82ª Brigada, defendendo as residências de Bloomingdale Heights. Um dos lugares mais elegantes de Nova York era a Grand Opera House, construída por Jim Fisk, em 1869, para Josie Mansfield, uma corista conhecida como a "Cleópatra da rua 23". Fisk decorou o palácio com portas trabalhadas de mogno, lustres de cristal e cadeiras com cravos de ouro. Depois de sua morte o lugar começou a decair, e em 1938 lá havia cinemas, máquinas de pipoca e pistas de boliche com empregados mal-humorados por causa das gorjetas ínfimas que recebiam.

Na verdade, a decadência da Oitava Avenida começou na virada do século, quando surgiu uma zona residencial em East Side, e as casas de West Side se transformaram em cortiços. Em 1925 cavaram-se enormes valas na Oitava para fazer o metrô. Num dia de junho de 1927 os operários desenterraram seis caixões na Oitava Avenida, na altura da rua 44 — caixões de madeira e pregos caros. O cemitério ficava nos limites da chácara Medcef-Eden, comprada por Jacob Astor em 1803. Os operários não demoraram a levar os caixões embora, construíram o metrô e máquinas de chicletes foram instaladas. E hoje, próximo à velha chácara Medcef-Eden, na estação de metrô da rua 42, veem-se máquinas de fliperama e garotos em calças apertadas, sem bainhas, que não ligam a mínima uns para os outros.

E no verão de 1960, quando a Grand Opera House se tornou um empecilho à construção de um conjunto habitacional, vieram as equipes de demolição.

E o último toque de elegância desapareceu da Oitava Avenida.

Nas tardes ensolaradas, na frente do Plaza, Freddy Phillips sobe devagar numa vitória e se prepara para começar mais um dia numa carreira que consumiu uma dúzia de carruagens, vinte cavalos e pelo menos uma centena de cartolas. O sr. Phillips, que está na casa dos oitenta anos, trabalha como cocheiro em Nova York desde 1901, e segura as rédeas com a mesma firmeza com que se aferra ao próprio passado.

Quando não faz calor, ele não sai com a carruagem; simplesmente fica na frente do Plaza com os colegas da turma da cartola — Ben Potter, que alimenta seu cavalo com maçãs; Broadway Jack, um taxista aposentado, e mais alguns que, ao primeiro brilho nos olhos de um turista, logo perguntam: "Carruagem?".

Em sua longa carreira em Nova York, o sr. Phillips levou em sua carruagem gente tão diferente como Enrico Caruso, John D. Rockefeller e Arnold Rothstein. "Rothstein me deve dois paus", diz o sr. Phillips, fumando um cigarro filado. "Ah, eu costumava levar ele e a loira dele por toda a cidade. Naquela época havia caminhos cheios de lama na Park Avenue, e o restaurante Tavern-

-On-The-Green era um curral de ovelhas. A Tiffany's ficava na rua 15. Certa vez levei o campeão peso-pesado Bob Fitzsimmons para o Jack's Restaurant, na Broadway. Quando chegamos, ele me disse: 'Venha tomar um drinque, rapaz."

Ben Potter se aproximou e disse: "Já tive um cavalo barulhento chamado Murphy; uma noite um policial me parou e quis me multar porque, segundo ele, meu cavalo estava perturbando a paz. Ele me perguntou o nome do cavalo e respondi que era Murphy. Aí o corpulento policial irlandês parou de anotar e disse: 'Diabo, não posso multar ninguém com um nome desses!'".*

"Era assim naquela época", disse o sr. Phillips. "Naquela época usávamos cartolas de qualidade, mas agora usamos cartolas baratas. Quanto está chovendo — já era! Compramos essas cartolas de um sujeito que nos traz chapéus velhos e diz: 'Quanto vocês me dão por estes?'. Eu digo: 'Dois dólares'. Nunca pago mais do que isso."

Ao longo do tempo, a maioria dos cocheiros transportou os nova-iorquinos afamados e os mal-afamados pelo Central Park; eles preferem se lembrar da época em que se ouvia o barulho de cascos dos cavalos das carruagens por toda a cidade — e não apenas no Central Park. "Mas nunca vou sair deste esquema", diz o sr. Phillips. "Uma vitória é um lugar tão bom para se morrer quanto qualquer outro lugar."

Escondidas em armários escuros, por toda Nova York, há bonecas com roupas e penteados fora de moda, a pintura gasta, narizes amassados, porque foram abraçadas à exaustão por meninas que hoje são avós. Vez por outra, encontra-se uma dessas bonecas num monte de lixo, encostadas de mau jeito na vitrine

---

* Murphy é um nome tipicamente irlandês. (N. T.)

de uma loja de antiguidades, ao lado de uma espada enferrujada — totalmente esquecida por seus donos, que agora vivem a agitada vida presente. Mas há alguns donos que partilham o triste destino dessas figuras outrora belas, outrora amadas.

Esta é uma cidade de estrelas do cinema mudo e de velhos fãs que raramente as reconhecem. Se bem que vez por outra, na Broadway, um senhor de idade dá meia-volta, olha para alguém que passa e exclama:

"Ora, mas você é Nita Naldi!"

A multidão atropela o homem e alguém grita:

"Olhe por onde anda, senhor."

"Desculpe."

"O senhor me dá dez centavos?", diz um mendigo.

A multidão passa impaciente pelo mendigo e pelo homem que reconheceu Nita Naldi.

A sra. Naldi dobra a esquina rapidamente e vai para o seu hotel, onde poucas pessoas se lembram de que ela contracenava com Valentino e já foi o símbolo de tudo que era exótico, ardente e maligno na tela silenciosa.

Por onde quer que se ande em Nova York, é possível encontrar pessoas que outrora foram famosas e aclamadas em toda a cidade.

Sem ser reconhecida pela multidão do meio-dia, Gertrude Ederle está sentada no Schrafft's. É possível que algumas das pessoas que almoçam no Schrafft's estivessem entre os 2 milhões que saudaram a srta. Ederle em 1926 — o ano em que ela atravessou o canal da Mancha a nado e foi homenageada com um desfile pela Lower Broadway, sob uma chuva de papel picado. O presidente Coolidge chamou-a então de "A melhor garota da América". Ela recebeu propostas de casamento, e alguém escreveu uma música intitulada "Tell me, Trudy, who is going to be the lucky one?" [Diga-me, Trudy, quem vai ser o felizardo?].

A sra. Ederle, hoje uma cinquentona e pesando oitenta quilos, raramente nada e usa aparelho de audição. Ela nunca se casou.

"Certa vez eu me apaixonei", lembra ela. "Era 1929. Eu estava praticamente noiva do sujeito. Era um tipo atlético, de um metro e oitenta. Pode parecer bobagem, mas um dia eu lhe disse: 'Deve ser difícil para um homem conviver com uma pessoa que ouve mal...'. Eu pensei, claro, que ele ia responder: 'Querida, pouco me importa se você ouve bem ou mal. Estou apaixonado por você'. Mas em vez disso ele falou: 'Acho que você tem razão, Trudy, deve ser difícil mesmo'. Nunca superei isso."

Nove quarteirões adiante, num bar enfumaçado, um homem magro mas rijo, de cabelos brancos, faz o que pode para ser lembrado. Ele paga bebidas para as pessoas e lhes entrega cartões onde se lê: "Billy Ray — O último dos lutadores sem luvas". O sr. Ray, na casa dos noventa anos, era tão durão que parou de lutar quando, na virada do século, as luvas de boxe começaram a se popularizar; ele disse que o jogo estava ficando mole demais. Agora estava num banco do bar Neutral Corner, e Tony Janiro lhe servia mais uma dose. Os olhos de Billy Ray estavam semicerrados, e ele desfrutava de um privilégio dos velhos nova-iorquinos — lembrar o passado. Ele divagava:

"*Na década de 1880, não se pagava mais de dez centavos por um corte de cabelo. ... Expulsaram Florence Burns da pista de corridas de Sheepshead Bay por estar fumando... Ah, eu gostava de ir à rua 14 para ouvir Maggie Cline cantar 'Throw 'em down, McCloskey'. ... Dizem que Steve Brodie não pulou da ponte do Brooklyn... são uns mentirosos... eu o vi pular... eu estava lá.*

"*Eu poderia passar o dia inteiro falando dessas coisas... Jersey Jimmy, o maior batedor de carteiras do país, tinha um bar no Bowery... Às vezes, achavam gente morta sentada ao balcão. Depois de um velório, traziam uns caras mortos para o bar e começavam a* beber... Quando terminavam, o garçom dizia: 'Quem vai pagar?'. Eles apontam pro cara morto no balcão... e se mandavam."

Nova York não é uma boa cidade para os idosos. A cidade passa por cima deles; eles não conseguem acompanhar seu ritmo. Raramente a dona da loja de geleias da Nona Avenida, Mary Armstrong, vai além de seu bairro, mas quando o faz sempre se escandaliza com as mudanças sofridas pela cidade, e às vezes aponta e exclama: "Oh, olhem o que fizeram com *aquilo*! Olhem o que fizeram com *aquilo*! *Aquilo* foi daquele jeito durante vinte e cinco anos!". Foi o falecido colunista O. O. McIntyre quem primeiro chamou a atenção para a sra. Armstrong quando, em 1937, se referiu a ela como "A velhinha de Nova York", epíteto inspirado numa música muito em voga na época. Ele assim a descreveu: "Óculos de armação de metal, cabelo penteado e amarrado em coque, à moda da década de 1890, ela saltita entre suas prateleiras de delícias como uma cambaxirra numa sebe". E acrescentou: "Katherine Cornell vai lá buscar sua geleia de framboesa, e a senhora Brock Pemberton, morangos em conserva ao rum". Depois do artigo, a sra. Armstrong mandou pregar na loja um cartaz onde se lê: "Loja de geleias da velhinha".

Mas Nova York é uma cidade em que uma matéria de jornal não é suficiente. Agora Mary Armstrong está com 82 anos. Sua loja de geleias, ainda no número 174 da Nona Avenida, agora está fora de mão e só é frequentada por uns poucos velhos amigos de Connecticut e de Nova Jersey, viciados em sua geleia de tomate e em sua manteiga de limão.

Muitas vezes os velhos de Nova York morrem como viveram — sozinhos. Os jornais da cidade estão repletos de histórias de velhos encontrados mortos, muito tempo depois do óbito, em salas escuras e empoeiradas. Às vezes a polícia descobre que o falecido, que todos sabiam ser muito pobre, tinha escondido milhares de dólares num colchão, e a notícia provoca o maior zunzunzum na vizinhança. Foi o que aconteceu em 1º de abril de 1960, quando os moradores de East Bronx se puseram a mexericar a respeito de uma senhora esquisita e calada que costumava recolher lixo nas ruas — e que foi encontrada morta, sobre um monte de trapos, em seu apartamento no número 831 da rua 163 Leste, onde guardava 100 mil dólares.

Durante os trinta anos que viveu no Bronx, a sra. Helen Kay, que lia Espinosa, foi vista catando trapos, recolhendo garrafas de refrigerante vazias para ganhar uns trocados, alimentando gatos vira-latas. Estava sempre desgrenhada e pobremente vestida, embora corressem boatos de que seu apartamento era cheio de chapéus caros, plumas e roupas fora de moda que ela nunca usava. Os vizinhos disseram que ela estudara numa universidade, mas não sabiam qual. Eles achavam que ela falava sete línguas, mas não sabiam bem por quê. Sabiam que ela era viúva de um médico — ou seria um dentista? Eles a viam todos os dias mexendo nas latas de lixo, mas sabiam muito pouco sobre aquela septuagenária a quem chamavam de "A Dama dos Farrapos".

A polícia do Bronx não conseguiu localizar nenhum parente dela. Na pilha de trapos encontrados no apartamento, pelo qual pagava 46 dólares de aluguel, os policiais descobriram oito cadernetas de banco com depósitos que somavam mais de 46 mil dólares, 124 ações da American Telephone and Telegraph e ações de outras empresas.

Assim, naquela ensolarada manhã de abril, as janelas do apartamento da Dama dos Farrapos foram abertas — "pela primeira vez em vinte anos", segundo o síndico. E três homens munidos de vassouras varreram pilhas de papel, casacos velhos, e garrafas de refrigerante vazias.

"Eu vivia dizendo a ela que procurasse viver a vida", disse Lillian Richman, a chapeleira que morava no andar de baixo. "Eu sempre lhe dizia que se mudasse para o Concourse Plaza."

O corpo da Dama dos Farrapos, que ninguém reclamou, foi levado para o necrotério do Jacobi Hospital; seu dinheiro foi entregue ao Administrador de Espólios do Bronx, e ainda está à espera de uma decisão do Estado; seu apartamento, recém-pintado e com o aluguel mais alto, agora é ocupado por uma família porto-riquenha.

É assim que são as coisas em Nova York, onde morrem 250 pessoas por dia, e onde os vivos correm atrás de apartamentos vazios. É assim numa cidade grande, impessoal, compartimentada — onde a página 29 do jornal desta manhã traz fotografias dos mortos; a página 31 estampa fotos de pessoas que noivaram; a primeira página traz fotos dos que governam o mundo, desfrutando de seus dias de glória, enquanto não vão parar na página 29.

"Moço, me dá dez centavos?"
O velho com a mão estendida tinha uma expressão inteligente e brilhantes olhos azuis. Quem é ele? Como teria vindo parar no Bowery, o único lugar de Nova York onde o padrão de vida não melhorou?

Toda tarde ele é visto nas imediações dos bares, igual a centenas como ele: barbudos, sujos, um pouco trêmulos. A maioria dos homens parece ter perdido o orgulho e a esperança, embora a cada Natal muitos deles procurem ganhar dinheiro vestindo-se de Papai Noel de calçada para os Voluntários da América. A organização lhes dá abrigo, paga-lhes quatro dólares por dia e os manda para o centro da cidade, vestidos de Papai Noel, para tocar sinetas nas esquinas e recolher doações em caixas vermelhas em forma de chaminé. Milhões de pessoas que fazem as compras de Natal passam por essas figuras na Quinta Avenida e na Madison sem imaginar que por trás daquelas luxuriantes barbas postiças há alcoólatras tentando se recuperar, buscando encarar a vida de frente — em breve, talvez sem disfarces.

Ano passado um desses Papais Noéis de calçada era um ex-engenheiro da Lockheed que bebeu até perder o emprego; outro era um ex-ator de televisão que tinha atuado no *Captain Video Show*; um terceiro era um professor-assistente em Harvard que surpreendera a esposa na cama com outro homem. Ele matou os dois a tiros e foi para a cadeia. Quando foi solto, passou quatro anos desempregado e bebendo no Bowery, até que um dia procurou a ajuda dos Voluntários.

Muitos homens do Bowery procuram ajuda, mas um número muito maior chega ao fundo do poço e por lá fica. Eles não têm aonde ir; alguns, no entanto, dizem que estão no Bowery por vontade própria. Um destes é um sujeito barbudo, esquisitão e engraçado que se apresenta como "Bozo — O rei dos vagabundos intelectuais".

Em quase todas as noites de verão, encontramos Bozo fazendo algazarra no Sammy's Bowery Follies, com uma cerveja na mão e espuma nos lábios. Ele usa quatro ou cinco camisetas ao mesmo tempo, roupa de banho sob as calças de brim, e uma capa de chuva enrolada dentro de uma bolsa a tiracolo. A maioria de suas camisetas traz nomes de times ou números estampados.

À tarde ele nada e toma banho de sol em Coney Island, onde algumas velhinhas italianas e judias lhe dão sanduíches e frutas. À noite ele dorme sob o deck ou, quando faz muito frio, paga setenta centavos para dormir num albergue noturno.

Ele é um homenzinho tão alegre e de aspecto tão curioso que as pessoas sempre o convidam para jantar "para dar risada". Alguns ex-combatentes o convidam para festas que viram a noite, e no final lhe dão alguns dólares. Como os turistas gostam de posar ao lado de sua longa barba branca no Sammy's Bowery Follies, a gerência vê nele uma "atração" a mais, e ele bebe cerveja de graça.

"Afinal de contas", ele diz, "não sou um bebum como os outros — sou um bebum clássico, dinâmico e extraordinário."

O verdadeiro nome de Bozo é Frederick Aloysius Clarke, e ele nasceu em Provincentown, Massachusetts, por volta de 1892. Ele diz que na adolescência partiu com a marinha mercante e mais tarde passou vários anos viajando com parques de diversões, primeiro como pau para toda obra, depois como massagista, em regime de meio período, de uma trupe de dançarinas chamada "Os Oito Botões de Rosa de Virginia".

Bozo confessa ter passado por três casamentos, todos eles curtos e infelizes, e diz, com um piscar de olhos, que os casamentos sem papel passado são melhores. Quando lhe perguntam se teve filhos, sempre responde: "Toda vez que passo perto de um orfanato, jogo um punhado de moedas por cima do muro — quero que algumas delas vão para meus filhos".

Ele cultiva a amizade (e sabe o endereço) de quase todo mundo que conhece, e chega de surpresa na hora da refeição. Comendo de graça e recebendo a pequena pensão de que se diz merecedor por sua participação no conflito na fronteira com o México em 1914, ele consegue viver da forma como deseja.

Bozo diz que Nova York é uma boa cidade para vagabundos, mas acrescenta que não gostaria de morar aqui e ser enterrado com os desvalidos no cemitério dos indigentes de Potter's Field. Nas raras ocasiões em que fala da morte, a expressão despreocupada de Bozo se transforma de repente, e é possível perceber que ele não é totalmente feliz em sua vida de vagabundo do Bowery. Ele sabe bastante coisa sobre o cemitério dos indigentes. Sabe que fica em Hart's Island e que lá existem prisioneiros. Sabe também que os próprios prisioneiros enterram os mortos, duas vezes por semana, no cemitério dos indigentes — eles cavam valas enormes, com capacidade para 150 caixões de pinho, e colocam uma pedra em cima de cada vala, e aí "a gente não tem direito nem a uma porra duma lápide".

Às vezes se sente tão solitário e sorumbático no Bowery que começa a tomar bebidas fortes, entra numa fase de bebedeira descontrolada e desaparece do Sammy's por algumas semanas. Algum tempo depois, é encontrado jogado numa sarjeta, o rosto arranhado e sujo, pois quando abusa da bebida fica intratável e insulta os galalaus do Bowery, e aí ele leva uma surra. Então fica sóbrio novamente, e alguns dias depois é o mesmo vagabundo feliz e bebedor de cerveja do Sammy's, eufórico e sorridente, que posa para fotografias com turistas e diz: "Há cinco anos eu era um vagabundo. Agora olhem para mim!". E algum tempo depois, por sobre o barulho das canecas de cerveja e das cantorias, dá para ouvi-lo gritar:

"Eu não sou um bebum como os outros — sou um bebum clássico, dinâmico..."

O cemitério dos indigentes de Potter's Field é um pedaço de terra perdido em Hart's Island, no estreito de Long Island. Gaivotas voejam ao redor, e a água roça de leve sua orla branca e arenosa. Não há relva na ilha — apenas ervas daninhas. Não há ruídos, exceto as ocasionais partidas e chegadas do carro do diretor da prisão, as idas e vindas da grande balsa vermelha de City Island e o lento arrastar de pés de prisioneiros e de suas vassouras que varrem as folhas das calçadas.

Cerca de 1200 prisioneiros vivem num extremo da Hart's Island. No outro extremo fica o cemitério de indigentes. O cemitério ocupa uma área de 133,5 mil metros quadrados, isto é, um terço da ilha. Toda semana, cerca de duzentos corpos, além de membros amputados em hospitais, são enterrados em caixões de pinho trazidos pelas balsas pelo estreito, numa travessia de oito minutos. Vinte e cinco prisioneiros descarregam os caixões de pinho, cavam as valas, e todas as terças e quintas-feiras enterram 150 caixões em cada uma. Em seguida cobrem com barro os 150 caixões, dispostos bem juntos, e marcam o lugar com uma lápide — uma lápide sem nomes, apenas com um número. Num arquivo do escritório do diretor da prisão estão registrados os nomes dos 500 mil indigentes enterrados sob as várias lápides desde o primeiro enterro feito no cemitério, em 1868 — o de Louisa Van Slyke, que morreu desamparada no Old Charity Hospital.

Os caixões ficam numa vala por quinze ou vinte anos. Então, quando se precisa de mais espaço para os novos caixões, que não param de chegar, escavam-se as valas. A essa altura os velhos caixões já se desmancharam e desapareceram. Se ainda houver ossos, eles são recolhidos, postos num caixão de pinho e enterrados na vala mais uma vez. Assim se consegue espaço para mais 149 caixões.

E isso se repete infinitamente no cemitério de indigentes de Potter's Field. Os mortos não têm descanso. Como disse o romancista William Styron, essas pessoas morrem duas, três vezes.

E certamente sempre haverá de ser assim em Nova York: os miseráveis morrem, seus corpos passam algumas semanas sem serem identificados no necrotério municipal, depois são levados de balsa para serem enterrados — não nas cidades de sua escolha, mas nessa ilha distante, para que sua visão não incomode mais os vivos. Eles viram pó a 21 quilômetros de Times Square — longe das multidões que se acotovelam e do massagista de senhoras; longe do fabricante de carrocinhas, dos aficionados dos tribunais, dos porteiros, dos lutadores anões, do motorista com motorista, das faxineiras e das telefonistas que dizem

"*Se ao menos as pessoas procurassem os números...*"
e do locutor do metrô que diz
"*... por favor, cuidado com o degrau ao descer...*"
e do fã de cinema que grita
"*Ora, mas você é Nita Naldi!...*"
e do vagabundo que toma cerveja e que até
o dia de sua morte haverá de convencer todo mundo,
menos os coveiros, da verdade que ele proclama:
"*Não sou*
um bebum como os outros;
Sou um bebum
clássico
dinâmico
extra-
o
r
d
iná
r
i
o..."

PARTE II
A PONTE

1. Os *boomers*

Eles entram na cidade em carrões, moram em quartos mobiliados, tomam goles de cerveja por cima do uísque para amaciar, procuram mulheres e logo as esquecem. Eles ficam por pouco tempo, apenas enquanto constroem a ponte; depois vão embora para outra cidade, outra ponte, unindo tudo, menos as próprias vidas.

Eles pouco têm em comum com os alicerces de suas pontes. São em parte saltimbancos, em parte ciganos — desenvoltos no ar, incansáveis no chão; como se o estradão que se abre para eles lá embaixo não indicasse claramente a direção, como faz o cabo de aço de vinte centímetros de espessura cruzando o céu, 150 metros acima do mar.

Quando não há pontes a serem construídas, eles constroem arranha-céus, estradas, hidrelétricas ou qualquer outra coisa que implique um desafio — e horas extras. Eles vão a toda parte, dirigem 1600 quilômetros noite e dia para participar de um novo *boom* de construção. Eles acham irresistíveis as cidades que vivem um *boom* de construção. É por isso que são chamados de *boomers*.

Os *boomers* em geral parecem altos; se nem sempre são altos, são sempre fortes, e têm a pele curtida pelo sol e pelo vento. Alguns dos que aquecem os rebites têm a pele queimada; alguns dos que martelam os rebites têm problema de audição; alguns dos que apanham os rebites em pequenos cones de metal têm bolhas e queimaduras no corpo que registram as vezes em que falharam; alguns dos que trabalham com solda veem faíscas à noite, durante o sono. Os que conectam peças de aço têm cicatrizes profundas nas canelas, que adquirem escalando colunas. Muitos *boomers* têm as mãos estropiadas e dedos decepados por peças de aço que escorregaram. Muitos sofreram quedas e quebraram um ou dois membros. Todos viram a morte de perto.

São homens arrogantes, de grande orgulho, e à noite, nos bares, contam bravatas e constroem pontes. Às vezes, quando já estão de saída, o garçom grita às suas costas: "Ei, rapazes, que tal levar com vocês umas peças de aço?".

As prostitutas vivem atrás deles, gostam deles pois eles têm dinheiro e suas mulheres estão a quilômetros de distância — gostam tanto que ancoraram um barco-bordel embaixo de uma ponte perto de St. Louis e usam capacetes virados de ponta-cabeça como vasos de plantas na zona de prostituição de Paducah.

Nos fins de semana alguns *boomers* dirigem por centenas de quilômetros para visitar a família, são carinhosos e pacientes com elas, e negam de pés juntos terem caído na farra enquanto estavam longe de casa — só admitem entre cochichos, com um misto de orgulho e de vergonha, temerosos de que as esposas ouçam, o que acabaria com a paz doméstica.

Como a maioria dos homens, o *boomer* quer conciliar as duas coisas.

Vez por outra a família vai atrás dele, e fica morando em pequenos hotéis ou em trailers estacionados em campings, mas isso não é vida para uma mulher com filhos.

Os filhos dos *boomers* podem viver em até quarenta estados e frequentar dezenas de escolas diferentes antes de se formar, se é que se formam; embora seus pais jurem que não querem ter filhos *boomers*, acabam tendo um. Acabam tendo um porque na verdade o pai desejava que assim fosse, ou talvez porque os *boomers* se entregam a fanfarronadas nos fins de semana, fabricando um mundo fabuloso de frases infladas pelo uísque, um mundo a que nenhum filho consegue resistir porque parece ter tudo: aventura, carrões, muito dinheiro — às vezes 350 ou 450 dólares por semana —, jogatina nos dias de chuva, quando a ponte fica escorregadia, atravessar o país com *boomers* índios que têm pés firmes como aranhas, *boomers* de Newfoundland tão instáveis quanto o mar de onde eles vêm, com rebeldes errantes que fogem da pobreza de seus vilarejos sulistas — todos eles empenhados em construir algo grande e permanente, algo que possa ser visitado anos mais tarde, apontar e dizer: "Está vendo aquela ponte, filho? Pois bem, um dia, quando eu era mais jovem, coloquei mil e duzentos rebites naquele troço".

Eles contam aos filhos as coisas boas, esquecendo as ruins; raramente contam como às vezes os homens gelam de pavor nas alturas, agarrando-se de olhos fechados às vigas de aço, e não revelam que muitas vezes, ao descer, precisaram tomar três drinques para se acalmar; não, eles se detêm falando da glória, das horas extras, mas não das semanas em que ficavam sem trabalho; eles relembram terem ajudado a construir a Golden Gate e o Empire State, e recordam que, antes deles, seus pais trabalharam na ponte Williamsburg em 1902, levantando vigas de aço com guindastes puxados por cavalos.

Eles pintam seu mundo como se fosse uma extensão do Velho Oeste, o que de certa forma é verdade, pois os *boomers* de hoje veem a si mesmos como pioneiros, os últimos heróis aventureiros, mas agora não devem restar mais do que mil deles livres o bastante para ir a um lugar qualquer, para construir uma coisa qualquer. E quando chegam à cidade em que há um novo *boom*, eles fazem curtas reuniões em bares, falam dos velhos tempos, velhas caras: Cicero Mike, que na época da Lei Seca dirigiu um caminhão de Al Capone carregado de uísque e há pouco tempo caiu de uma ponte perto de Chicago e morreu; o índio Al Deal, que mantinha três mulheres felizes no Oeste e ia para a ponte toda manhã numa extravagante camisa de seda; e Riphorn Red, que costumava forrar os lados de sua valise com notas de vinte dólares e que uma noite teve um acesso de fúria num cemitério. E Nutley Kid, que fumava longos charutos italianos, mascava fumo, tomava água do vaso sanitário e, no almoço, bebia leite com cerveja — sem tirar o fumo da boca. Charley Água Gelada, que nos dias gélidos de inverno, no alto da ponte, mandava os aprendizes descerem até lá embaixo para buscar água quente; quando os rapazes chegavam lá em cima a água já estava fria, ele cuspia e gritava, furioso: *"Água gelada, água gelada!"*, e os mandava buscar mais. Fala-se também de um perneta devasso, Whitey Howard, que certa vez não ouviu o trem se aproximando numa ponte ferroviária, teve de pular dos trilhos no último segundo e ficou pendurado na borda da ponte. Sua perna esquerda, que era de pau, caiu lá embaixo, e Whitey passou o resto da vida se gabando de ter perdido a mesma perna duas vezes.

Às vezes os *boomers* se entregam a essas conversas, bebendo e relembrando coisas sem importância sobre gente que só eles conhecem, gente que o comum dos mortais só vê à distância, e então começam um jogo de cartas, o primeiro de centenas que serão jogados nessa cidade enquanto a ponte vai sendo construída — uma ponte que muitos *boomers* nunca haverão de cruzar. Porque antes que a ponte fique pronta, talvez seis meses antes de ser aberta ao tráfego, alguns *boomers* ficam ansiosos para ir para outro lugar. O desafio está acabando. As horas extras também. E eles começam a se perguntar: "Onde vai ser o próximo?". Era isso o que eles perguntavam uns aos outros no começo da primavera de 1957, mas alguns deles já sabiam a resposta: em Nova York. Nova York planejava a construção de muitas pontes. Havia muitos projetos para o norte do estado, e só na cidade de Nova York, entre 1958 e 1964, estava previsto um gasto de 600 milhões de dólares para, entre outras coisas, a construção do segundo nível da ponte George Washington, a construção da ponte Throgs Neck sobre o estreito de Long Island — e, finalmente, o que talvez constitua o maior desafio na vida de um *boomer*, a construção do maior vão pênsil do mundo, a ponte Verrazano--Narrows.

A Verrazano-Narrows, ligando o Brooklyn a Staten Island (contra as inúteis objeções de milhares de cidadãos de ambos os distritos), teria 1298 metros no vão central, dezoito a mais que a Golden Gate, de San Francisco, e seria 140 metros mais extensa que a ponte Mackinac, no extremo norte do estado de Michigan, logo abaixo do Canadá.

Foi a ponte Mackinac, que se estende entre o lago Horon e o lago Michigan e liga as cidades de St. Ignace e Mackinaw, que atraiu os *boomers* entre 1954 e 1957. E embora eles agora se dispusessem a abandoná-la por Nova York, incapazes de resistir ao grande movimento em direção ao leste, havia uns poucos *boomers* que realmente lamentavam deixar Michigan, porque em sua vida de desordeiros nunca tinham visto uma cidadezinha mais agitada do que a antes tranquila St. Ignace.

Antes de os *boomers* a terem invadido, St. Ignace era uma pacata cidade de 2500 habitantes, que caçavam no inverno, pescavam no verão, tinham lojinhas que atendiam turistas, ajudavam no serviço das balsas que cruzavam oito quilômetros de água até Mackinaw e davam pouco trabalho à polícia local. A região foi habitada primeiro por índios pacíficos, depois por desbravadores franceses, depois por missionários e comerciantes de peles, e em 1954 ainda era uma cidade íntegra e sem vícios, ainda com um único hotel, chamado Nicolet — em homenagem a um homem branco, Jean Nicolet, que em 1634, segundo se diz, foi remando numa canoa pelo estreito de Mackinac e descobriu o lago Michigan.

E foi no Nicolet Hotel, e principalmente em seu bar, que os *boomers* estabeleceram seu quartel-general, o que logo o tornou um ambiente enfumaçado, cheio de festas e de brigas, com garotas que desciam do Canadá ou subiam de Detroit. Jogavam dados no chão do bar — e se St. Ignace não fosse uma cidade tão hospitaleira, todos os *boomers* teriam ido para a cadeia e a ponte nunca seria terminada.

Mas o povo de St. Ignace estava encantado com a grande ponte em construção. As pessoas viam o quanto os homens davam duro e não queriam estragar sua diversão noturna. Naturalmente, os comerciantes mostravam-se muito receptivos porque de repente, naquela pequena cidade lacustre de Michigan, as calçadas ganharam mais seiscentos ou setecentos passantes, cada um dos quais recebendo entre trezentos e quinhentos dólares por semana — que alguns gastavam no mesmo ritmo em que ganhavam.

A polícia local também não queria parecer pouco amistosa, e não fez batidas para reprimir o pôquer ou os jogos de dados. A única batida de que se tem notícia foi feita por alguns policiais estaduais; quando eles entraram no bar, descobriram um outro policial estadual jogando com os *boomers*. A única pessoa a ser presa foi o *boomer* que mais ganhou no jogo. Como seus ganhos foram confiscados, ele não pôde pagar a fiança de cem dólares e foi parar na cadeia. No decorrer da noite, porém, ele organizou uma partida de pôquer na cela, ganhou cem dólares, pagou a fiança e foi libertado. Na manhã seguinte lá estava ele na ponte, pronto para o trabalho.

Talvez haja certo exagero em afirmar que, à exceção dos policiais estaduais, os habitantes de St. Ignace bajulavam os *boomers* ou aceitavam a sua presença sem reclamar. Houve famílias que proibiram suas filhas de namorar *boomers*, no que tiveram algum êxito; além disso, havia rapazes da cidade que desprezavam os *boomers*, embora isso possa ser explicado pela inveja dos carrões deles e porque, comparados aos habitantes da cidade, era muito pequeno o número de *boomers* que se abstinham de beber e de ter relações sexuais. Por outro lado, também seria um erro imaginar que não existiam *boomers* pacatos, modestos — talvez fossem uns seis ou sete —, como era o caso, por exemplo, de Ace Cowan, um homem alto e tranquilo de Kentucky (cuja mulher também estava em Michigan), e também de Johnny Atkins, que uma vez tomou uma dúzia de martínis duplos no Nicolet sem provocar nenhuma desordem, foi embora tranquilo, flutuando, e desapareceu na noite.

Havia também Jack Kelly, um sujeito alto, de 107 quilos, filho de um fabricante de velas de barcos de Filadélfia. Mesmo depois de anos de trabalho em pontes barulhentas, e apesar de muitas vezes ter sido atingido na cabeça por objetos que despencavam do alto, o que lhe valeu 52 pontos no couro cabeludo, continuou sendo uma pessoa afável. E havia um outro homem admirado na Mackinac — o superintendente, Art Drilling, um velho *boomer* do Arkansas que foi para o Oeste para trabalhar nas pontes de Golden Gate e Oakland Bay, na década de 1930, e que era chamado de "Dou no pé" porque vivia dizendo, embora não em tom de ameaça, que preferia dar no pé e abandonar a cidade a trabalhar sob um superintendente que entendesse menos de pontes do que ele.

E assim ele ia de cidade em cidade, de ponte em ponte, sem nunca se sentir satisfeito, até se tornar o mestre de obras da ponte — como aconteceu na construção da Mackinac, e como esperava acontecer também em 1962, na construção da Verrazano-Narrows.

No decorrer de suas viagens, porém, Drilling gerou um filho chamado John. E embora John Drilling tivesse herdado a gentileza e o encanto sulinos do pai, essas qualidades encobriam a força do seu caráter. Porque John Drilling, que tinha apenas dezenove anos quando entrou na equipe que trabalhava na Mackinac, trabalhou como ninguém para deixar sua marca em St. Ignace.

John Drilling nasceu em Oakland em 1937, quando seu pai trabalhava na última etapa da construção da Bay Bridge. Nos dezenove anos seguintes ele acompanhou o pai, morou em 41 estados e frequentou mais de vinte escolas, conquistando as garotas — e casando com uma delas, com quem viveu por quatro meses. Não havia nada de grosseiro em seus modos. Ele era sempre extremamente gentil, tinha boa aparência, mas, como muitos filhos de *boomers*, sofria do mal que os velhos construtores de pontes chamam de "febre da estrada".

Se isso era um desafio para algumas mulheres, para outras ele era frustrante. Para a maioria, Drilling era fascinante. Na sua primeira semana em St. Ignace, ele estava parado num posto de gasolina quando viu ali perto um carro cheio de garotas e, deixando de lado a insegurança e a timidez de rapaz recém-chegado na cidade, abordou gentilmente a mais bonita delas — uma jovem de aspecto saudável, de uma beleza sueca, cujo namorado acabara de ser convocado pelo exército — e assim começou um romance inesquecível, que duraria até o romance seguinte.

Tendo economizado alguns milhares de dólares do que ganhava na Mackinac, ele se tornou, por pouco tempo, aluno da Universidade do Arkansas e comprou um Impala de 2700 dólares. Uma noite, em Ola, no Arkansas, ele bateu o carro e teria tido sérios problemas com a Justiça se naquela noite não estivesse saindo com a filha do juiz.

A vida de John Drilling parecia bafejada pela sorte. De todos os trabalhadores da ponte de Mackinac — que mais tarde também iriam para o leste trabalhar na Verrazano-Narrows —, o jovem John Drilling parecia ser o mais sortudo — com exceção, talvez, de seu grande amigo Robert Anderson.

Anderson tinha mais sorte principalmente porque tinha vivido mais, feito mais, sobrevivido mais; e ele nunca perdia a extraordinária disposição e o eterno otimismo. Tinha 34 anos de idade quando chegou na Mackinac. Ele fora casado com uma jovem por uns doze anos, e com outra por algumas semanas. Sofreu acidentes de carro, foi atingido por ferramentas que despencaram em sua cabeça, sofreu algumas quedas — uma delas de uma altura de doze metros — mas a única sequela visível em seu corpo era a falta dos dois dedos do meio na mão esquerda, que em nada prejudicava sua habilidade.

Um dia, na torre norte da Mackinac, a parte do andaime em que Anderson estava se soltou e começou a deslizar feito um carrinho de montanha-russa, com Anderson agarrado a ela. Colidindo contra os cabos, ela desceu uns 550 metros, até chegar na parte de baixo, onde os cabos se inclinam de leve e ficam retos antes da ancoragem. Anderson saiu tranquilo e começou o longo caminho de volta para cima. Felizmente para ele, a Mackinac fora projetada por David B. Steinman, que preferia vãos livres longos e afilados; se a ponte tivesse sido projetada por O. H. Ammann, que tinha preferência por vãos mais curtos e volumosos, como os que estava projetando para a ponte Verrazano-Narrows, Bob

Anderson teria feito uma descida mais abrupta, chocando-se contra a ancoragem, e acabaria morto. Mas a sorte de Anderson chegava a esse ponto.

Além dos trabalhos na ponte, Anderson tinha uma sorte de *boomer* com as mulheres. Todas as andanças que fizera por ser filho de *boomer*, todas as mudanças de cidade e a flexibilidade que esse tipo de vida exigia lhe deram um ar de despreocupação, uma capacidade de se sentir em casa onde quer que estivesse. Uma vez, no México, ele foi morar num bordel. As prostitutas de lá gostavam muito dele, brigavam por causa dele, admiravam seus modos afáveis e o fato de ele tratar a todas como damas. A certa altura a cafetina o convidou para ficar lá como hóspede; toda noite ele jantava com as mulheres, e de manhã ficava na fila com elas esperando sua vez de tomar banho.

Embora tenha 1,82 metro de altura, ombros largos e porte ereto, Bob Anderson não é lá muito bonito; mas ele tem olhos vivos e alertas, o rosto redondo e em geral sorridente, é conciliador, uma espécie de Tom Jones da construção de pontes — afável e rápido, um tanto galante, amante dos prazeres e das mulheres fogosas, porém nunca manhoso ou trapaceiro.

Tem também muita sorte no jogo, tendo aprendido um pouco dessa arte ainda em Oklahoma, com seu tio Manuel, um violonista malandro que uma vez ganhou um parque de diversões inteiro no pôquer. Embora Anderson evite os jogos de dados, uma noite, no Nicolet, foi convidado a jogar no banheiro dos homens e aceitou.

"Ah, naquela noite eu estava bêbado", disse ele a um amigo alguns dias depois, com a fala arrastada do sudoeste. "Eu estava tão bêbado que mal conseguia enxergar as coisas. Fiquei só jogando os dados e só via na minha frente sete e onze, sete e onze, *Je-sus Cris-to*, a noite inteira foi assim, fiquei bebendo e ganhando, bebendo e ganhando mais. Finalmente o banheiro foi se enchendo de gente que tinha ouvido a barulheira — e a certa altura havia também mulheres e turistas, que ficaram me olhando fazer aquele monte de sete e onze."

"Na manhã seguinte", continuou ele, "acordei com uma puta ressaca e vi aquele monte de dinheiro em cima da minha mesa. E quando pus a mão no bolso ele estava abarrotado de notas amarfanhadas que nem folhas secas. Contei todo o dinheiro e vi que tinha mais de mil dólares. E naquele dia na ponte muitos caras me procuraram dizendo: 'Ei, Bob, aqui estão os cinquenta paus que te pedi emprestados ontem à noite' ou 'Aqui estão os cem', e eu nem me lembrava de ter emprestado nada. *Je-sus Cristo*, que noite!"

Quando Bob Anderson foi embora da Mackinac e de St. Ignace, tinha conseguido economizar 5 mil dólares. Sem saber o que fazer com o dinheiro, comprou passagens de avião e foi para Tânger, Paris e Suíça — "cair na putaria e na bebida", nas suas palavras. Quando se viu sem mais nada, exceto as passagens de volta, voltou para St. Ignace e se casou com uma morena magrinha e encantadora que ele não era capaz de esquecer.

Pouco tempo depois, arrumou as coisas dele, pegou a nova mulher e, na companhia de dezenas de outros *boomers* — inclusive John Drilling, Dou no Pé, Ace Cowan, Jack Kelly e outros veteranos da Mackinac e do Nicolet —, começou a longa jornada rodoviária rumo ao leste, para tentar a sorte em Nova York.

2. Pânico no Brooklyn

"Seus *FEDAPUTA*!", gritou o velho sapateiro italiano, de pé na porta do escritório de desapropriações do Brooklyn, lançando olhares raivosos aos homens sentados às suas mesas no fundo da sala. "Seus *fedaputa*", ele repetiu, vendo que ninguém o olhava.

"*Ei*", respondeu um dos homens, pulando de trás de uma das mesas, "com quem você está falando?"

"Com você", disse, com forte sotaque, o sapateiro, uma figura pequena e desgrenhada, encostada na porta, um tanto vacilante como se tivesse bebido, os olhinhos escuros e injetados de raiva. "Você tomou minha oficina... você não vai me dar nada em troca, ..."

"Escute aqui", disse o homem, aproximando-se rapidamente do sapateiro e encarando-o com uma expressão dura, "não vamos tolerar esse palavreado por aqui. Eu vou chamar a polícia..."

Ele agarrou o telefone mais próximo e começou a discar. O sapateiro ficou olhando por um instante, parecendo não ligar a mínima. Depois deu de ombros, voltou-se devagar e, sem dizer mais nada, foi até a porta e saiu pela rua arrastando os pés.

O homem largou o telefone e ficou olhando o outro se afastar. Não foi atrás dele. Não queria mais nada com ele — nem com ele nem com *nenhuma* daquelas pessoas turbulentas que vinham fazendo tanto barulho nos últimos dias, praguejando, assinando petições ou fazendo ameaças, como se tivesse sido ideia do pessoal que cuidava dos imóveis desapropriados construir a ponte Verrazano-Narrows e a grande estrada que dava acesso a ela, a estrada que cortaria a região de Bay Ridge, no Brooklyn, onde viviam 7 mil pessoas, onde havia oitocentos edifícios — inclusive uma sapataria — e que, ao passar por ali, iria reduzir tudo a uma longa e lisa peça de concreto.

Não, não tinha sido ideia deles, mas sim de Robert Moses e de sua Comissão para Ponte e Túnel Triborough, construir a ponte e as estradas adjacentes — mas os homens contratados pela comissão estavam mais expostos às críticas e reclamações porque eram eles, e não Moses, que tinham de encarar as pessoas e lhes dizer: "Abandonem suas casas — temos de construir uma ponte".

Algumas pessoas, sobretudo as mais velhas, entraram em pânico. Muitas rogaram aos representantes da comissão e a Deus que poupassem os lares onde seus filhos haviam nascido, onde seus maridos tinham morrido. Outras ficavam apavoradas e cheias de ódio, dizendo que se tratava da casa delas, do refúgio delas, e que o sr. Moses teria de ir pessoalmente tirá-los de lá.

Alguns ouviram a notícia sem manifestar nenhuma reação, esperando calados o momento de serem incluídos na lista dos desaparecidos — esperando o caminhão de mudanças como quem espera a própria morte. Com o dinheiro que receberam por suas velhas casas, foram para a Flórida, para o Arizona ou para outra casa no Brooklyn, qualquer uma, sem se importar muito com isso porque agora já estavam velhos demais e as casas novas eram todas iguais.

O velho sapateiro, com quase setenta anos, voltou para o sul da Itália, para sua Cosenza natal, onde tinha terras que pretendia vender. Ele partira de Cosenza para a América aos 22 anos. E agora, em 1959, rever Cosenza era ver como a cidade pouco tinha mudado. Ainda havia cabras e jumentos subindo as estradas estreitas, camponesas carregando potes de barro na cabeça, e alguns homens usando faixas pretas nas mangas da camisa ou fitas na lapela em sinal de luto; e as mesmas casas de pedra branca por entre a vegetação luxuriante da encosta da montanha — casas de muitas gerações.

Quando ele chegou, foi saudado pelos parentes que tinha esquecido muito tempo atrás, e que o receberam como um herói de volta à pátria. Mas depois começaram a lhe falar de seus males, da pobreza, de todos os problemas que tinham, e ele sabia aonde aquilo ia chegar. Então logo tratou de contar seus *próprios* problemas, omitindo alguns detalhes: relatou que atrasara o pagamento do aluguel de sua oficina no Brooklyn, que a comissão o mandara embora sem um tostão no bolso e que por isso estava de volta à Itália, de onde partira — tudo por causa daquela maldita ponte que iam construir, aquela ponte que os americanos iriam batizar com o nome de um explorador italiano de que os parentes do sapateiro nunca tinham ouvido falar: o tal Giovanni da Verrazano que, viajando a serviço dos franceses em 1524, descobrira a baía de Nova York. O sapateiro continuou falando, falando e gesticulando, para mostrar-lhes que não era bobo nem nada — e, um ou dois dias depois, continuou a tentar vender suas terras...

Do lado de Staten Island, a rejeição à ponte era muito menor que no Brooklyn: os afetados pela construção seriam menos que a metade dos afetados do lado do Brooklyn; na verdade, em Staten Island havia grupos poderosos que havia muito tempo sonhavam com uma ponte que ligasse seu distrito ao resto da cidade por um caminho mais curto. Staten Island sempre fora o mais isolado e mais ignorado dos cinco distritos de Nova York; onze quilômetros de águas a separavam de Manhattan, meia hora de travessia de barco.

Embora os nova-iorquinos e os turistas gostassem de fazer a travessia de barco para Staten Island — "um cruzeiro de luxo a um centavo por quilômetro" —, na verdade ninguém estava interessado em chegar ao outro lado. O que havia lá para se ver? Até 1958, 60% de seus 140 quilômetros quadrados estavam mergulhados no atraso. A maioria de seus 225 mil cidadãos vivia em residências unifamiliares. Era o distrito mais insípido de Nova York, e quando um policial nova-iorquino caía em desgraça junto aos seus chefes, logo era transferido para Staten Island.

A ilha adquiriu esse caráter rural quando, três séculos atrás, os britânicos a dominaram e estimularam as atividades agrícolas em detrimento das manufaturas. E muitos habitantes de Staten Island gostariam que ela continuasse assim — tranquila e afastada. No último dia de 1958, porém, depois de anos de dúvidas e debates, definiram-se os planos para a construção da ponte Verrazano-Narrows, e o estilo de vida dos que amavam a tradição estava em declínio. Mas um número bem maior de habitantes de Staten Island ficou feliz com a notícia; eles desejavam a mudança, haviam crescido incomodados com o provincianismo, e agora tinham a esperança de que a ponte provocasse um *boom* — e de repente seu desejo se realizava.

O anúncio da construção da ponte foi seguido de uma corrida para a compra de terrenos. Um pequeno lote que valia 1200 dólares em 1958 passou a valer 6 mil em 1959, e grandes áreas que valiam 100 mil dólares de manhã muitas vezes eram vendidas por 200 mil à tarde. Propriedades em dívida com o fisco logo foram reclamadas pelo município. Grandes corporações do Brasil, da Itália e da Suíça ficaram de olho na região, na expectativa de fechar negócios vantajosos. Planejavam-se novas construções em quase toda a ilha, e apesar das muitas reclamações e processos contra empreiteiros que estavam construindo casas com material de má qualidade (um mestre de obras ficou com tanta vergonha do trabalho que o mandaram fazer que esperou anoitecer para ir embora do canteiro de obras), nada desestimulava o *boom* ou tirava o glamour da ponte em Staten Island.

No começo de 1959, meses antes do início da construção, a ponte se tornara um símbolo de esperança.

"Estamos a caminho de superar a barreira de isolamento", anunciou o presidente do distrito, Albert V. Maniscalco — enquanto outros líderes reconheciam que a ponte, mesmo com as eventuais implicações que viesse a ter, não poderia prejudicar Staten Island. O que havia lá que pudesse ser prejudicado? "Em toda a história de Staten Island, nada deu certo", disse um morador da ilha, Robert Regan, marido da cantora lírica Eileen Farrell. Ele afirmou que no passado houve três tentativas de criar uma Companhia de Ópera de Staten Island, um time de futebol semiprofissional, uma pista de corrida de cães, um ringue de boxe, uma orquestra sinfônica, uma pista de *kart*, um time de basquete — e nada dera certo. "A única coisa que pode salvar esta ilha é um monte de gente nova", disse ele.

No Brooklyn, porém, a coisa foi diferente. Eles não precisavam de gente nova nem desejavam sua chegada. Havia uma próspera classe média, uma comunidade composta quase exclusivamente de brancos na região de Bay Ridge, e eles estavam satisfeitos com o que tinham. Bay Ridge, que fica no lado oeste do Brooklyn, ao longo dos montes de Upper New York Bay e Lower New York Bay, tem uma magnífica vista de Narrows, um estreito de 1500 metros de largura que liga as duas baías, pelo qual chegam ou partem todos os grandes navios que passam por Nova York. Entre os primeiros colonizadores havia milhares de escandinavos, a maioria da Dinamarca, que gostavam de Bay Ridge pela proximidade da água e pela brisa perfumada. E no final do século XIX Bay Ridge se tornou um dos lugares mais exclusivos do Brooklyn.

Agora, em 1959, o panorama era bem outro, exceto, talvez, na orla, onde se viam renques de árvores, gramados bem aparados e sólidas casas, numa das quais morava o fisiculturista Charles Atlas. O resto de Bay Ridge era quase como as outras zonas residenciais do Brooklyn, exceto pelo fato de que havia poucos negros — se é que havia — vivendo entre os brancos. Os brancos eram em sua maioria católicos. As grandes igrejas, algumas com paróquias que chegavam a ter 12 mil almas, eram mantidas por irlandeses com fumos de classe média e italianos ambiciosos; eles também apoiavam as políticas do Partido Republicano. Ainda havia por lá grande número de suecos e de dinamarqueses, além de muitos lojistas sírios, velhos imigrantes italianos (amigos do sapateiro), mas eram os mais jovens (segunda e terceira gerações de italianos, ao lado dos irlandeses) que davam o tom geral de Bay Ridge. Os que ainda não eram ricos o bastante para merecer a orla moravam em casas menores, de tijolos marrom, coladas umas às outras em ruas com renques de árvores, e disputavam todos os dias um lugar para estacionar o carro junto ao meio-fio. Faziam compras em ruas com muito movimento nas calçadas, cheias de lojinhas suburbanas com apartamentos no pavimento superior; havia também muitos barzinhos nas esquinas, e, para um bom jantar, a Hamilton House — desde que se usasse paletó e gravata —, além de uma boate a meia-luz, numa rua mais afastada, em cujo balcão se via uma loira platinada, curvilínea e enrugada, com um cigarro na boca, mas sem fogo.

Assim, Bay Ridge, em 1959, estava numa posição intermediária; já não era chique, mas tinha uma certa ordem, e a maioria das pessoas não desejava mudanças, nem mais gente, nem mais trânsito. E com certeza não queriam ponte nenhuma. Quando veio a notícia de que ela seria construída, os políticos locais ficaram desorientados. Algumas mulheres começaram a chorar. Muita gente se recusou a acreditar. Diziam que já tinham ouvido aquela história antes e que desde 1888 se falava do projeto de um túnel ferroviário para ligar o Brooklyn a Staten Island. E, em 1923, Hylan, o prefeito de Nova York, chegou a iniciar as escavações para um túnel, que teria uma pista para carros e uma ferrovia; o único resultado daí foi um prejuízo de meio milhão de dólares e, em algum lugar, um buraco que não leva a parte alguma.

Falou-se também, durante *vinte anos* — continuavam eles —, de uma grande ponte sobre o Narrows, mas sempre se descobria que era só boato. Em 1950 começaram a dizer que seria bom construir uma ponte ligando o Brooklyn a Staten Island, mas... e se os russos a destruíssem numa guerra? Os navios da marinha americana ancorados no porto de Nova York não ficariam presos pelos escombros da ponte na entrada do porto? Um ano depois falou-se novamente num túnel até Staten Island, depois novamente na tal ponte, e assim por diante. Então, concluíam eles em 1959, aquilo devia ser mais um boato, não havia motivo para preocupação.

O que essas pessoas não perceberam foi que em 1957 a conversa tinha mudado um pouco; os rumores ficaram mais intensos, e Robert Moses estava cada dia mais decidido; o diretor do Corpo de Bombeiros de Nova York estava tão convicto de que a ponte seria construída que propôs em 1957 que o Departamento de Obras do município erguesse um novo e grande quartel de bombeiros em Staten Island, solicitando a soma de 379 500 dólares para construí-lo, mais 250 mil para equipá-lo. Eles não se deram conta de que em 1958 o poderoso político do Brooklyn Joseph T. Sharkey já considerava a ponte inevitável, e fez um ataque desesperado a Robert Moses na Câmara de Vereadores, gritando que Moses tinha concentrado poder demais em suas mãos e ouvia apenas os engenheiros, não a vontade do povo. Também não se deram conta de que, enquanto pensavam que era *tudo boato*, uma equipe de engenheiros se debruçava sobre uma prancheta e cobria de tinta uma boa parte do Brooklyn que seria destruída para dar lugar às zonas de acesso à ponte — e que um dos engenheiros descobriu, horrorizado, que seu plano incluía a demolição da casa de sua sogra. Quando ele deu a notícia a ela, ela gritou e chorou, pedindo-lhe que mudasse o projeto. Ele disse que não podia fazer nada; a ponte era inevitável. Ela morreu sem perdoá-lo.

A ponte era inevitável — e era inevitável que eles a odiassem. Eles viam a futura ponte não como um símbolo de progresso, mas como um símbolo de destruição, como um enorme monstro marinho que logo se ergueria do mar e destruiria oitocentos prédios, obrigando 7 mil habitantes de Staten Island a se mudar: donas de casa, barmen, o capitão de um rebocador, médicos, advogados, um cafetão, abstêmios, bêbados, secretárias, um lutador de boxe peso-pena aposentado, uma ex-integrante das Ziegfeld Follies, um casal com dezessete filhos (com dois cachorros e um gato), um dentista que acabara de gastar 15 mil dólares na instalação de novas cadeiras, um vegetariano, um bancário, um diretor-assistente de escola e dois amantes — um divorciado de 41 anos e uma mulher infeliz no casamento que morava do outro lado da rua. Toda tarde esses amantes se encontravam no apartamento dele, faziam amor e se perguntavam o que iria acontecer depois, se perguntavam se algum dia ela teria coragem de contar tudo ao marido e deixar os filhos. Então, de repente, essa ponte iria separá-los, destruindo seu bairro e as tranquilas tardes que passavam juntos, e os dois não tinham ideia, em 1959, do que iriam fazer.

Os insatisfeitos entraram no Comitê de Salvação de Bay Ridge, que tentou derrotar Moses até a hora em que *bulldozers* começaram pôr suas portas abaixo. Eles assinaram petições, fizeram discursos, gritaram: "Quem precisa dessa ponte?". Os fotógrafos dos jornais tiraram fotos deles, jornalistas os entrevistaram, transcreveram seus apelos veementes, e Robert Moses ficou furioso.

Ele escreveu cartas a um editor de jornal dizendo que o repórter tinha distorcido a verdade, mentido, salientado apenas os aspectos negativos, ignorando os aspectos positivos da demolição da casa das pessoas. Em 1959 a maioria das pessoas não enxergava nenhum aspecto positivo, e por isso aferravam-se aos seus lares. Mas mais cedo ou mais tarde, em mais ou menos um ano, elas desistiram. Foram embora, uma após outra, e logo as luzes da casa se apagaram pela última vez, chegaram os caminhões de mudança, e então *os bulldozers* puseram as paredes abaixo, os tetos ruíram e tudo se cobriu de uma avalanche de pó — visão terrível para o vizinho que teimava em ficar, e logo este também se resolvia a mudar, depois o outro, em seguida outro e mais outro. E foi assim em cada um dos quarteirões, em cada bairro, até que, finalmente, mesmo os mais renitentes desistiram, pois quando um quarteirão está praticamente destruído e alguém se vê sozinho em meio ao caos, começam a aflorar estranhos medos: o medo de ficar sozinho no meio de um bairro agonizante; o medo de que um bando de jovens vagabundos irrompesse do entulho quebrando janelas, roubando as portas, as estacas das cercas, as peças leves, ou mexendo nos quadros quebrados ou em cartas de amor perdidas; medo dos delinquentes que resolvessem dormir nas carcaças vazias dos apartamentos ou nos vestíbulos; medo dos ratos que, segundo se dizia, logo iriam aflorar dos esgotos e fossas porque, explicavam eles, também os ratos estavam sendo despejados de Bay Ridge, Brooklyn.

Um dos últimos pertinazes moradores foi uma morena muito bonita, divorciada, de olhos castanho-claros, de 42 anos, chamada Florence Campbell. Ele foi embora depois dos amantes, do dentista, de Bessie Gros Dempsey, ex-integrante das Ziegfeld Follies que teve de embalar seus 350 chapéus emplumados e velhos álbuns de recortes de jornais; ela foi embora depois do homenzinho louco que foi encontrado sozinho num prédio vazio porque, por alguma razão desconhecida, ele não ouviu os *bulldozers* lá embaixo, nem sabia que uma ponte ia ser construída.

Ela foi embora depois de Freddy Fredericksen, o lutador de boxe que só perdera duas lutas, e depois do sr. John G. Herbert e senhora, os pais dos dezessete filhos — embora a partida de Florence Campbell não tenha sido tão complicada como a dos Herbert. Foram necessárias doze viagens para levar todos os seus móveis, todas as bicicletas, trenós, pratos e cachorros para sua nova casinha, que ficava a pouco mais de um quilômetro e meio de distância — doze viagens e dezesseis horas; e quando eles conseguiram finalmente levar tudo para lá, o sr. Herbert, funcionário do estaleiro da marinha, descobriu que o gato tinha desaparecido. No dia seguinte, bem cedo, ele mandou dois de seus filhos para a casa antiga, e eles encontraram o gato sob a varanda. No mesmo lugar, acharam também um machado velho. Os dois passaram a hora seguinte na velha casa, destruindo o que podiam com o machado; quebraram janelas, paredes, pisos, quebraram seu antigo quarto, os armários da cozinha, o balaústre da varanda, onde costumavam se reunir nas noites de verão; quebravam tudo sem saber exatamente por quê, sabendo apenas, enquanto se revezavam no machado, que se sentiam meio selvagens, eufóricos, tristes e loucos enquanto destruíam as coisas — então, cansados demais para continuar, pegaram o gato embaixo da varanda destruída e saíram de sua antiga casa pela última vez.

No caso de Florence Campbell, nem mesmo um assassinato basta para fazê-la mudar de casa. Desde que se divorciara, morava com o filho num espaçoso apartamento, pagando 64 dólares mensais de aluguel. Era difícil achar um apartamento igual por um preço acessível. Um agente a ajudava na busca de outro lugar para morar, mas terminou deixando-a procurar sozinha, porque ela sempre recusava os apartamentos que ele sugeria, por achá-los caros demais. Ela continuou a busca sozinha, sempre à noite, depois de voltar de seu emprego de contadora no Whitehall Club, em Manhattan.

Certa manhã, ela começou a sentir um cheiro estranho no apartamento. Achou que talvez o filho tivesse ido pescar no dia anterior, depois da aula, e jogara o que havia pescado na lixeira. Ele disse que não, e na noite seguinte, vendo que o fedor aumentara, ela telefonou para a polícia. Logo os policiais descobriram que o velho do primeiro andar, o único que continuava no prédio, matara a esposa a tiros de espingarda três dias antes, e agora, aturdido e calado, estava sentado junto ao cadáver, com garrafas de uísque vazias a seus pés.

"Senhora, me faça um favor", disse o sargento da polícia a Florence Campbell. "Vá embora deste quarteirão, está bem?"

Ela disse que ia mudar, mas em suas andanças não achava um apartamento. Não tinha parentes que a pudessem hospedar, não tinha amigos no bairro porque todos já tinham se mudado. Quando ela chegava em casa, por volta da meia-noite, depois de sua busca por um apartamento, encontrava a entrada do prédio às escuras — alguém sempre roubava a lâmpada — ou então tropeçava em um vagabundo bêbado dormindo na calçada em frente ao edifício.

Algumas noites depois da recomendação do sargento, ela foi acordada pelo som de pés se arrastando do outro lado de sua porta e socos na parede. Seu filho, que dormia no quarto ao lado, saltou da cama, pegou uma espingarda calibre 12 que guardava no armário e se precipitou no corredor, que estava completamente escuro: a luz tinha sido roubada mais uma vez. Ele tropeçou, e Florence Campbell gritou.

Um estranho subiu correndo as escadas e foi parar no telhado. Ela chamou a polícia. Esta veio depressa, mas não conseguiu encontrar o homem no telhado. O sargento repetiu que ela devia mudar, e ela concordou, chorando. No dia seguinte ela estava nervosa demais para trabalhar; foi a um bar ali perto para tomar um drinque e contou ao barman o que acontecera. Muito agitado, ele lhe disse que havia um apartamento para alugar, um quarteirão mais adiante, por 68 dólares por mês. Ela correu para o apartamento e o alugou — e o proprietário não entendeu nada quando, depois de fechar o contrato, ela começou a chorar.

3. Sobrevivência dos mais aptos

A ponte começou como todas começam — silenciosamente. Começou com pesquisas debaixo d'água, estudos de solo e levantamento topográfico; e quando o barulho enfim começou, em 16 de janeiro de 1959, ninguém no Brooklyn ou em Staten Island o ouviu.

A ponte começou com o barulho de um bate-estacas a vapor enterrando um tubo de 92 centímetros de diâmetro na lama de uma pequena ilha próxima à orla do Brooklyn. Na ilha havia um velho bastião em ruínas chamado Forte Lafayette, que servira de prisão durante a Guerra Civil, mas agora ia ser demolido, e dali em diante só serviria de base para uma das duas gigantescas torres da ponte.

Ninguém ouviu os primeiros sons da construção da ponte porque eles não eram muito altos e porque a ilha fica a 182 metros da orla do Brooklyn; mas mesmo que fosse mais perto, os sons não se elevariam acima da fúria e do clamor das ruas, pois quando começaram os trabalhos de perfuração as pessoas ainda protestavam e ainda tinham esperanças de que a ponte não fosse construída. Elas sabiam que a prefeitura ainda não condenara oficialmente suas propriedades — mas isso aconteceu três meses depois. Em 30 de abril de 1959, no Supremo Tribunal do Brooklyn, o juiz J. Vincent Keogh — que mais tarde iria parar na cadeia por aceitar propinas para resolver uma outra questão — assinou os documentos de desapropriação, e quatrocentos moradores de Bay Ridge pararam de repente de protestar e se sujeitaram calados.

O barulho que se ouviu depois desse foi o som estridente de uma banda de música e os discursos pomposos e repletos de chavões de políticos ecoando na praça de armas tostada pelo sol, em 14 de agosto de 1959 — o dia oficial de abertura dos trabalhos de construção, cuja cerimônia aconteceu, prudentemente, do lado de Staten Island. No Brooklyn, quando um repórter perguntou ao senador William T. Conklin sobre seu ponto de vista, o parlamentar de Bay Ridge respondeu: "Este não é o dia da construção — para muitos este é o dia da destruição de corações". Depois, mais devagar e mais emocionado, continuou: "Toda autoridade que estiver presente ao evento deverá ser identificada, no futuro, com a crueldade imposta à comunidade em nome do progresso".

O governador de Nova York, Nelson Rockefeller, foi convidado para a cerimônia em Staten Island, mas mandou um telegrama expressando seu pesar por não poder comparecer, em razão de um compromisso assumido anteriormente. Ele mandou em seu lugar o presidente da Câmara, Joseph Carlino, para ler sua mensagem. Carlino não apareceu, e quem teve de ler foi Robert Moses.

Enquanto o sr. Moses expressava sua grande esperança no futuro, um pequeno avião contratado pela Câmara de Comércio de Staten Island descrevia círculos lá no alto, carregando uma faixa em que se lia "Batizem-na 'ponte de Staten Island'". Muita gente se opunha ao nome Verrazano — que fora recomendado expressamente pelo Instituto Histórico Italiano dos Estados Unidos e por seu fundador — porque as pessoas não conseguiam soletrá-lo. Outros, em sua maioria irlandeses, não queriam que a ponte recebesse o nome de um italiano, e começaram a chamá-la de "Pranchão dos Carcamanos". Ainda outros sugeriam nomes mais simples — "ponte Gateway", "ponte Freedom", "ponte Neptune", "ponte New World", "ponte Narrows". Uma das últimas coisas escritas por Ludwig Bemelmans foi uma carta ao *New York Times* expressando a esperança de que, em vez do nome "Verrazano", se adotasse outro, mais "romântico" e "significativo", e sugeriu que ela se chamasse "ponte Comissário Moses". Mas o Instituto Histórico Italiano, gabando-se de um grande contingente de eleitores exaltados, não estava disposto a ceder. Finalmente, depois de meses de debates e ameaças, chegou-se a um acordo com o nome "ponte Verrazano-Narrows".

A pessoa de atitude mais discreta em relação à ponte durante esse tempo todo era quem a estava criando — Othmar H. Ammann, um homem magro, de idade, correto, que usava colarinho alto engomado. Agora, aos oitenta anos, era reconhecido como provavelmente o melhor engenheiro de pontes do mundo. Sua maior realização até então, maior que dezenas de outras, era a ponte George Washington, cuja visão sempre o emocionava, desde que ficou pronta, em 1931. Desde então, quando ele e sua mulher passavam de carro ao longo do rio Hudson, vindos do norte do estado, e de repente viam o perfil da ponte avultando à distância, estendendo-se como um arco-íris de prata sobre o rio entre Nova York e Nova Jersey, muitas vezes faziam uma leve reverência e a saudavam.

"Essa ponte é a sua primogênita, e foi um parto difícil", explicou uma vez a mulher dele. "Sempre será sua preferida." E

Othmar Ammann, sempre relutante em se mostrar sentimental, mesmo assim descreveu o que sente em relação à ponte. "É como ter uma filha bonita", disse ele, "e ser seu orgulhoso pai."

Mas agora a ponte Verrazano-Narrows representava um desafio ainda maior. Para desenvolver o gigantesco projeto ele teria de levar em conta até mesmo a curvatura da Terra. As duas torres de 211 metros, embora perfeitamente perpendiculares à crosta terrestre, precisaram ser quatro centímetros mais afastadas no topo do que na base.

Embora a ponte Verrazano-Narrows necessitasse de 188 mil toneladas de aço — três vezes mais do que se usou no Empire State —, Ammann sabia que sua estrutura nunca ficaria inerte, que estaria sempre oscilando ao vento. Seus cabos de aço iriam dilatar-se com o calor e contrair-se com o frio, e no verão sua pista de rolamento ficaria três metros e meio mais próxima da água que no inverno. Vez por outra, nos longos dias quentes de verão, o sol iria incidir com tal intensidade em um dos lados da estrutura que o aço ficaria levemente empenado, e a ponte ficaria um pouco mais baixa do lado aquecido. Assim sendo, Ammann sabia que qualquer medida de precisão a ser feita durante a construção da ponte teria que ocorrer durante a noite.

Desde o começo da carreira, em 1902, quando se formou em engenharia civil no Instituto Politécnico Federal da Suíça, Ammann cometeu pouquíssimos erros. Ele foi um estudante aplicado, um perfeccionista. Ele assistira à ascensão e queda de obras de outros homens, vira como um pequeno deslize matemático podia arruinar para sempre a reputação de um engenheiro — e decidira que aquilo não haveria de acontecer com ele.

Othmar Hermann Ammann nasceu em 26 de março de 1879 em Schaffhausen, Suíça, numa família radicada naquela aldeia desde o século XII. Seu pai era um industrial proeminente, e entre seus ancestrais havia médicos, clérigos, advogados, líderes do governo, mas nenhum engenheiro, e poucos partilharam de seu entusiasmo por pontes.

Sempre houvera uma ponte de madeira estendendo-se, a partir da aldeia de Schaffhausen, sobre o Reno; a mais famosa delas, de 110 metros, fora construída por um suíço chamado Hans Ulrich Grubenmann. Destruída pelos franceses em 1799, fora substituída por outras; quando criança, Othmar Ammann via as pontes como um símbolo de ousadia e como um monumento à beleza.

Em 1904, depois de trabalhar durante algum tempo na Alemanha como engenheiro de projetos, Ammann veio para os Estados Unidos — que, depois de viver durante décadas uma espécie de idade das trevas no que diz respeito a projetos de pontes, finalmente passava por uma espécie de renascimento. As pontes americanas estavam ficando maiores e mais seguras; agora os engenheiros americanos eram os mais ousados do mundo.

Ainda havia desastres, mas nada que se comparasse ao que acontecia em meados do século XIX, quando caíam cerca de quarenta pontes por ano, isto é, uma em cada quatro construídas. Isso em geral se devia ao fato de os engenheiros não saberem exatamente as solicitações de tensão que a ponte podia suportar, e também havia casos em que os empreiteiros queriam economizar e usavam materiais de segunda qualidade. Naquela época, muitas pontes, inclusive ferroviárias, eram feitas de madeira. Outras eram feitas com um novo material, ferro batido, e ninguém sabia exatamente como ele iria se comportar, até que dois desastres — um em Ohio e outro na Escócia — demonstraram a sua fraqueza.

O primeiro ocorreu numa noite nevosa de dezembro de 1877, quando um trem que ia de Nova York na direção oeste passou pela ponte Ashtabula, em Ohio, esmagou de repente as vigas da ponte, e os vagões caíram, um a um, na água gelada, matando 92 pessoas. Dois anos depois, a ponte de Firth of Tay, na Escócia, caiu sob o peso de uma locomotiva que puxava seis vagões mais o bagageiro do guarda-freios. Naquele domingo de ventania morreram 75 pessoas, e fanáticos religiosos responsabilizaram a ferrovia, pelo fato de estar funcionando num domingo. Mas os engenheiros perceberam que o problema estava no ferro batido, e esses dois desastres com pontes apressaram a adoção do aço — que tem uma resistência 25% maior que a do ferro batido — e assim começou a grande era que iria influenciar o jovem Othmar Ammann.

A confiança que havia nessa época derivava de dois acontecimentos espetaculares: o término da construção, em 1874, da primeira ponte de aço do mundo, um arco triplo sobre o rio Mississippi em St. Louis, projetada e construída por James Buchanan Eads; e a construção, em 1883, da ponte do Brooklyn, a primeira com vão livre sustentado por cabos, projetada por John Roebling e, devido a sua morte trágica, completada por seu filho, Washington Roebling. Essas duas estruturas haveriam de apontar o curso futuro da construção de pontes na América, estabelecer uma base de conhecimentos, uma relação de tentativa e erro que terminaria por nortear todos os engenheiros ao longo do século XX. Os Roebling e James Buchanan foram os primeiros heróis americanos do aço ao carbono.

James B. Eads era um rapaz de Indiana ousado e arrogante cujo primeiro trabalho de engenharia foi içar barcos a vapor do fundo do Mississippi. Foi também um dos primeiros a explorar o leito do rio em traje de mergulho, e então se deu conta, quando chegou a hora de construir os alicerces da ponte de St. Louis, que não se podia confiar na firmeza do leito do Mississippi, que sempre estava em peculiar e constante movimento.

Então ele introduziu na América o caixão pneumático europeu — um tanque hermeticamente fechado que permitia aos homens trabalharem sem serem perturbados pela mudança das correntes. Finalmente, à medida que o caixão ia descendo cada vez mais e os homens escavavam no fundo do rio, as fundações da ponte podiam penetrar na areia e na lama macia e repousar na rocha firme do fundo do Mississippi. Parte dessa delicada operação se tornou mais fácil por causa de uma invenção de Eads — uma bomba de areia com capacidade para retirar e descartar cascalho, areia e lama do caixão pneumático.

Antes do término da ponte de Eads, porém, 352 operários haveriam de sofrer uma estranha e nova doença — o mal dos mergulhadores, a doença de descompressão. Doze homens morreriam da enfermidade e dois ficariam inválidos para o resto de suas vidas. Mas a partir das experiências e observações feitas pelo médico de James Eads, o dr. Jaminet, que passou algum tempo com os homens no caixão, tendo ele próprio ficado temporariamente paralisado, foi possível obter conhecimento bastante para reduzir muito a ocorrência da doença em trabalhos futuros.

Quando a ponte de aço de St. Louis terminou, James Eads, para mostrar a resistência da obra, fez passar catorze locomotivas por cada um dos três arcos da ponte. Mais tarde, um desfile que percorreu 24 quilômetros passou pela ponte, o presidente Grant aplaudiu de uma arquibancada, o general Sherman pregou o último cravo do lado de Illinois, e Andrew Carnegie, que vendera títulos para o projeto, ganhou sua primeira bolada. Logo a ponte passou a contribuir para transformar St. Louis na cidade mais importante do rio Mississippi, e ajudou a desenvolver os sistemas ferroviários transcontinentais. Recebeu crédito pela "conquista do Oeste" e figurou num selo dos Estados Unidos em 1898; e em 1920 James Buchanan Eads se tornou o primeiro engenheiro indicado para o Hall da Fama norte-americano.

Buchanan morreu infeliz. Uma obra que ele idealizou, que passaria pelo istmo de Tehuantepec, não funcionou.

John Augustus Roebling era um jovem estudioso alemão, nascido em 1806 numa cidadezinha chamada Mühlhausen. Seu pai era um comerciante de fumo que fumava mais do que vendia, e a mãe rezava para que o filho fosse mais longe do que o pai. Devido, em grande parte, à ambição e à parcimônia desta, ele recebeu excelente formação em arquitetura e engenharia em Berlim, e mais tarde trabalhou para o governo da Prússia construindo estradas e pontes.

Como lá havia pouca margem para originalidade, ele veio para os Estados Unidos aos 25 anos e logo começou a trabalhar na Pensilvânia como inspetor de ferrovias e de canais. Um dia, notando que a corda de cânhamo que rebocava os barcos no canal costumava rebentar, John Roebling começou a fazer experiências com uma fibra mais resistente, e logo estava trançando fios de ferro com o cânhamo — ideia que finalmente o levou, com a família, a desenvolver uma próspera indústria que hoje, em Trenton, Nova Jersey, constitui a base da Roebling Company —, a maior fabricante de cabos metálicos do mundo.

Mas naquela época suas experiências o conduziram ao seu objetivo mais imediato, a construção de pontes pênseis. Em seu tempo de estudante na Alemanha, ele vira pontes pênseis menores, em que se usavam correntes de ferro, e se perguntava se a ponte pênsil não seria mais elegante, mais longa e mais forte com cabos de aço, talvez forte o bastante para suportar o peso de vagões.

Sua oportunidade surgiu quando, em 1851, recebeu a incumbência de construir uma ponte pênsil sobre as cataratas do Niágara. Essa oportunidade só surgiu porque o engenheiro encarregado da obra se desentendeu com a empresa construtora e abandonou o projeto. Esse engenheiro, Charles Ellet, era um homem brilhante e ousado, mas de comportamento totalmente imprevisível. Quando Ellet teve de enfrentar o problema de passar o primeiro cabo para o outro lado do Niágara, achou a solução oferecendo cinco dólares a qualquer garoto que conseguisse empinar uma pipa fazendo-a pairar sobre a outra margem. Mais tarde ele mandou fazer um cesto de metal que, pendurado num cabo de aço, permitiu-lhe fazer a travessia, por sobre as águas impetuosas, para a outra margem do Niágara; em seguida ele fez a mesma coisa acompanhado de seu cavalo, enquanto as multidões gritavam no alto dos penhascos e algumas mulheres desmaiavam.

As coisas se acalmaram quando Ellet foi embora do Niágara, e John Roebling, com seu estilo metódico, fez o trabalho. "A engenharia", escreveu Joseph Gies, editor e historiador de pontes, "é a arte da eficiência, e o sucesso de um projeto de engenharia muitas vezes se pode medir pela ausência de qualquer acontecimento insólito."

Em 1855, o vão livre único, de 250 metros, projetado por Roebling, terminou de ser construído, e em 6 de março do mesmo ano um trem de 368 toneladas passou pela ponte — o primeiro trem da história a cruzar uma ponte pênsil sustentada por cabos metálicos. O sucesso logo levou Roebling a outros contratos de construção, e em 1867 ele começou sua maior obra: a ponte do Brooklyn.

A construção da ponte levaria treze anos, e haveria de vitimar John Roebling e seu filho.

Numa manhã de verão de 1869, John Roebling estava de pé num píer perto de Manhattan, supervisionando a colocação de uma das torres, sem perceber uma balsa prestes a se chocar contra o píer. Seu pé foi esmagado entre o chão e as colunas do píer, ele contraiu tétano e morreu duas semanas depois, aos 63 anos.

Com a morte de seu pai, Washington Roebling, então com 32 anos e engenheiro-assistente nas obras da ponte, assumiu os trabalhos de construção. Roebling já havia supervisionado a construção de outras pontes projetadas por seu pai, e fora oficial engenheiro das tropas da União durante a Guerra Civil. Durante a guerra fora também um dos espiões aerotransportados, tendo subido num balão para observar o movimento do exército do general Lee quando este invadia a Pensilvânia.

Quando assumiu a construção da ponte do Brooklyn, Washington Roebling decidiu que, como as fundações das torres desceriam a treze metros de profundidade no leito do rio East, do lado do Brooklyn, e a 23 metros do lado de Nova York, iria utilizar caixões pneumáticos — como James Eads fizera alguns anos antes na construção da ponte sobre o Mississippi. Roebling pôs mãos à obra, trabalhando noite e dia nos caixões, e finalmente teve um colapso. Quando foi levado para cima, encontrava-se paralisado para o resto da vida. Na época, ele tinha 35 anos de idade.

Mas Washington Roebling, auxiliado por sua mulher Emily, continuou a dirigir, de seu leito de enfermo, a construção da ponte; ele observava a construção através de binóculos, da janela de sua casa na orla do Brooklyn; e então sua esposa — a quem ele ensinara os termos da engenharia, e que entendia os problemas que surgiam — levava suas instruções aos superintendentes que trabalhavam na ponte.

Washington Roebling foi o primeiro engenheiro de pontes a usar fios de aço em seus cabos — mais leves e mais resistentes que os cabos de ferro usados por seu pai na ponte sobre o Niágara. Roebling mandou galvanizar cada um dos 5180 fios para se precaver contra a ferrugem. O primeiro fio foi estendido por sobre o rio East em 1877. Durante os 26 meses seguintes, de um extremo ao outro da ponte, as pequenas rodas móveis — parecidas com rodas de bicicleta, mas sem os pneus — giraram de uma a outra ponta da ponte, cruzando o rio East 10 360 vezes, levando a cada uma delas fios duplos que, depois de trançados, formariam os quatro cabos que sustentariam o vão central, de 486 metros, e os vãos das extremidades da ponte, cada um com 283 metros. Essa técnica de trançar os fios metálicos, amarrando um sino em cada roda, para avisar os homens de sua aproximação, é usada até hoje; numa versão mais moderna, foi usada até por O. H. Ammann na fase em que se entrançavam os cabos da ponte Verrazano-Narrows, na década de 60.

A ponte do Brooklyn foi inaugurada em 24 de maio de 1883. Washington Roebling e sua mulher assistiram às comemorações de suas janelas, através de binóculos. Foi um grande dia em Nova York — o comércio parou, as casas se enfeitaram com bandeirolas, os sinos das igrejas tocavam, os navios a vapor apitavam. Ouviram-se salvas de canhões dos fortes do porto e os navios da marinha atracaram perto da ponte, e finalmente, em carros abertos, chegaram as autoridades. O presidente Cherter A. Arthur, o governador de Nova York, Grover Cleveland, e os prefeitos de todas as cidades num raio de muitos quilômetros de Nova York chegaram à ponte. Mais tarde, naquela noite, fez-se um cortejo no Brooklyn até a casa de Roebling, e o presidente Arthur o parabenizou pessoalmente.

Até hoje, a ponte do Brooklyn continua sendo a ponte mais famosa da América e, até o término da construção, em 1903, da ponte Williamsburg sobre o rio East, entre o Brooklyn e Manhattan, era a maior ponte pênsil do mundo. No grande *boom* de construção de pontes do século XX, dezenove outras pontes pênseis haveriam de superá-la — mas nenhuma teria a repercussão que ela teve. Ela foi cantada por poetas, admirada por estetas e procurada por suicidas. Sua torre, que se ergue sobre os telhados dos blocos de apartamentos de Lower East Side, impressionou tanto um jovem do bairro chamado David Steinman, que ele decidiu rivalizar com os Roebling. Mais tarde se tornaria um dos maiores projetistas de pontes, e até a sua morte, em 1960, ele seria o único a desafiar o reinado de Ammann.

Quando David Steinman tinha catorze anos, conseguiu um passe do Departamento de Construção de Pontes de Nova York para andar pelas passarelas da ponte Williamsburg, ainda em construção. Ele conversava com os construtores, tomava notas e sonhava com as pontes que um dia iria construir. Em 1906, depois de se graduar no City College, em Nova York, com a maior distinção, continuou seus estudos de engenharia em Columbia, onde, em 1911, recebeu o grau de doutor com sua tese sobre pontes de grandes vãos livres e fundações. Mais tarde foi engenheiro consultor de projeto e construção da ponte de Florianópolis, no Brasil, da ponte Mount Hope em Rhode Island, da Grand Mère em Quebec e da ponte de arcos Henry Hudson, em Nova York. O dr. David Steinman foi convidado para reformar a ponte do Brooklyn em 1948, e foi o escolhido, concorrendo com Ammann, para construir a ponte Mackinac — conquanto tenha sido Ammann quem conseguiu o contrato para a construção da Verrazano-Narrows, a ponte que Steinman sonhara construir.

Os dois homens nunca chegaram a ser amigos, possivelmente porque eram muito parecidos em outros aspectos. Ambos tinham sido assistentes, em tempos passados, do falecido Gustav Lindenthal, que projetou as pontes Hell Gate e Queensboro em Nova York, e as comparações entre os dois eram inevitáveis. Ambos eram ambiciosos e vaidosos, embora tivessem personalidades diferentes. Steinman era um tipo não lapidado, impetuoso, de Nova York, um homem que amava a notoriedade e a polêmica, que escrevia poesia e publicara livros. Ammann era um cavalheiro suíço empertigado, formal, bem-nascido e distante. Mas era inevitável que os dois se tornassem rivais pelo resto de suas vidas, porque a atividade de construção de pontes viceja num ambiente de competição; ela existe em todos os níveis. Existe competição entre as companhias de aço que participam da licitação para cada obra, e há competição até entre os aprendizes das equipes de operários. Todas as equipes — de rebitadores, de operários que fazem a conexão de peças de aço, de entrelaçadores de cabos — disputam durante a construção de cada ponte para ver quem trabalha mais. Mais tarde, nos bares, disputa-se para ver quem bebe mais, quem conta mais vantagem. Mas aqui, no nível mais baixo, entre os operários da ponte, a rivalidade é franca e aberta; no nível mais alto, entre os engenheiros, é mais silenciosa e sutil.

Alguns engenheiros passam a vida invejando uns aos outros, alguns tiram proveito, na surdina, das falhas dos outros. Toda vez que há um desastre com pontes, os engenheiros que não trabalham em sua construção correm para o local da ponte para tentar descobrir por que a ponte caiu. Então, calados, eles voltam aos seus projetos e, de posse dos conhecimentos obtidos com o desastre, corrigem suas próprias pontes, esperando poder evitar o mesmo erro. Isso é uma coisa normal, mas não contradiz a verdade da rivalidade. Quando uma ponte cai, o engenheiro que a projetou está praticamente morto. Na atividade de construção de pontes, em todos os níveis, existe uma luta contínua para continuar vivo — e ninguém sobreviveu tanto quanto O. H. Ammann.

Ammann estava entre os engenheiros que, em 1907, investigaram a queda de uma ponte tipo cantiléver, sobre o rio São Lourenço, próximo a Québec. Oitenta e seis operários, muitos deles índios, que então estavam começando a aprender a trabalhar nesse tipo de construção, caíram com a ponte, e 75 morreram afogados. O engenheiro cuja carreira se encerrou com esse desastre foi Theodore Cooper, um dos mais famosos engenheiros norte-americanos — o mesmo homem que tivera tanta sorte, alguns anos antes, quando, após cair de uma altura de trinta metros no rio Mississippi, durante os trabalhos de construção da ponte de James Eads, não apenas sobreviveu como também voltou ao trabalho no mesmo dia.

Mas àquela altura, em 1907, a maioria dos engenheiros achava que Theodore Cooper não sabia o bastante sobre a tensão que havia na ponte de cantiléver. Nenhum deles sabia. Não há meio de saber o que leva uma ponte a cair até que ela caia. "Essa ponte caiu porque não era forte o bastante", gracejou C. C. Schneider com os seus colegas. Então todos voltaram para suas próprias pontes, ou para seus projetos de pontes, para verificar se tinham cometido erros de cálculo.

Uma ponte que talvez tenha sido salva desse modo foi a ponte Queensboro, de Gustav Lindenthal, sobre o rio East, em Manhattan, já em sua fase final de construção. Uma revisão do projeto revelou que ela não resistiria ao peso que se esperava que suportasse. Por isso, as quatro pistas de alta velocidade que tinham sido planejadas para o tabuleiro superior foram reduzidas a duas. A perda de duas pistas foi compensada pela construção de um túnel de metrô a um quarteirão de distância da ponte — o túnel BMT da rua 60, sob o rio East, construído com um custo adicional de 4 milhões de dólares.

Em novembro de 1940, quando a ponte Tacoma Narrows caiu nas águas do canal Puget, no estado de Washington, mais uma vez O. H. Ammann foi um dos convocados para ajudar a descobrir a causa. O engenheiro responsável pelo desastre, nesse caso, foi L. S. Moisseiff, homem com grande reputação em todo o país.

Moisseiff participara da elaboração do projeto da ponte de Manhattan, em Nova York, e fora engenheiro consultor, entre muitos outros, na construção da ponte Ambassador, em Detroit, e da Golden Gate, na Califórnia, e ninguém o questionou quando projetou uma ponte estreita, de 850 metros, de duas pistas, acima das águas do canal Puget. Na verdade, era incrivelmente estreita e de aspecto frágil, mas naquela época havia uma tendência a valorizar as pontes pênseis delgadas, leves, de aspecto mais elegante. Foi essa mesma tendência que levou David Steinman a pintar sua ponte Mount Hope sobre a baía Narragansett de verde-claro, pendurar lâmpadas nos cabos e enfeitar os acessos com sempre-vivas e rosas, iniciativa paisagística que representou um custo adicional de 70 mil dólares.

No pré-guerra houve também uma tendência a economizar no custo total da construção das pontes, e uma forma de economizar dinheiro sem prejuízo da estética — e, segundo se pensava, sem diminuir a segurança — era fazer o piso do vão e a pista de rolamento com sólidas vigas metálicas, e não com treliças, pelas quais o vento passa facilmente. E era em parte por causa dessas sólidas vigas que, nos dias em que o vento soprava com força contra sua compacta pista de rolamento, a ponte Tacoma Narrows subia e descia. Mas esses movimentos nunca eram muito amplos, e os motoristas, longe de ficarem assustados, gostavam de dirigir por ela. Eles sabiam que todas as pontes balançam um pouco com o vento — aquela ponte era um pouco mais animada, só isso, e passaram a chamá-la carinhosamente de "Gertie Galopante".

Quatro meses depois de inaugurada — no dia 7 de novembro —, com os ventos com velocidades entre 56 e 67 quilômetros por hora, de repente a ponte começou a se agitar mais que o normal. Às vezes ela subia e descia, até pouco menos de um metro. Os responsáveis pela ponte decidiram fechá-la ao tráfego; foi uma decisão sensata, porque mais tarde ela começou a sofrer torções violentas: um lado do vão se erguia, enquanto o outro abaixava, subindo e descendo até oito metros, inclinando-se num ângulo de 45 graus, pela ação do vento. Por fim, às onze da manhã, o vão principal se soltou dos cabos e caiu no canal Puget. O que provocou a queda, concluíram os engenheiros que estudaram o caso, foi o fato de a ponte, alta e delgada, ser flexível demais, pois lhe faltavam vigas que lhe dessem mais solidez; e falaram também de um novo fator sobre o qual até então sabiam muito pouco — a "instabilidade aerodinâmica".

E logo, nas outras pontes, nas pontes que se construíam em toda a América e em outros lugares, fizeram-se ajustes para corrigir a instabilidade. A Golden Gate sofreu alterações que custaram mais de 3 milhões de dólares. Acrescentaram-se treliças e fizeram-se orifícios nas vigas metálicas da ponte Bronx-Whitestone, em Nova York, excessivamente flexível, projetada por Leon Moisseiff e supervisionada, na fase de construção, por O. H. Ammann. Muitas outras pontes excessivamente delgadas e frágeis foram reforçadas com treliças, e vinte anos depois, quando Ammann estava criando a Verrazano-Narrows, a lição da Tacoma não foi esquecida. Embora ainda não fosse necessário um segundo nível, inferior, na Verrazano-Narrows, porque o nível superior de seis pistas comporta muito bem o tráfego que se prevê para a ponte, Ammann planejou iniciar o segundo nível imediatamente — coisa que ele não fez, em 1930, na sua ponte George Washington. O nível inferior de seis pistas da Verrazano certamente ficará sem usuários nos próximos dez anos, mas a grande ponte será mais firme desde a sua inauguração.

Depois do acidente de Tacoma, ninguém mais procurou os serviços de Moisseiff. Ele nunca tentou responsabilizar os outros engenheiros ou os responsáveis pelo financiamento da obra; aceitou seu declínio em silêncio, embora pouco o consolasse o fato de que, com sua exclusão do rol dos grandes construtores de pontes, o mundo dos conhecimentos de engenharia tenha se ampliado, e tenham sido projetadas pontes maiores, que deram fama a outros.

E assim alguns engenheiros, como Leon Moisseiff e Theodore Cooper, tombam com suas pontes. Outros, como Ammann e Steinman, continuam proeminentes e poderosos. Mas O. H. Ammann não se deixa iludir por seu destino.

Certo dia, depois de terminar o projeto da ponte Verrazano-Narrows, ele se pôs a refletir em voz alta, em seu quarto em Nova York, no 32º andar do Hotel Carlyle, que o único motivo pelo qual não experimentara nenhum fracasso com suas pontes foi o fato de ter sido bafejado pela sorte.

"Eu tive sorte", disse ele calmamente.

"*Sorte?!*", retrucou sua mulher, que atribui o sucesso do marido unicamente a sua mente superior.

"Sorte", repetiu ele, silenciando sua mulher com seu tom moderado mas imperioso.

4. Calouros e empurradores

Construir uma ponte é como um combate; a linguagem que se usa é a dos quartéis, e há uma hierarquia nas fileiras dos que não pertencem à casta dos oficiais. No estrato mais baixo, comparáveis aos recrutas do exército, estão os aprendizes — chamados de "calouros". Eles sobem nas passarelas com baldes cheios de pinos, aprendem observando o trabalho dos outros e pondo a mão na massa; vez por outra descem para buscar café e água, por ordens dos veteranos, e raramente ouvem um agradecimento. Dentro de dois ou três anos, a maioria dos calouros já domina o ofício, é capaz de aquecer, apanhar no ar e colocar rebites; de erguer, soldar ou conectar peças de aço — mas é este último trabalho, conectar peças de aço, que mais desperta a sua imaginação. Os que fazem esse trabalho ficam no ponto mais alto da ponte, e seu suor leva algum tempo para chegar ao chão. Quando os guindastes levantam uma nova peça de aço, os encarregados de fazer a conexão estendem as mãos e a agarram, giram-na para colocar na posição certa, fixam-na, num primeiro momento, com parafusos, pinos e malho, às peças já colocadas e deixam o resto do trabalho para a turma dos rebitadores.

Fazer a conexão das peças de aço é a coisa mais próxima da arte do trapézio, exceto pelo fato de que os homens têm de construir um novo palco no céu para cada novo espetáculo, e é por isso que a coisa se torna tão perigosa. Por isso e também porque os jovens que fazem esse trabalho gostam de se exibir, de mostrar aos velhos como se faz o trabalho, e muitas vezes se balançam demais nos cabos, se colocam sobre peças de aço não conectadas ou correm por cima de vigas estreitas em dias de vento, em vez de andar devagar, com as pernas abertas, como deveriam — e às vezes exageram na ousadia e morrem.

Quando a peça de aço fica no lugar, as equipes de rebitagem completam o trabalho de fixação. É espantoso ver uma equipe rápida, composta de quatro homens, fazendo a rebitagem das peças. Eles vão colocando os rebites com a graciosidade de um jogador de beisebol que atua nas bases, colocando mais de mil rebites por dia, cada homem consciente do movimento dos outros, alguns já colegas de equipe de longa data, tendo viajado e trabalhado juntos durante anos. Um dos homens é o "aquecedor": ele sua na ponte o dia inteiro, aquecendo os rebites numa espécie de churrasqueira cheia de brasas, cozendo rebites até ficarem incandescentes, mas não tanto que possam se curvar ou empolar. O aquecedor precisa ser um bom cozinheiro, um mestre-cuca, tem de imaginar estar cozinhando salsichas e não rebites, porque os outros três homens da equipe de rebitagem são pessoas muito refinadas.

Quando o rebite fica incandescente, mas de um vermelho não muito vivo, o aquecedor o joga a uma distância de quinze, dezoito ou vinte metros, um perfeito lançamento para o "apanhador", que o apanha no ar com uma luva de metal. Então o apanhador o passa para o terceiro homem, que fica ao seu lado e é chamado de "encaixador" — e que, com um instrumento comprido e cilíndrico batizado com o nome do membro do garanhão, encaixa o rebite no orifício e o mantém ali enquanto o quarto homem, o rebitador, martela a outra extremidade do rebite até que este fique achatado, formando um disco que cobre o orifício e suas bordas. Quando o rebite esfria, torna-se uma peça permanente como a própria ponte.

Cada equipe — seja ela encarregada da rebitagem, da conexão ou do içamento das peças — é supervisionada por um contramestre que é chamado de "empurrador". (Certa noite num bar do Brooklyn, Mike Tarbell, um índio que tinha essa função, foi preso por dois policiais à paisana que o ouviram falar de sua profissão, passou três dias no xadrez e perdeu 175 dólares do salário, antes de conseguir convencer o juiz de que não era um vendedor de drogas, apenas um operário de construção de pontes.)

O empurrador, como um cabo do exército que faz tudo para ser promovido a sargento, quer que sua equipe seja a melhor, a mais rápida, porque sabe que por toda a ponte há outros empurradores fazendo o mesmo. Todos sabem que os funcionários da empresa fazem relatórios diários sobre a produtividade de cada equipe. Os funcionários sabem que equipe içou mais peças de aço, colocou mais rebites, entrançou mais cabos — e se o empurrador é ambicioso e quer um dia ser promovido a um posto melhor na ponte, pressionar os companheiros é o único caminho.

Mas se ele pressionar além da conta, provocando acidentes ou morte, vai ter problemas com a empresa. A empresa estimula a competição entre as equipes porque quer terminar a ponte o mais rápido possível, porque quer ver o fim dos engarrafamentos naquele ponto e ouvir o tilintar de moedas nos pedágios, mas não quer nenhum acidente e nenhuma morte que atrapalhe o cronograma, apareça nos jornais e manche os relatórios sobre a segurança da empresa encaminhados à companhia de seguros. Por isso o feitor tem que ter senso de medida. Se ele der azar, se houver uma morte em sua equipe, ele próprio volta a trabalhar como qualquer um da equipe, e outro é promovido a feitor. Mas se der sorte e sua equipe trabalhar rápido e bem, algum dia ele pode se tornar superintendente auxiliar — um "chefe andarilho".

Os chefes andarilhos, em geral em número de quatro numa grande ponte onde trabalham quatrocentos ou quinhentos homens, dirigem uma seção do vão. Um chefe andarilho pode ficar encarregado da seção entre uma ancoragem e uma torre, outro desta torre até o centro do vão, um terceiro do centro do vão até a outra torre, e o quarto desta torre até a outra ancoragem — e o que eles fazem o dia inteiro é andar para cima e para baixo, empertigados feito galos de briga, um brilho de desconfiança nos olhos quando olham de lado para ver se os empurradores estão empurrando os operários, se os calouros fazem o seu trabalho, se os jovens encarregados de conectar as peças de aço não estão agindo como acrobatas nos cabos.

O que o chefe andarilho mais deseja é impressionar *o chefe*, o superintendente, que é comparável a um primeiro-sargento. De todos os que trabalham na ponte, o superintendente costuma ser o homem mais durão, mais barulhento, mais desbocado e mais competente, e ele quer deixar isso claro para todo mundo. Normalmente passa a maior parte do dia num barracão construído na margem do rio, próximo à ancoragem da ponte, onde se comunica com engenheiros, projetistas e outros trabalhadores graduados da empresa construtora. Os chefes andarilhos que trabalham lá em cima, na ponte, o representam e o mantêm informado, mas umas duas ou três vezes por dia ele sai do barracão e visita a ponte. Quando ele anda empertigado pelo vão, sente-se uma grande tensão. Todos os homens se concentram no trabalho, cabeça baixa, e os calouros parecem petrificados.

O superintendente indicado para a construção da Verrazano-Narrows era um homem temperamental, de 1,80 metro, 59 anos de idade, chamado John Murphy que, em sua ausência, era chamado de "Durão" ou "Pavio Curto".

Era arrogante, tinha ombros largos, queixo e nariz finos e vigorosos, olhos azul-claros e cabelos brancos começando a rarear — mas o que mais chamava a atenção era seu rosto vermelho, tão vermelho que, se ele ruborizasse algum dia, o que parecia pouco provável, ninguém haveria de notar. O rosto vermelho e duro — resultado de quarenta anos de trabalho, ao sol e ao vento, em uma centena de pontes e arranha-céus em toda a América — fazia com que ele parecesse estar o tempo todo furioso com alguma coisa, e em geral estava.

Como tantos *boomers,* ele nascera num vilarejo sem horizontes — no seu caso, Rexton, uma aldeia de trezentas almas em New Brunswick, Canadá. A epidemia de gripe que assolou Rexton na primavera de 1919, quando Murphy tinha dezesseis anos, matou seu pai e sua mãe, um tio e dois primos, deixando-lhe a tarefa de sustentar seus cinco irmãos mais novos. Então ele foi trabalhar no transporte de madeira no Maine e, quando o trabalho já não estava rendendo, ele se mudou para a Pensilvânia, aprendeu o trabalho de construção de pontes e, jovem e destemido que era, se destacou fazendo conexão de peças de aço. Ele era considerado um dos melhores nesse ofício na ponte George Washington, onde trabalhou em 1930 e 1931, e desde então foi passando de um trabalho a outro, subiu até o Alasca para trabalhar na construção da ponte sobre o rio Tanna, depois voltou para o leste novamente, para outras pontes e edifícios.

Em 1959 ele foi o superintendente encarregado de erguer o edifício da Pan Am, o arranha-céu de 59 andares no centro de Manhattan. Depois disso foi indicado para chefiar o trabalho de construção da Verrazano pela American Bridge Company, uma divisão da United States Steel que fora contratada para construir o vão e colocar os cabos de aço.

Quando Murphy Durão chegou ao lugar onde se construiria a ponte, no início da primavera de 1962, a longa, inglória, lamacenta, mas tão vital parte da construção da ponte — as fundações — já estava pronta, e as torres de 210 metros de altura estavam se erguendo.

A construção das fundações para as duas torres, feita por J. Rich Teers, Inc. e pela Frederick Snare Corporation, embora não fosse um trabalho estético que pudesse exercer algum fascínio sobre os aventureiros do aço ao carbono, constituía uma tarefa muito difícil, um verdadeiro desafio, porque os dois caixões mergulhados no Narrows estavam entre os maiores jamais construídos. Tinham setenta metros de comprimento por quarenta de largura, cada um deles com 66 aberturas circulares de dragagem, cada abertura com cinco metros de diâmetro. A certa distância, os caixões de concreto pareciam gigantescos pedaços de queijo suíço.

Para construir o caixão que suportaria a base em que se apoiaria a fundação da torre da Staten Island foram necessários 42 mil metros cúbicos de concreto. Para que pudesse repousar em areia firme, 32 metros abaixo da superfície, foi necessário retirar 74 523 metros cúbicos de sujeira e areia, através das aberturas de dragagem, utilizando-se caçambas articuladas suspensas em gruas. O caixão para a torre do Brooklyn teve de ser mergulhado cerca de 52 metros abaixo do nível do mar, consumiu 75 895 metros cúbicos de concreto, e foi necessário dragar 131 307 metros cúbicos de sujeira e de areia.

As fundações da ponte em Staten Island e no Brooklyn eram blocos de concreto da altura de um edifício de dez andares, em forma triangular, contendo em suas entranhas as pontas de todos os cabos que se estendem por sobre a ponte. Essas duas ancoragens, construídas pela Arthur A. Johnson Corporation e pela Peter Kiewits Sons' Company, suportam as 110 mil toneladas de tração dos quatro cabos da ponte.

Foram necessários pouco mais de dois anos, trabalhando-se dia e noite, para completar a construção das quatro fundações. Longe de contar com a admiração dos curiosos, o trabalho foi objeto de um protesto, em 29 de março de 1961, organizado pelos moradores de Staten Island; eles reclamavam, numa petição apresentada ao promotor de Richmond, John M. Braisted Jr., que o trabalho de construção das fundações, entre seis da tarde e seis da manhã, estava perturbando o sono de milhares de pessoas num raio de 1,5 quilômetro. No Brooklyn, a área de Bay Ridge também ia ficando atravancada de guindastes e de escavadeiras, à medida que avançavam os trabalhos nos acessos da ponte; as pessoas continuavam odiando Moses, e alguns o acusaram de corrupção quando ele fechou um contrato de 20 milhões de dólares, sem licitação, com a construtora em que seu genro trabalhava. Todos os envolvidos negaram a existência de qualquer irregularidade.

Mas quando Murphy Durão chegou, as coisas estavam melhorando; a ponte estava finalmente emergindo da água, as pessoas tinham alguma coisa para *ver* — uma justificativa visível para o barulho que se fazia à noite —, e à tarde alguns velhos desocupados do Brooklyn se alinhavam na orla para observar as torres erguendo-se cada vez mais alto.

As torres foram feitas em partes, em fábricas, e levadas de balsa para o local da construção. A Harris Structural Steel Company fez a torre do Brooklyn, e a Bethlehem fez a de Staten Island — ambas de acordo com as especificações de O. H. Ammann. Quando as partes das torres chegaram ao local de construção, foram içadas por guindastes flutuantes ancorados ao longo dos pilares da torre. Uma vez empilhadas as três primeiras camadas de cada perna da torre em seus lugares, elevando-se, nesse ponto, a 36 metros, os guindastes flutuantes foram substituídos por "trepadeiras" — guindastes com capacidade de içar cem toneladas que são tracionados para cima das torres sobre trilhos fixados em seus lados. À medida que as torres iam subindo, as trepadeiras também subiam até que, finalmente, as torres atingiram seu ápice de 210 metros de altura.

O risco que existe na construção das torres não é muito diferente do que há na construção de edifícios altos ou de um gigantesco farol; depois que se constrói o terceiro ou quarto andar, cada andar acima implica o mesmo risco. A verdadeira arte e o verdadeiro drama na construção da ponte começam depois de erguidas as torres; é então que os homens têm de espichar o corpo, a partir das torres, e começar a estender os cabos e engatar as diversas partes do vão por sobre o mar.

Essa seria a difícil tarefa de Murphy, e no momento em que se encontrava num dos barcos da Harris Company, naquela manhã de maio de 1962, observando, da água, a torre de Staten Island sendo acrescida de sua décima camada, ele comentou com um dos engenheiros que estavam no barco: "Sabe, toda vez que vejo uma ponte nesse estágio, não consigo deixar de pensar em todos os problemas que nos esperam — todos os erros, todas as pragas, toda a suadeira e as mortes que teremos de enfrentar para terminar aquele troço...".

O engenheiro concordou com um gesto de cabeça, e ambos voltaram a observar em silêncio os guindastes que, num esforço gigantesco, continuavam a içar enormes peças de aço em direção ao céu.

5. Roubando a roda de Benny

Terminada a construção das torres no inverno de 1962, chegara a hora de trançar os cabos — e com isso começaram as falhas, as pragas, o suor e as mortes que Murphy previra.

O trabalho de trançar os cabos começou em março de 1963, e ocupava seiscentos homens, mas Benny Olson, que fora o melhor nesse ofício em toda a América durante trinta anos, não estava entre eles. Fora vetado. Em vão ele se irritou, reclamou e xingou durante três dias, depois de receber a notícia. Ele tinha 66 anos de idade — velho demais para subir em passarelas erguidas contra o céu, a 180 metros de altura, lento demais para ficar esquivando-se das rodas de fiar e dos fios metálicos que rebentavam de repente.

Então o mandaram trabalhar seis quilômetros rio acima, numa grande oficina de aço próximo a Bayonne, Nova Jersey, onde lhe deram o cargo de supervisor de um grande depósito de ferramentas, e alguns calouros para trabalhar sob as suas ordens. Mas todos os dias Olson olhava rio abaixo, descortinava o panorama, enxergava as torres ao longe, e podia imaginar os sons, a vista, a sensação familiar que perpassa uma ponte quando os homens estão prestes a esticar os filamentos de aço por sobre o mar. E Benny Olson, como muitos outros, tinha plena consciência de que ensinara aos especialistas em cabos muito do que *eles* sabiam e que desenvolvera novas técnicas naquele ofício. Todos sabiam, também, que Benny Olson, aos 66 anos, agora era uma lenda inscrita nas técnicas e nas conexões de dezenas de grandes pontes entre Staten Island e San Francisco.

Ele era um homenzinho magro que pesava cerca de 61 quilos e media 1,67 metro; quase não tinha cabelos no alto da cabeça, embora fios lhe descessem compridos e ralos pela nuca; tinha olhos azuis bem pequenos, emoldurados pela armação metálica dos óculos, e nariz comprido. Todo mundo se referia a ele como "Benny, o camundongo". Em sua longa carreira ele fora empurrador, chefe andarilho e superintendente. Olson compensava sua minúscula estatura censurando os homens altos, insultando-os o tempo todo de forma grosseira, exigindo-lhes perfeição e rapidez em cada trabalho de entrançamento de cabos. Por qualquer coisinha ele demitia um operário. Ele seria capaz de demitir o próprio irmão, e de fato o fez. Em 1928, numa ponte em Poughkeepsie, seu irmão Ted não respondeu a suas ordens com a velocidade que Benny Olson queria, e isso bastou.

"Agora ouçam, idiotas", dizia Olson aos operários da ponte, "as coisas aqui têm que ser feitas do jeito que *eu* quero, estão entendendo? Ou então mando vocês para o inferno, estão ouvindo?"

Poucos homens ousavam responder a Benny Olson naquela época, por duas razões. Em primeiro lugar porque o respeitavam como construtor de pontes, como um artista de mãos ágeis, mais rápido que todo mundo no trabalho de arrancar fios metálicos de uma roda em movimento, capaz de motivar uma equipe de entrelaçadores a tentar imitá-lo. Em segundo lugar porque, quando ele se irritava, era totalmente imprevisível e perigoso.

Certo dia em Filadélfia, pouco depois de ter comprado um carro novo, ele parou num cruzamento esperando o sinal abrir. Um carro velho, cheio de adolescentes negros, veio por trás cantando os pneus e bateu no para-choque traseiro do carro novo de Olson. Mais que depressa, mas sem dizer uma palavra, Olson saiu do carro, pegou um machado que estava no banco de trás, dirigiu-se ao carro dos rapazes e, ainda sem dizer palavra, levantou o machado no ar com as duas mãos e bateu com ele no para--lama do carro, arrancando um farol. Com mais dois golpes rápidos arrancou o outro farol e abriu uma fenda no meio do capô. Finalmente, com um golpe rápido, quebrou a antena, voltou para o próprio carro e foi embora devagar. Os rapazes simplesmente se deixaram ficar dentro do carro. Estavam paralisados de pavor, sem acreditar no que viam.

Olson estava em Filadélfia porque trabalhava na construção da ponte Walt Whitman, e os calouros contratados para a obra sofriam em suas mãos, principalmente os mais corpulentos, e em especial um aprendiz italiano de 1,85 metro, 107 quilos, chamado Dominick. Toda vez que Benny Olson o via, chamava-o de "canalha imbecil", ou, no melhor dos casos, "boizão estúpido".

Só de avistar Olson andando na passarela, Dominick ficava aterrorizado, pois era um sujeito muito nervoso e impressionável. Olson o fazia ficar tão nervoso e trêmulo que ele mal conseguia acender um cigarro. Certo dia, depois de ser insultado por Olson uns bons cinco minutos, o italianão ficou vermelho, avançou para ele, agarrou-o pelo pescoço magro, levantou-o no ar, levou-o para a beira da passarela e o segurou acima do rio.

"Agora, seu bostinha", gritou Dominick, "agora vou jogar você lá embaixo."

Quatro operários aproximaram-se pelas costas de Dominick, agarraram-lhe os braços, puxaram-no para trás e tentaram acalmá-lo. Depois de solto, Olson não disse nada. Apenas esfregou o pescoço e alisou a camisa com a mão. Pouco depois deu meia-volta e foi andando na passarela. Quando estava a uns quinze metros de distância, Benny Olson se voltou de repente e, num acesso de fúria, gritou para Dominick: "Sabe de uma coisa, você é mesmo um grandalhão estúpido e filho da puta". Em seguida continuou a andar calmamente na passarela.

A certa altura, alguns calouros da ponte Walt Whitman resolveram se vingar de Benny Olson. Uma forma de irritá-lo, pensaram eles, era fazer parar as rodas de fiar; para isso bastava desligar um dos interruptores instalados ao longo da passarela — colocados ali para serem usados caso algum operário se acidentasse ou um fio metálico defeituoso motivasse a suspensão temporária do trabalho.

Fizeram então como combinado, e a princípio Olson ficava perplexo. Lá estava ele de pé numa extremidade da ponte, tudo funcionando às mil maravilhas, quando de repente uma roda parava na outra extremidade.

"Ei, que diabos está acontecendo com essa roda?", gritava ele, mas ninguém sabia. Ele corria em direção à roda, atravessando a passarela a toda velocidade, bufando e ofegando em todo o percurso. Pouco antes de chegar à roda, porém, ela começava a girar novamente — um calouro do outro lado da ponte tinha ligado o interruptor. Às vezes essa peça se repetia durante horas, e passou-se a chamar a brincadeira de "Roubar a roda de Benny". Às três da manhã alguns calouros num bar telefonavam para Benny, em seu hotel, e perguntavam: "Quem te roubou a roda, Benny?" — e desligavam.

Benny Olson reagia com irritação, e passava o dia inteiro correndo atrás da roda feito um chimpanzé louco — até que, de repente, ele teve uma ideia que acabou com a brincadeira. Com a ajuda de um engenheiro, desenvolveu um painel de distribuição encimado por lâmpadas vermelhas, cada uma delas ligada a um dos interruptores espalhados por toda a ponte. Assim, se um calouro desligasse um interruptor, denunciaria imediatamente sua posição. Olson destacou também um operário de sua confiança só para vigiar o painel de distribuição, e esse operário era chamado oficialmente de "dedo-duro". Se a roda parasse, Benny Olson só precisava pegar o telefone e dizer: "Quem parou a roda, dedo-duro?". Este lhe dizia exatamente que interruptor tinha sido desligado, e Olson, sabendo quem se encontrava no posto de trabalho mais próximo, podia facilmente identificar o culpado. Mas essa invenção não apenas acabou com a brincadeira: com isso se criou também um novo cargo na construção de pontes — o dedo-duro —, e em todas as grandes pontes construídas depois da Walt Whitman sempre havia um operário só para vigiar o painel de distribuição e verificar a localização das rodas durante a fase de entrançamento dos cabos. Também na ponte Verrazano-Narrows havia um dedo-duro, mas ele pouco tinha a fazer, porque, sem Benny Olson para ser irritado, sumira o desejo de pregar peças — e não havia mais o menor sentido em "Roubar a roda de Benny". Além disso, os homens que trabalhavam no entrançamento dos cabos na Verrazano eram muito sérios e muito competitivos, sem tempo para brincadeiras. Tudo o que eles desejavam, na primavera de 1963, era ir tecendo as passarelas entre as torres e as ancoragens, cuidando em seguida para manter as rodas de fiar girando continuamente, de uma ancoragem a outra, o mais rápido e o maior número de vezes possível. O número de travessias das rodas entre as ancoragens durante os turnos de cada equipe seria registrado no escritório de Murphy Durão — e era uma questão de honra para cada equipe tentar conseguir uma marca que as outras não pudessem igualar.

 Antes que se pudesse começar o entrançamento dos cabos, porém, os homens tinham de construir a plataforma em que iriam trabalhar. Essa plataforma seriam as duas passarelas, feitas de fios metálicos entrançados, cada uma com seis metros de largura, semelhantes a uma teia de aranha fina e comprida ou a uma rede de um quilômetro e meio. Cada uma delas era sustentada por doze cabos de aço horizontais, cada um destes com pouco mais de cinco centímetros de espessura e medindo mais de 1600 metros. O mais difícil, naturalmente, era passar o primeiro cabo entre as torres da ponte — façanha que se realizava, nas pontes menores, usando-se arco e flecha ou, no caso da ponte para pedestres de Charles Ellet, pagando cinco dólares a um menino para que fizesse passar um cabo por sobre o Niágara, preso a uma pipa.

Mas na Verrazano o primeiro cabo seria arrastado pela água por uma balsa; depois, com o trânsito dos navios suspenso temporariamente pela guarda costeira, as duas extremidades da corda seriam içadas da água por guindastes postados no alto das duas torres, distantes uma da outra mais de 1220 metros. As outras cordas seriam içadas da mesma maneira. Em seguida todas seriam amarradas entre as torres, e das torres novamente nas ancoragens, nas extremidades da ponte, com o mesmo arqueamento que os cabos, mais tarde, também sofreriam. Feito isso, partes da passarela seriam içadas. Durante a operação, cada parte da passarela ficava dobrada feito um acordeom, mas quando chegava no alto os homens postados nas plataformas dos lados da torre prendiam-na nas cordas horizontais, depois a empurravam cordas abaixo com as mãos ou com os pés. Deslizando para baixo sob a ação do próprio peso, elas se desenrolavam — da mesma forma como faria um tapete enrolado, empurrado no corredor em declive de um cinema.

Quando todas as seções da plataforma se encontravam em seus lugares, elas eram ligadas umas às outras, depois reforçadas por vigas. Estendia-se então um guarda-corpo de arame ao longo da passarela e colocavam-se várias pranchas de madeira no piso, para dar mais segurança aos homens nos pontos em que a passarela era muito íngreme.

Quando finalmente as duas passarelas estavam em seus lugares, estendia-se uma nova série de fios metálicos uns 4,5 metros acima de cada uma delas. Acionados por motores diesel postados no alto das ancoragens, esses fios, chamados "fios de viagem", seriam os responsáveis pelo movimento incessante das rodas, de um lado a outro da ponte.

Quatro rodas de fiar, cada uma com 122 centímetros de diâmetro e pesando uma centena de quilos, se deslocariam simultaneamente ao longo da ponte — duas rodas acima de cada passarela. Cada roda, dotada de duas ranhuras, comportava dois fios metálicos ao mesmo tempo e levava cerca de doze minutos para cruzar toda a ponte, a uma média de treze quilômetros por hora, embora na descida chegasse a atingir 21 quilômetros por hora. Enquanto as rodas passavam no alto, os homens iam pegando os fios e colocando-os em ganchos e roldanas ao longo da passarela; quando uma roda chegava à ancoragem, os homens que ali se encontravam retiravam o fio metálico, colocavam-no em seu lugar, recarregavam a roda e mandavam-na de volta o mais rápido possível.

Quando a roda completava o transporte de 428 fios metálicos de um lado a outro da ponte, estes eram unidos num feixe. Terminado o transporte de 26 018 fios — ou 61 feixes —, eles eram prensados em forma cilíndrica por um macaco hidráulico, para formar um cabo. Cada cabo — a Verrazano teria quatro cabos — teria pouco menos de um metro de espessura, 2200 metros de comprimento, e conteria 58 quilômetros de fios metálicos da espessura de um lápis. Juntos, os quatro cabos pesariam 38 290 toneladas. A cada cabo seriam presos 262 outros cabos verticais — alguns deles com até 136 metros de comprimento — que iriam sustentar o tabuleiro da ponte, mais de sessenta metros acima da água, mantendo-o tão alto que, por mais que os cabos estivessem quentes e frouxos no verão, ele continuaria alto o bastante para permitir que o *Queen Mary* navegasse sob a ponte. Já a partir do primeiro dia em que as rodas começaram a girar — 7 de março de 1963 — houve uma feroz competição entre as duas equipes que trabalhavam lado a lado nas duas passarelas. Essa rivalidade existia tanto entre as equipes do turno da manhã como entre as que trabalhavam no turno da tarde. O objetivo de cada equipe era, naturalmente, manter suas duas rodas em constante movimento de um lado ao outro da ponte, fazendo-as atravessar a ponte mais vezes que as rodas da outra equipe. O resultado era que o trabalho de trançar os fios virava uma espécie de corrida de cavalos ou, melhor ainda, uma corrida de cães. As passarelas transformavam-se numa arena barulhenta, cheias de homens a gritar e agitar os punhos, todos olhando para cima e gritando com suas rodas — rodas que se tornavam coelhos mecânicos.

"Vamos lá, sua sacana, mexa-se", gritavam eles para as rodas que deslizavam lá em cima, rangendo e carregando o fio metálico para a outra ponta. "Vamos lá, vamos lá!" E ouviam-se os mesmos gritos desesperados vindos da outra passarela, a mesma sanha de competição quando sua roda — sua estrela, sua esperança — ia mais devagar que a roda da outra equipe.

De uma ponta a outra da passarela todos trabalhavam no ritmo de suas rodas, todos apressando-se em puxar os fios metálicos para baixo, todos olhando para o lado para verificar a posição relativa das rodas da outra equipe, todos torcendo para que os motores diesel que as movimentavam não enguiçassem, todos furiosos se seus colegas da ancoragem demoravam muito em recarregar suas rodas quando estas chegavam ao outro extremo da ponte. Foi nesse tipo de competição que Benny Olson se destacou quando era mais jovem. Ele se postava na passarela, próximo à ancoragem, estimulando sua equipe, gritando insultos contra os que demoravam a puxar o fio metálico para baixo, a recarregar a roda, e contra os que não se empenhavam na disputa. Olson era como um feitor dominando do alto uma multidão de escravos remadores.

Em 19 de junho, uma quarta-feira, para espanto dos engenheiros que registravam o placar no escritório de Murphy Durão, uma equipe fizera suas rodas atravessarem a ponte cinquenta vezes. Em 26 de junho, uma segunda equipe também atingiu a marca de cinquenta. Dois dias depois, no calor da disputa, uma das rodas soltou-se dos cabos, caiu na passarela e foi avançando aos saltos em direção a um operário chamado John Newberry. Este ficou paralisado de medo. Se ela o atingisse, ele seria atirado para fora da ponte; se, para evitá-la, ele pulasse longe demais, perderia o equilíbrio e poderia cair lá embaixo. Então ele se manteve na mesma posição, para ver como a roda iria quicar. Felizmente ela não o atingiu: ele se voltou como um toureiro após a roda lhe voar rente, indo parar alguns metros adiante na passarela. Newberry respirou aliviado, mas sua equipe ficou furiosa porque seu placar daquele dia estava arruinado. A outra equipe iria ganhar.

No dia 16 de julho uma das equipes conseguiu que suas rodas fizessem o trajeto de ida e volta 52 vezes; no dia 22 de julho outra equipe repetiu a façanha. Alguns dias depois, a equipe dirigida por Bob Andersen — o galã irresistível à época da Mackinac — estava trabalhando com tal eficiência que, uma hora antes do encerramento do turno, já haviam sido registradas 47 viagens. Se tudo continuasse correndo bem na hora restante, poderiam ser feitas mais seis viagens, totalizando 53, um recorde.

"O.k., vamos mantê-la em movimento", gritava Anderson para os colegas de equipe, todos concentrados naquela que eles esperavam ser a roda vencedora.

Eles a viram mover-se devagar pelos trilhos acima de suas cabeças, subindo até a torre, descendo em seguida, mais rápido, até a ancoragem, subindo novamente, sendo logo recarregada, subindo pelos cabos — "Continue a andar, sua sacana!" —, agora cada vez mais próxima da torre e então... parou.
"*Sua puta!*", exclamou um dos calouros.
"Que diabo está acontecendo?", gritou Anderson.
"A máquina enguiçou", exclamou alguém depois de algum tempo.
"Aqueles idiotas desgraçados!", disse o calouro.
"Vamos lá dar um pau neles!", gritou outro calouro, falando sério e pronto a descer da passarela.
"Calma", disse Anderson, resignado, olhando para a roda parada e balançando a cabeça. "Vou descer lá e ver o que se pode fazer."
Ele desceu para a ancoragem, e lá lhe disseram que o motor não podia ser consertado dentro dos próximos sessenta minutos, a tempo de continuar a corrida. Anderson voltou para a passarela e, desconsolado, deu a notícia aos seus operários. Ao descerem da passarela naquela noite, capacetes debaixo do braço, sobrancelhas empapadas de suor, pareciam um time de futebol derrotado deixando o campo depois do jogo. Nos dois meses seguintes nenhuma equipe conseguiu superar a marca de 51 viagens, mas em setembro, quando as equipes começaram a colocar as peças metálicas de novecentos quilos sobre os cabos (essas peças ajudam a suportar os 262 cabos secundários pendentes verticalmente de cada cabo principal, para sustentar o tabuleiro), começou um novo tipo de competição: um jogo para ver quem conseguia fixar o maior número possível de peças, e então a coisa começou a ficar perigosa. Os pinos não apenas caíam da ponte nessa corrida frenética — pinos que podiam cair no convés de navios que passavam lá embaixo e matar uma pessoa eventual-

mente atingida por um deles —, mas as próprias peças eram difíceis de manejar, e se uma delas caísse...

"Pelamor de Deus, Joe, vamos tirar esses pinos e colocar essa porra no lugar", gritou um empurrador para Joe Jacklets, que estava ajeitando demais a peça.

Vendo que a outra equipe já tinha removido os pinos e estava fixando sua peça no lugar, o empurrador começava a se enervar — sua equipe estava ficando para trás.

"Vamos com calma", disse Joe Jacklets, "esse troço pode se soltar."

"Não se solta não."

Então Joe retirou o último pino da peça de duas partes e, imediatamente, uma metade — com cerca de quinhentos quilos — deslizou do cabo e caiu da ponte.

"Meu Deus!"
"Ohhhhhh."
"Cris...to."
"Nãããão!"
"Je...SUS."

A equipe, com os capacetes apontando da plataforma, ficou vendo a peça de meia tonelada caindo feito uma bomba em direção ao mar. Viram, também, um pequeno barco agitando-se lá embaixo, na água, quase no lugar onde, ao que parecia, a peça iria cair. Observavam agora em silêncio, de boca aberta, respiração suspensa. Então, depois de um forte barulho, viram um imenso cogumelo erguer-se da água, um enorme jato que atingiu uns doze metros de altura.

E fugindo de sob o jato, absolutamente intacto, apareceu o barco. O capitão do barco inclinava a cabeça para escapar do jato, desviando a embarcação a toda velocidade.

"Que filho da puta de sorte", disse um dos homens, olhando do alto da passarela e balançando a cabeça.

Por um instante, ninguém disse mais nada. Ficaram simplesmente olhando a água lá embaixo. Era como se temessem voltar-se e encarar a passarela — e depois o rosto furibundo e os olhos injetados de Murphy Durão. Ficaram contemplando a água por uns dois minutos, vendo as bolhas desaparecerem pouco a pouco e as ondas se afastarem. Então eles viram, movendo-se majestosamente em direção às ondas, passando por elas lenta e serenamente, o enorme convés cinzento do porta-aviões americano *Wasp*.

"Santo Deus!", exclamou Joe Jacklets finalmente, balançando a cabeça mais uma vez.

"Seu sacana imbecil", resmungou o empurrador.

Jacklets o encarou.

"O que você quer dizer com isso? Eu disse a você que a peça podia cair."

"Disse o cacete, seu..."

Jacklets olhou para o empurrador, sem acreditar no que ouvia; mas ele logo entendeu que não adiantava discutir — ia receber o pagamento assim que pudesse, voltar para o sindicato e esperar um novo emprego...

Mas antes que ele pudesse ir embora dali, todos os operários da equipe desceram da passarela, alguns praguejando, outros sorrindo, porque a coisa era por demais ridícula.

"De que vocês estão rindo, seus babacas?", disse o chefe andarilho.

"Ora, que é isso, Leroy", disse um dos operários. "Você não aguenta uma brincadeira?"

"Isso mesmo, Leroy, não precisa ficar tão preocupado. A gente não perdeu a peça. Se a gente sabe onde uma coisa está, ela não está perdida."

"Claro", disse outro. "Nós sabemos onde ela está — está no rio."

O chefe andarilho estava aflito demais para responder. Era *ele* quem ia ter de encarar Murphy Durão.

Da outra passarela a equipe adversária acenava, alguns dos mais jovens sorriam, e um deles gritou: "Ei, colocamos dez peças hoje. Quantas vocês colocaram?".

"Nove e meia", um outro respondeu.

Isso provocou risos, mas quando o dia de trabalho terminou e os homens desceram da ponte, preparando-se para invadir o Johnny's Bar, Joe Jacklets foi visto andando de cabeça baixa.

Se a peça tinha mesmo de cair, não podia ter caído num dia melhor — 20 de setembro, uma sexta-feira — porque, como de qualquer forma o trabalho seria interrompido no fim de semana, os mergulhadores poderiam encontrar a peça e içá-la da água antes da segunda-feira, quando os operários retomariam o trabalho na ponte. Não havia peça igual à que caíra no rio, e a fábrica onde ela fora feita estava em greve, por isso não havia outra saída senão procurá-la na água. Foi o que os mergulhadores fizeram, sem resultado, durante todo o sábado e todo o domingo. Eles encontraram muitas outras partes da ponte no fundo do rio, mas não a peça. Eles viram máquinas rebitadoras, chaves inglesas e pinos, e também um balde grande, provavelmente o que caíra com quatro parafusos industriais, sendo que cada um dos quais custava oitocentos dólares.

Mas ainda que fosse o tal balde, tanto as máquinas como os outros objetos agora estariam estragados, seja pela ação da água, seja pelo impacto na água de queda de tão grande altura. De qualquer forma, depois de breve inspeção de todas as ferramentas submersas, os mergulhadores estavam propensos a acreditar num velho ditado: "Os operários das pontes deixam cair todo tipo de coisa da ponte, menos dinheiro".

Mas não é bem assim; eles deixam cair dinheiro também. Algumas notas de cinco, de dez e até de vinte dólares voaram da ponte em algumas sextas-feiras de muito vento — sexta-feira é dia de pagamento. E durante os meses em que se fazia o entrelaçamento dos cabos, como os homens estavam trabalhando por muitas horas, recebiam o pagamento na própria ponte; quatro funcionários iam andando pela passarela levando mais de 200 mil dólares em maços de notas guardados em pastas fechadas com zíper. O dinheiro ficava em envelopes com o nome de cada operário. Estes recebiam o envelope do funcionário e assinavam o recibo. Alguns operários, porém, depois de assinarem o recibo, abriam o envelope para contar o dinheiro — e era então que às vezes perdiam algumas notas no vento. Os mais prudentes rasgavam um canto do envelope e contavam as notas pelos cantos, segurando-as com força. Outros simplesmente enfiavam o envelope no bolso sem contar. Ainda outros pareciam tão preocupados com o trabalho, tão absorvidos na competição do entrelaçamento dos cabos, que quando o funcionário chegava com o recibo, a caneta e o envelope, o operário rabiscava o nome depressa e fazia meia-volta sem pegar o envelope. Certa vez, por brincadeira, um funcionário chamado Johnny Cothran se afastou com o envelope de um operário contendo mais de quatrocentos dólares, perguntando-se quanto tempo o outro levaria para se dar conta. Ele andou uns cinco metros e então ouviu o outro gritar: *"Ei!"*.

Cothran se voltou, esperando dar de cara com um operário irritado. Em vez disso, ouviu o homem dizer: "Você esqueceu sua caneta". Cothran pegou a caneta e entregou o envelope ao operário. "Obrigado", respondeu o operário, enfiando o envelope no bolso, sem prestar atenção, voltando imediatamente à corrida do entrelaçamento dos cabos.

No dia 23 de setembro, uma segunda-feira, pouco antes do meio-dia, encontraram a peça. Ela estava trinta metros abaixo da superfície do Narrows, e logo os guindastes a rodearam e a içaram para fora da água. Por algum tempo, toda a ponte pareceu respirar aliviada, e Murphy (que passou três dias praguejando) de repente se acalmou. Mas dois dias depois lá estava Murphy balançando a cabeça, cheio de desgosto e de frustração. No dia 25 de setembro, quarta-feira, às 3h15 da tarde, alguém na passarela deixou escapar da mão um pino de aço de quinze centímetros. Este, depois de cair por uns trinta metros, atingiu o rosto de um operário chamado Berger Hanson. O pino rasgou dez centímetros de sua pele, logo abaixo do olho esquerdo.

Berger se encontrava embaixo da ponte, olhando para cima. Se não estivesse olhando para cima, o pino teria atingido seu capacete, apenas o arranhando, em vez de fazer o estrago que fez — pressionando o globo ocular para cima, quebrando-lhe o maxilar, penetrando em sua garganta.

Levado às pressas para o hospital Victory Memorial, no Brooklyn, Berger foi atendido pelo cirurgião S. Thomas Coppola, que tratava os ferimentos de todos os operários. Sem perder tempo, o dr. Coppola extraiu o pino, estancou o sangramento com pontos, realinhou os ossos faciais e deu alguns pontos no queixo.

"Como está se sentindo?", perguntou o dr. Coppola.

"Bem", disse Berger.

O dr. Coppola estava estupefato.

"Não está sentindo dor?"

"Não."

"Você não quer tomar alguma coisa... uma ou duas aspirinas?"

"Não, eu estou bem."

Depois de uma operação plástica para corrigir a deformação do rosto e de alguns meses de recuperação, Berger voltou para a ponte.

O dr. Coppola ficou impressionado não apenas com Berger, mas também com o estoicismo que observara em tantos outros operários que trabalhavam na ponte.

"São os homens mais interessantes que encontrei na vida", disse ele a outro médico, algum tempo depois. "Eles são fortes, aguentam todo tipo de dor, são cheios de orgulho e divertem-se muitíssimo. Esse Berger já viveu umas cinco vidas, e tem apenas trinta e nove anos... Sabe, vou lhe dizer uma coisa, o mundo da construção de pontes é um mundo de jovens."

E de fato a ponte é um mundo para jovens. Velhos como Benny Olson se afastam dele com amargura e saudade, e odeiam ser mandados para o depósito do outro lado do rio — um depósito onde os velhos ficam longe dos problemas, e homens mais jovens, como Larry Tatum, os supervisionam.

Larry Tatum, um homem alto, de ombros largos, corajoso, de 37 anos, fora descoberto anos atrás por Murphy, que reconheceu nele um "marchador", o que, na linguagem dos que trabalham nas pontes, significa um futuro líder de operários.

Tatum começou como soldador quando tinha apenas dezessete anos, e se tornara rebitador, excelente conectador, empurrador. Sofreu alguns reveses, mas sempre voltava, e nunca perdeu a energia nem o entusiasmo. Tinha quatro irmãos mais jovens no mesmo ofício — três trabalhando na ponte sob as ordens de Murphy, e um que morrera ao cair do edifício da Pan Am, quando trabalhava em sua construção, também sob as ordens de Murphy. O pai de Larry Tatum, Lemuel Tatum, era *boomer* desde a década de 1920, mas agora, na casa dos setenta anos, também estava no depósito, trabalhando sob as ordens do filho, o marchador, vendo o rapaz ganhar experiência como chefe andarilho, de forma que, dentro de pouco tempo, poderia ser promovido ao cargo mais alto, o de superintendente.

Era um pouco constrangedor para Larry Truman, embora não se notasse, exercer autoridade sobre tantos velhos *boomers* — homens renomados como Benny Camundongo, Lemuel Tatum e meia dúzia de outros que estavam no depósito fazendo manutenção de ferramentas ou preparando carregamentos de conexões de aço a serem levados de barco para o local de construção da ponte. Mas, afora algumas explosões imprevisíveis de Olson, os velhos operários eram em geral tranquilos e dispostos a cooperar — e nenhum mais do que James J. Braddock, ex-campeão na categoria peso-pesado.

Houve uma época em que o chamavam de "Cinderelo" porque, depois de trabalhar como estivador, conquistou o título de campeão dos pesados e ganhou quase 1 milhão de dólares até abandonar o ringue, em 1938, depois de perder para Joe Louis.

Braddock estava agora com quase sessenta anos, e voltara para a zona portuária. Sua principal tarefa era fazer a manutenção de uma máquina de soldar. Suas roupas eram cheias de graxa, as unhas pretas, os braços tão sujos que mal se podiam ver as tatuagens que mandara fazer certa noite no Bowery, em 1921, quando ainda era um garoto brincalhão de dezesseis anos.

Agora Braddock ganhava 170 dólares por semana como operário lubrificador, e alguns operários que não o conheciam costumavam dizer, como em geral se gosta de dizer de ex-campeões: "Bem, o que vem fácil, vai fácil. Agora ele está pobre, igualzinho a Joe Louis".

Mas sua vida não era mais um daqueles épicos melosos sobre um campeão de boxe decadente. Andando devagar pelo depósito, amistoso com todos, de corpanzil ereto e peito erguido, era sempre o mesmo homem digno e orgulhoso. Ele ainda estava cumprindo um honesto dia de trabalho, e isso o fazia sentir-se bem.

"Que diabo, sou um trabalhador", dizia ele. "Trabalhei como estivador antes de lutar boxe, e agora preciso de dinheiro, por isso voltei a trabalhar. Sempre gostei de trabalho pesado. Não há nada de errado nisso."

Braddock perdeu 15 mil dólares num restaurante, o Braddock's Corner, na rua 49, em Manhattan, mais o dinheiro que investiu numa loja de produtos náuticos, que ele manteve durante dez anos. Mas ainda possui uma casa que comprou por 14 mil dólares, em North Bergen, Nova Jersey, depois da luta com Joe Louis. Ele diz ainda amar a esposa depois de 33 anos de casamento, ainda tem boa saúde, disposição para trabalhos pesados, além de dois filhos que também dão duro.

Um dos filhos, Jay, de 32 anos, pesa 150 quilos e tem quase dois metros de altura. Ele trabalha numa central elétrica de Jersey; o outro, Howard, de 31 anos, pesa 110 quilos, tem dois metros de altura e trabalha na construção de estradas.

"Por isso não precisam sentir pena de mim", disse James J. Braddock, o ex-Cinderelo, dando uma tragada no cigarro e debruçando-se sobre uma máquina grande. "Não tenham nem um pouquinho de dó de mim." Mas ele reconhece que o trabalho de construção de pontes, como o boxe, é coisa para gente jovem.

E de todos os jovens impetuosos que labutavam na Verrazano-Narrows sob as ordens de Murphy Durão no outono de 1963, poucos pareciam mais contentes e mais bem talhados para o ofício do que dois homens que trabalhavam juntos no alto de um cabo 117 metros acima da água, atrás da torre do Brooklyn.

Um era baixo, o outro grandalhão. O baixo, que tinha 1,68 metro e pesava apenas 62 quilos — mas era muito vigoroso e rijo —, chamava-se Edward Iannielli. Os outros operários apelidaram-no de "O Coelho" porque ele saltava pelas vigas, corria por entre os fios metálicos, e todos diziam que ele, então com 27 anos, não chegaria aos trinta.

O grandalhão chamava-se Gerard McKee. Era um rapaz bonito, de aparência saudável, pesava cerca de cem quilos, media 1,87 metro. Ele fora salva-vidas em Coney Island, exercia grande fascínio sobre as mulheres e era muito gentil. Os operários da ponte logo simpatizaram com ele, embora não fosse tão amistoso e extrovertido quanto Iannielli.

Na manhã do dia 9 de outubro, uma quarta-feira, os dois subiram nos cabos como de costume e logo, em meio ao barulho das rebitadeiras e dos malhos, os dois trabalhavam duro, cabeças abaixadas, fixando pinos nos cabos, mal podendo ser vistos lá de baixo.

Antes de se findar a manhã, porém, as atenções de toda a ponte haveriam de se voltar para eles.

6. Morte numa ponte

Era uma manhã cinzenta de ventania. Às 6h45, Gerard McKee e Edward Iannielli saíram de suas respectivas casas, em duas regiões do Brooklyn, dirigindo-se à ponte.

Iannielli deixou o lar em Flatbush e, de carro, chegou antes à ponte. Ele já estava na passarela, em cima do cabo, a perna balançando 120 metros acima da água, quando Gerard McKee se aproximou dele e o cumprimentou.

Os dois jovens tinham muito em comum. Ambos eram filhos de operários de pontes, ambos eram católicos e ambos estavam querendo provar uma coisa: que eles eram tão bons quanto qualquer *boomer* da ponte.

Incomodava-os a teoria segundo a qual os *boomers* são os melhores operários de construção de pontes. Afinal de contas, pensavam eles, um sujeito se torna *boomer* antes pela necessidade que pela vontade; o índio da reserva, o sulista da fazenda, a gente do mar de Newfoundland, os interioranos do Meio-Oeste — que eram o grosso dos *boomers* —, quando vagavam de cidade em cidade acompanhando o fluxo da expansão imobiliária, na verdade estavam fugindo da pobreza e da monotonia de sua terra natal. Em contrapartida, Iannielli e McKee não precisavam sair pelo país em busca de um bom emprego; podiam muito bem esperar que um bom emprego fosse até eles, e assim o fizeram, porque nos últimos dez anos a região de Nova York estava tendo uma expansão quase contínua da construção civil.

Ainda assim, ambos ficavam impressionados com a arrogância dos *boomers,* com o fato de estes serem contratados para trabalhar de Nova York à Califórnia, de Michigan a Louisiana, devido à fama que tinham no país inteiro, e não ao poder de pressão dos fortes sindicatos locais.

Essa constatação parecia impressionar um pouco mais Iannielli que McKee, talvez também pelo fato de Iannielli ser muito baixo, num ofício de homens altos.

Iannielli, como Benny Olson, ansiava por afirmar-se, mas não fazia isso rebaixando os homens altos, gabando-se ou bebendo, mas antes mostrando sangue-frio nas grandes alturas da construção — correndo riscos de que só artistas de circo suicidas teriam coragem de correr — e também exibindo um orgulho exagerado em terra firme.

Iannielli gostava de dizer "Sou um trabalhador do ferro" (agora as pontes são feitas de aço, mas o ferro foi o primeiro metal das grandes pontes, e seus primeiros operários eram chamados de trabalhadores do ferro, nunca de trabalhadores do aço).

Quando Edward Iannielli se tornou aprendiz do trabalho metalúrgico, costumava esfregar o pó cor de laranja, resíduo da pintura de chumbo, em suas botas, antes de ir para casa de metrô; ele era ingênuo a ponto de supor que os passageiros do metrô associariam o pó cor de laranja à solução que se aplica ao aço durante a construção para torná-lo inoxidável.

"Quando eu era criança", lembrou ele certa vez, "meu pai, Edward Iannielli, levava outros operários para nossa casa ao voltar do trabalho, e eles só falavam de metalurgia, metalurgia. Era só o que ouvíamos quando éramos crianças, meu irmão e eu. Às vezes meu pai nos levava ao seu trabalho, e todos os seus colegas nos tratavam bem porque éramos filhos de Eddie. O contramestre nos perguntava: 'Vocês são filhos do Eddie?', e a gente respondia: 'Sim', então ele falava: 'Tomem esta moeda'. E foi assim que comecei a gostar desse tipo de trabalho."

"Mais tarde", continuou Iannielli, "quando eu tinha uns treze ou catorze anos, certo dia acompanhei meu pai ao trabalho e vi aquela escada enorme. Gritei para meu pai: 'Posso subir?', e ele respondeu: 'Sim, mas não caia'. Então comecei a subir, fui subindo cada vez mais alto, um pouco assustado a princípio, e finalmente cheguei ao topo, fiquei de pé naquela viga, lá em cima, olhando e vendo bem longe. Era uma coisa deslumbrante. De repente, quando estava lá no alto, pensei comigo mesmo: 'É isso o que eu quero fazer!'."

Depois disso seu pai o apresentou ao sindicato metalúrgico do Brooklyn, e Edward Iannielli Jr. começou a trabalhar como aprendiz.

"Nunca vou esquecer a primeira vez que entrei no salão do sindicato", recordou ele. "Eu estava com sapatos novinhos em folha, e vi todos aqueles homens enfileirados. Uns pareciam vagabundos, outros pareciam bandidos. Alguns ficavam em volta das mesas, jogando cartas e praguejando."

"Eu estava assustado, então procurei um canto e fiquei ali sentado, sentindo no bolso o terço que trouxera comigo. Aí um sujeito entrou e gritou: 'Aqui tem alguém chamado Iannielli?', e eu respondi: 'Sou eu'. 'Tenho um emprego para você', ele afirmou. Ele me disse para me apresentar a um cara chamado Harry, no edifício novo de doze andares do tribunal, no centro comercial do Brooklyn. Corri para lá e falei ao tal Harry: 'Me mandaram do sindicato'. 'Tem a autorização de seus pais?', ele perguntou.

Respondi que sim e ele disse: 'Por escrito?'. Quando respondi que não, ele me mandou para casa buscar a autorização."

"Corri até o metrô, fiz todo o trajeto de volta, e lembro-me de ir correndo pela rua, muito excitado por ter conseguido trabalho, para pedir que minha mãe assinasse aquele papel. Depois voltei correndo, tomei o metrô novamente, fui até Harry, entreguei-lhe o papel e então ele disse: 'Está bem, agora deixe-me ver sua certidão de nascimento'. Tive de repetir tudo: pegar o metrô, correr para casa, depois voltar correndo, os pés doendo por causa dos sapatos novos."

"De qualquer modo, quando entreguei a certidão a Harry, ele disse: 'Tudo certo. Suba aquela escada e procure o empurrador'. Quando cheguei lá em cima um sujeito alto me perguntou: 'Quem é você?' e eu respondi que era o novo aprendiz. 'Certo', falou. 'Pegue aqueles dois baldes ali, encha-os de água e leve-os para a turma de rebitadores.'"

"Os baldes eram duas grandes latas de leite, e tive de carregá-las escada abaixo, uma de cada vez, e levá-las de volta para cima, e foi isso que fiz durante muito tempo — levar água, café e rebites para as turmas de rebitadores — sem direito a reclamar."

"Lembro-me de que certa vez, quando eu estava num arranha-céu em Manhattan, tive de descer seis andares para pegar vinte cafés, uma dúzia de refrigerantes, bolos e tudo mais. Quando estava voltando, carregando tudo numa caixa de papelão, escorreguei numa viga e perdi o equilíbrio. Caí dois andares, mas felizmente aterrissei numa pilha de sacos de lona, e a única coisa que sofri foi um banho de café quente. Um operário me viu caído ali e gritou: 'O que aconteceu?' e eu respondi: 'Caí aqui e derramei o café', e ele disse: *Você derramou o café! É melhor se mandar daí o mais depressa possível e ir pegar mais café*'."

"Então desci correndo novamente e, com o meu dinheiro — acho que aquilo me custou no mínimo quatro dólares —,

205

comprei mais café, refrigerante e bolos, subi outra vez a escada e quando vi o feitor, sem lhe dar tempo de reclamar, eu lhe disse: 'Desculpe-me pelo atraso.'"

Quando Edward Iannielli se tornou operário metalúrgico de habilitação plena, caiu mais algumas vezes, principalmente porque, em vez de andar pelas vigas, preferia correr, e certa vez — à época em que trabalhava na construção do edifício do First National City Bank, em Manhattan — caiu uns três andares e por pouco não foi parar lá embaixo. Mas Iannielli era rápido, ágil e sortudo — ele era "o Coelho". Ele caiu numa viga e agarrou-se a ela.

"Não sei o que há comigo", disse ele certa vez, tentando achar uma explicação. "Mas acho que tudo isso tem a ver com o fato de eu ser jovem e não querer ser como aqueles velhos lá em cima, que vivem me dizendo: 'Não seja imprudente, você pode morrer, tenha cuidado'. Às vezes, nos dias com vento, esse pessoal da velha guarda atravessa as vigas de quatro, mas sempre gostei de correr para lhes mostrar como é que se faz. Era então que eles me diziam: 'Garoto, você não vai chegar aos trinta.'"

"Os dias de muito vento", continuou ele, "são os mais difíceis. Digamos que você vai andando numa viga de vinte centímetros, equilibrando-se no vento, e de repente o vento pára — você *perde o equilíbrio temporariamente*. Logo você endireita o corpo — mas é uma sensação bem estranha quando isso acontece."

Edward Iannielli começou a trabalhar na Verrazano-Narrows em 1961. Quando trabalhava na via expressa Gowanus, que atravessava Bay Ridge, no Brooklyn, em direção à ponte, certo dia ficou com a mão presa num guindaste.

Um dedo foi completamente esmagado, mas um outro, perfeitamente decepado, ficou dentro da luva. O dr. Coppola conseguiu reimplantá-lo na mão. O dedo ficou duro e, naturalmente, mais fraco do que antes; não obstante, o cirurgião ofereceu a Iannielli duas opções quanto ao modo como o dedo poderia ser reimplantado. Ele poderia ficar reto, o que seria esteticamente mais conveniente, pois passaria despercebido; a outra opção era implantá-lo em forma de gancho. Assim ficaria mais feio, mas Iannielli poderia usá-lo em seu trabalho com aço. Tratando-se de Iannielli, não houve outra escolha possível: o dedo foi reimplantado em forma de gancho.

Quando Gerard McKee conheceu Iannielli, na primavera de 1963, e viu-lhe a mão acidentada, não lhe fez nenhuma pergunta nem deu maior atenção ao fato. Gerard McKee era membro de uma velha família de operários da construção civil, e para ele aquele tipo de coisa era comum, era quase um estilo de vida. Seu pai, James McKee, um homem alto, de ombros largos e olhos azul-claros — com quem Gerard se parecia muito —, fora atingido por um guindaste poucos anos antes, e ficara com uma torção permanente na perna, uma placa de metal na cabeça e incapacitado para o resto da vida.

James McKee tomou conhecimento do trabalho metalúrgico através de um tio, o falecido Jimmy Sullivan, que em certa época foi chefe da equipe em que trabalhava Murphy Durão. O nome McKee era muito conhecido na sede do sindicato em Manhattan, e nada mais natural para James McKee, antes de seu acidente, que levar seus três rapagões à sede do sindicato e inscrevê-los no curso de aprendizes.

Dos três filhos, Gerard McKee era o mais novo, o mais alto e o mais pesado, se bem que não muito mais que os outros. Seu irmão John, um ano mais velho que ele, pesava 88 quilos e tinha 1,87 metro. O outro irmão, Jimmy, dois anos mais velho que Gerard, pesava noventa quilos e tinha 1,90 metro.

Quando os rapazes foram apresentados aos funcionários do sindicato, houve sorrisos de aprovação, e não havia dúvida de que os jovens McKee, todos eles de porte altivo, ombros largos e, ao que parecia, muito dispostos, dariam ótimos operários metalúrgicos. Eles lembravam aquelas grandes promessas do time de futebol de uma faculdade — aos quais o treinador logo se apressa em oferecer bolsas de estudos, sem se preocupar em fazer perguntas embaraçosas sobre o desempenho escolar. Na verdade, os McKee nem ao menos tinham jogado no time de futebol do colégio. Não se sabe bem por quê, em seu bairro nas proximidades da zona portuária, no sul do Brooklyn, um velho bairro irlandês chamado Red Hook, o futebol nunca fora muito popular entre os meninos.

O grande esporte em Red Hook era a natação, e a forma como um garoto podia ganhar respeito e mostrar o seu valor era saltar de um dos grandes píeres ou armazéns ao longo da orla, mergulhando no canal Buttermilk, e nadar mais de um quilômetro e meio contra a maré até a Estátua da Liberdade.

Quando os meninos chegavam à estátua, em geral eram presos pelos guardas. Se não fossem pegos, faziam todo o trajeto de volta nadando pelo canal Buttermilk em direção ao Red Hook.

Nenhum dos garotos do bairro nadava melhor que Gerard McKee, e nenhum atravessava o canal, nos dois sentidos, com mais facilidade e com mais rapidez. Todos os garotos da rua o respeitavam, todas as garotas que ficavam sentadas nas varandas das casinhas de madeira o admiravam — mas nenhuma mais que uma italianinha ruiva chamada Margaret Nucito, que morava na casa fronteira à dos McKee.

Ela o vira pela primeira vez na segunda série da escola paroquial. Ele era o palhaço da turma — aquele a quem as freiras mais repreendiam e de quem mais gostavam.

Aos catorze anos, quando os meninos e meninas do bairro começavam a pensar menos em nadar e mais uns nos outros, Margaret e Gerard começaram a namorar firme. E aos dezoito anos começaram a pensar em casamento.

No bairro Red Hook, no Brooklyn, as meninas católicas pensavam em casamento muito cedo. Primeiro pensavam nos meninos, depois nos bailes de fim de ano da escola, depois em casamento. Embora Red Hook fosse um bairro pobre, de palhoças e sobradinhos de madeira, seus anéis de noivado costumavam ser grandes e caros. Naquele bairro o casamento vinha antes do sexo, como quer a Igreja, e com muitos filhos; e, como em outros bairros católicos irlandeses, as mães normalmente tinham mais voz ativa que os pais. A mãe era a grande força moral na Igreja irlandesa, onde a Virgem Maria era uma figura onipresente. Era a mãe que, depois do casamento, ficava em casa e criava os filhos, controlava as economias da família, ralhava com o marido por causa da bebida, pressionava os filhos quando faziam corpo mole e defendia a pureza das filhas.

Assim, não se podia estranhar que Margaret, depois que eles começaram a fazer planos de se casar e que Gerard começou a trabalhar na ponte, passasse a controlar o dinheiro economizado do salário semanal como operário metalúrgico. Se o dinheiro ficasse a cargo dele, seria gasto em besteiras, lhe dissera ela, e ele não discordou. No verão de 1963 já tinham economizado oitocentos dólares. Ele queria usar o dinheiro para comprar o belo anel de diamante, em forma de pera, que certa vez tinham visto na vitrine da joalheria Kastle, quando passeavam pela Fulton Street. Era um anel de 1,5 quilate, no valor de mil dólares. Margaret achou-o caro demais, mas Gerard insistiu que tinha de ser aquele, já que ela gostara tanto. Os dois planejavam anunciar o noivado em dezembro.

Na manhã daquela quarta-feira, 9 de outubro, Gerard McKee saiu da cama de má vontade. Era um dia sombrio, ele estava cansado e seus irmãos gritavam lá de baixo: "Ei, se você não descer em dois minutos, a gente vai embora sem você".

Ele desceu as escadas aos tropeções. Todos tinham terminado de tomar café e a mãe já preparara três sanduíches de presunto e queijo para o almoço dele. Seu pai, sem dizer palavra, coxeava pela sala, irritado com a moleza do filho.

Gerard não chegara tarde na noite anterior. Dera uma passada rápida na casa de Margaret, tomara umas cervejas no Gabe's, um bar das redondezas com uma grande ponte pintada na parede do fundo. Ele fora dormir lá pela meia-noite, mas de manhã acordou com dores no corpo, e achou que estava ficando resfriado.

Os três saíram às 6h45 e pegaram um ônibus perto de casa; na rua 49 pegaram um táxi, entraram na One Hundred, depois na rua 1, em Bay Ridge, depois seguiram a pé, como centenas de outros operários, pela estrada enlameada em direção à ancoragem do Brooklyn da ponte Verrazano-Narrows.

"Esperem, deixem-me pegar um copo de café", disse Gerard, parando numa barraca no meio do caminho.

"Não demore."

"Certo", disse ele. Gerard engoliu o café em três goladas enquanto andavam, e os três entraram na fila para pegar o elevador até a passarela. Naquela manhã Jimmy e John McKee estavam trabalhando na parte da passarela oposta à de Gerard, por isso se separaram no alto, e Gerard disse: "Até a noite". E se dirigiu ao lugar onde estava Iannielli.

Edward Iannielli, lépido e ativo como sempre, estava sobre o cabo, assobiando, muito animado.

"Bom dia", disse ele, e McKee fez um aceno e deu um sorriso forçado. Depois subiu no cabo, e logo os dois começaram a fixar os sete pinos no alto da peça.

Quando terminaram, Iannielli deslizou para baixo no cabo e McKee lhe passou a chave de catraca. Então Iannielli encaixou a chave no primeiro dos sete pinos de baixo.

Eram umas 9h30 da manhã. O tempo estava nublado e ventava, embora menos do que ventara na primeira semana de outubro. Iannielli enfiou o capacete na cabeça, olhou para a passarela e viu centenas de homens, as camisas e casacos cáquis enfunando-se no vento, todos trabalhando no cabo — colocando pinos, atacando-o com suas ferramentas, perfurando-o. Iannielli pegou a grande chave que segurava, ajustou-a a um pino e apertou com força. Súbito, da parte de baixo do cabo ele ouviu uma voz gritando: "*Eddie, Eddie... socorro. Eddie, socorro... por favor, Eddie...*".

Iannielli viu, pendurado na borda sul da passarela pelos dedos, agarrado firmemente aos fios de baixo, mais finos, do guarda-corpo da passarela, o vulto de Gerard McKee lutando para não cair.

"Meu Deus", exclamou Iannielli. "Meu Deus", repetiu ele, inclinando-se para a frente, deitando-se na passarela e tentando agarrar os braços de McKee e puxá-lo para cima. Mas era muito difícil.

Iannielli pesava apenas 62 quilos, e McKee uns cem. E Iannielli, não muito forte, com um dedo amputado e outro reimplantado, parecia não conseguir levantar McKee nem uns poucos centímetros. Então o casaco e a camisa de McKee se abriram, dando a impressão de que ele estava pendurado feito um peso morto, enquanto Iannielli não parava de suplicar: "Oh, Deus, Deus, por favor, traga-o para cima... traga-o para cima...".

Ouvindo os gritos, outros operários vieram correndo, e todos se inclinaram para baixo, tentando desesperadamente agarrar alguma parte das roupas de McKee, enquanto Gerard repetia sem parar: "Depressa, depressa, por favor, não consigo segurar mais". Pouco depois ele disse: "Estou me soltando... Estou me soltando...", se desprendeu do fio metálico e caiu da ponte.

Os homens o viram cair, primeiro com os pés para baixo por uns trinta metros. Depois seu corpo se inclinou para a frente, e Iannielli viu a camisa de McKee ser carregada pelo vento, as costas nuas, brancas, contra o fundo negro do mar, e viu-o chocar-se com a água, mais de cem metros abaixo. Iannielli fechou os olhos e começou a chorar e a escorregar para a frente também, mas um índio, Lloyd LeClaire, mergulhou em sua direção e o segurou firme na passarela.

Não muito longe de onde Gerard McKee caíra, dois médicos estavam pescando num barco. Havia também uma lancha salva-vidas. Durante os trinta segundos seguintes, gritos e uivos históricos de dezenas de homens ecoaram da ponte: "Ei, peguem o rapaz... peguem esse rapaz... depressa, peguem esse rapaz...".

Mesmo que Gerard McKee tivesse caíra a um metro da lancha salva-vidas, de nada adiantaria; toda pessoa que cai de uma altura daquela fatalmente morre porque, mesmo que os pulmões resistam, a água é como concreto, e os corpos se esmagam quando caem de tão alto.

Os despojos de Gerard McKee foram retirados da água e colocados na lancha salva-vidas para serem levados ao Victory Memorial Hospital. Alguns homens que estavam na ponte se puseram a chorar e, lentamente, todos eles, mais de seiscentos, tiraram seus capacetes e começaram a descer. O trabalho daquele dia foi suspenso imediatamente. Um jovem aprendiz, que nunca vira uma morte daquelas antes, ficou paralisado na passarela e se recusou a sair; teve de ser carregado para baixo por três outros operários.

Jimmy e John McKee foram para casa dar a notícia e ficar com seus pais e Margaret, mas Edward Iannielli, numa espécie de torpor, entrou em seu carro e começou a se afastar da ponte, sem saber para onde ia. Quando avistou um bar, ele parou. Trôpego, os lábios trêmulos, sentou no balcão entre alguns homens. Pediu um uísque, depois outro, depois três cervejas. Em poucos minutos sentiu-se menos tenso, saiu do bar, entrou no carro e começou a dirigir pela Belt Parkway. Dirigiu por cerca de oitenta quilômetros, avistando a ponte ao longe, agora deserta e silenciosa. Saiu então da Belt Parkway e tomou a direção de casa. Sua mulher o saudou, muito agitada, dizendo-lhe que a construtora tinha ligado, que o encarregado de segurança tinha ligado, e o que acontecera?

Iannielli quase não ouvia o que ela lhe dizia. Naquela noite, na cama, só ouvia uma coisa, repetida incessantemente: "Eddie, Eddie, socorro... socorro". E ele via, revia e tornava a ver o corpo caindo no mar, a camisa voando do corpo e as costas nuas expostas. Levantou-se da cama e ficou andando pela casa o resto da noite.

No dia seguinte, 10 de outubro, quinta-feira, começaram as investigações para descobrir a causa da morte de McKee. O trabalho de construção da ponte foi suspenso novamente. Mas como ninguém tinha visto como McKee escorregara do cabo, não se sabia, e ainda não se sabe, se ele pulara na passarela e ricocheteara, ou se tropeçara. O que se sabe é que o moral dos operários ficou abalado, e Ray Corbett, do sindicato trabalhista local, começou uma campanha para que a construtora da ponte mandasse estender redes de segurança sob as áreas onde os homens trabalhavam.

Aquela não fora a primeira morte na construção da ponte. Em 24 de agosto de 1962, um operário caiu de uma escada dentro de uma torre e morreu. Em 13 de julho de 1963 outro operário escorregou da rampa de acesso e morreu. Mas, de certa forma, a morte de Gerard McKee foi diferente — diferente, talvez, porque os homens a viram e nada puderam fazer para evitá-la; diferente, talvez, porque atingira um jovem muito querido, o filho de um operário metalúrgico que ficara inválido pelo resto da vida.

Qualquer que fosse a razão, o dia da morte de Gerard McKee fora, até aquela ocasião, o dia mais negro da história da ponte. E pouca diferença faria para qualquer funcionário da construtora lembrar o recorde de segurança, altamente louvável, da Verrazano-Narrows — apenas três mortes durante milhares de horas de trabalho de centenas de homens.

O funeral de McKee, que teve lugar na Visitation Roman Catholic Church de Red Hook, com certeza foi o maior que se viu no bairro. Tinha-se a impressão de que todos os operários estavam presentes, e também os engenheiros e o pessoal do sindicato. Mas de todos os que o pranteavam, a pessoa que mais sofria parecia ser o pai de Gerard, James McKee.

"Depois do que passei", disse ele balançando a cabeça, olhos cheios de lágrimas. "Eu devia ter o cuidado de manter meus filhos longe da ponte."

7. Palco no céu

Os dois irmãos de Gerard McKee abandonaram a ponte imediatamente, a pedido do pai, mas dentro de um mês estavam de volta. Os outros operários ficaram um pouco nervosos ao verem os McKee subindo para a obra no primeiro dia, mas os irmãos disseram a todos que era muito melhor trabalhar no alto da ponte, ao lado dos outros operários, do que ficar no silêncio de uma casa em luto.

Embora àquela altura ninguém pudesse imaginar, a morte de Gerard McKee era apenas o começo de um longo e duro inverno — certamente o pior da carreira de Murphy Durão. Haveria uma greve de rebocadores e uma greve dos operários, de cinco dias, para forçar a administração a colocar redes sob a ponte; a temperatura cairia vertiginosamente, e ventos fortíssimos sacudiriam a ponte; haveria descuidos que por pouco não terminariam em desastre, quando os operários fossem içar uma peça de aço de quatrocentas toneladas; e, acima de tudo isso, haveria o assassinato do presidente Kennedy, acontecimento que, mais que em qualquer outro lugar, teria enorme repercussão negativa na ponte, onde a maioria dos trabalhadores era de origem irlandesa.

Tudo isso se daria no período em que Murphy Durão e os engenheiros da American Bridge estavam enfrentando seu maior desafio — o vão sobre o mar.

Se se quisesse terminar a obra dentro do prazo, para que a ponte fosse inaugurada no final de novembro de 1964, o esqueleto de aço do vão teria de estar montado, estendendo-se no céu por mais de dois quilômetros, na primavera — coisa que então, no inverno de 1963, parecia quase impossível.

Seria preciso içar das balsas sessenta peças individuais de aço, cada uma do tamanho de uma casa de fazenda com dez cômodos (e pesando quatrocentas toneladas), a quase setenta metros de altura. Cada uma dessas peças de aço, além de muitas outras menores, teriam que ser ligadas aos cabos que pendiam verticalmente dos cabos principais e finalmente ligadas horizontalmente por sobre a água, entre o Brooklyn e Staten Island.

Se uma daquelas peças caísse, causaria um atraso de pelo menos seis meses, porque cada peça era única. As sessenta peças maiores, todas de forma retangular, tinham 8,5 metros de altura, 35 metros de largura e quase isso de comprimento, e seriam levadas de barco para a ponte, uma de cada vez, do depósito da American Bridge Company, 6,5 quilômetros a jusante do rio, em Nova Jersey, onde Benny Olson, James Braddock e outros velhos campeões estavam trabalhando. Puxadas por rebocadores, as balsas carregadas levavam uma hora para chegar ao destino. Quando as peças de aço eram içadas das balsas por dois enormes guindastes colocados nos braços de cada torre, a ponte inteira se inclinava com o peso; a primeira peça, por exemplo, quando içada, fez com que os cabos principais abaixassem meio metro. A segunda e a terceira peças fariam os cabos descerem mais 1,37 metro. Colocadas as peças de números 5 e 6, os cabos desceriam mais 1,30 metro. Quando todas as peças estivessem suspensas, os cabos ficariam 8,5 metros mais baixos que antes. (Tudo isso fora previsto por O. H. Ammann. Na verdade, seu projeto comportava um descenso de até dez metros — mas não levava em conta fragilidades humanas e mecânicas, e esse era o problema de Murphy.)

Os problemas de Murphy não começaram com o içamento das primeiras peças de aço. Isso se fez diante de um barco cheio de câmeras das televisões e dos jornais, e os operários não podiam estar mais atentos. Eles começaram quando a excitação inicial foi sendo atenuada pela rotina de repetição e pela chegada do frio. Numa noite muito fria, uma pequena chata que carregava cabos de suspensão estava firmemente amarrada no píer e afundou quando a maré subiu. O vigia não apenas estava dormindo enquanto isso acontecia, como deixou que vagabundos saqueassem o barracão de ferramentas.

Na manhã seguinte, esmurrando a sua mesa de trabalho no barracão, Murphy falava ao telefone, aos berros, com um dos supervisores das docas: "Je-sus Cris-to, estou doente com essa merda! Esse filho da puta desse vigia estúpido ficou dormindo na cabine quentinha, em vez de vigiar. Ora, o vigia não está lá para ficar dormindo no quentinho, puta que pariu, ele está lá para vigiar, e não vou aguentar mais essa merda. Manda esse desgraçado desse guarda aqui que vou lhe dizer umas verdades...".

No escritório, na sala contígua, o secretário de Murphy, um jovem esbelto e elegante chamado Chris Reisman, estava na mesa telefônica atendendo às chamadas com um delicado "Bom dia, American Bridge..." e tapando os ouvidos para os impropérios de Murphy.

Só secretários homens conseguiriam resistir num ambiente daqueles; mulheres certamente não estariam a salvo em meio aos muitos garanhões insaciáveis que trabalham nas pontes, e tampouco suportariam aquele tipo de linguagem por muito tempo. Mas Chris Reisman, cujo tio era rebitador e cujo padrasto havia morrido numa ponte seis anos antes, exercia bem sua função de secretário, embora os operários tivessem levado algum tempo para se acostumar com a voz educada de Chris no telefone dizendo "Bom dia, American Bridge" (em vez de "O que você quer?") e com aquelas calças justas e sem bainha, com a capa de chuva britânica que batia nos joelhos e, vez por outra, quando fazia frio, botas de couro macio de cano alto.

No dia seguinte ao de sua contratação pela American Bridge Company, Reisman foi mandado para o barracão de Murphy em Staten Island e foi recebido por este com um "Bom, vejo que temos um outro imbecil para ficar sentado aqui". Mas logo o próprio Murphy ficaria impressionado com a eficiência daquele jovem de 23 anos e com a sua calma ao telefone, falando com pessoas que ele, Murphy, queria evitar.

"Bom dia, American Bridge..."
"Ei, escuta, Murphy está aí?"
"Pode me dizer com quem estou falando?"
"Hã?"
"Pode me dizer com quem estou falando?"
"Sim, aqui é um velho amigo dele, Willy... basta dizer que é Willy..."
"Pode me dizer o seu sobrenome?"
"Como?"
"Seu sobrenome?"
"Basta dizer ao Murphy, bem, talvez você possa me ajudar. Sabe, eu trabalhei na obra da Pan Am com Murphy e..."
"Só um minuto, por favor", interrompia Chris, e ligava para Murphy pelo sistema de comunicação interno e dizia: "Estou na linha com um Willy que trabalhou para você...".

"*Eu não quero falar com esse filho da puta*", retrucava Murphy. De volta ao telefone, Reisman dizia: "Sinto muito, senhor, mas o senhor Murphy não está".

"O quê?"

"O senhor Murphy não virá aqui hoje."

"Está bem, eu ligo amanhã."

"Ótimo", dizia Chris desligando, para logo atender uma outra chamada com o seu "Bom dia, American Bridge...".

Numa quinta-feira, 21 de novembro, um guindaste enguiçou, e uma peça de aço de quatrocentas toneladas, que estava sendo içada, emperrou na metade do trajeto, não pôde subir mais e ficou pendurada a noite inteira. No dia seguinte, depois de consertada a máquina, houve manifestações de insatisfação do sindicato porque a construtora se negava a colocar redes de proteção sob a ponte em construção. A luta estava sendo liderada pelo presidente do sindicato local, Ray Corbett, que também fora operário metalúrgico e trabalhara na colocação da torre de televisão sobre o Empire State. Na segunda-feira, 2 de dezembro, os operários abandonaram os trabalhos da ponte.

O argumento usado contra a colocação das redes de segurança não era tanto o dinheiro ou o tempo que seriam gastos para estendê-las, embora esses fatores pesassem, mas a convicção da empresa de que as redes não constituiriam nenhuma garantia contra a morte. As redes nunca poderiam ser grandes o bastante para proteger toda a parte inferior da ponte, argumentavam, e além disso as peças a serem içadas teriam que passar pelo lugar onde elas estariam estendidas. Achava-se também que as redes, mesmo pequenas e colocadas aqui e ali, e sendo deslocadas à medida que os homens se deslocavam, podiam dar uma sensação falsa de segurança e dar margem à ocorrência de acidentes que, sem elas, não ocorreriam.

A greve durou de 2 a 6 de dezembro, terminando com a vitória dos sindicatos operários — eles conseguiram as redes, ainda que lhes parecessem muito pequenas, e no ano seguinte ficou provado que Ray Cobertt tinha razão: três homens caíram da ponte e foram salvos da água pelas redes.

Em janeiro, com as balsas chegando o dia inteiro com uma e às vezes duas peças de aço de quatrocentas toneladas para serem içadas, cerca de trinta das sessenta já estavam suspensas nos cabos e, pelo menos àquela altura, as coisas pareciam estar sob controle. Todo dia, quando havia sol, os velhos aficionados de pontes, munidos de binóculos, ficavam tiritando na margem do Brooklyn, observando, trocando sábios comentários e vez por outra conversando com os operários que passavam para um lado e para o outro do portão em que se lia:

É PROIBIDO TOMAR CERVEJA E QUAISQUER OUTRAS BEBIDAS ALCOÓLICAS NO TRABALHO. OS APRENDIZES QUE TROUXEREM BEBIDAS ALCOÓLICAS PARA OPERÁRIOS DURANTE O TRABALHO SERÃO DISPENSADOS.

"Vocês nunca bebem na ponte, certo?", perguntou um homem que estava no portão a um índio operário chamado Bronco Bill Martin.

"Quem?"

"Você."

"Eu só bebo cerveja."

"Mas com isso você não perde o equilíbrio?"

"Sei lá", disse Bronco. "Só sei que vou trabalhar, bebo cerveja, subo na ponte e me sinto melhor na ponte do que no chão. Tomo uma dúzia de latas de cerveja e consigo andar em linha reta na ponte."

"Uma dúzia?"

"É", disse ele. "Fácil, fácil."

Alguns metros adiante, um grupo de homens de cabelos brancos, alguns dos quais engenheiros ou operários da construção civil aposentados, todos eles transformados em "superintendentes de praia", observavam a ponte, ouvindo o ranger dos guindastes e o eco das instruções que o Ruivo Kelly dava, aos berros, pelo megafone, de uma balsa sob a peça de aço de quatrocentas toneladas que estava sendo içada. Era um show aquático fascinante, extraordinariamente plástico e dramático, mesmo para aqueles senhores idosos que só assistiram ao final.

O show havia começado mais de uma hora antes, no rio, do lado de Jersey. Ali, na parte do depósito da American Bridge Company que dava para a margem do rio, uma peça de aço de quatrocentas toneladas (peça que fora fabricada em partes menores em usinas da United States Steel em outros Estados, depois transportados por ferrovia para o depósito de Nova Jersey, onde foram montadas) descansava sobre uma gigantesca balsa dupla, que naquele momento estava sendo empurrada por um rebocador e puxada por outro.

Cerca de setenta operários acenavam do depósito para os rebocadores — mais quatrocentas toneladas estavam indo embora. O piloto do rebocador, um norueguês-americano magro e loiro chamado Villy Knutsen, manobrava com cuidado pelo porto de Nova York, em meio a uma parafernália de petroleiros, balsas, cruzeiros de luxo, porta-aviões, barcos pesqueiros, pedaços de madeira e latas de cerveja à deriva — apertando os olhos claros por causa do sol e dos borrifos. Naquele dia ele conversava com um taifeiro, Robert Guerra, contando-lhe como odiara a ponte no início de sua construção. Os Knutsen foram uma das famílias de Bay Ridge cujas casas foram ameaçadas pelas obras da ponte. Villy Knutsen e sua mulher participaram dos protestos e assinaram muitos abaixo-assinados, mas finalmente mudaram para Port Jefferson, Long Island.

"Como eu odiava a ponte naquela época", repetia ele.

"Bom, agora você não deve mais odiá-la", disse Guerra. "Ela lhe dá o ganha-pão."

"Sim", concordou Knutsen, dando um giro rápido na roda do leme do rebocador para passar ao largo de um petroleiro que se aproximava, depois voltando a cabeça para observar a balsa cortando as vagas sob o peso da peça de aço. Tudo estava correndo bem.

Quarenta minutos depois, Knutsen estava aproximando o rebocador, e sua imensa carga de aço, da ponte. Os velhos postados na margem levantaram seus binóculos, e os operários da ponte ficaram de prontidão. Ao pé de uma das torres um empurrador gordo, de cenho franzido, com um telefone apertado contra o ouvido esquerdo, observava o guindaste na torre e dizia: "Alô, Eddie? Eddie? Eddie? Alô, Eddie?".

Eddie, o sinaleiro que estava no alto da torre, não respondeu.

"Alô, Eddie?" Nenhuma resposta.

"Me passe esse telefone", disse outro empurrador, tomando-o da mão do primeiro.

"Alô, Eddie? Alô, Eddie?"

"Alô", respondeu uma vozinha em meio à estática.

"Alô, Eddie?"

"Não, Burt."

"Burt, aqui é Joe. Estou aqui embaixo. Eddie está na cabine?"

Silêncio.

"Alô, *Burt*? Alô, *Burt*?"

"Por Deus", gritou o empurrador que estava com o telefone, afastando-o do ouvido e franzindo o cenho novamente. Em seguida aproximou-o da boca mais uma vez. "Alô, Burt? Burt, alô, Burt...?"

"Sim?"

"Que diabos está acontecendo, Burt?"

"Você deve estar com um fio partido."
"Bom, continue falando, Burt."
"Certo, Joe."
"Continue falando, Burt... continue..." O telefone ficou mudo novamente.
"Pelamordedeus", gritou Joe. "Alô, Burt? Alô? Alô, alô, alô? Nada... Alô?... Nada. Alô, Burt?"
"Alô", respondeu a voz lá de cima.
"Burt?"
"Não, aqui é o Eddie."
"Continue falando, Eddie..."
Finalmente restabeleceu-se a comunicação telefônica entre o empurrador que estava em terra e o homem que, no alto, controlava os movimentos do guindaste. Logo o rebocador de Villy Knutsen colocaria a balsa na posição certa, e o passo seguinte seria atar os cabos à peça de aço, para que pudesse ser içada para o vão, setenta metros acima.

Toda a operação se faria sob a supervisão direta de um homem, que agora passava de um barco de serviço para a balsa — isto é, para o palco. Era um homem corpulento, troncudo, de 106 quilos, 1,90 metro, e seu vulto dava na vista mesmo para quem estava em terra, porque usava um casaco xadrez vermelho e um grande capacete marrom, inclinado para a frente, sobre os cabelos ruivos e o narigão tosco, e porque sempre trazia na mão direita um megafone amarelo, por meio do qual gritava suas ordens aos operários no alto da ponte. Ele era Jack Kelly, "o Ruivo", o segundo homem na hierarquia da ponte, atrás apenas do próprio Murphy Durão.

De repente a atenção de todos os homens, e também de todos os binóculos ao longo da costa, concentrou-se em Kelly, que observava atentamente um punhado de operários amarrar pesados cabos nas quatro extremidades superiores da peça de aço, enquanto ela balançava levemente com a balsa fundeada. Quando os cabos ficaram bem amarrados, os homens pularam de uma balsa para outra. Kelly fez o mesmo, e em seguida gritou "O.k., agora vamos... pra cima... PRA CIMA...".

Devagar, os guindastes de cima da torre, os cabos de aço que passavam pelos cabos principais da ponte, descendo em seguida até os quatro cantos da peça de aço ao nível do mar, começaram a ranger e terminaram por levantar da balsa as quatrocentas toneladas.

Em poucos minutos, a peça estava seis metros acima da balsa, e Kelly gritava: "Solte um pouco...". Depois: "Vá em frente, vá em frente, mantenha a velocidade"; e no alto da ponte o sinaleiro, com fones nos ouvidos, passava as instruções para os homens que manobravam os guindastes.

Em 25 minutos a peça fora erguida 68 metros no ar, e os operários encarregados de conectá-la às outras peças já esticavam o corpo em sua direção, seguravam-na com as suas luvas, ligando-a em seguida, temporariamente, a uma das peças já fixadas no lugar.

"Belo trabalho", disse um dos velhos com binóculos.

"Sim, um belo espetáculo", comentou outro.

A maioria das sessenta peças foi erguida dessa maneira — com admirável eficiência e rapidez, apesar do vento e do frio penetrante. Logo depois do Ano-Novo, porém, uma peça que deveria ser erguida para a torre do Brooklyn, bem perto da margem, causou um grande problema, e os "superintendentes de praia" tiveram oportunidade de testemunhar o temperamento de Murphy.

Quando a peça de aço já fora erguida uns poucos metros acima da balsa, uma fileira de cabos de contenção, estendidos horizontalmente da torre do Brooklyn até a peça de aço, soltaram-se com um rangido. (Os cabos de contenção eram necessários nesse caso porque a peça tinha de subir obliquamente, visto que a balsa não podia fundear perto o bastante da margem do Brooklyn para permitir a subida reta.)

Súbito, a estrutura de aço de quatrocentas toneladas girou, depois avançou em velocidade em direção à costa do Brooklyn, ainda pendurada nos cabos, mas fora de controle. Ela avançou zunindo até poucos centímetros de uma cerca de segurança sob a ancoragem, depois pendeu para trás e ficou balançando perigosamente acima das cabeças de algumas dezenas de operários. Alguns se jogaram no chão; outros correram.

"*Je-sus*", exclamou um dos espectadores da costa. "Você viu aquilo?"

"Meu Deus!"

"Oh, se o velho Ammann estivesse aqui agora teria tido um ataque!"

Embaixo, a partir do píer e ao longo dos pedestais da torre, assim como no próprio vão, houve gritos histéricos, pragas, brandir de punhos. Um telefonema urgente para Murphy Durão o fez atravessar o Narrows de barco, agitadíssimo, e seus xingamentos ecoaram por meia hora ao longo da margem de Bay Ridge.

"Que equipe colocou as braçadeiras naquele troço?", perguntou Murphy.

"A equipe de Drilling", alguém respondeu.

"E onde diabos está ele agora?"

"Ele não veio hoje."

Com certeza Murphy nunca ficou tão furioso como naquela sexta-feira, 3 de janeiro. John Drilling, que tanta sorte tivera na ponte Mackinac, em Michigan, e que havia pouco tempo fora promovido a empurrador, apesar de ter apenas 27 anos, telefonara naquele dia dizendo que iria faltar por motivo de saúde. Estava em seu apartamento no Brooklyn, com sua esposa loira, uma garota encantadora que ele conhecera num restaurante do bairro, onde ela trabalhava como garçonete. Seu pai, Drilling "Dou no pé", morrera de um ataque cardíaco antes de começarem os trabalhos de entrelaçamento dos cabos. Na opinião de alguns, se ele não tivesse morrido, teria sido o superintendente da American Bridge em lugar de Murphy Durão. A perda do pai e a responsabilidade de ter uma nova mulher e um filho pareciam ter transformado John Drilling: do desordeiro que fora em Michigan, agora era um jovem maduro. Mas, de repente, ele se metera numa enrascada. Embora não estivesse presente no momento do acidente que poderia resultar em muitas mortes, ele era o responsável; ele deveria ter verificado as braçadeiras colocadas por sua equipe no dia anterior.

Quando John Drilling voltou para a ponte, ainda ignorando o acidente, encontrou seu amigo, colega e *boomer* como ele, Ace Cowan, um sujeito alto de Kentucky, que era "chefe andarilho" do vão do Brooklyn.

"Qual é o programa hoje, Ace?", perguntou Drilling animadamente naquela manhã.

"Bem...", disse Cowan, olhando para o chão. "Eles... o escritório da empresa mandou que eu o pusesse para trabalhar como subordinado na equipe novamente."

"Na equipe! O quê? Só por tirar uma porra dum dia de folga?"

"Não, é que as braçadeiras deslizaram..."

Drilling empalideceu.

"Alguém se feriu?"

"Não", disse Cowan. "Mas todo mundo está puto... Quer dizer, Ammann e Whitey, e Murphy, e Kelly e todo mundo."

"Em que equipe me colocaram?"

"Na de Whitey Miller."

Whitey Miller, na opinião de quase todos os operários que já haviam trabalhado num raio de 1,5 quilômetro dele, era o mais duro, mais cruel, mais implicante empurrador da ponte Verrazano-Narrows. Drilling engoliu em seco.

8. Os índios

Naquela noite no Johnny's Bar, perto da ponte, os homens praticamente não falaram sobre outro assunto.
"Soube do caso do Drilling?"
"Pois é, coitado."
"Puseram ele pra trabalhar na equipe de Whitey Miller."
"É uma vergonha."
"Mas esse Whitey Miller é um grande metalúrgico", interveio outro. "Vocês hão de convir."
"Sim, reconheço, mas ele não está nem aí se alguém morre."
"Eu não diria isso."
"Pois eu digo. Esse fulano não seria capaz de ir pra porra do seu enterro."

Mas na mesma noite, em outro bar do Brooklyn também apinhado de operários, não havia nenhuma tristeza — ninguém pensava em Whitey Miller, ninguém lamentava a sorte de Drilling. Aquele bar, The Wigwam, no número 75 da Nevis Street, na região de North Gowanus, era onde os índios costumavam beber. Eles pareciam os mais indiferentes, os mais desprendidos dos operários; trabalhavam tão duro como qualquer um na ponte, mas terminado o expediente eles deixavam a ponte para trás, esqueciam-na completamente, perdidos numa nuvem de fumaça, na espuma da cerveja, na música de The Wigwam.

Lá era sua casa longe de casa. Era sua caixa de correspondência, seu clube. Nos fins de semana os índios rodavam mais de 660 quilômetros até o Canadá, para visitar suas mulheres e filhos na reserva de Caughnawaga, a uns treze quilômetros de Montreal, na margem sul do São Lourenço; durante a semana eles se reuniam no Wigwam para beber cerveja canadense (às vezes cada um chegava a tomar vinte garrafas), para se embebedarem juntos, e solitariamente.

Nas paredes do bar havia pinturas murais mostrando chefes índios. Havia também uma grande fotografia de um atleta índio, Jim Thorpe. Acima da entrada do bar havia um cartaz em que se lia: POR ESTA PORTA PASSAM OS MAIORES OPERÁRIOS METALÚRGICOS DO MUNDO.

Os donos do bar eram Irene e Manuel Vilis. Irene era uma jovem índia simpática e esbelta, de uma família de operários metalúrgicos da reserva de Caughnawaga; Manuel, seu marido, era um jogador de cartas espanhol, com um fino bigode torcido para cima; ele lembrava Salvador Dalí. Manuel nascera na Galícia, e depois de passar vários anos na marinha mercante, abandonara o navio e se estabelecera em Nova York, trabalhando como ajudante de garçom e lavador de garrafas em restaurantes de quinta categoria.

Na Segunda Guerra Mundial ele se alistara no exército dos Estados Unidos, desembarcara na Normandia e ganhara muito dinheiro jogando cartas. Ele economizou alguns milhares de dólares assim, e, quando deu baixa, e depois de alguns anos como garçom no Brooklyn, comprou seu próprio bar, se casou com Irene e batizou o bar de The Wigwam. Mais de setecentos índios, quase todos operários metalúrgicos, viviam a uma distância de no máximo dez quarteirões de The Wigwam. Seus pais e os pais de seus pais também haviam sido metalúrgicos. Tudo começou na reserva de Caughnawaga, em 1886, quando a Dominion Bridge Company iniciou a construção de uma ponte de cantiléver sobre o rio São Lourenço. A ponte fora encomendada pela ferrovia Canadian Pacific, e uma parte da construção ficaria em terras indígenas. Em troca da autorização para usar as terras, a empresa fez um acordo com os chefes indígenas comprometendo-se a utilizar, sempre que possível, o trabalho dos índios. Antes disso, os caughnawagas — uma tribo de Mohawks miscigenados que sempre resistiram à ideia dos jesuítas de transformá-los em lavradores — ganhavam a vida como barqueiros, trabalhando para comerciantes de peles franceses, como balseiros de madeireiros, como artistas de circo — qualquer trabalho em que ficassem ao ar livre e que oferecesse um pouco de emoção.

Quando a empresa construtora chegou, empregou índios para ajudar os operários que trabalhavam em terra firme, para carregar baldes de rebites de um lado para outro, mas não para arriscar suas vidas na ponte. Mas longe da vista dos operários os índios subiam na ponte em construção e passeavam tranquilamente pelas vigas lá em cima, como se não tivessem feito outra coisa na vida; a grandes altitudes, os índios pareciam, nas palavras de um funcionário da construtora, "ágeis feito cabritos". Mostravam também um grande desejo de aprender a trabalhar na construção de pontes — ganhava-se bem, viajava-se muito —, e depois de um ou dois anos muitos deles se tornaram rebitadores e conectadores. Nos vinte anos seguintes dezenas de caughnawagas estavam trabalhando em pontes em todo o Canadá.

Em 1907, no dia 29 de agosto, quando se construía a ponte de Québec sobre o São Lourenço, o vão desmoronou. Oitenta e seis operários, muitos deles caughnawagas, caíram. Morreram 75 metalúrgicos. (Entre os engenheiros que investigaram o acidente, concluindo que os projetistas pouco sabiam sobre resistência de pontes tão grandes, estava O. H. Ammann, então com 27 anos de idade.)

Imaginava-se que o desastre da ponte de Québec faria que os índios, dali para a frente, se afastassem do trabalho de construção de pontes. Mas aconteceu justamente o oposto. O desastre deu prestígio ao operário das pontes — tornou mais evidente o caráter temerário desse tipo de trabalho, coisa para a qual os índios não tinham atentado até então — e consequentemente aumentou o número de índios interessados nesse tipo de atividade.

Durante o *boom* de construção de pontes e arranha-céus na região metropolitana de Nova York, nas décadas de 1920 e 30, os índios vieram em grande número e trabalharam em muitas obras, entre as quais a construção do Empire State, do edifício da RCA, da ponte George Washington, do elevado Pulaski, do Waldorf Astoria, das pontes Triborough, Bayonne e Henry Hudson. Havia tanto trabalho na cidade de Nova York que os índios começaram a alugar apartamentos e quartos mobiliados na região de North Gowanus do Brooklyn, uma área central de onde podiam se deslocar facilmente para qualquer região da cidade.

E naquela noite de sexta-feira, no The Wigwam, depois de terem recebido o pagamento, aqueles netos dos índios que morreram em 1907 na ponte de Québec, filhos dos índios que trabalharam na ponte George Washington e no Empire State, aqueles homens que agora trabalhavam na maior de todas as pontes, não estavam nem um pouco preocupados com pontes ou desastres: estavam pensando principalmente em seus lares, bebendo cerveja canadense e ouvindo música.

"Esses índios são muito doidos", dizia Manuel Vilis, sentado num canto do bar, balançando a cabeça e observando o salão lotado. "A única coisa que eles fazem quando estão longe da reserva é construir pontes e beber."

"Os índios não bebem mais do que os outros operários da ponte, Manny", disse Irene rispidamente, defendendo os índios, como sempre, das críticas do marido.

"Não bebem mais uma ova", disse ele. "E daqui a uma meia hora metade desses sujeitos, já de cara cheia, vai entrar em seus carros e dirigir até o Canadá."

Eles faziam isso toda noite de sexta-feira, ele disse, e quando chegavam à reserva, às duas da manhã, tocavam as buzinas, acordando todo mundo. Logo todas as luzes estariam acesas e todos bebendo e comemorando noite adentro — os caçadores estavam em casa, e tinham trazido a carne.

No domingo à noite, disse Manuel Vilis, todos partiam de volta para Nova York, correndo durante todo o trajeto, e morriam muito mais índios em acidentes automobilísticos do que caindo das pontes. Enquanto ele falava, os índios continuavam a beber, viam-se notas de cinco e de dez dólares em todo o bar. Às 18h30 um índio gritou para outro: "Vamos, Danny, engula isso e vamos puxar o carro". Então Danny Montour, que iria de carro para a reserva naquela noite levando dois outros índios, esvaziou o próprio copo, fez um aceno de despedida para Irene e Manuel, e se preparou para a viagem de mais de seiscentos quilômetros.

Montour era um jovem muito bonito, de 26 anos. Tinha olhos azuis, um rosto fino de traços bem pouco indígenas, cabelos quase loiros. Era casado com uma extraordinária beldade índia, tinha um filho de dois anos, e todo fim de semana ia para a reserva de carro para visitá-los. Montour dera ao filho o nome de seu pai, Mark, um operário que ficara gravemente ferido num acidente de carro e morrera algum tempo depois. O avô paterno de Danny estava entre as vítimas do acidente da ponte de Québec, e morrera em consequência dos ferimentos. Seu avô materno, também metalúrgico, estava bêbado no dia do acidente, sem condições, portanto, de subir para trabalhar na ponte. Ele morreu algum tempo depois, num acidente de carro.

Apesar de tudo isso, Danny Montour, desde criança, nunca duvidou um instante de que seria operário metalúrgico. Que outra profissão poderia dar tanto dinheiro e prestígio na reserva? Deixar de ser operário metalúrgico era virar agricultor — e ser acordado às duas da manhã pelas buzinas dos carros dos operários de volta a suas casas.

Assim, dos 2 mil homens da reserva, poucos se tornaram agricultores, balconistas ou frentistas, e raríssimos se fizeram médicos ou advogados, mas 1700 eram operários metalúrgicos. Não dava para escapar disso. Aquilo lhes entrava no sangue quando, ainda crianças de berço, eram acordados pelas buzinas. As luzes se acendiam, as mães os tomavam no colo, desciam as escadas com eles e os levavam até os pais, todos sorridentes, cheios de dinheiro e cheirando a uísque e cerveja, felicíssimos por estarem em casa. Esses pais, incapazes de impor disciplina, davam notas de dinheiro aos filhos para eles brincarem, e todas as crianças índias cresciam com dinheiro nas mãos. Elas gostavam de manusear as notas, e mais tarde queriam mais, e *rápido*: para terem carros velozes, vidas movimentadas, viagens desabaladas de ida e volta à reserva, entre longos fins de semanas e pontes intermináveis.

"É uma vida boa", explicava Danny Montour, enquanto passava com seu carro pela Henry Hudson Parkway, em Nova York, e pela ponte George Washington. "Você *vê* o seu trabalho, você o vê tomar forma, a partir de um buraco no chão, transformando-se num edifício alto ou numa grande ponte."

Ele parou de falar por um instante. Em seguida, contemplando pela janela a silhueta dos edifícios contra o céu de Nova

York, disse: "Sabe, eu dou um nome a esta cidade. Não sei se alguém já a chamou assim antes, mas eu a chamo de a Cidade das Montanhas Feitas pelo Homem. Todos fazemos parte dela, e isso nos dá uma sensação boa — somos construtores de montanhas...".

"É isso mesmo, Danny, meu garoto", disse Del Stacey, o índio metalúrgico que estava um pouco alto, sentado ao lado de Montour no banco da frente, com os pés apoiados em meia caixa de cerveja e um saco de gelo. Stacey era um jovem baixo, rechonchudo, pele acobreada, que estava usando um chapéu de palha enfeitado com uma pena vermelha; quando queria abrir uma garrafa de cerveja, tirava a tampa com os dentes.

"Mas às vezes", continuou Montour, "tenho vontade de ficar mais em casa, de conviver mais com minha mulher e meu filho..."

"Mas a gente não pode, garoto", interveio Stacey animadamente. "Temos que construir montanhas para eles, Danny, e deixar as mulheres em casa. Assim elas sentem saudades de nós e não ficam cheias de si, certo?" Stacey terminou de tomar sua garrafa de cerveja e abriu outra com os dentes. O terceiro índio, sentado no banco de trás, dormia a sono solto.

Quando Montour entrou na autoestrada de Nova York, começou a correr, e às vezes o ponteiro do velocímetro marcava entre 140 e 160 quilômetros por hora. Ele bebera três ou quatro drinques no bar, e agora, com a mão direita, ia bebericando o gim que Stacey lhe passara; não obstante, parecia sóbrio e atento. A autoestrada estava vazia e, de vez em quando, ele dava uma olhada pelo retrovisor para ver se estava sendo seguido por algum carro da polícia.

Durante a longa viagem Montour só parou uma vez; em Malden, Nova York, ele parou numa Hot Shoppe por dez minutos para tomar uma xícara de café — e lá ele viu Mike Tarbell e muitos outros índios também a caminho do Canadá. Aí pelas onze da noite ele estava passando, a toda velocidade, por Warrensburg, Nova York, e uma hora depois saíra da autoestrada e estava na Route 9, uma estrada secundária de duas pistas, e Stacey gritava: "Só faltam 65 quilômetros, Danny".

Agora, sem radares e sem carros à vista, o grande Buick de Montour disparava a mais de 190 quilômetros por hora, zunindo por entre as árvores e deixando-as para trás, deslizando pela pista negra — e parecia que, a qualquer momento, surgiria um caminhão no para-brisa, como sempre aparece de repente no cinema, perto do fim do filme, para dar cabo de alguns personagens.

Mas naquela noite não apareceu nenhum caminhão no caminho de Danny Montour.

À 1h35 da manhã, ele fez uma curva fechada, entrando numa longa estrada enlameada, passou em velocidade por uma grande ponte negra cuja silhueta se destacava, ao luar, por sobre o canal São Lourenço — tratava-se da ponte ferroviária canadense construída em 1886, a mesma em que os índios começaram a trabalhar como metalúrgicos. Com uma freada que fez cantar os pneus, Montour parou na frente de uma casa branca.

"Estamos em casa, seus índios sortudos", exclamou ele. O índio que dormira durante a viagem no banco de trás acordou e piscou os olhos. As luzes se acenderam na casa branca, que era a de Montour. Todos entraram para tomar um drinque rápido, e logo Lorraine, a mulher de Danny, desceu as escadas, acompanhada de Mark, o menino de dois anos. Lá fora outras buzinas tocavam, outras luzes se acendiam; e algumas ficariam acesas até as quatro da manhã. Então, uma a uma, elas foram se apagando, e o último dos índios adormeceu — para só acordar no sábado à tarde, com um interminável cortejo de cobradores batendo nas portas: leiteiros, empregados de lavanderia, jornaleiros, encanadores, vendedores de aspiradores de pó e de enciclopédias, negociantes de ferro-velho, corretores de seguros. Todos eles esperavam a tarde do sábado, quando os operários estavam em casa felizes e relaxados, para tirar o seu dinheiro.

A própria reserva estava silenciosa e tranquila. Esta consiste em uma estrada de duas pistas que descreve uma ampla curva de doze quilômetros, próximo à margem sul do rio São Lourenço. Ao longo da estrada, alinham-se centenas de casinhas brancas de madeira, a maioria com varandas na frente — varandas onde normalmente se veem velhos índios. Eles descansam em cadeiras de balanço, fumando cachimbo e olhando tranquilamente a passagem dos carros ou os grandes navios deslizando no São Lourenço — navios cujos marinheiros, nos tombadilhos, acenam para qualquer índia que veem andando na rua.

Muitas das jovens índias são lindas. Elas compram suas roupas nas lojas de Montreal e fazem o cabelo nas tardes de sexta-feira. Suas roupas e seus lares refletem muito pouco o estilo indígena — não se veem bebês vestidos à maneira índia, nem tótens, nem quinquilharias indígenas nas paredes. Algumas casas de índios não têm água encanada, a latrina é externa, mas ao que parece todas têm aparelho de televisão. Os únicos sons que se ouvem nas tardes de sábado são o repicar dos sinos da igreja católica próxima da estrada — quase todos os índios são católicos — e, vez por outra, as buzinas de um desfile de carros comemorando um casamento ou um batizado.

As únicas tabuletas de estrada com símbolos indígenas são a do CHARLIE MOHAWK'S SNACK BAR e, mais adiante, do outro lado da estrada, a do MUSEU INDÍGENA CHEFE POKING FIRE. A tabuleta do *snack bar* foi colocada principalmente para divertir os turistas que passam todos os dias num ônibus amarelo; na parte interna, porém, o estabelecimento parece uma lanchonete, com um punhado de adolescentes exibindo cortes de cabelo modernos e fumando cigarros, garotas de rabo de cavalo e calças jeans apertadas — todos dançando ou se sacudindo ao som do rock'n'roll que irrompe ruidosamente do jukebox.

No Museu do chefe Poking Fire, a coisa é diferente; destina-se exclusivamente a turistas. O chefe e sua família aparecem várias vezes por dia, vestidos a caráter, e dançam, urram, ululam e brandem machadinhas diante dos turistas, que filmam tudo com suas câmeras de 16 mm, e assim têm o que mostrar de sua visita à reserva indígena.

O prefeito índio da reserva de Caughnawaga é John Lazare, que acredita ser um índio judeu. Ele sucedeu seu irmão, Matthew, no cargo de prefeito, e Matthew sucedeu o pai deles. A família Lazare tem um posto de gasolina, do mesmo lado da estrada onde fica o museu. Além de gasolina, o posto vende também gás de cozinha para os índios.

O prestígio político de que goza a família Lazare em todos esses anos deve-se em grande parte aos discursos do prefeito Lazare, que normalmente incluem a frase "Os índios deveriam poder fazer tudo", e também às críticas que a família vem fazendo há muito tempo ao uso de placas nos carros. Os índios odeiam dirigir carros com placas e gostariam de arrancá-las, certamente para receber menos multas por excesso de velocidade (embora muitos índios as ignorem, pois as consideram inválidas, visto não terem sido reconhecidas por nenhum tratado assinado por eles).

Nas tardes de sábado, quando os índios saíam de suas camas (se é que saíam), normalmente jogavam lacrosse, quando não estava fazendo muito frio. Nos meses de verão eles passavam as tardes passeando pelo canal do São Lourenço em lanchas fabricadas por eles próprios, pescando ou vendo televisão. Na manhã de domingo tomavam seu tradicional desjejum, composto de bife com broa de milho, e normalmente passavam a manhã inteira morgando em casa. À tarde, saíam para visitar os amigos.

Mais tarde, em algum momento entre as oito e as onze da noite, os carrões cheios de operários pegavam as estradas da reserva, dirigindo-se em seguida às vias expressas com destino a Nova York. Para as mulheres índias aquele era um momento triste. Para os homens, a estrada de volta parecia duas vezes mais longa que a percorrida na sexta à noite, com destino à reserva. O álcool que muitos deles ingerem no caminho é a única coisa que os ajuda a suportar a viagem de volta a Nova York — e pode ajudar também a matá-los.

E assim, naquela noite de domingo, Danny Montour deu um beijo de despedida em sua mulher, fez um carinho no filho e foi pegar os colegas para a longa viagem de volta.

"Tenha cuidado", disse Lorraine da varanda.

"Não se preocupe", respondeu ele.

E durante toda a segunda-feira ela e outras índias ficavam apreensivas, temerosas de telefonemas, esperando não os receber. Quando não os recebiam, as mulheres ficavam contentes, e lá pelo meio da semana o contentamento beirava o júbilo, na expectativa do que estava por vir — os sons das buzinas da sexta-feira à noite, o chamado rouco dos Cadillacs, Buicks e Oldsmobiles, os sons que trariam seus maridos de volta à casa... e levariam seus filhos embora.

9. De volta a Bay Ridge

Na primavera de 1964, para nenhuma surpresa das pessoas do bairro, que havia muito desconfiavam, por trás das cortinas pretas, dos toldos e da parede branca de tijolinhos do número 125 da rua 86, na área elegante da Colonial Road de Bay Ridge, foi descoberto um prostíbulo.

Algumas pessoas, naturalmente, puseram a culpa nos *boomers*, evocando a lembrança das louras provocantes que perambulavam pela margem atrás da ponte. Mas o *Brooklyn Spectator*, que publicou toda a história no dia 20 de março, quando a polícia já tinha reunido provas suficientes para efetuar prisões, informou que havia cidadãos importantes de Bay Ridge entre os clientes, embora não revelasse nomes. A história causou sensação — "o primeiro caso desse tipo publicado neste jornal em seus 32 anos de história", anunciou o *Spectator* — e não apenas toda a tiragem se esgotou, mas a própria redação ficou sem nenhum exemplar em seus arquivos. Em vista disso, o jornal se apressou em anunciar que compraria, ao preço normal de dez centavos, qualquer exemplar do dia 20 de março, desde que estivesse em bom estado.

Depois de prender uma mulher loira de 36 anos que jurou ser uma "corretora de imóveis", e duas outras loiras que afirmaram ser "babá" e "recepcionista", a polícia revelou que até a cozinha da casa fora transformada em *boudoir*, que o papel de parede era "picante" e que havia espelhos no teto.

Muitos moradores respeitáveis dos velhos tempos de Bay Ridge ficaram chocados com a descoberta e, como é de praxe, lamentaram os novos tempos. E alguns poucos, olhando com apreensão a ponte quase terminada, previam que esta haveria de trazer muitas mudanças para pior — trânsito mais intenso nas ruas residenciais, edifícios de apartamentos em maior número e mais baratos (que poderiam se encher de crioulos), e a invasão do comércio num bairro tradicionalmente dominado por casas geminadas.

Fazia cinco anos que a ponte invadira Bay Ridge, e embora não se ouvissem mais protestos e as oitocentas edificações que estavam no caminho dos acessos tivessem desaparecido, muitas pessoas tinham boa memória e ainda odiavam a ponte.

Monsenhor Edward J. Sweeney, cuja paróquia no St. Ephrem perdera 2 mil de seus 12 mil paroquianos, diminuindo consideravelmente a coleta dos domingos, ainda se enfurecia só de ouvir falar na ponte. O dentista Henry Amen, que engordara dezoito quilos nos últimos cinco anos e agora prosperava em seu novo consultório 1600 metros a norte do antigo, ainda fervia de raiva quando dizia: "Ainda fico revoltado só de lembrar que fui obrigado a me mudar".

Em alguns casos a raiva em Bay Ridge estava tão viva em 1964 como em 1959, quando tremulavam pelo bairro bandeirolas onde se lia "Salvem Bay Ridge"; quando as pessoas gritavam "Quem precisa dessa ponte?"; quando um agente funerário, Joseph V. Sessa, afirmava que iria perder 2500 clientes em potencial, e com eles "um bom dinheiro"; e quando o movimento contra a ponte reunia as mais diferentes pessoas, como donas de casa, garçons, um piloto de rebocador, médicos, advogados, um casal com dezessete filhos (mais dois cachorros e um gato), um lutador de boxe aposentado, uma ex-integrante da Ziegfeld Follies, dois amantes clandestinos e centenas de outros que reagiram como era de esperar que quaisquer pessoas, de qualquer lugar, reagiriam se lhes ordenassem: "Vão embora de suas casas — temos de construir uma ponte".

No total, foram necessários dezoito meses para mudar as 7 mil pessoas, e agora, em 1964, embora a maioria tenha se estabelecido novamente em Bay Ridge, quase todas perderam contato com os antigos vizinhos, com os quais nada mais têm em comum, além das lembranças.

"Ah que dias tristes aqueles", lembrou Bessie Gros Dempsey, a ex-integrante da Follies, que agora mora a quatro quarteirões do lugar onde fora sua antiga residência. "Quando vieram fazer a demolição, nossos vasos de flores ficavam cobertos de poeira, e durante todo o dia a gente os via destruindo todas aquelas belas casas do outro lado da rua."

"A máquina que usavam", continuou ela, "era como a boca de um monstro: quando atacava um daqueles edifícios, rompendo telhados, tudo em volta se cobria de pó, e os cachorros começavam a latir por causa do barulho estranho que se ouve quando um edifício cai."

"Recordo que perto de onde morávamos havia uma grande *brownstone*, no estilo de um castelo irlandês, onde residia um artista. Quando a máquina a atingiu, ouvimos um barulho horrível que nunca vou esquecer. E lembro-me de assistir à destruição da casa colonial fronteiriça à minha. Tinha colunas na frente e varanda protegida com tela, e lá morava um belo casal de velhinhos que tinha duas gêmeas, e também um tio, Jack, um deficiente físico que costumava podar a sebe. Uma casa que inspirava tanto orgulho... foi uma pena ver a máquina derrubá-la."

"O casal que tinha as gêmeas agora mora no interior do estado de Nova York", disse a sra. Dempsey, acrescentando que não sabe o que foi feito de Jack, o tio portador de deficiência física. Disse também que o artista da *browstone* atrás da sua casa morreu, assim como outros cinco conhecidos seus das vizinhanças, de antes da ponte.

Por volta de 1964, a sra. Dempsey e muitas outras pessoas de Bay Ridge culpavam a ponte pela morte de muitos dos antigos moradores daquela área; elas diziam que a tensão e a frustração pela perda de suas casas e a incerteza em relação ao futuro contribuíram para a morte de muita gente, desde 1959. Uma mulher dizia que seu marido, que sempre tivera boa saúde, sofrera um ataque do coração fulminante e morrera depois de uma manifestação da campanha "Salvem Bay Ridge"; outra mulher culpava a ponte por sua vista fraca, dizendo que nunca precisara usar óculos até receber a notícia de que sua casa seria destruída por "aquela ponte".

A maioria dos antigos proprietários, principalmente os que viviam de pensões ou de rendas modestas, dizia que a mudança implicara dificuldades econômicas porque não tinham condições de bancar as despesas de uma casa do mesmo tamanho, num bairro tão bom como o antigo.

Naturalmente, alguns agradeciam a Deus por terem sido forçados a se mudar, ou reconheciam terem sido pessimistas demais em relação às mudanças que a ponte Verrazano-Narrows haveria de trazer. A sra. Carroll L. Christiansen, que mudara de Bay Ridge para Tenafly, Nova Jersey, indo morar numa casa de subúrbio com cerca de mil metros quadrados em volta, confessou: "Aqui é muito melhor que no Brooklyn". E acrescentou: "No Brooklyn as pessoas não têm convivência social — e pouco têm a ver umas com as outras. Mas aqui é totalmente diferente. Logo que cheguei aqui aprendi a jogar golfe. À noite, eu e meu marido jogamos cartas com outros casais e vamos aos bailes do clube de campo. Minha filha, que agora tem dezessete anos, se sentiu deslocada por mais ou menos um ano, mas depois fez muitas amizades. De modo geral, a vida aqui é muito mais fácil."

Joseph Sessa, o agente funerário que temia perder milhares de clientes, cinco anos depois estava indo muito bem em Bay Ridge; e os dois amantes — o divorciado e a mulher infeliz no casamento que vivia na casa fronteira — seguiram cada um o seu rumo (ela foi para Long Island, ele, para Manhattan) e nenhum dos dois reclama da ponte por tê-los separado. "Foi só uma ilusão passageira", comenta ela sobre o antigo caso amoroso, sentindo-se agora mais satisfeita com sua nova casa, com o marido e os filhos. O ex-amante, agora com 46 anos, executivo de uma companhia de seguros, conheceu uma jovem no escritório, solteira e na casa dos trinta anos, e toda noite se encontram na meia luz de um bar da Park Avenue South.

Florence Campbell, a divorciada que, com o filho, continuou em seu apartamento até 1960, apesar do assassinato acontecido no andar de baixo, agora acha que a ponte mudou sua vida para melhor. No novo quarteirão, uma amiga a apresentou a um conhecido seu da marinha mercante, os dois se casaram um ano depois e agora moram numa casa confortável na Shore Road.

O velho sapateiro que cinco anos atrás gritara *"fedaputa"* para as autoridades da ponte por destruírem sua pequena oficina, e que voltou desiludido para sua Cosenza natal, no Sul da Itália, retornou ao Brooklyn e agora tem outra oficina de sapateiro. Ele ficou descontente na Itália, e a vida entre seus parentes lhe era insuportável.

O sr. e a sra. John G. Herbert, pais de dezessete filhos, que antes da construção da ponte moravam numa casa de madeira barulhenta e em mau estado na esquina da rua 67 com a Sétima Avenida, em Bay Ridge, agora moram numa casa própria com três andares e nove cômodos. Em certa medida, sua situação está melhor do que quando moravam de aluguel na antiga casa.

A nova casa tem dois quartos mais que a outra, mas não é nem um pouco mais espaçosa, além de ficar espremida no meio de um quarteirão dominado por casas pré-fabricadas. Os filhos dos Herbert sentem saudades das árvores e do gramado em volta da antiga casa.

O sr. Herbert, um homem baixo e musculoso que trabalhava no arsenal da marinha, tem olhos azuis e cabelos brancos à escovinha. Às vezes procura escapar ao barulho e à confusão de sua casa bebendo muito, e quando o casal recebe visitas ele sempre as cumprimenta batendo-lhes nas costas, servindo um drinque e dizendo em voz alta: "Vamos, relaxem — tirem o casaco, sentem-se, tomem um drinque, *relaxem*", e a sra. Herbert, balançando a cabeça com ar de tristeza: "Vocês têm sorte de não morar aqui". Então o sr. Herbert, servindo mais um drinque, dá mais tapinhas nas visitas e repete: "Vamos, relaxem, tomem mais um drinque, *relaxem!*".

Dois dos filhos do casal — Eugene, de vinte anos, e Roy, de dezenove — se ressentem muito dessas cenas, e ambos se lembram de como ficaram felizes e esperançosos quando souberam, cinco anos antes, que sua velha casa ia ser derrubada. Finalmente, pensaram, iam sair da cidade e mudar para o campo, como seu pai sempre dissera que fariam.

Como isso não aconteceu, pois a família não teve condições de comprar outra casa que não aquela em que agora moravam, os jovens se sentiram enganados; cinco anos depois ainda sentiam saudades da casa antiga e sonhavam com uma igual a ela. Certo dia, no início da primavera de 1964, Eugene e Roy, querendo matar as saudades do lugar onde moravam, foram até o lugar onde ficava sua antiga casa, a cerca de 2,5 quilômetros de distância.

Agora tudo estava aplainado e coberto de concreto — tudo estava enterrado pela estrada que leva à ponte, à barreira do pedágio. Faltavam três meses para a estrada ficar pronta, por isso estava vazia, sem automóveis. Estava silenciosa e fantasmagórica. Eugene andou um pouco no meio da estrada vazia, parou e disse: "Roy, a casa ficava por aqui".

"É, acho que você tem razão", disse Roy. "Porque ali está o poste de telefone em que a gente subia..."

"E era ali que ficava a varanda..."

"Sim, e você lembra que, nas noites de verão, a gente ficava lá com o rádio ligado, e lembra quando fiquei de noite no sofá no maior amasso com a Vera?"

"Cara, lembro-me muito bem da Vera. Que avião!"

"E lembra que nas noites de sexta ficávamos sentados nos degraus esperando papai chegar do arsenal da marinha com dois litros de sorvete?"

"Eu me lembro, e ele nunca nos deixou na mão, não é?"

"Não, e lembro do que a gente cantava, todos nós, enquanto esperávamos por ele... Você se lembra?"

"Sim", disse Roy. E então os dois, em coro, repetiram a canção que cantavam em sua infância:

Você grita, eu grito
Todos gritamos
Pra ganhar sorvete

Você grita, eu grito
Todos gritamos
Pra ganhar...

Eles se entreolharam, um pouco embaraçados, depois ficaram em silêncio por um instante. Então se afastaram do lugar onde ficava a antiga casa, cruzaram a estrada vazia e, dando voltas por ali bem devagar, foram redescobrindo, uma a uma, outras coisas que lhes eram familiares. A calçada em que andavam de patins, as antigas rachaduras no cimento exatamente como lembravam. Havia algumas casas que não tinham sido derrubadas pela estrada nova. Restara ainda o parque Leif Ericson, onde brincavam quando crianças e onde, certa vez, cavaram um buraco bem fundo no gramado para enterrar coisas — canivetes, anéis, bolas de beisebol novas — tudo o que queriam esconder dos irmãos e das irmãs, porque na casa deles nada tinha dono, ninguém respeitava o que era dos outros.

Eles procuram na grama o buraco que haviam coberto com uma placa de metal, mas não o encontraram. Então atravessaram a rua e se dirigiram a uma das poucas casas que haviam sobrado no quarteirão. Uma senhora idosa estava sacudindo um pano de chão na janela. Eugene lhe disse: "Olá, senhora Johnson, somos filhos do Herbert. Lembra que a gente morava do outro lado da rua?".

"Ora, claro", disse ela sorrindo. "Mas dificilmente eu os reconheceria. Como vão vocês?"

"Bem. Agora estamos na rua 52."

"Oh", disse ela brandamente. "E como vai a sua mãe?"

"Vai bem, senhora Johnson."

"Bem, mandem lembranças a ela", disse a mulher, sorrindo, depois recolheu o pano de chão e fechou a janela.

Os rapazes foram andando pelo bairro deserto, passaram por máquinas de terraplenagem amarelas e por betoneiras que estavam paradas naquela tarde de sábado; pela longa estrada enlameada que logo seria pavimentada; por lugares que outrora, também por causa deles, eram cheios de vida.

"Roy, lembra daquele cachorro que latia feito um danado e nos dava o maior medo?"

"Lembro."

"E lembra a doceria que tinha aqui?"

"Sim, ela era do Harry. A gente roubava ele um bocado."

"E você lembra..."

"Ei", disse Roy. "Será que a Vera ainda está por aqui?"

"Vamos procurar uma cabine telefônica e tentar ver se a achamos."

Eles andaram três quadras até a cabine mais próxima. Roy procurou o nome no catálogo e então ligou "Ei, aqui está... SHore 5-8486."

Ele colocou uma moeda de dez centavos, discou o número, esperou, pensando em como iria começar. Mas logo viu que não era preciso pensar mais, porque ouviu apenas um clique, seguido da voz impessoal da telefonista: "Desculpe. O número que você discou está temporariamente fora de operação... Isto é uma gravação...".

Roy pegou a moeda de volta e a pôs no bolso. Ele e o irmão foram andando devagar até a esquina para esperar o ônibus — que não veio. Sem falar mais nada, começaram a andar de volta para sua casa barulhenta, na rua 52. Não era uma distância muito grande — apenas dois quilômetros e meio —, e não obstante, em 1959, no começo de sua adolescência, quando a família precisou de dezesseis horas para transportar toda a mudança, a viagem para a nova casa lhes pareceu longuíssima, uma verdadeira aventura.

Agora eles percebiam, enquanto andavam, que fora uma viagem pequena, que nada mudara, para o bem ou para o mal — e era como se eles na verdade não tivessem mudado de casa.

10. A febre da estrada

Uma doença comum entre os operários metalúrgicos, uma espécie de coceira chamada "febre da estrada", parecia grassar em toda a extensão dos cabos na primavera de 1964, causando desassossego e impaciência, uma espécie de comichão nos homens, e muitos começavam a se perguntar: "Para onde vou agora?".

De repente, a ponte parecia estar terminada. Não estava terminada, claro — ainda faltavam oito meses de trabalho —, mas todas as peças pesadas de aço agora estavam conectadas, cruzando o céu. A parte mais perigosa já fora feita, quase não havia mais desafios. Com a primavera, o pessimismo e o frio do inverno foram dissipados por uma estranha certeza de que nada podia dar errado: um calouro chamado Roberts escorregou da ponte, caiu na direção do vento, mas foi salvo pela rede; uma broca pesada despencou lá de cima em direção à cabeça de um índio chamado Joe Tworivers, mas só lhe atingiu os dedos dos pés de raspão. Ele soltou um resmungo e continuou andando.

A visão das sessenta peças de quatrocentas toneladas pendentes dos cabos, formando um belo arco-íris de aço vermelho cruzando o mar de Staten Island até o Brooklyn, era estimulante para os espectadores que a viam da costa, mas para os operários da ponte apenas anunciava a pasmaceira que estava por vir. Porque a fase seguinte da construção, conhecida no *métier* como "repasse do aço", consistiria principalmente em verificar todo o vão, ao mesmo tempo que se içavam e se colocavam pequenas peças de aço na estrutura — esteios, grades, acessórios — e em seguida apertar e tornar a apertar os pinos. Terminados todos os acabamentos no vão, apertados todos os pinos, as betoneiras entrariam em ação para pavimentar a pista de rolagem, e em seguida viriam os eletricistas para colocar as luzes, depois os pintores para cobrir o aço vermelho com tinta prateada.

E finalmente, quando tudo estivesse pronto, meses depois de o último metalúrgico ter saído de cena em busca de mais um desafio em algum outro lugar, a ponte seria aberta, haveria desfiles de bandas de música, cortar-se-iam fitas, ver-se-iam os sorrisos de lindas garotas a bordo de balsas, políticos fariam discursos, todos aplaudiriam — e os engenheiros receberiam todas as honras.

E o metalúrgico estaria pouco ligando para tudo isso. Ele conta suas vantagens nos bares. E, de todo modo, ele tem consciência do que realizou, e não iria se sentir muito bem parado em cima de uma ponte, de paletó e gravata, entregando-se a sentimentalismos.

Na verdade, por muito tempo ele certamente nem pensará muito na ponte. Mas um dia, talvez uns quatro ou cinco anos depois, uma espécie de febre ao inverso se apossará dele. Pode acontecer quando ele estiver a caminho do novo trabalho ou saindo da cidade, em férias; de repente lhe ocorrerá que, a uns 160 quilômetros dali, encontra-se uma das cidades e pontes em que outrora trabalhou. Ele desvia sua rota para ir fazer uma visita breve: pode ser St. Ignace, onde ele vai contemplar a ponte

Mackinac; ou talvez San Francisco, onde ele admira a Golden Gate; ou quem sabe (daqui a alguns anos) ele há de voltar ao Brooklyn para ver, do outro lado do mar, a ponte Verrazano-Narrows.

Hoje ele não acredita muito nessa possibilidade, a maioria dos operários não acredita, mas em 1968 ou 69 certamente isso já lhe terá acontecido: lá está ele em seu carrão, voltando de Long Island ou indo para Manhattan, com certeza andando a toda a velocidade, ao lado de outros carros, pela Belt Parkway. Mas então, quando se aproxima de Bay Ridge, diminui um pouco a velocidade e prende a respiração quando vê, ocupando todo o horizonte de seu para-brisa, a Verrazano — com seu vão trepidante com o movimento dos carros, para-choques contra para--choques, e agora sem ninguém nos cabos, apenas uns poucos pássaros.

Ele desvia o carro para a pista da direita, saindo devagar da Belt Parkway para o acostamento e atrapalhando o trânsito, enquanto os motoristas dos carros que vão atrás gritam: "Seu idiota, veja o que está fazendo!"; e a mulher desse motorista o cutuca e diz: "Cuidado, bem, o cara daquele carro parece que está bêbado".

De certa forma, ela estará certa. Por alguns instantes, o *boomer* estará dominado por um impulso misterioso e inebriante: a maré montante de todas as lembranças — ele volta a ouvir o retinir dos metais, a voz enfurecida de Murphy Durão; lembra-se, também, da faina de trançar cabos e içar peças de aço, da voz de Kelly dizendo: "Vamos subindo, mais devagar, devagar"; e vê, mais uma vez, o lugar onde Gerard McKee caiu, o lugar onde as braçadeiras deslizaram e onde uma peça de 450 quilos caiu na água; e saberá que no fundo do mar jaz um tesouro de ferramentas e de rebites enferrujados.

O *boomer* olha em silêncio por alguns instantes, de dentro do carro, depois aperta o acelerador, volta para a estrada, junta-

-se aos outros carros e logo se perde em suas fileiras, e ninguém nunca saberá que um dia o homem do carrão colocou mil rebites naquela ponte, que ajudou a içar quatrocentas toneladas de aço, ou que seu nome é Tatum, ou Olson, ou Iannielli, ou Jacklets, ou talvez o próprio Murphy Durão.

De qualquer modo, era assim que Bob Anderson se sentia na primavera de 1964 — ele estava sofrendo da febre da estrada. Estava doido para sair do trabalho da ponte Verrazano e ir para Portugal, para trabalhar na grande ponte pênsil sobre o rio Tejo.

"Vamos fazer um baile em Portugal", dizia Anderson aos outros operários em seu último dia de trabalho na ponte Verrazano-Narrows. "O país é belíssimo, e vamos passar fins de semana em Paris... vocês têm de ir também."

"A gente vai, Bob, daqui a um mês", disse um deles.

"É, Bob, com certeza vou para lá", disse outro. "Para mim o trabalho aqui já está terminado e eu quero me mandar..."

No dia 19 de junho, sexta-feira, Bob Anderson apertou a mão de dezenas de homens na Verrazano, deu-lhes seu endereço em Portugal, e naquela noite muitos foram encontrá-lo no Tamaqua Bar, no Brooklyn, para a despedida. Cerca de dez horas da noite, lá se encontravam uns cinquenta operários. Estavam em volta de quatro grandes mesas no fundo do salão, tomando uísque e retemperando a garganta com goles de cerveja, fazendo votos de boa sorte a Anderson. Ace Cowan estava lá, e também John Drilling (que acabara de ser promovido novamente a empurrador, depois de três meses de trabalho duro na equipe de Whitey Miller), além de muitos outros *boomers* que tinham trabalhado com Anderson na ponte Mackinac, em Michigan, entre 1955 e 1957.

Todos estavam alegres naquela noite. Eles fizeram um brinde a Anderson, dando-lhe tapinhas nas costas o tempo todo, e se animaram quando ele lhes prometeu uma grande farra de boas-vindas, logo que chegassem a Portugal. Entregaram-se então às reminiscências, contaram episódios engraçados, e todos lembraram com alegria os incidentes que mais enfureceram Murphy Durão; recordaram também os bons momentos que partilharam, quase uma década antes, quando trabalhavam na Mackinac. A festa passou da meia-noite e então, depois de um último adeus a Anderson, foram saindo cambaleantes, um após outro.

Antes de partirem para Lisboa, Bob Anderson, com sua mulher Rita e seus dois filhos, pegaram o carro e foram fazer uma breve visita a St. Ignace, Michigan. Foi em St. Ignace, enquanto trabalhava na ponte Mackinac, que Bob Anderson conheceu Rita. Os pais dela ainda moravam lá e ela ainda tinha muitos amigos na cidade, e aí estava a razão da viagem — isso e o fato de que Bob Anderson queria rever a grande ponte em que trabalhara entre 1955 e 1957.

Alguns dias depois ele estava de pé às margens do St. Ignace, contemplando a Mackinac, a ponte de onde certa vez ele despencara, descendo pelo cabo aos trambolhões, por mais de quinhentos metros, agarrado a um fragmento solto da passarela; lembrou-se também de que subira de volta, e de que todos comentaram que ele era o operário mais sortudo da ponte.

Ele se lembrou de muitas outras coisas enquanto andava tranquilamente pela margem do rio. Dez minutos depois, ele voltou devagar para o carro e foi ao encontro da esposa na casa da sogra. Mais tarde foram tomar um drinque no bar do Nicolet Hotel, que funcionara como o QG dos *boomers*, nove anos atrás, e onde ele certa vez ganhara mil dólares jogando dados no banheiro masculino.

Mas agora, com 42 anos de idade, tudo aquilo pertencia ao passado. Ele estava apaixonado por Rita, sua terceira mulher, e finalmente ajeitara a vida com ela e com seus dois filhos. Ambos ansiavam pelo emprego em Portugal — e a possibilidade de uma tragédia nunca lhes passou pela cabeça.

Em Portugal, quando estavam procurando uma casa, a família Anderson ficou hospedada no hotel Tivoli, em Lisboa. Bob Anderson fez sua primeira visita à ponte sobre o rio Tejo em 17 de junho. Àquela altura os homens estavam trabalhando nas torres, içando com enormes guindastes as peças de aço de cinquenta toneladas que iriam se encaixar na torre. Ao que parece, Anderson estava de pé no píer quando, no momento em que uma dessas peças de cinquenta toneladas estava a um metro e meio do chão, a lança do guindaste vergou, um cabo se partiu e chocou-se contra ele com tal violência que o jogou contra o píer, esmagando seu ombro esquerdo e arrebentando-lhe o crânio, o que lhe causou danos cerebrais. Ninguém viu o acidente, e o pessoal da construtora só pôde especular sobre como ele se dera. Bob Anderson passou o dia e a noite inconsciente, e dois meses depois continuava em coma, incapaz de falar ou de reconhecer a esposa. Sua vida de *boomer* acabara, disseram os médicos.

Quando a notícia chegou à ponte Verrazano, no Brooklyn, comoveu cada um dos homens da ponte. Alguns ficaram chocados demais para falar, outros praguejaram raivosa e amargamente. John Drilling e outros *boomers* saíram da ponte precipitadamente e ligaram para Rita, em Portugal, oferecendo-se para ir ajudá-la em Lisboa. Mas ela lhes garantiu que nada podiam fazer. Sua mãe chegara de St. Ignace e estava ajudando a cuidar das crianças.

Para os *boomers*, era um trágico encerramento daquele período estimulante de trabalho em Nova York, no maior vão pênsil do mundo. Eles tinham orgulho de Bob Anderson. Ele fora um homem destemido na ponte, e um homem encantador fora dela. Seu nome não iria ser mencionado na inauguração da Verrazano-Narrows, eles bem sabiam, porque Anderson — e outros como ele — só era conhecido no pequeno mundo dos *boomers*. Mas *naquele* mundo eles eram gigantes, eram heróis aos quais não faltavam coragem e orgulho — homens que sempre se mantiveram fiéis ao código de honra dos *boomers:* ir aonde estava o grande trabalho

> *... e ficar por um tempo...*
> *indo em seguida para outra cidade, outra ponte...*
> *ligando todas as coisas, menos as próprias vidas...*

PARTE III
EXCURSÃO AO INTERIOR

Frank Sinatra está resfriado

Frank Sinatra, segurando um copo de *bourbon* numa mão e um cigarro na outra, estava num canto escuro do balcão entre duas loiras atraentes, mas já um tanto passadas, que esperavam ouvir alguma palavra dele. Mas ele não dizia nada; passara boa parte da noite calado; só que agora, naquele clube particular em Beverly Hills, parecia ainda mais distante, fitando, através da fumaça e da meia-luz, um largo salão depois do balcão, onde dezenas de jovens casais se espremiam em volta de pequenas mesas ou dançavam no meio da pista ao som trepidante do *folk--rock* que vinha do estéreo. As duas loiras sabiam, como também sabiam os quatro amigos de Sinatra que estavam por perto, que não era uma boa ideia forçar uma conversa com ele quando ele mergulhava num silêncio soturno, uma disposição nada rara em Sinatra naquela primeira semana de novembro, um mês antes de seu quinquagésimo aniversário.

Sinatra estava fazendo um filme que agora o aborrecia e não via a hora de terminá-lo; estava cansado de toda a falação da imprensa sobre seu namoro com Mia Farrow, então com vinte anos, que aliás não deu as caras naquela noite; estava furioso com um documentário da rede de televisão CBS sobre a vida dele, que iria ao ar dentro de duas semanas e que, segundo se dizia, invadia a sua privacidade e chegava a especular sobre suas ligações com os chefes da máfia; estava preocupado com sua atuação num especial da NBC intitulado *Sinatra — Um Homem e a Sua Música*, no qual ele teria de cantar dezoito canções com uma voz que, naquela ocasião, poucas noites antes do início das gravações, estava debilitada, dolorida e insegura. Sinatra estava doente. Padecia de uma doença tão comum que a maioria das pessoas a considera banal. Mas quando acontece com Sinatra, ela o mergulha num estado de angústia, de profunda depressão, pânico e até fúria. Frank Sinatra está resfriado.

 Sinatra resfriado é Picasso sem tinta, Ferrari sem combustível — só que pior. Porque um resfriado comum despoja Sinatra de uma joia que não dá para pôr no seguro — a voz dele —, mina as bases de sua confiança, e afeta não apenas seu estado psicológico, mas parece provocar também uma espécie de contaminação psicossomática que alcança dezenas de pessoas que trabalham para ele, bebem com ele, gostam dele, pessoas cujo bem-estar e estabilidade dependem dele. Um Sinatra resfriado pode, em pequena escala, emitir vibrações que interferem na indústria do entretenimento e mais além, da mesma forma que a súbita doença de um presidente dos Estados Unidos pode abalar a economia do país.

 Porque Frank Sinatra estava agora envolvido com muitas coisas que tinham a ver com muitas pessoas — sua companhia cinematográfica, sua gravadora, sua companhia aérea, sua indústria de componentes de mísseis, seus títulos imobiliários em todo o país, seu staff pessoal de 75 pessoas — e que são apenas uma parte do poder que ele representa. Ele parecia ser a personificação do macho plenamente emancipado, talvez o único da América, o homem que pode fazer tudo o que desejar, *tudo mesmo*, porque tem dinheiro, energia e nenhum sinal de culpa. Numa época em que os muito jovens parecem estar assumindo o controle da situação, protestando e manifestando-se e exigindo mudanças, Frank Sinatra se mantém como um fenômeno nacional, um dos poucos produtos do pré-guerra que resistiu à prova do tempo. Ele é o campeão que fez a volta triunfal, o homem que tinha tudo, perdeu tudo e depois recuperou tudo, fazendo o que poucos homens são capazes de fazer: destruiu sua vida, deixou sua família, rompeu com tudo que lhe era familiar, aprendendo nesse processo que a única maneira de conservar uma mulher é não tentar segurá-la. Agora ele goza da afeição de Nancy, de Ava e de Mia, a fina flor de três gerações de mulheres, e ainda é adorado pelos filhos, tem a liberdade de um homem solteiro, não se sente velho, faz com que homens velhos se sintam jovens, faz com que eles pensem que, se Sinatra é capaz de fazer alguma coisa, ela pode ser feita; não que *eles mesmos* sejam capazes de fazê-la, mas agrada-lhes saber que, aos cinquenta anos, essa coisa ainda é possível.

Mas agora, naquele bar em Beverly Hills, Sinatra estava resfriado, e continuava bebendo em silêncio, parecendo estar a quilômetros de distância, num mundo só dele, sem demonstrar reação nenhuma, nem mesmo quando, de repente, o estéreo do outro salão passou a tocar uma canção de Sinatra, "In the wee small hours of the morning".

É uma balada encantadora que ele gravou pela primeira vez dez anos atrás, e agora estimulava muitos jovens casais que estavam sentados, cansados de rodopiar, a se levantar e a se movimentar devagar, bem agarradinhos, pela pista de dança. A modulação de voz de Sinatra, precisa e ao mesmo tempo plena e melodiosa, dava maior profundidade à letra simples — "In the wee small hours of the morning/ while the whole wide world is fast asleep/ you lie awake, and think about the girl...".* Como tantos de seus clássicos, uma canção que evocava solidão e sensualidade, e, somada à meia-luz, ao álcool, à nicotina e às carências das horas tardias da noite, se tornava uma espécie de afrodisíaco etéreo. Com certeza a letra dessa música e de outras semelhantes contribuíram para criar um clima entre milhões de casais. Era uma canção para se ouvir na hora do amor, e com certeza embalou casais em toda a América, à noite, nos carros, enquanto as baterias descarregavam, em cabanas à beira de lagos, em praias em fragrantes noites de verão, no recesso dos parques, em luxuosos apartamentos de cobertura e em quartinhos alugados; em camarotes de cruzeiros, táxis e cabanas — em todos os lugares onde se ouviam as canções de Sinatra estavam aquelas palavras que excitavam as mulheres, as cortejavam e as venciam, cortando os últimos fios da inibição, e satisfaziam o ego masculino de amantes ingratos; duas gerações de homens se beneficiaram dessas baladas, o que os faz eternos devedores de Sinatra, e talvez os faça também odiá-lo. Mas lá estava ele, o homem em pessoa, nas primeiras horas da madrugada, em Beverly Hills, inacessível.

As duas loiras, que pareciam estar na casa dos trinta anos, eram elegantes e refinadas, os corpos maduros ligeiramente moldados por tailleurs pretos justos. De pernas cruzadas, empoleiravam-se nos altos bancos do balcão e escutavam a música. Então uma delas pegou um Kent e logo Sinatra pôs seu isqueiro de ouro debaixo dele. Ela segurou a mão dele, observou os dedos dele: eram nodosos e ásperos, e os dedos mínimos, esticados, pois a artrite os tornara tão duros que ele mal podia flexioná-los. Como sempre, estava vestido de forma impecável. Colete, terno

---

* Tradução literal: "Nas primeiras horas da madrugada/ quando todo mundo está dormindo/ você fica acordado pensando na garota...". (N. E.)

oxford cinza de corte tradicional, mas forrado com uma seda vistosa; os sapatos, ingleses, pareciam estar engraxados até o solado. Usava também, como todos pareciam saber, uma peruca preta bastante convincente, uma das sessenta que ele possui, a maioria aos cuidados de uma discreta senhora de cabelos grisalhos que, carregando os cabelos dele numa pequena sacola, o acompanha aonde quer que ele vá cantar. Ela ganha quatrocentos dólares por semana. O que mais chama a atenção no rosto de Sinatra são os olhos, azul-claros e atentos, olhos que em segundos podem ficar gélidos de raiva, mostrar um brilho de ternura ou, como agora, uma expressão de indiferença que mantém os amigos calados e à distância.

Leo Durocher, um dos amigos mais próximos de Sinatra, jogava sinuca numa salinha no fundo do bar. De pé, junto à porta, estava Jim Mahoney, o assessor de imprensa de Sinatra, um jovem um tanto atarracado, de queixo quadrado e olhos apertados, que pareceria um duro policial irlandês à paisana, não fossem os caros ternos europeus e os finos sapatos, muitas vezes adornados com lustrosas fivelas. Ali perto também se encontrava um ator alto, ombros largos, de noventa quilos, chamado Brad Dexter, que parecia enfunar o peito o tempo todo para disfarçar a barriga.

Brad Dexter apareceu em muitos filmes e programas de televisão, exibindo um grande talento como ator, mas em Beverly Hills ele é conhecido também pelo papel que representou dois anos atrás, no Havaí, quando nadou algumas centenas de metros, arriscando a própria vida, para evitar que Sinatra se afogasse no mar em ressaca. Desde então Dexter se tornou um dos fiéis companheiros de Sinatra e também um dos produtores de sua companhia cinematográfica. Ele trabalha num luxuoso escritório próximo à suíte executiva de Sinatra. Dexter vive à procura de textos que Sinatra possa estrelar. Ele sempre se preocupa quando está entre estranhos na companhia de Sinatra, porque sabe que ele faz aflorar nas pessoas o que elas têm de melhor e de pior — alguns homens se mostram agressivos, algumas mulheres se põem a fazer charme, outros ficam na órbita do ídolo, avaliando-o com ceticismo. A mera presença de Sinatra intoxica o ambiente de algum modo, e às vezes ele próprio, quando não está muito bem, como naquela noite, se torna intolerante e tenso, e então é fatal: manchetes nos jornais. Por isso Brad Dexter tenta prever o perigo e adverte Sinatra. Ele diz sentir necessidade de protegê-lo, chegando recentemente a confessar, em um momento de autorrevelação: "Por ele, eu seria capaz de matar".

Embora essa afirmação possa parecer exagerada, principalmente se considerada fora do contexto, ela revela uma lealdade feroz, muito comum no círculo de amizades de Sinatra. É uma característica que Sinatra prefere, mesmo que não admita: "All the way; All or nothing at all".* É o lado siciliano de Sinatra; ele não permite aos seus amigos, se é que eles desejam continuar a sê-lo, nenhum daqueles arrufos tão comuns entre os anglo-saxões. Se permanecem leais, porém, então não há nada que Sinatra não faça por eles — presentes fabulosos, gentilezas, estímulo quando estão deprimidos, lisonjas quando estão animados. É bom que eles se lembrem, porém, de uma coisa. Ele é Sinatra. O chefe. *Il Padrone.*

Testemunhei algo desse lado siciliano de Sinatra no verão passado, no Jilly's, em Nova York, aliás a única vez em que vi Sinatra de perto antes daquela noite no clube da Califórnia. O Jilly's, que fica na rua 52 Oeste, em Manhattan, é onde Sinatra bebe quando está em Nova York, e onde há uma cadeira reservada especialmente para ele no salão dos fundos, junto à parede,

---

* Tradução literal: "Até o fim; Tudo ou nada mesmo" (Versos de "All or nothing at all", de Lawrence/Altman, grande sucesso na voz de Sinatra). (N. E.)

que mais ninguém pode usar. Quando ele a ocupa, sentado atrás de uma vasta mesa rodeada de seus amigos mais próximos em Nova York — entre os quais o dono do bar, Jilly Rizzo, e sua mulher, Honey, de cabelos tingidos de azul, conhecida como "Judia Azul" —, assiste-se a um estranho ritual. Naquela noite, dezenas desses admiradores, alguns dos quais amigos distantes de Sinatra, outros meros conhecidos, outros nem uma coisa nem outra, surgiram na frente do Jilly's. Eles se aproximaram do bar como se fosse um santuário. Tinham vindo prestar seus respeitos. Eram de Nova York, Brooklyn, Atlantic City, Hoboken. Entre eles havia velhos atores, ex-lutadores de boxe, trompetistas fatigados, políticos, um menino com uma bengala. Havia uma senhora gorda que afirmava lembrar-se de Sinatra quando ele jogava o *Jersey Observer* em sua varanda em 1933. Havia casais de meia-idade dizendo ter ouvido Sinatra cantar no Rustic Cabin em 1938 — e "percebemos então que ele realmente tinha talento!". Ou então o ouviram cantar com a banda de Harry James, em 1939, ou com Tommy Dorsey, em 1941 ("Ah, isso mesmo, a música era "I'll never smile again" — uma noite ele a cantou num lugar perto de Newark e nós dançamos..."); ou lembravam-se da época da Paramount, ele provocando desmaios, com aquelas gravatas-borboleta, The Voice; e uma mulher se lembrou de um sujeito nefasto que conhecera naquela época — Alexander Dorogokupetz, um baderneiro de dezoito anos que jogara um tomate em Sinatra e quase foi linchado por suas fãs adolescentes. O que foi feito de Alexander Dorogokupetz? A tal senhora não soube responder.

Eles se lembravam de quando Sinatra estava em decadência e cantava porcarias como "Mairzy Doats", se lembraram também de sua volta por cima, e naquela noite estavam lá na porta do Jilly's, às dezenas, mas não podiam se aproximar. Alguns foram embora. Mas a maioria ficou, na esperança de logo poder abrir caminho até o fundo do Jilly's por entre cotovelos e traseiros de três fileiras de homens bebendo no balcão, dar uma espiada e *vê-lo* sentado lá no fundo. Era só o que eles queriam: vê-lo. E por alguns instantes ficaram olhando através da fumaça. Depois deram meia-volta, abriram caminho para fora do bar e foram para casa.

Alguns dos amigos mais próximos de Sinatra, todos conhecidos dos homens que guardam a porta do Jilly's, conseguem ser levados até o salão dos fundos. Uma vez lá, no entanto, eles têm de se virar sozinhos. Naquela noite, o ex-jogador de futebol americano Frank Gifford conseguiu avançar apenas sete jardas, em três tentativas. Outros que, de um modo ou de outro, conseguiam chegar perto o bastante para apertar a mão de Sinatra, *não* o faziam; apenas tocavam-lhe o ombro, ou a manga da camisa, ou simplesmente ficavam perto o bastante para que ele os visse e, depois de receberem de Sinatra uma piscadela de reconhecimento, um aceno, um movimento de cabeça, ou depois de serem chamados pelo nome (ele tem uma memória fantástica para nomes), davam meia-volta e iam embora. Tinham conseguido o que queriam. Tinham prestado seus respeitos. Enquanto eu olhava todo aquele ritual, tinha a impressão de que Frank Sinatra habitava simultaneamente dois mundos que não pertencem ao mesmo tempo.

Por um lado ele é gaiato — por exemplo, quando fala e brinca com Sammy Davis, Jr., Richard Conte, Liza Minelli, Bernice Massi, ou qualquer outra pessoa do *show business que senta à mesa*; por outro — quando balança a cabeça ou acena para os chapas mais próximos (Al Silvani, empresário de boxe que trabalha na companhia cinematográfica de Sinatra; Dominic Di Bona, o homem que cuida de seu guarda-roupa; Ed Pucci, ex-jogador de futebol que pesa mais de 130 quilos e é seu ajudante de ordens) — ele é *Il Padrone*. Ou, melhor ainda, ele é um dos que na velha Sicília seriam chamados de *uomini rispettati* — homens de respeito: homens que são ao mesmo tempo grandiosos e humildes, homens amados por todos e generosos por natureza, homens cujas mãos são beijadas quando vão de aldeia em aldeia, homens que sairiam de seu caminho para consertar *pessoalmente* alguma coisa errada.

Frank Sinatra faz as coisas *pessoalmente*. No Natal, ele vai pessoalmente comprar dezenas de presentes para os amigos mais chegados e para a família, e nunca esquece do tipo de joia que eles apreciam, de suas cores preferidas, do tamanho de suas camisas e vestidos. Quando, há pouco mais de um ano, a casa de um músico amigo seu foi destruída e a mulher dele morreu num deslizamento de terra em Los Angeles, Sinatra foi ajudá-lo pessoalmente. Procurou uma casa para ele, pagou todas as despesas do hospital não cobertas pelo seguro, cuidou pessoalmente da compra da mobília para a casa, inclusive novos talheres, roupas, toalhas e lençóis.

O mesmo Sinatra que fez tudo isso pode, de uma hora para outra, explodir numa terrível fúria de intolerância se algum de seus chapas cometer algum pequeno deslize no cumprimento de uma tarefa. Por exemplo, quando um de seus homens lhe trouxe um cachorro-quente com ketchup, que, como se sabe, Sinatra abomina, ele jogou o frasco no homem, cobrindo-o de ketchup. Muitos dos que trabalham com Sinatra são grandalhões, mas isso não parece intimidá-lo nem refrear suas reações impetuosas quando está furioso. Eles nunca iriam responder. Ele é *Il Padrone*.

Em outras ocasiões, querendo agradar, seus homens exageram em atender aos desejos dele: uma vez, quando comentou distraído que seu grande jipe laranja de Palm Springs talvez precisasse de uma pintura nova, esse desejo foi sendo rapidamente transmitido pelas várias instâncias até finalmente se transformar numa *ordem* de que o veículo fosse pintado agora, *imediatamente*, ontem. Para realizar esse desejo, seria preciso contratar uma equipe especial de pintores para trabalhar durante toda a noite, recebendo horas extras; isso exigia que a ordem fizesse o caminho inverso, subindo pelas diversas instâncias, para ser aprovada. Quando ela chegou à mesa de trabalho de Sinatra, ele não sabia do que estavam falando; quando entendeu do que se tratava, confessou, com um olhar cansado, que não estava nem aí para quando o jipe ia ser pintado.

Mas seria insensato tentar prever a sua reação, porque ele é um homem totalmente imprevisível, capaz de grandes variações de humor, um homem que reage por instinto, de forma instantânea — reage de forma desmedida e selvagem, e ninguém consegue prever o que virá em seguida. Uma jovem chamada Jane Hoag, repórter da redação da *Life* em Los Angeles, que fora colega de escola da filha de Sinatra, Nancy, certa vez foi convidada a uma festa na casa da sra. Sinatra, na Califórnia. O anfitrião era Frank Sinatra, que tem relações muito cordiais com sua ex-mulher. Logo no começo da festa, a srta. Hoag encostou-se na mesa e, sem querer, bateu o cotovelo em uma das duas peças de um casal de pássaros de alabastro, que caiu no chão e se espatifou. De repente, lembra a srta. Hoag, a filha de Sinatra exclamou: "Oh, era uma das peças favoritas de mamãe..." — mas antes que ela pudesse terminar a frase, Sinatra lançou-lhe um olhar duro, interrompendo-a. E, enquanto quarenta convidados olhavam em silêncio, Sinatra se aproximou rapidamente da srta. Hoag, deu um peteleco no *outro* pássaro, que também escorregou da mesa e se espatifou no chão; então ele passou o braço nos ombros de Jane Hoag e disse, num tom de voz que a deixou completamente à vontade: "Está tudo bem, garota".

A certa altura Sinatra disse algumas palavras às duas loiras. Em seguida, saiu do salão, dirigindo-se à sala de sinuca. Um dos amigos de Sinatra se aproximou delas para lhes fazer companhia. Brad Dexter, que até então ficara no canto conversando com outras pessoas, foi atrás de Sinatra. A sala vibrava com o entrechocar das bolas de bilhar. Na sala, uma dúzia de pessoas assistiam ao jogo. Quase todos eram jovens que viam Leo Durocher jogar contra dois jogadores não muito bons. Aquele clube particular tem entre seus sócios muitos atores, diretores, escritores, modelos, praticamente todos muito mais jovens que Sinatra e Durocher, e vestidos para a noite de um jeito bem mais informal que os dois. Muitas das jovens, cabelos longos e soltos, usavam calças Jax apertadas que lhes ressaltavam a bunda, e suéteres caros; alguns dos jovens usavam camisas de veludo azuis ou verdes de colarinho alto, calças justas e mocassins italianos.

Era evidente, pela maneira como Sinatra olhava aquelas pessoas na sala de sinuca, que elas não faziam seu gênero, mas ele se recostou num banco alto junto à parede, segurando o copo na mão direita, sem dizer nada, apenas olhando Durocher atirar as bolas para um lado e para outro. Os rapazes mais novos da sala, acostumados a ver Sinatra no clube, tratavam-no sem nenhuma deferência, embora não dissessem nada ofensivo. Eles eram um grupo de jovens *cool*, de uma informalidade bem californiana, e um dos que encarnavam melhor esse tipo era um cara baixinho, de movimentos bastante rápidos, traços bem marcados, olhos azul-claros, cabelos castanho-claros e óculos quadrados. Usava calças de veludo cotelê marrom, um felpudo suéter verde de lã de Shetland, casaco marrom-claro de camurça, botas Game Warden, que comprara havia pouco tempo por sessenta dólares.

Frank Sinatra, recostado em seu banco, fungando um pouco por causa do resfriado, não conseguia tirar os olhos das botas

Game Warden. Por um instante, depois de mirá-las durante algum tempo, desviou o olhar, mas agora as fitava de novo. O dono das botas, que simplesmente estava calçado nelas olhando o jogo, era Harlan Ellison, um escritor que acabara de escrever um roteiro, *The Oscar*.

A certa altura, Sinatra não se conteve.

"Ei", gritou ele com sua voz levemente áspera, mas ainda assim suave e límpida. "Essas botas são italianas?"

"Não", disse Ellison.

"Espanholas?"

"Não."

"São *inglesas*?"

"Escute, não sei, cara", retrucou Ellison, franzindo as sobrancelhas para Sinatra, e voltou a prestar atenção no jogo.

A sala de bilhar mergulhou em súbito silêncio. Leo Durocher, inclinado sobre a mesa de bilhar, segurando o taco, ficou parado naquela posição por um segundo. Ninguém se mexia. Então Sinatra se afastou do banco em que estava e foi andando em direção a Ellison com aquele seu gingado arrogante. O ruído dos seus passos eram o único som que se ouvia na sala. Então, olhando para Ellison com uma sobrancelha ligeiramente erguida e um sorriso malicioso, Sinatra perguntou: "Você está esperando uma *tempestade*?".

Harlan Ellison deslocou-se um pouco para o lado. "Por que você está falando comigo?"

"Não gosto da maneira como você está vestido", disse Sinatra.

"Sinto muito incomodá-lo", disse Allison, "mas eu me visto do jeito que gosto."

Houve certo alvoroço na sala, e alguém disse: "Vamos, Harlan, vamos embora daqui". Leo Durocher deu sua tacada e disse: "Sim, vamos embora".

Mas Ellison não saiu de onde estava.

Sinatra disse: "O que você faz da vida?".

"Sou encanador", disse Ellison.

"Não, ele não é", apressou-se em gritar outro jovem do outro lado da mesa. "Ele escreveu *The Oscar*."

"Ah, sim", disse Sinatra, "Eu assisti, e é uma merda."

"Que estranho", disse Ellison, "porque o filme ainda não foi rodado."

"Bom, eu assisti", repetiu Sinatra. "E é uma bela merda."

Então Brad Dexter, bastante tenso, a figura corpulenta em flagrante contraste com o pequeno Ellison, disse: "Vamos, rapaz, não quero você nesta sala".

"*Ei*", Sinatra interrompeu Dexter. "Você não está vendo que estou conversando com esse cara?"

Dexter ficou desconcertado. Sua atitude mudou completamente, a voz abrandou e ele disse a Ellison, em tom quase de súplica: "*Por que você insiste em me atormentar?*".

A cena estava ficando ridícula, e Sinatra parecia não levar aquilo muito a sério. Quem sabe estivesse movido por um tédio profundo, ou um profundo desespero; depois que os dois trocaram mais algumas farpas, Harlan Ellison saiu da sala. Àquela altura, já se comentava na pista de dança o desentendimento entre Sinatra e Ellison, e alguém foi procurar o gerente do clube. Mas outra pessoa disse que o gerente já soubera do caso — e saiu mais que depressa do bar, entrou no carro e foi para casa. Por isso o subgerente foi até a sala de bilhar.

"Não quero ninguém aqui sem paletó e gravata", disse Sinatra em tom ríspido.

O subgerente concordou com um gesto de cabeça e voltou para seu escritório.

Na manhã seguinte, começava mais um dia tenso para o assessor de imprensa de Sinatra, Jim Mahoney. Mahoney estava com dor de cabeça, preocupado, mas não com o incidente Sinatra-Ellison da noite anterior. Na hora em que ele acontecera, Mahoney estava com sua mulher na outra sala, e com certeza nem se deu conta do pequeno drama. A coisa toda não durou mais de três minutos. E três minutos depois que acabou, Frank Sinatra com certeza a tinha esquecido, para o resto de sua vida — ao passo que Ellison certamente nunca haverá de esquecer, assim como centenas de outros antes dele: numa hora qualquer entre o anoitecer e o nascer do dia, ele tivera uma altercação com Sinatra.

E ainda bem que Mahoney não estava na sala de bilhar; ele já tinha coisas demais com que se preocupar naquele dia. Estava preocupado com o resfriado de Sinatra, com o polêmico documentário da CBS que, apesar de Sinatra ter protestado e retirado sua autorização, seria apresentado na televisão em menos de duas semanas. Os jornais do dia insinuavam que Sinatra ia processar a rede de televisão, os telefones de Mahoney tocavam sem parar, e agora ele estava sondando Nova York, dizendo a Kay Gardella: "... certo, Kay... eles selaram um acordo de cavalheiros para evitar certas perguntas sobre a vida particular de Frank, e aí Cronkite saiu-se com esta: 'Frank, fale-me daquelas conexões'. *Essa* pergunta, Kay — *não*! Essa pergunta nunca deveria ter sido feita...".

Enquanto Mahoney falava, recostado em sua cadeira de couro preto, balançava a cabeça devagar. Ele é um homem de constituição vigorosa, de 37 anos; tem o rosto redondo e corado, maxilar rijo, olhos claros, miúdos, e poderia parecer agressivo e brigão se não falasse com tanta clareza e sinceridade, e se não fosse tão cuidadoso no vestir. Seus ternos e sapatos eram de talhe perfeito, uma das primeiras coisas que Sinatra notou nele; em seu espaçoso escritório, em frente ao bar, há um polidor de sapatos elétrico com escovas vermelhas e um mancebo de madeira, onde Mahoney pendura seus paletós. Próximo ao bar há uma fotografia autografada do presidente Kennedy e algumas fotos de Frank Sinatra, mas não há mais nada de Sinatra em qualquer das outras salas da agência de relações públicas de Mahoney; já houve uma grande fotografia dele na sala de recepção, mas aquilo incomodava o ego de outros astros de cinema clientes de Mahoney. Como Sinatra nunca dá as caras na agência, a fotografia foi retirada.

Ainda assim, Sinatra parece sempre estar presente, e se Mahoney não tivesse, em relação a Sinatra, preocupações plenamente justificadas como naquele dia, podia muito bem inventá-las — para ajudá-lo nisso, ele se cerca de pequenas lembranças de momentos angustiantes do passado. Em seu estojo de barbear, há uma caixa de comprimidos para dormir, prescritos há dois anos por um farmacêutico de Reno, Nevada — a data do frasco indica o dia do sequestro de Frank Sinatra, Jr. Numa mesa do escritório de Mahoney há a reprodução emoldurada do bilhete em que os sequestradores pediam o resgate a Sinatra. Uma das manias de Mahoney, quando está em sua mesa esquentando a cabeça, é brincar com um trenzinho de lata que fica em sua frente — o trem é um souvenir do filme de Sinatra *O expresso Von Ryan*; ele é para os homens que trabalham para Sinatra o que os prendedores de gravata PT-109 são para os homens que trabalharam com John Kennedy. Mahoney fica empurrando o trenzinho para a frente e para trás, para a frente e para trás, nos quinze centímetros de trilhos; para a frente e para trás, para a frente e para trás, clic-*clac* clic-*clac*. É o seu brinquedinho.

Agora Mahoney apressa-se em deixar o trenzinho de lado. Sua secretária lhe diz que há um telefonema *muito* importante para ele. Mahoney pega o fone, e sua voz fica ainda mais branda e mais franca do que antes. "Sim, Frank", disse ele. "Certo... certo... sim, Frank..."

Quando Mahoney pôs o fone no gancho, devagar, informou que Frank Sinatra viajara em seu jato particular para passar o fim de semana em sua casa de Palm Springs, um voo de dezesseis minutos, partindo de sua casa de Los Angeles. Mahoney agora estava preocupado de novo. O Learjet em que Sinatra iria voar era idêntico, segundo Mahoney, ao que havia acabado de cair em outra região da Califórnia.

Na segunda-feira seguinte, um dia nublado e excepcionalmente frio na Califórnia, mais de cem pessoas estavam reunidas num estúdio de televisão todo branco, um salão enorme dominado por um palco branco, paredes brancas, com dezenas de luminárias e lâmpadas penduradas no teto: o estúdio mais parecia uma gigantesca sala de operações. Naquela sala, dentro de mais ou menos uma hora, a NBC estaria gravando um especial de uma hora, a ser transmitido, em cores, na noite de 24 de novembro. Tanto quanto possível naquele curto espaço de tempo, o programa deveria abrilhantar os 25 anos de carreira de Frank Sinatra como homem do show business. O programa não se propunha a explorar, como o documentário da CBS, os aspectos da vida do cantor que ele considera privados. O especial da NBC seria, basicamente, Sinatra cantando, durante uma hora, alguns dos sucessos que o levaram de Hoboken a Hollywood, e seria interrompido apenas uma vez ou outra por trechos de filmes e comerciais da cerveja Budweiser. Antes de pegar o resfriado, Sinatra ficou muito animado com o especial; via nele não apenas uma oportunidade de agradar os saudosistas, mas também de dar a conhecer seu talento a alguns apreciadores de rock'n'roll — de certo modo, ele estava querendo competir com os Beatles. Os *press-releases* que estavam sendo preparados pela agência de Mahoney ressaltavam isso: "Se você está cansado de jovens cantores com tufos de cabelo grandes o bastante para esconder um engradado de melões... pode ser uma agradável surpresa um especial de televisão intitulado *Sinatra — Um Homem e Sua Música...*".

Mas agora, naquele estúdio da NBC em Los Angeles, havia muita expectativa e tensão devido à incerteza quanto à voz de Sinatra. Os 43 músicos da orquestra de Nelson Riddle já tinham chegado, e alguns deles estavam na plataforma fazendo o aquecimento. Dwight Hemion, um jovem diretor de cabelos ruivos que fora muito elogiado por seu especial para a televisão com Barbra Streisand, estava sentado na cabine de controle envidraçada com vista para a orquestra e para o palco. Os câmeras, os técnicos, o pessoal da segurança, os publicitários da Budweiser também estavam de pé, esperando entre as luminárias e as câmeras, assim como uma boa dúzia de mulheres que trabalhavam como secretárias em outras partes do edifício, mas tinham escapado para assistir à gravação.

Poucos minutos antes das onze horas, correu pelos corredores a notícia de que Sinatra fora visto andando no estacionamento e que já estava a caminho, aparentemente em plena forma. Houve um grande alívio entre as pessoas que estavam no estúdio; mas à medida que a figura esguia e elegante foi se aproximando, elas viram, decepcionadas, que não era Frank Sinatra. Era Johnny Delgado, o dublê de Sinatra.

Delgado anda como Sinatra, é da altura de Sinatra e seu rosto, visto de determinados ângulos, lembra o de Sinatra. Mas ele parece ser um sujeito muito tímido. Quinze anos atrás, no início de sua carreira, Delgado candidatou-se para um papel em *A um passo da eternidade*. Foi contratado, e depois descobriu que deveria atuar como dublê de Sinatra. No último filme de Sinatra, *Assalto a um transatlântico*, uma história na qual Sinatra e alguns conspiradores tentam sequestrar o *Queen Mary*, Johnny Delgado atuou como dublê dele em algumas cenas na água; agora, naquele estúdio da NBC, sua tarefa era ficar sob os quentes refletores da televisão, fazendo a marcação dos lugares de Sinatra no palco, para a equipe de filmagem.

Cinco minutos depois, o verdadeiro Sinatra chegou. Seu rosto estava pálido, seus olhos azuis pareciam um tanto aguados. Ele não conseguira se livrar do resfriado, mas de todo modo ia tentar cantar, pois o cronograma estava apertado e àquela altura milhares de dólares já tinham sido gastos com orquestra, equipes de filmagem e aluguel do estúdio. Mas quando Sinatra, a caminho da salinha de ensaio onde ia aquecer a voz, olhou para estúdio e viu que a plataforma da orquestra e o palco não ficavam próximos um do outro, como ele pedira expressamente, seus lábios se crisparam e ele ficou muito perturbado. Alguns instantes depois, na sala de ensaio, ouviu-se o ruído dos socos que ele desferia contra o piano, e a voz do pianista, Bill Miller, dizendo em voz baixa: "Procure não se exaltar, Frank".

Mais tarde, Jim Mahoney e outro homem entraram na salinha, e então falou-se da morte de Dorothy Kilgallen em Nova York, na manhã daquele dia. Durante anos ela fora uma inimiga figadal de Sinatra, e ele também passou a destratá-la no show que fazia em seu nightclub. Agora, mesmo com ela morta, ele não transigiu em seus sentimentos. "Dorothy Kilgallen morreu", repetiu ele, saindo da salinha em direção ao estúdio. "Bem, acho que vou ter que reformular todo o meu show."

Quando ele entrou no estúdio, os músicos pegaram os instrumentos e endireitaram o corpo nas cadeiras. Sinatra temperou a garganta algumas vezes e então, depois de ensaiar umas poucas baladas com a orquestra, cantou "Don't worry about me" de um jeito que lhe pareceu satisfatório e, como não sabia quanto tempo sua voz iria aguentar, ficou impaciente de repente.

"Por que a gente não grava essa merda?", exclamou ele, olhando para a cabine de vidro onde estavam o diretor, Dwight Hemion, e sua equipe. Eles pareciam estar de cabeça baixa, concentrados na mesa de controle.

"Por que a gente não grava essa merda?", repetiu Sinatra.

O assistente de palco, que fica perto da câmera usando fones de ouvido, repetiu a frase de Sinatra em sua linha de comunicação com a sala de controle: "Por que a gente não grava essa merda?".

Hemion não respondeu. Provavelmente seu *switch* estava desligado. Era difícil saber, por causa dos reflexos nos vidros da cabine.

"Por que não colocamos paletó e gravata", disse Sinatra, que estava vestido de pulôver amarelo de gola alta, "e gravamos..."

De repente ouviu-se a voz de Hemion no amplificador de som, dizendo calmamente: "O.k., Frank, você não se importaria em repetir...".

"Sim, eu me importaria sim", retrucou Sinatra.

O silêncio que se fez do outro lado, que durou um ou dois segundos, foi interrompido por Sinatra: "Quando a gente parar de fazer as coisas aqui da forma como fazíamos em 1950, talvez a gente...". E Sinatra continuou a atacar Hemion, criticando também a falta de técnicas modernas para a montagem desses especiais; então, possivelmente para poupar a voz, ele parou. E Dwight Hemion, bastante paciente, tão calmo e paciente que se poderia pensar que não ouvira nada do que Sinatra acabara de dizer, fez uma descrição rápida de como seria a abertura do programa. Alguns minutos depois, Sinatra estava lendo suas falas iniciais, palavras às quais se seguiria "Without a song", em grandes cartazes junto à câmera. Feito isso, ele se preparou para repetir a fala com as câmeras ligadas.

"Especial Frank Sinatra, Parte I, página 10, tomada 1", anunciou em voz alta um homem com uma claquete, saltando rápido em frente da câmera — *clap* — e afastando-se imediatamente.

"Vocês já pensaram em como seria o mundo sem uma canção? O mundo seria um lugar nada interessante... Isso dá o que pensar, não?..."
Sinatra parou.
"Desculpe-me", acrescentou ele. "*Rapaz*, preciso de um drink."
Eles tentaram novamente.
"Especial Frank Sinatra, Parte I, página 10, tomada 2", gritou saltando o homem da claquete.
"Vocês já pensaram em como seria o mundo sem uma canção?..." Dessa vez Frank Sinatra leu todo o texto sem parar. Em seguida ensaiou mais algumas canções, interrompendo a orquestra uma ou duas vezes quando o som de algum instrumento não estava como ele queria. Era difícil saber por quanto tempo sua voz iria aguentar, pois aquilo era só o começo do programa; até aquela altura, porém, todos na sala pareciam satisfeitos, principalmente quando ele cantou uma canção romântica, bastante popular, escrita mais de vinte anos atrás por Jimmy Van Heusen e Phil Silvers — "Nancy", inspirada pela primogênita de Sinatra — que é pai de três filhos — quando ela era bem pequena.

If I don't see her each day
I miss her...
Gee what a thrill
Each time I kiss her...*

Quando Sinatra cantou essa canção, ainda que a tenha cantado centenas e centenas de vezes, de repente todos no estúdio perceberam que alguma coisa especial se passava no coração do homem, algo especial estava aflorando. Agora, resfriado ou não,

---

* Tradução literal: "Se não a vejo todo dia/ Sinto sua falta.../ Que grande emoção/ Cada vez que a beijo...". (N. E.)

ele cantava com força e ardor, soltava-se, a arrogância pública desaparecera, seu mundo particular emergia naquela canção sobre a menina que, como diz a letra, o entende melhor que ninguém e é a única pessoa com quem ele pode ser ele mesmo, sem o menor constrangimento.

Nancy tem 25 anos. Ela mora sozinha: seu casamento com o cantor Tommy Sands terminou em divórcio, a casa dela fica num subúrbio de Los Angeles. Agora está fazendo seu terceiro filme e gravando para a gravadora do pai. Eles se encontram todo dia; quando não, ele liga para ela, mesmo que esteja na Europa ou na Ásia. Quando as interpretações de Sinatra se tornaram populares no rádio e ele causava desmaios nas fãs, Nancy ouvia suas canções em casa e chorava. Quando o primeiro casamento de Sinatra se desfez, em 1951, e ele foi embora de casa, Nancy era a única, entre os filhos do casal, com idade para lembrar dele como pai. Ela o vira com Ava Gardner, Juliet Prowse, Mia Farrow, muitas outras, e participou, com o pai, de encontros com casais de amigos...

She takes the winter
And makes it summer...
Summer could take
Some lessons from her...*

Nancy também se encontra com Sinatra quando ele vai visitar sua primeira mulher, Nancy Barbato, filha de um estucador de Jersey City, com a qual ele se casou em 1939, quando ganhava 25 dólares por semana cantando na Rustic Cabin, próximo a Hoboken.

* Tradução literal: "Ela transforma o inverno/ Em verão... / O verão tem muito/ O que aprender com ela...". (N. E.)

A primeira sra. Sinatra, uma mulher notável que nunca voltou a casar ("Quando a gente já foi casada com Frank Sinatra...", explicou certa vez a uma amiga), mora numa casa magnífica em Los Angeles, com sua filha mais nova, Tina, de dezessete anos. Entre Sinatra e sua primeira mulher não existe nenhum ressentimento, apenas um grande respeito e afeto; faz tempo que ele é bem-vindo na casa dela. Sabe-se também que ele aparece lá fora de hora, acende a lareira, deita-se no sofá e cai no sono. Frank Sinatra consegue dormir em qualquer lugar, coisa que aprendeu na época em que costumava viajar de ônibus com sua banda, por estradas esburacadas; nessa época aprendeu também, quando estava de smoking, a ajeitar as calças e o paletó de forma que não amarrotassem enquanto ele dormia. Mas agora ele não anda mais de ônibus, e sua filha Nancy, que na infância se sentia rejeitada quando ele adormecia no sofá em vez de lhe dar atenção, mais tarde entendeu que o sofá era um dos poucos lugares no mundo em que Frank conseguia ter alguma privacidade, onde seu rosto famoso não seria o centro das atenções nem provocaria uma reação anormal nas pessoas. Ela entendeu também que as coisas normais sempre foram negadas a seu pai: a infância dele foi marcada pela solidão e pela busca de atenção, e desde que a conquistou, nunca mais conseguiu ficar a sós consigo mesmo. Vez por outra, quando olhava pela janela de uma casa que tinha em Hasbrouck Heights, Nova Jersey, via o rosto de adolescentes que o espiavam; em 1944, quando se mudou para a Califórnia e comprou uma casa protegida por uma sebe de três metros de altura em Lake Toluca, descobriu que a única maneira de fugir do telefone e de outras formas de invasão era sair em seu barco a remo acompanhado de alguns amigos, uma mesa de carteado e uma caixa de cerveja, e passar a tarde inteira a bordo. Mas segundo Nancy ele procurou, na medida do possível, ser como todo mundo. Chorou no dia do casamento dela, pois é muito sentimental e sensível...

* * *

"Que diabo você está fazendo aí em cima, Dwight?"
Silêncio na cabine de controle.
"Vocês estão fazendo uma festa ou alguma coisa do tipo aí em cima, *Dwight*?"
De pé no palco, braços cruzados, Sinatra lançava olhares ferozes, por sobre as câmeras, para Hemion. Ele cantou "Nancy" com o que lhe restava de voz naquele dia. Nos poucos números que se seguiram houve notas dissonantes, e por duas vezes a voz dele falhou completamente. Hemion estava na cabine de controle, fora de comunicação; depois ele desceu ao estúdio, dirigindo-se ao lugar onde Sinatra se encontrava. Poucos minutos depois, os dois saíram do estúdio e se dirigiram à cabine de controle. Rodaram o VT para Sinatra. Ele só o viu por uns cinco minutos, depois começou a balançar a cabeça e disse para Hemion: "Esqueça, esqueça. Você está perdendo tempo. O que temos aqui", disse Sinatra fazendo um sinal com a cabeça em direção a sua imagem no vídeo, "é um homem resfriado". Então saiu da cabine de controle, ordenando que todo o trabalho do dia fosse anulado e a gravação fosse adiada até que ele se recuperasse.

Tal como uma epidemia, logo a notícia chegou ao staff, espalhou-se por Hollywood, atravessou o país e foi parar no Jilly's, e também do outro lado do rio Hudson, na casa dos pais de Sinatra e de outros parentes e amigos em Nova Jersey.
Quando Frank Sinatra falou com o pai pelo telefone e disse que estava se sentindo péssimo, o velho Sinatra contou que *ele* também estava péssimo: seu braço e seu pulso esquerdo estavam tão duros, por causa de um problema circulatório, que mal conseguia movimentá-los. Acrescentou que aquilo devia ser resultado dos

muitos ganchos que dera com a esquerda, na época em que lutava boxe na categoria peso-galo, quase cinquenta anos atrás.

Martin Sinatra, um siciliano baixinho, tatuado, de olhinhos azuis, nascido em Catânia, lutava boxe usando o nome "Marty O'Brien". Naquela época e naqueles lugares, com os irlandeses dominando as esferas inferiores da vida da cidade, não era incomum aparecerem italianos com nomes assim. A maioria dos italianos e sicilianos que emigraram para a América pouco antes de 1900 era gente pobre e sem instrução, excluída dos sindicatos dos trabalhadores da construção civil, que eram dominados pelos irlandeses, e em certa medida se sentia intimidada pela polícia irlandesa, pelos pastores irlandeses, pelos políticos irlandeses.

Exceção notável era a mãe de Sinatra, Dolly, uma mulher corpulenta e muito ambiciosa que viera para os Estados Unidos com os pais aos dois meses de idade. Seu pai era um litógrafo de Gênova. No final da vida, Dolly Sinatra, que tem o rosto redondo e olhos azuis, muitas vezes passava por irlandesa e surpreendia muita gente pela rapidez com que brandia sua pesada bolsinha contra qualquer um que dissesse a palavra "carcamano".

Quando estava na flor da idade, Dolly Sinatra, desenvolveu uma hábil política com a máquina do Partido Democrático, em Nova Jersey, e se tornou uma espécie de Catarina de Médicis do terceiro distrito de Hoboken. Ela controlava seiscentos votos em seu bairro italiano, e isso era a base de seu poder político. Quando disse a um político que nomeasse o marido dela para o Corpo de Bombeiros de Hoboken, e ele lhe respondeu: "Mas Dolly, não há vagas no momento", ela rebateu: "*Abram* uma vaga".

E abriram. Anos depois ela pediu que o marido fosse promovido a capitão, e um dia recebeu um telefonema de um dos chefes políticos: "Parabéns, Dolly!".

"Por quê?"

"*Capitão* Sinatra."

"Ah, finalmente vocês o promoveram. Muito obrigada." Então ela ligou para o Corpo de Bombeiros de Hoboken. "Gostaria de falar com o *capitão* Sinatra", disse ela. O bombeiro chamou Martin Sinatra dizendo: "Marty, acho que sua mulher enlouqueceu". Quando ele atendeu, Dolly o saudou: "Parabéns, *capitão* Sinatra."

O filho único de Dolly, Francis Albert Sinatra, nasceu, e por pouco não morreu, em 12 de dezembro de 1915. Foi um parto difícil, e em seus primeiros instantes de vida ele sofreu marcas que o acompanharão até a morte — as cicatrizes do lado esquerdo do pescoço foram consequência de imperícia médica no uso do fórceps, e Sinatra preferiu não fazer uma cirurgia para removê-las.

A partir dos seis meses de idade, sua educação ficou aos cuidados da avó. A mãe dele trabalhava em período integral numa fábrica de chocolates. Era tão eficiente que certa vez a empresa propôs mandá-la para Paris para treinar outros funcionários. Embora algumas pessoas de Hoboken se lembrem de Sinatra como um menino solitário, que passava muitas horas na varanda fitando o vazio, ele nunca foi um garoto típico de bairro pobre, nunca foi preso, estava sempre bem vestido. Ele tinha tantas calças que muita gente em Hoboken o chamava de "Pantalonas O'Brien".

Dolly Sinatra não era uma típica mãezona italiana, que se contentava apenas com a obediência e o bom apetite do filho. Ela exigia muito dele e era sempre muito rigorosa. Queria que ele fosse engenheiro da aeronáutica. Certa noite, quando ela viu fotografias de Bing Crosby penduradas nas paredes do quarto de Frank e descobriu que ele queria ser cantor, ficou furiosa e jogou um sapato nele. Depois, percebendo que não conseguiria demovê-lo da ideia — "ele me puxou" —, passou a incentivá-lo.

Muitos meninos ítalo-americanos de sua geração perseguiam o mesmo objetivo — eram fortes nas canções e fracos ao lidar com as palavras: não havia um grande romancista entre eles, nenhum O'Hara, nenhum Bellow, nenhum Cheever, nenhum Shaw; contudo, podiam se comunicar através do *bel canto*. Tinha mais a ver com suas tradições e não havia necessidade de diploma; eles poderiam, com uma canção, algum dia ver seus nomes em letreiros luminosos... *Perry Como... Frankie Laine... Tony Bennett... Vic Damone...* mas nenhum deles veria o próprio nome brilhar como *Frank Sinatra*.

Embora ele cantasse durante boa parte da noite no Rustic Cabin, levantava-se no dia seguinte e ia cantar de graça em emissoras de rádio de Nova York para divulgar seu trabalho. Mais tarde começou a trabalhar para a banda de Harry James, e foi nesse emprego que ele gravou o seu primeiro sucesso — "All or nothing at all". Ele ficou muito amigo de Harry James e dos músicos da orquestra, mas quando Tommy Dorsey, que à época tinha a melhor orquestra do país, lhe fez uma proposta, Sinatra aceitou; passou a ganhar 125 dólares por semana, e Dorsey sabia dar destaque a um vocalista. Mesmo assim, Sinatra ficou muito deprimido ao sair da orquestra de James, e a última noite que passou com eles foi tão memorável que, vinte anos depois, foi capaz de contá-la em detalhes a um amigo: "[...] o ônibus partiu com os outros rapazes pouco depois da meia-noite e meia. Eu tinha me despedido deles, e lembro que estava nevando. Não havia ninguém por perto e fiquei sozinho com minha mala, sob a neve, olhando os faróis traseiros desapareceram na noite. Então comecei a chorar e tentei correr atrás do ônibus. A animação e o entusiasmo na orquestra eram tamanhos que lamentei muito deixá-la [...]".

Mas ele a deixou — assim como deixaria outros ambientes acolhedores, em busca de algo mais, sem jamais perder tempo, tentando fazer de tudo no intervalo de apenas uma geração, lutando em seu *próprio* nome, defendendo os injustiçados, aterrorizando os cachorros grandes. Ele deu um soco num músico que fez um comentário antissemita, defendeu a causa dos negros duas décadas antes que isso virasse moda. Além disso, jogou uma bandeja de copos em Buddy Rich, porque estava tocando a bateria muito alto.

Antes de completar trinta anos, Sinatra já presenteara 50 mil dólares em isqueiros de ouro, e vivia o mais louco sonho da América que um imigrante poderia ter. Ele entrou em cena de repente, quando DiMaggio silenciara, quando os compatriotas andavam pesarosos e na defensiva porque Hitler se encontrava na pátria deles. Sinatra se tornou, na época, uma espécie de Liga — composta por um homem só — Contra a Difamação dos Italianos na América, o tipo de organização que eles não poderiam criar porque, segundo dizem, quase nunca chegam a um acordo sobre o que quer que seja, pois são extremamente individualistas: excelentes como solistas, mas não tão bons num coro; ótimos heróis, mas não muito bons num desfile.

Quando apareceram muitos gângsteres com nomes italianos no programa de televisão *Os Intocáveis*, Sinatra deixou bem claro o seu repúdio. Ele e muitos milhares de ítalo-americanos ficaram indignados quando Joseph Valachi, um arruaceiro barato, foi apresentado por Bobby Kennedy como especialista em máfia, já que, na verdade, a julgar pelo depoimento de Valachi na televisão, ele sabia menos que muitos garçons da Mulberry Street. Muitos italianos do círculo de amizades de Sinatra também consideravam Bobby Kennedy uma espécie de policial irlandês, com mais dignidade que nos tempos de Dolly, mas não menos intimidador. Dizem que Bobby Kennedy e Peter Lawford começaram a esnobar Sinatra depois da eleição de John Kennedy, esquecendo-se de sua contribuição tanto no levantamento de contribuições como no convencimento de italianos que tendiam a votar contra os irlandeses. Desconfia-se que Lawford e Bobby Kennedy tenham influenciado John Kennedy a se hospedar na casa de Bing Crosby, e não na casa de Sinatra, como fora planejado, um fiasco social que Sinatra nunca haverá de esquecer. Depois disso, Peter Lawford foi expulso do grupo de Sinatra em Las Vegas.

"Sim, meu filho é como eu", diz Dolly, com orgulho. "Se você o contraria, ele nunca esquece." E embora reconheça a força do filho, apressa-se em dizer: "Ele não consegue obrigar a própria mãe a fazer nada que ela não queira". E acrescenta: "Ainda hoje, ele usa a mesma marca de cueca que eu comprava para ele".

Hoje Dolly Sinatra está com 71 anos de idade, um ou dois menos que Martin, e durante o dia todo as pessoas batem na porta dos fundos de sua ampla casa, para pedir conselhos e que ela interceda por elas. Quando não está atendendo as pessoas ou trabalhando na cozinha, cuida do marido, um homem calado mas teimoso, dizendo-lhe que mantenha o braço esquerdo na espuma sintética que ela colocou no braço de uma cadeira macia. "Oh, ele combateu terríveis incêndios", disse Dolly a um visitante, fazendo um sinal com a cabeça em direção ao marido, sentado na cadeira.

Embora Dolly Sinatra tenha 87 afilhados em Hoboken e ainda visite a cidade durante as campanhas eleitorais, agora vive com o marido numa bela casa de dezesseis cômodos em Fort Lee, Nova Jersey. A casa foi um presente do filho pelas bodas de ouro, três anos atrás. É mobiliada com bom gosto e decorada com uma notável justaposição do sagrado e do profano — fotografias do papa João e de Ava Gardner, do papa Paulo e de Dean Martin; várias imagens de santos e água benta, uma cadeira autografada por Sammy Davis, Jr. e garrafas de bourbon. Na caixa de joias da sra. Sinatra há um colar de pérolas magnífico que ela ganhou há pouco tempo de Ava Gardner, de quem ela gostava muitíssimo como nora. Dolly ainda mantém contato com Ava, e fala muito nela; pendurada na parede há uma carta endereçada a Dolly e a Martin: "A areia do tempo transformou-se em ouro, mas o amor continua a desabrochar como as pétalas de uma rosa no jardim da vida de Deus... que Deus os ame eternamente. Agradeço a Ele, agradeço a vocês pela minha existência. Seu filho amoroso, Francis...".

A sra. Sinatra fala com o filho por telefone uma vez por semana, e há pouco tempo ele lhe propôs que, quando fosse a Manhattan, ficasse em seu apartamento da rua 72 Leste, às margens do rio East. Trata-se de uma região cara de Nova York, ainda que haja uma pequena fábrica no quarteirão, mas Dolly Sinatra usou esse detalhe para vingar-se do filho por algumas descrições nada lisonjeiras que ele andou fazendo de sua infância em Hoboken.

"O quê? — você quer que eu fique no *seu* apartamento, *aquela espelunca*?", ela perguntou. "Você acha que vou passar a noite naquele bairro horrível?"

Frank Sinatra entendeu e disse: "*Desculpe-me*, senhora Fort Lee".

Depois de passar a semana em Palm Springs, bem melhor do resfriado, Frank Sinatra voltou a Los Angeles, uma cidade encantadora, repleta de sol e sexo, uma descoberta espanhola da miséria mexicana, uma terra estrelada de homens baixinhos e mulheres esguias entrando e saindo de conversíveis com calças apertadíssimas.

Sinatra voltou a tempo de ver o tão esperado documentário da CBS com sua família. Lá pelas nove da noite ele foi à casa de sua ex-mulher, Nancy, jantou com ela e com suas duas filhas. O filho, que agora eles raramente encontram, não estava na cidade.

Frank, Jr., que tem 22 anos, estava viajando com uma banda para Nova York, onde se encontraria, na Basin Street East, com o grupo vocal The Pied Pipers, com o qual Frank Sinatra cantou quando estava na orquestra de Dorsey, na década de 1940. Hoje

Frank Sinatra, Jr., que seu pai diz ter batizado em homenagem a Franklin D. Roosevelt, passa a maior parte do tempo em hotéis, janta toda noite no camarim de seu nightclub e canta até duas da manhã, ouvindo com indulgência, porque não tem outra escolha, as inevitáveis comparações. Sua voz é suave e agradável, e está melhorando com a prática. Embora ele seja muito respeitoso em relação ao pai, fala dele de forma objetiva, e às vezes não consegue esconder uma nota de arrogância no tom de voz.

Uma das coisas que contribuíram para a fama precoce de seu pai, diz Frank, Jr., foi a criação de um "Sinatra de *press-release*", concebido para "distingui-lo do comum dos mortais, separado da realidade: de repente ele se tornou Sinatra, o magnata eletrizante, Sinatra que é supranormal, não sobre-*humano*, mas supra*normal*. E aí é que está", continua Frank, Jr., "a grande falácia, a grande mentira, porque Frank Sinatra *é* normal, *é* um sujeito com quem você pode topar numa esquina. Mas esse outro ser, essa figura supranormal, afetou Frank Sinatra da mesma forma que afeta qualquer um que assista a um de seus especiais na televisão ou que leia um artigo de revista sobre ele...".

"No início", continua ele, "a vida de Frank Sinatra era tão normal que ninguém imaginaria, em 1934, que aquele garotinho italiano de cabelos ondulados haveria de se tornar o gigante, o monstro sagrado, a grande lenda viva... Ele conheceu minha mãe num verão, na praia. Ela era Nancy Barbato, filha de Mike Barbato, um estucador de Jersey City. E ela conhece o filho do bombeiro, Frank, num dia de verão, na praia de Long Branch, Nova Jersey. Os dois são italianos, católicos, pertencentes à baixa classe média e vivem um romance de verão — como em um milhão de filmes ruins estrelados por Frankie Avalon..."

"Eles têm três filhos", diz Frank, Jr. "De todos os filhos, Nancy, a mais velha, foi a mais normal. Nancy era animadora de torcida, ia para acampamentos de verão, dirigia um Chevrolet, teve um desenvolvimento normal, centrado no lar e na família. Eu sou o segundo. Minha vida na família foi bastante normal até setembro de 1958, quando, em total contraste com a educação de minhas duas irmãs, fui mandado para uma escola preparatória para a universidade. Fiquei afastado do círculo familiar, e até hoje não consegui me reintegrar... Tina é a terceira. Para ser muito franco, eu não saberia dizer como é a vida dela..."

O programa da CBS, narrado por Walter Cronkite, começou às dez da noite. Um minuto antes, tendo acabado de jantar, a família Sinatra se reuniu em volta da televisão, unida para o que desse e viesse. Os homens de Sinatra, em outros pontos da cidade, em outros pontos do país, faziam a mesma coisa. O advogado de Sinatra, Milton A. Rudin, fumando um charuto, assistia a tudo com olhos atentos, a mente alerta para as implicações jurídicas. Brad Dexter, Jim Mahoney, Ed Pucci também estavam diante de seus aparelhos de televisão; o maquiador de Sinatra, Britton "Espingarda"; seu representante em Nova York, Henri Giné; seu fornecedor de roupas, Richard Carroll; seu corretor de seguros, John Lillie; seu criado, George Jacobs, um negro bonito que ouve discos de Ray Charles quando recebe garotas no apartamento *dele*.

E como tantos outros temores de Hollywood, a apreensão com o programa da CBS revelou não ter nenhum fundamento. Foi uma hora de grandes lisonjas que, ao contrário do que diziam os boatos, não se deteve em examinar a vida amorosa de Sinatra, nem a máfia, nem outros aspectos de sua vida privada. Embora o documentário não tivesse sido autorizado por Sinatra, "bem que poderia ter sido", escreveu Jack Gould no dia seguinte no *New York Times*.

Imediatamente depois do programa, os telefones começaram a tocar em todas as organizações ligadas a Sinatra, com manifestações de alegria e alívio. De Nova York, veio o telegrama de Jilly: "NÓS DOMINAMOS O MUNDO!".

* * *

No dia seguinte, no corredor do edifício da NBC, onde ia recomeçar a gravação de seu especial, Sinatra conversava com alguns amigos sobre o programa da CBS. A certa altura ele disse: "Oh, foi muito divertido".

"Sim, Frank, um puta dum programa."

"Mas acho que Jack Gould tem razão em seu artigo do *Times* de hoje", disse Sinatra. "Deviam ter tratado mais do *homem*, e não tanto da música..."

Os outros aquiesceram, e ninguém mencionou a histeria que houve no mundo de Sinatra quando se pensava que a CBS iria se concentrar no *homem*; eles apenas balançaram a cabeça e dois deles riram pelo fato de Sinatra ter conseguido enfiar a palavra "passarinho" no programa — palavra que ele adora usar. Ele sempre pergunta aos seus companheiros "Como vai seu passarinho?"; e quando quase se afogou no Havaí, ele explicou depois: "Só molhei um pouco meu passarinho"; e numa parede da casa do ator Dick Bakalyan, amigo seu, há uma fotografia em que Sinatra aparece com uma garrafa na mão, e sob a qual se lê: "Beba, Dickie! É bom pro seu passarinho". Na música "Come fly with me", às vezes Sinatra muda a letra "*basta querer/ levamos nossos passarinhos para Acapulco...*".

Dali a dez minutos Sinatra entrou no estúdio da NBC, logo depois da orquestra, e o que se passou então nem de longe lembrava o que acontecera oito dias antes. Agora a voz de Sinatra estava ótima, ele fazia piadas entre uma música e outra, e nada o abalava. A certa altura, quando ele estava no palco, junto de uma árvore, cantando "How can I ignore the girl next door", uma câmera de televisão que estava em cima de um carrinho se aproximou demais e bateu contra a árvore.

"Meu Deus!", disse um dos técnicos.

Mas Sinatra dava a impressão de mal ter notado. "Tivemos um pequeno acidente", disse ele, calmamente. E recomeçou a cantar a música desde o princípio.

Quando o programa acabou, Sinatra assistiu ao VT no monitor da sala de controle. Ficou muito satisfeito e trocou apertos de mão com Dwight Hemion e seus assistentes. Em seguida abriram garrafas de uísque no camarim. Pat Lawford estava lá, assim como Andy Williams e muitos outros. Chegavam telegramas e telefonemas de todo o país, elogiando o especial da CBS, Mahoney disse ter recebido um telefonema de um produtor da CBS, Don Hewitt, com quem Sinatra se enfurecera poucos dias antes. E embora Sinatra não tivesse restrições contra o programa, *ainda* estava furioso, achando que a CBS o tinha traído.

"Devo escrever para Hewitt?", perguntou Mahoney.

"Você consegue mandar um soco pelo correio?", perguntou Sinatra.

Ele tem tudo, não consegue dormir, dá belos presentes, não é feliz mas não trocaria o que ele é nem mesmo pela felicidade...

Ele faz parte de nosso passado — mas nós envelhecemos, *ele não... nós nos preocupamos com as coisas domésticas, ele não... nós temos remorsos, ele não... a culpa é* nossa, *não dele...*

Ele controla o menu de todos os restaurantes italianos de Los Angeles; se você quer comida do Norte da Itália, tem que pegar um avião para Milão...

Os homens o seguem, imitam-no, brigam para ficar perto dele... há nele alguma coisa de vestiário, de caserna... passarinho... passarinho...

Ele acha que a gente deve pensar grande, jogar aberto — quanto mais abertos nós somos, mais recebemos, mais aprofundamos nossa dimensão interior, mais crescemos, mais nos tornamos o que somos — maiores, mais ricos...

"*Ele é melhor que qualquer outra pessoa, ou pelo menos é assim que as pessoas pensam, e ele tem de viver de modo a atender a essa expectativa.*" — Nancy Sinatra, filha.

"*Por fora, ele é calmo — por dentro, milhões de coisas acontecem.*" — Dick Bakalyan

"*Ele tem um desejo insaciável de viver cada momento plenamente, porque, segundo me parece, sente que o fim pode estar logo ali, virando a esquina*" — Brad Dexter

"*Em todos os meus casamentos, a única coisa que ganhei foram os dois anos de análise que Artie Shaw me pagou.*" — Ava Gardner

"*Não éramos mãe e filho — éramos amigos.*" — Dolly Sinatra

"*Sou a favor de qualquer coisa que ajude a segurar a onda durante a noite, seja uma oração, tranquilizantes ou uma garrafa de Jack Daniel's.*" — Frank Sinatra

Frank Sinatra estava cansado de tantos comentários, de tanta fofoca, de tanta teoria — cansado de ler referências a si próprio, de ouvir o que as pessoas diziam sobre ele pela cidade. Aquelas três semanas tinham sido muito chatas, ele comentou, e a única coisa que queria agora era sumir, ir para Las Vegas, relaxar um pouco. Por isso ele pegou seu jato, sobrevoou as colinas da Califórnia, as planícies de Nevada, quilômetros e quilômetros de deserto, com destino ao hotel The Sands e à luta Clay-Patterson.

Na véspera da luta, ficou acordado a noite inteira e no dia seguinte dormiu até o final da tarde, mas sua voz gravada podia ser ouvida no saguão do The Sands, no salão de jogos, e até nos banheiros, embora sempre fosse interrompida, depois de alguns compassos, por chamadas como estas: "Telefone para o senhor Ron Fish. Senhor Ron Fish... *with a ribbon of gold in her hair...* Telefone para o senhor Herbert Rothstein, senhor Herbert

Rothstein ... *memories of a time so bright, keep me sleepless through dark endless nights...".**

Naquela tarde, aglomerados no saguão do The Sands e de outros hotéis na mesma rua, estavam os indefectíveis profetas de antes das lutas: apostadores, ex-campeões, a arraia-miúda da Oitava Avenida, os cronistas esportivos que criticam as grandes lutas o ano inteiro mas nunca perdem uma, os romancistas que sempre parecem identificar-se com este ou aquele boxeador, as prostitutas locais acompanhadas de gente de Los Angeles, e também uma jovem morena, num vestido preto de noite pregueado, postada diante da mesa do chefe dos mensageiros do hotel, gritando: "Mas eu quero falar com o senhor Sinatra".

"Ele não está aqui", disse o chefe dos mensageiros.

"Você não pode ligar para o quarto dele?"

"Não ligamos para ele, senhorita", disse ele. Então ela se voltou, vacilante, parecendo à beira das lágrimas, e atravessou o saguão em direção ao grande e barulhento cassino, cheio de homens interessados apenas em dinheiro.

Pouco antes das sete da noite, Jack Entratter, um homem alto, de cabelos grisalhos, que dirige The Sands, entrou no salão de jogos para anunciar a alguns homens numa roda de vinte e um que Sinatra estava se vestindo. Disse também que não conseguira cadeiras na primeira fileira para todos, por isso alguns deles — inclusive Leo Durocher, que estava com uma garota, e Joey Bishop, acompanhado de sua mulher — iriam ficar na terceira fileira, e não na frente, ao lado de Frank Sinatra. Quando Entratter entrou na sala para dizer isso a Joey Bishop, este ficou passado. Não parecia estar com raiva; apenas olhou para Entratter num silêncio vazio, parecendo um tanto aturdido.

* Tradução literal: "com uma fita dourada no cabelo dela/ lembranças de tempos tão deleitosos me deixam acordado por negras noites sem fim". (N. E.)

"Joey, *sinto muito*", disse Entratter quando viu que o outro se mantinha em silêncio, "mas não há lugar para mais de seis pessoas na primeira fila."

Bishop continuou calado. Mas quando todos foram assistir à luta, Joey Bishop estava na primeira fila, e sua mulher, na terceira.

A luta, chamada de guerra santa entre mouros e cristãos, foi precedida de uma apresentação de três ex-campeões já meio calvos, Rocky Marciano, Joe Louis, Sonny Liston — seguida do hino nacional, cantado por outro homem dos velhos tempos, Eddie Fisher. Já fazia mais de catorze anos, mas Sinatra ainda se lembrava de cada detalhe: naquela época, Eddie Fisher era o novo rei dos barítonos, ao lado de Billy Eckstine e Guy Mitchell, e Sinatra estava fora do páreo. Sinatra se lembrou de um dia em que ia entrando no estúdio de uma emissora, por entre dezenas de fãs de Eddie Fisher que esperavam no hall. Quando elas o viram, começaram a zombar dele: "Frankie, Frankie, me segura que vou *desmaiar*". Era na época em que ele vendia só uns 30 mil discos por ano, quando, por algum engano terrível, queriam vendê-lo como um sujeito engraçado em seu programa de TV e em que gravou fracassos como "Mama will bark",* com Dagmar.

"Eu rosnava e latia na gravação", disse Sinatra, horrorizado só de lembrar. "Se consegui fazer média com alguém, foi com os cachorros."

A voz e o gosto artístico dele eram incrivelmente ruins em 1952, mas um fator que contribuiu de forma decisiva para o seu declínio, na opinião de alguns amigos, foi a corte que fez a Ava Gardner. Na época, ela era a grande rainha do cinema, uma das mais belas mulheres do mundo. A filha de Sinatra, Nancy, lembra-se de um dia ter visto Ava nadando na piscina de seu pai,

---

* Em português: "Mamãe vai latir". (N. E.)

depois saindo da piscina com aquele corpo fabuloso, andando devagar em direção à lareira, inclinando-se sobre ela por um instante... e de repente parecia que, miraculosamente, seus longos cabelos negros estavam enxutos, de volta ao lugar, sem que ela tivesse feito nada para isso.

Em relação à maioria de suas namoradas — dizem seus amigos —, Sinatra nunca sabe se elas o querem pelo que ele pode fazer por elas agora ou pelo que poderá fazer mais tarde. Com Ava Gardner foi diferente. Ele não tinha poder para fazer nada por ela mais tarde. Ela estava no auge de sua carreira. Se é que Sinatra aprendeu alguma coisa em sua experiência com ela, é que quando um homem orgulhoso está vencido, uma mulher não pode ajudar. Principalmente uma mulher que está no auge.

Mesmo assim, com a voz cansada, ele conseguia expressar uma emoção profunda no que cantava durante aquele período de sua vida. Uma canção da época, ainda hoje bem lembrada, é "I'm a fool to want you", e um amigo de Sinatra, que se encontrava no estúdio quando ele a gravou, relembra: "Frankie estava realmente muito agitado naquela noite. Ele cantou a canção de uma vez, depois deu meia-volta, saiu do estúdio e pronto...".

O empresário de Sinatra à época, um ex-locutor de rádio chamado Hank Sanicola, disse: "Ava amava Frank, mas não do modo como ele a amava. Ele precisa de muito amor. Ele quer amor vinte e quatro horas por dia, ele precisa de gente à sua volta — Frank é assim. Ava Gardner", continuou Sanicola, "era muito insegura. Ela temia não poder conservar um homem... Ele foi à África duas vezes atrás dela, prejudicando a própria carreira...".

"Ava não queria viver rodeada pelos homens de Frank o tempo todo", disse outro amigo de Sinatra. "Isso o deixava louco. Quando estava com Nancy, ele costumava levar toda a orquestra para casa, e Nancy, como boa esposa italiana, nunca reclamava — e providenciava um prato de espaguete para cada um."

Em 1953, depois de quase dois anos de casamento, Sinatra e Ava Gardner se divorciaram. A mãe de Sinatra tentou promover a reconciliação dos dois. Ava queria, mas Frank Sinatra, não. Ele era visto com outras mulheres. Os ventos tinham mudado. Naquele período, Sinatra parece ter sofrido uma mudança: de menino cantor, de jovem ator vestido de marinheiro, tornara-se um homem. Mesmo antes de ganhar o Oscar em 1953 por sua atuação em *A um passo da eternidade,* alguns laivos de seu antigo talento começavam a aflorar — em sua gravação de "The birth of the blues", em sua apresentação no nightclub Riviera, elogiada entusiasticamente pelos críticos de jazz; e agora que a tendência se orientava para o LP, em detrimento das curtas gravações de três minutos, o estilo de Sinatra, mais próximo do concerto, fatalmente capitalizaria essa orientação, com ou sem Oscar.

Em 1954, mais uma vez voltado inteiramente para seu trabalho, Frank Sinatra foi considerado pela revista *Metronome* "o cantor do ano", tendo recebido também o prêmio da UPI, desbancando Eddie Fisher — que agora, em Las Vegas, depois de cantar o hino nacional, desceu do ringue, e a luta começou.

Floyd Patterson perseguiu Clay por todo o ringue no primeiro round, mas não conseguiu atingi-lo. A partir daí ele se tornou um brinquedo nas mãos de Clay. A luta terminou em nocaute técnico no 12º round. Meia hora depois, a luta estava praticamente esquecida, e todos estavam de volta às mesas de jogo ou faziam fila para comprar ingressos para o show habitual de Dean Martin-Sinatra-Bishop, no palco do The Sands. Esse show, que conta também com Sammy Davis, Jr., quando ele está em Las Vegas, consiste em umas poucas músicas e muitas interrupções, tudo muito informal, muito especial, com gracejos e trocadilhos racistas — Martin, com um drink na mão, pergunta a Bishop: "Você já viu um Jew jítsu?"; e Bishop, imitando um garçom judeu, diz aos dois italianos que tenham cuidado "porque eu tenho a minha turma — a *Matzia*".*

Depois do último show no The Sands, o grupo de Sinatra, que agora se compunha de umas vinte pessoas — inclusive Jilly, que viera de Nova York; Jimmy Cannon, o colunista esportivo preferido de Sinatra; Harold Gibbons, o segundo homem do poderoso sindicato dos motoristas, que poderia assumir sua direção se Hoffa fosse para a cadeia —, formou uma fila de carros e se dirigiu a outro clube. Eram três da manhã. A noite era uma criança.

Eles pararam no Sahara, ocuparam uma comprida mesa no fundo e ficaram assistindo ao show de um humorista careca e baixinho chamado Don Rickles, provavelmente o mais cáustico do país. Seu humor é tão grosseiro, de um mau gosto tão absoluto, que não ofende ninguém — é *insultuoso demais* para melindrar alguém. Tendo notado a presença de Eddie Fisher no show, Rickles tratou de ridicularizá-lo como amante, dizendo que não era de estranhar que ele tenha perdido Elizabeth Taylor; quando dois empresários da plateia confessaram ser egípcios, Rickles começou a atacá-los por causa da política do país deles em relação a Israel; e ele ainda fez insinuações nada sutis de que uma mulher que se encontrava a uma das mesas com seu marido era prostituta.

Quando o grupo de Sinatra entrou, Don Rickles não cabia em si de satisfação. Apontando para Jilly, Rickles gritou: "Como é que você se sente servindo de trator para Frankie? É isso mesmo, Jilly vai andando na frente de Frank, abrindo caminho". Depois, fazendo um sinal com a cabeça em direção a Durocher, Rickles disse: "Levante-se, Leo, mostre a Frank como você sai de fininho". Depois assestou as baterias contra Sinatra, não deixando

---

* *Jew*: em inglês, judeu. *Matzia*: trocadilho de máfia com *matzah*, pão ázimo judaico. (N. T.)

de mencionar Mia Farrow, nem que ele usava peruca, nem que Sinatra estava acabado como cantor, e quando Sinatra riu, todo mundo riu, e Rickles apontou para Bishop: "Joey Bishop fica olhando o tempo todo para Frank para saber o que é engraçado e o que não é".

Então, depois que Rickles contou algumas piadas de judeu, Dean Martin se levantou e gritou: "Ei, você vive falando em judeus, nunca sobre italianos", e Rickles o interrompeu: "Para que precisamos de italianos? Eles só servem para espantar as moscas de nosso peixe".

Sinatra riu, todos riram, e Rickles seguiu nessa toada por quase uma hora até que Sinatra se levantou e disse: "Está bem, vamos, acabe com isso. Eu tenho que ir".

"Cale a boca e senta aí!", retrucou Rickles. "Tive que ouvir você cantar..."

"Com quem você pensa que está falando?", perguntou Sinatra.

"Dick Haymes", respondeu Rickles, e Sinatra riu de novo. Então Dean Martin derramou uma garrafa de uísque na própria cabeça, encharcando totalmente seu smoking, e esmurrou a mesa.

"Quem vai acreditar que aquele sujeito que mal se equilibra nas pernas é um astro?", disse Rickles, mas Martin gritou: "Ei, eu quero fazer um discurso".

"Cala a boca."

"Não, Don, eu quero dizer", insistiu Martin, "que acho você um grande artista."

"Bem, obrigado, Dean", disse Rickles parecendo contente.

"Mas não vá por mim", disse Martin, caindo na cadeira. "Eu estou bêbado."

"Vou fingir que acredito", disse Rickles.

Lá pelas quatro da manhã, Frank Sinatra saiu com seu grupo do The Sahara, alguns com os copos de uísque na mão, bebericando enquanto andavam na calçada em direção aos carros; então, de volta ao The Sands, entraram no cassino. Ainda estava cheio de gente, as roletas a mil, os jogadores de dados gritando num canto.

Frank Sinatra, com um copo de bourbon na mão esquerda, andou em meio à multidão. Ao contrário de alguns amigos seus, estava com a roupa impecável, a gravata-borboleta no lugar certo, os sapatos imaculados. Ele parece nunca perder a dignidade, nunca baixa a guarda completamente, por mais bêbado que esteja, por pouco que tenha dormido. Ele nunca vacila ao andar, como Dean Martin, e nunca dança por entre as mesas nem sobe elas, como Sammy Davis.

Uma parte de Sinatra, esteja onde ele estiver, nunca está lá. Há sempre uma parte dele, às vezes uma pequena parte, que continua sendo *Il Padrone*. Mesmo agora, apoiando o copo na mesa de vinte e um, de frente para o crupiê, Sinatra está um pouco afastado da mesa, e não debruçado sobre ela. Ele enfiou a mão sob o paletó, pegou a carteira do bolso da calça e tirou um volumoso maço de notas, mas limpo e *bem-arrumado*. Tirou devagar uma nota de cem dólares e pôs na mesa de feltro verde. O crupiê lhe deu duas cartas. Sinatra pediu uma terceira, passou dos vinte e um, perdeu os cem dólares.

Impassível, Sinatra pôs uma segunda nota de cem dólares. Ele a perdeu. Pôs então uma terceira, e perdeu. Colocou então duas notas de cem dólares na mesa e as perdeu. Finalmente, depois de deixar a sexta nota de cem dólares na mesa e perdê-la, Sinatra afastou-se da mesa, fazendo um sinal com a cabeça para o homem, dizendo: "Ótimo crupiê".

A multidão que se juntara à sua volta abriu espaço para ele passar. Mas uma mulher parou à sua frente e lhe estendeu um pedaço de papel para que ele autografasse. Depois de assinar o nome, *ele* lhe disse: "Muito obrigado".

No fundo do grande salão de jantar do The Sands havia uma mesa comprida reservada para ele. Àquela hora, o salão estava quase vazio, com pouco mais de vinte pessoas, entre elas uma mesa com quatro jovens desacompanhadas, sentadas perto de Sinatra. No outro lado, em outra mesa comprida, sete homens estavam sentados juntos, contra a parede, dois deles de óculos escuros, todos comendo calmamente, quase sem dizer palavra, apenas comendo, muito atentos ao que se passava em volta.

O grupo de Sinatra, depois de se acomodar e de tomar mais alguns drinks, pediu alguma coisa para comer. A mesa era mais ou menos do mesmo tamanho da que é reservada para Sinatra no Jilly's, quando ele está em Nova York; e as pessoas dispostas em volta da mesa com Sinatra eram praticamente as mesmas que são vistas com Sinatra no Jilly's, num restaurante da Califórnia, na Itália, em Nova Jersey ou onde quer que Sinatra esteja. Quando Sinatra senta-se para jantar, seus amigos de confiança estão sempre perto; e onde quer que ele esteja, e por mais elegante que seja o lugar, dá para sentir um clima de subúrbio, porque Sinatra, por mais alto que tenha chegado, continua sendo um pouco o garoto suburbano — só que ele pode levar o bairro consigo.

De certa forma, essa reunião quase familiar numa mesa reservada num espaço público é a coisa mais próxima de uma vida de família que Sinatra tem agora. Talvez, tendo tido um lar e abandonando-o depois, esse tipo de proximidade seja o máximo que ele procure ter; pode não parecer exatamente assim, porque ele fala com muito carinho de sua família, mantém estreito contato com a primeira mulher e vive insistindo para que ela não tome nenhuma decisão sem consultá-lo. Ele está sempre querendo colocar seus móveis e outras lembranças suas na casa dela ou na de sua filha Nancy, e tem relações amistosas com Ava Gardner.

Quando ele estava na Itália fazendo *O expresso Von Ryan*, os dois passaram algum tempo juntos, sendo perseguidos, aonde quer que fossem, pelos paparazzi. Correu o boato de que os paparazzi haviam feito uma vaquinha e oferecido 16 mil dólares para que ele posasse com Ava Gardner; dizem que Sinatra fez uma contraproposta de pagar 32 mil dólares para poder quebrar a perna e o braço de um paparazzo.

Embora Sinatra goste de ficar em casa sozinho, podendo pensar e ler sem interrupções, há ocasiões em que ele se vê sozinho à noite, e *não* porque o queira. Ele pode ter ligado para meia dúzia de mulheres e, por um motivo ou por outro, nenhuma estava livre. Então ele chama seu criado, George Jacobs.

"Vou jantar em casa hoje, George."

"Quantas pessoas virão?"

"Só eu", diz Sinatra. "Quero uma coisa leve. Não estou com muita fome."

George Jacobs divorciou-se duas vezes, tem 36 anos e se parece com Billy Eckstine. Ele viajou o mundo inteiro com Sinatra e é muito dedicado a ele. Jacobs mora num confortável apartamento de solteiro no Sunset Boulevard, perto da Whiskey à Go Go, e é famoso na cidade por seu alegre grupo de garotas californianas, suas amigas — algumas das quais, ele admite, inicialmente o procuraram devido à sua proximidade com Frank Sinatra.

Quando Sinatra chega, Jacobs lhe serve na sala de jantar. Então Sinatra diz a Jacobs que ele pode ir para casa. Se numa dessas noites Sinatra o convidasse para ficar mais um pouco ou para jogar algumas partidas de pôquer, ele aceitaria com prazer. Mas Sinatra nunca faz isso.

Era sua segunda noite em Las Vegas, e Frank Sinatra ficou com os amigos na salão de jantar do The Sands até umas oito horas da manhã. Ele dormiu a maior parte do dia, depois voltou de avião para Los Angeles, e na manhã seguinte estava dirigindo seu carrinho de golfe no terreno da Paramount Pictures. Ele devia terminar as duas cenas finais do filme *Assalto a um transatlântico* com a ardente loira Virna Lisi. Quando manobrava o carrinho entre os prédios do grande estúdio, avistou Steve Rossi, que, com seu parceiro de comédia Marty Allen, estava fazendo um filme com Nancy Sinatra em um estúdio ao lado.

"Ei, seu latino", gritou ele para Rossi. "Pare de beijar Nancy."

"Faz parte do filme, Frank", disse Rossi, voltando-se para ele sem parar de caminhar.

"Na garagem?"

"É meu sangue latino, Frank."

"Trate de esfriá-lo", disse Sinatra com uma piscadela, depois dobrou a esquina e parou o carrinho diante de uma grande construção parda, dentro da qual seriam filmadas as cenas de *Assalto*.

"Onde está o diretor, aquele gordo?", gritou Sinatra, entrando a passos largos no estúdio cheio de assistentes técnicos e atores, agrupados em torno de câmeras. O diretor, Jack Donohue, um homem corpulento que trabalhou com Sinatra durante 22 anos, tivera muita dor de cabeça com aquele filme. O roteiro foi cortado, os atores pareciam inquietos e Sinatra ficou entediado. Mas agora faltavam apenas duas cenas — uma curta, numa piscina, e uma mais longa e ardente, em que Sinatra e Virna Lisi seriam filmados numa praia artificial.

A cena da piscina, em que Sinatra e seus comparsas sequestradores não conseguem pilhar o *Queen Mary*, foi fácil e rápida. Depois de ficar com água pelos ombros por alguns minutos, Sinatra disse: "Vamos rodar a cena, pessoal — a água está fria e acabo de sair de um resfriado".

Então as câmeras se aproximaram, Virna Lisi caiu na água perto de Sinatra, Jack Donohue gritou para os assistentes que controlavam os ventiladores: "Vamos com essas ondas", um outro homem deu a ordem "*Agitem a água!*", e Sinatra começou a cantar: "Agitem no ritmo", calando-se em seguida, momentos antes de ligarem as câmeras.

Frank Sinatra estava na praia, para a cena seguinte, fingindo contemplar as estrelas, e Virna Lisi devia se aproximar, jogar um de seus sapatos perto dele para anunciar sua presença, depois sentar-se ao seu lado, preparando-se para uma cena tórrida. Pouco antes de começar, a srta. Lisi, para ensaiar, jogou o sapato em direção a Sinatra, deitado preguiçosamente na praia. Quando ela jogou o sapato, Sinatra exclamou: "Se você acertar meu passarinho, eu vou embora".

Virna Lisi, que não entende inglês muito bem, e com certeza nada do vocabulário particular de Sinatra, pareceu confusa, mas todos atrás da câmera riram. Ela jogou o sapato na direção dele. Ele deu um giro no ar e caiu na barriga dele.

"Bem, foi só uns oito centímetros acima", ele disse. Mais uma vez, ela se perturbou com os risos que vinham de trás da câmera.

Então Jack Donohue fez com que eles ensaiassem as respectiva falas, e Sinatra, ainda cansado da viagem a Las Vegas, e ansioso para ver as câmeras funcionando, disse: "Vamos tentar gravar uma cena". Donohue, embora não muito convencido de que Sinatra e Lisi soubessem direito as suas falas, disse que sim, e um assistente com a claquete falou "419, tomada 1". Virna aproximou-se com o sapato, jogou-o em Frank, deitado na praia. O sapato caiu perto de sua coxa, a sobrancelha direita de Sinatra ergueu-se quase imperceptivelmente, mas a equipe entendeu a intenção e sorriu.

"O que as estrelas lhe dizem esta noite?", disse a srta. Lisi, sentando-se ao lado de Sinatra na praia, como estava previsto no roteiro.

"As estrelas me dizem que sou um idiota, um idiota completo para me meter numa coisa dessas..."

"Corta", disse Donohue. Havia sombras de microfone na areia, e Virna Lisi não estava sentada no lugar certo, junto de Sinatra.

"419, tomada 2", disse o homem da claquete.

A srta. Lisi aproximou-se novamente, jogou o sapato na direção dele. Desta vez ele caiu mais perto de Sinatra — ele apenas expirou levemente — e ela disse: "O que as estrelas lhe dizem esta noite?".

"As estrelas dizem que sou um idiota, um idiota completo para me meter numa coisa dessas..." Nessa altura, segundo o roteiro, Sinatra deveria continuar: "...Você sabe em que estamos nos metendo? No instante exato em que pusermos o pé no convés do *Queen Mary*, estaremos marcados", mas Sinatra, que muitas vezes improvisa as suas falas, disse: "Você sabe em que estamos nos metendo? No instante exato em que pusermos os pés no convés dessa porra de navio...".

"*Não*, não", interrompeu Donohue balançando a cabeça. "Não acho que isso esteja certo."

As câmeras pararam, algumas pessoas riram, e Sinatra ficou olhando como se tivesse sido interrompido sem razão.

"Não vejo por que não pode ser assim...", principiou ele, mas Richard Conte gritou de trás da câmera: "O filme não vai poder ser exibido em Londres".

Donohue enfiou a mão em seus finos cabelos grisalhos e, embora não estivesse de fato com raiva, falou: "Tudo ia muito bem até que alguém esqueceu a fala...".

"Sim", disse o câmera, Billy Daniels, apontando a cabeça por trás da câmera: "A cena estava muito boa...".

"Cuidado com o que fala", interrompeu Sinatra. Então Sinatra, que tem enorme capacidade de inventar motivos para não regravar cenas, deu a ideia de aproveitar o filme e depois regravar a fala que fugiu ao script. A ideia foi aceita. Então as câmeras foram ligadas. Virna Lisi estava se inclinando em direção a Sinatra na areia, e ele a apertou contra si. A câmera aproximou-se para um close de seus rostos, por alguns longos segundos, mas Sinatra e Lisi não paravam de se beijar, simplesmente continuaram deitados na areia, nos braços um do outro, e então a perna de Virna Lisi levantou um pouquinho, e todos no estúdio ficaram observando em silêncio, até que Donohue disse:

"Se em algum momento vocês decidirem terminar isso, me avisem. Estamos ficando sem filme."

Então a srta. Lisi levantou-se, ajeitou o vestido branco, penteou os cabelos loiros para trás e retocou o batom, que estava borrado. Sinatra levantou-se com um pequeno sorriso nos lábios e se dirigiu ao camarim.

Ao passar por um homem mais velho perto de uma câmera, Sinatra perguntou: "Como vai a sua Bell & Howell?".

O outro sorriu.

"Está ótima, Frank."

"Que bom."

No camarim, Sinatra encontrou um designer de automóveis que lhe mostrou o projeto de um novo modelo, personalizado, para substituir o Ghia de 25 mil dólares que ele vinha usando nos últimos anos. Seu secretário, Tom Conroy, também o esperava com uma sacola cheia de cartas de fãs, inclusive uma de John Lindsay, prefeito de Nova York; esperava-o ainda Bill Miller, seu pianista, que queria ensaiar algumas das músicas que eles iriam gravar no final da tarde para o mais novo álbum de Sinatra, *Moonlight Sinatra*. Embora não se importe em cometer certos exageros de interpretação no set de filmagem, é extremamente sério quando se trata de sessões de gravação; como explicou a um escritor inglês, Robin Douglas-Home: "Quando você está gravando uma música, é você e ninguém mais. Se ficar ruim e houver críticas, o responsável é você — e mais ninguém. Se ficar bom, também é você. Com um filme nunca é assim; há produtores, roteiristas e centenas de homens em escritórios, e a coisa escapa de suas mãos. Na gravação de uma música, é só você...".

> *But now the days are short*
> *I'm in the autumn of the year*
> *And now I think of my life*
> *As vintage wine*
> *From fine old kegs...**

A esta altura já não importa que música ele está cantando, ou quem escreveu a letra — todas são letras *dele*, sentimentos *dele*, são capítulos do romance da vida dele.

> *Life is a beautiful thing*
> *As long as I hold the string***

Quando Frank Sinatra se dirige para o estúdio, é como se dançasse pela calçada, no trajeto entre o carro e a porta de entrada; então, estalando os dedos, ei-lo diante da orquestra numa sala acolhedora, isolada, e logo ele está dominando cada homem, cada instrumento, cada onda sonora. Alguns dos músicos já o acompanham há 25 anos, envelheceram ouvindo-o cantar "You make me feel so young".

Quando sua voz está em forma, como naquela noite, Sinatra fica arrebatado, a sala vibra, há uma excitação que se irradia

---

* Tradução literal: "Mas agora os dias são curtos/ O outono chegou para mim/ E então vejo minha vida/ Como um vinho envelhecido/ em bons e velhos barris...". (N. E.)

** Tradução literal: "A vida é uma coisa bela/ Desde que eu esteja no leme". (N. E.)

através da orquestra e se faz sentir na cabine de controle, onde uma dúzia de homens, amigos de Sinatra, acenam para ele de trás do vidro. Um desses homens é o lançador dos Los Angeles Dodgers, Don Drysdale ("Ei, D!", grita Sinatra, "ei, *baby*"); outro é o jogador de golfe profissional Bo Wininger; há também grande número de mulheres bonitas na cabine de controle, atrás dos engenheiros de som, mulheres que sorriem para Sinatra e meneiam o corpo suavemente, no ritmo melífluo de sua música:

> *Will this be moon love*
> *Nothing but moon love*
> *Will you be gone when the dawn*
> *Comes stealing through...**

Quando ele termina, eles ouvem a gravação, e Nancy Sinatra, que acaba de entrar, vai ao encontro do pai em frente à orquestra, para também ouvir a gravação. Eles ouvem em silêncio, o rei e a princesa, sob os olhares de todos; quando a música termina, escutam-se aplausos na cabine de controle, Nancy sorri, seu pai estala os dedos e diz, dando um chute no ar: "*Obadabadooo!*".

Então Sinatra chama um de seus homens. "Ei, Sarge, será que posso tomar meia xícara de café?"

Sarge Weiss, que estava ouvindo a música, se levanta devagar.

"Não tinha a intenção de acordar você, Sarge", diz Sinatra sorrindo.

Então Weiss traz a xícara, Sinatra dá uma olhada no café, cheira-o, e diz: "Eu pensei que ele ia ser legal comigo, mas é café *mesmo...*".

Há mais sorrisos, e então a orquestra se prepara para o número seguinte. Uma hora depois, encerra-se a gravação.

---

* Tradução literal: "Será esta uma noite de amor/ Somente de amor/ E você já terá ido embora/ Quando, devagar, chegar a aurora...". (N. E.)

Os músicos guardam os instrumentos, pegam os paletós e começam a sair, dando boa-noite a Sinatra. Ele sabe o nome de cada um deles, sabe tanto sobre a vida pessoal deles, sobre a época em que eram solteiros, sobre seus divórcios, seus altos e baixos, quanto eles sabem da sua. Quando Vincent DeRosa — um italiano baixinho que toca trompa e que trabalha com Sinatra desde a época de The Lucky Strike "Hit Parade" no rádio — passou perto dele, Sinatra se adiantou e o reteve por um instante.

"Vincenzo", disse Sinatra. "Como vai sua filhinha?"

"Está bem, Frank."

"Oh, ela já não é mais uma menininha", corrigiu-se Sinatra. "Agora já é uma moça."

"Sim, ela está na universidade. Na USC."

"Ótimo."

"Acho que ela até tem talento, Frank, para cantar."

Sinatra ficou calado por um instante, depois disse: "É, mas é bom que ela cuide primeiro dos estudos, Vincenzo".

Vincent DeRosa concordou com a cabeça.

"Sim, Frank", disse ele. "Bem, boa noite, Frank."

"Boa noite, Vincenzo."

Quando todos os músicos se foram, Sinatra saiu da sala de gravação e foi encontrar seus amigos no corredor. Ele ia sair para beber um pouco com Drysdale, Wininger e mais alguns amigos, mas antes atravessou todo o corredor para dizer boa-noite a Nancy, que pegava o casaco, e se preparava para ir para casa dirigindo o próprio carro.

Depois de beijar-lhe o rosto, Sinatra apressou-se em ir ao encontro dos amigos, na porta. Mas antes que Nancy tivesse tempo de sair do estúdio, um dos homens de Sinatra, Al Silvani, ex--empresário de boxe, a alcançou.

"Já está pronta para sair, Nancy?"

"Oh, muito obrigada, Al", disse ela. "Mas está tudo bem."

"Ordens do Papa", disse Silvani, levantando as mãos, as palmas bem à mostra.

Nancy apontou para dois amigos dela que iam acompanhá-la até em casa, Silvani os reconheceu, e só então se decidiu a ir embora.

O resto do mês foi ensolarado e refrescante. A gravação ficou ótima, as filmagens tinham terminado, os programas de TV tinham ficado para trás, e agora Sinatra estava em seu Ghia, a caminho do escritório, para coordenar os próximos projetos. Tinha um encontro no The Sands, um novo filme de espionagem chamado *O serviço secreto em ação,* que seria rodado na Inglaterra, e mais dois álbuns a serem gravados nos meses seguintes. E dentro de uma semana ele completaria cinquenta anos...

Life is a beautiful thing
As long as I hold the string
I'd be a silly so-and-so
If I should ever let go...*

Frank Sinatra parou o carro. O sinal estava vermelho. Os pedestres foram passando rapidamente na frente de seu para-brisa, mas como sempre acontece, um dos passantes não foi embora. Era uma moça de uns vinte anos. Ela ficou parada no meio-fio, olhando para ele. Sinatra a via pelo canto do olho esquerdo, e sabia, pois isso acontece quase todo dia, que ela estava pensando *"É parecido com ele, mas será que é ele?".*

Pouco antes de o sinal abrir, Sinatra voltou-se para ela, olhou-a diretamente nos olhos, esperando pela reação que fatalmente viria. Veio, e ele sorriu. Ela sorriu, e ele se foi.

---

* Tradução literal: "A vida é uma coisa bela/ Desde que eu esteja no leme/ E eu seria um pobre tonto/ Se a deixasse passar em branco". (N. E.)

O perdedor

No sopé de uma montanha no norte do estado de Nova York, a uns cem quilômetros de Manhattan, há a sede de um clube de campo abandonado com uma pista de dança empoeirada, banquetas tombadas e um piano desafinado; e os únicos sons que se ouvem à noite naquele lugar vêm da grande casa branca que fica atrás dela — o ressoar de latas de lixo reviradas por guaxinins, gambás e gatos sem dono que descem da montanha em suas incursões noturnas.

A casa branca também parece vazia; mas vez por outra, quando os animais exageram no barulho, acende-se uma luz, abre-se uma janela, e uma garrafa de Coca-Cola voa na escuridão e atinge as latas. Mas na maioria das vezes os animais continuam sua farra até o amanhecer, quando a porta de trás da casa branca se abre e um negro de ombros largos aparece vestido com um agasalho cinzento e uma toalha branca em volta do pescoço.

Ele desce as escadas correndo, passa rapidamente pelas latas de lixo, avança com velocidade pela estrada enlameada, deixa para trás o clube de campo em direção à rodovia. Às vezes ele para à beira da estrada e dá uma série de socos contra inimigos imaginários, cada golpe pontuado por arquejos que entrecortam sua respiração — *raf-raf-raf* — e então, chegando à rodovia, muda de direção e desaparece montanha acima.

A essa hora da manhã a rodovia está cheia de caminhões das fazendas, e os motoristas acenam para o corredor. Mais tarde, na mesma manhã, outros motoristas o veem. Alguns param de repente à beira da estrada e perguntam:

"Escute, você não é Floyd Patterson?"

"Não", diz Floyd Patterson. "Sou o irmão dele, Raymond."

Os motoristas vão embora, mas há pouco tempo um homem que ia a pé, um sujeito desgrenhado que parecia ter passado a noite na rua, correu atrás dele um tanto trôpego e gritou: "Ei, Floyd Patterson!".

"Não, sou o irmão dele, Raymond."

"Não me diga que não é Floyd Patterson. Sei muito bem como é a cara de Floyd Patterson."

"Tudo bem", disse Patterson dando de ombros. "Se você quer que eu seja Floyd Patterson, então eu sou Floyd Patterson."

"Então me dê o seu autógrafo", disse o homem, passando-lhe um pedaço de papel e uma caneta.

Ele então assinou: "Raymond Patterson".

Uma hora depois Floyd Patterson estava correndo de volta pela estrada enlameada, em direção à casa branca, a toalha sobre a cabeça, absorvendo o suor da testa. Ele mora sozinho num apartamento de dois cômodos nos fundos da casa, e lá se deixa ficar, em completo isolamento, desde que foi nocauteado pela segunda vez por Sonny Liston.

No cômodo menor, há uma cama grande que ele mesmo arruma, muitos discos que ele raramente escuta, um telefone que raramente toca. No maior, ficam a cozinha, de um lado, e próximo a um sofá, uma lareira onde se veem, pendurados para secar, calções de boxe e camisetas. Há também uma fotografia sua de campeão e um aparelho de televisão. A televisão fica sempre ligada, exceto quando Patterson está dormindo, treinando boxe na sede do clube (o ringue foi montado sobre o que antes era a pista de dança) ou quando, num raro momento de dolorosa franqueza, ele confidencia a um visitante como é ser o perdedor.

"Oh, eu daria qualquer coisa só para poder trabalhar com Liston, lutar com ele em algum lugar onde ninguém nos visse, para ver se eu conseguiria enfrentá-lo por mais de três minutos", dizia Patterson, enxugando o rosto com uma toalha, andando devagar pela sala, perto do sofá. "Eu *sei* que posso me sair melhor... Oh, não estou falando de uma revancha. Quem pagaria um tostão para ver mais uma luta Patterson-Liston? Eu mesmo não pagaria... Eu só queria mesmo era ir além do primeiro round."

E continuou: "Você não imagina o que é um primeiro round. Você está lá com toda aquela gente em volta, todas aquelas câmeras e todo mundo olhando, toda aquela agitação, o hino nacional, e o país inteiro na esperança de que você vença, inclusive o presidente. E sabe qual o efeito de tudo isso? Você fica cego. Quando a sineta toca e você se aproxima de Liston, ele vem em sua direção e você nem toma conhecimento de que há um juiz dentro do ringue".

"Então...", continua Patterson, "você nem consegue se lembrar muito bem do que aconteceu depois, porque não quer lembrar... A única coisa que você lembra é que de repente está se levantando e o juiz diz: 'Você está bem?', e você responde: '*Claro* que estou bem'. E ele diz: 'Como é seu nome?', e você responde: 'Patterson'."

"E aí, de repente, com toda aquela gritaria à sua volta, você está no chão novamente, você sabe que tem de levantar, mas está completamente zonzo, o árbitro empurra você para trás, seu treinador está ali com uma toalha, as pessoas todas estão de pé, e seus olhos não se fixam diretamente em ninguém — é como se você flutuasse."

"Quando você é nocauteado, a sensação não é *ruim*", prossegue ele. "Na verdade, é uma sensação *boa*. Você não sente dor, só se sente fortemente inebriado. Você não vê anjos nem estrelas; você se sente numa névoa agradável. Depois que Liston me acertou em Nevada, senti, por uns quatro ou cinco segundos, que na verdade todos no estádio estavam junto comigo no ringue, rodeavam-me como uma família. Quando você é nocauteado, sente carinho por todos. Você se sente amável para com todos. E tem vontade de levantar e beijar todo mundo — homens e mulheres —, e depois da luta com Liston alguém me disse que, do ringue, eu mandei um beijo para a multidão. Eu não me lembro disso. Mas acho que é verdade, porque é assim que a gente se sente durante quatro ou cinco segundos depois de um nocaute..."

"Mas aí", continuou Patterson sem parar de andar, "esse sentimento agradável acaba. Você se dá conta de onde está, do que está fazendo ali e do que acaba de acontecer com você. E o que se segue é uma dor, uma sensação nebulosa — não uma dor física —, uma dor combinada com raiva; é uma dor do tipo o-que--é-que-as-pessoas-vão-pensar; uma dor de quem sente vergonha pela própria incompetência... e a única coisa que a gente quer é um alçapão no meio do ringue — um alçapão por onde pudesse cair e ir parar diretamente no vestiário, para não ter de sair do ringue e encarar aquelas pessoas. O pior de perder é ter que sair andando do ringue e encarar aquelas pessoas..."

Então Patterson foi até o fogão, pôs uma chaleira no fogo para fazer um chá e ficou em silêncio por alguns instantes. Através das paredes ouviam-se passos e vozes dos *sparrings* e do treinador que morava na parte da frente da casa. Logo eles estariam na sede do clube preparando tudo caso Patterson quisesse treinar. Ele deveria partir para Estocolmo dentro de dois dias para lutar contra um italiano chamado Amonti, em sua primeira atuação no ringue depois da última luta com Liston.

Em seguida ele esperava poder marcar uma luta em Londres contra Henry Cooper. Então, se tivesse recuperado a confiança e se os reflexos estivessem bons, Patterson contava poder recomeçar a escalada em seu país, lutando contra todos os grandes pugilistas, lutando sempre, sem se permitir grandes intervalos entre uma luta e outra, como fizera quando era campeão e recebia as maiores bolsas do circuito.

Sua mulher, que ele pouco vê por falta de tempo, e a maioria de seus amigos acham que Patterson deveria abandonar o ringue. Dizem que ele não precisa de dinheiro. O próprio Patterson confessa que, por conta dos 8 milhões de dólares que tem em aplicações, ele deverá ter uma renda anual de cerca de 35 mil dólares pelos próximos 25 anos. Mas Patterson, que tem apenas 29 anos e está praticamente em forma, não quer acreditar que sua carreira acabou. Assalta-lhe o tempo todo a ideia de que sua derrota não se deveu apenas ao seu adversário Liston. Ele acha que sofreu a ação de uma estranha força psicológica, e a menos que consiga entender plenamente a natureza dessa força e aprenda a lidar com ela num ringue de boxe, só conseguirá viver em paz no sopé dessa montanha. Sem isso talvez ele tampouco possa livrar-se da barba e do bigode postiços que, desde sua derrota para Johansson em 1959, passou a levar consigo numa bolsinha, cada vez que participava de uma luta, para poder sair do estádio incógnito, caso fosse derrotado.

"Eu sempre me pergunto o que os outros lutadores sentem, e o que se passa na mente deles quando perdem", disse Patterson, colocando as xícaras de chá na mesa. "Eu queria tanto conversar com outro lutador sobre tudo isso, trocar umas ideias, ver se ele sente as mesmas coisas que eu senti. Mas com quem eu iria falar? E de qualquer forma a maioria dos lutadores não é de falar muito. E não sei por que, não consigo nem olhar nos olhos de outro lutador quando fazemos a verificação de peso, antes da luta."

"Quando fui lutar contra o Liston", prosseguiu Patterson, "os cronistas esportivos notaram isso e disseram que era porque eu estava com medo. Mas não é isso. Não consigo olhar nos olhos de *nenhum* lutador porque... bem, porque a gente vai lutar, o que não é uma coisa legal, e porque... bem, certa vez eu realmente olhei um lutador nos olhos. Foi há muito, muito tempo atrás. Acho que na época eu era lutador amador. Quando eu olhei para aquele lutador, vi que ele tinha um rosto muito simpático... e ele olhou para *mim*... e *sorriu* para mim... e eu *sorri* para ele! Foi um troço estranho, muito estranho. Quando um cara é capaz de olhar para outro e sorrir daquele jeito, acho que não tem nada a ver os dois lutarem entre si."

E Patterson finalizou: "Não sei o que aconteceu naquela luta e não me lembro do nome do cara. Só me lembro que, desde então, nunca mais olhei outro lutador nos olhos".

O telefone tocou no quarto. Patterson levantou-se para atender. Era sua mulher, Sandra. Ele pediu licença e fechou a porta atrás de si.

Sandra Patterson e os quatro filhos deles moram numa casa de 100 mil dólares num bairro de classe média alta branca, em Scarsdale, Nova York. Floyd Patterson não se sente muito bem naquela casa mobiliada, rodeada de um gramado impecavelmente aparado; depois que perdeu o título para Liston, preferiu ficar morando naqueles dois cômodos, que seus filhos passaram a chamar de "a casa do papai". Seus filhos, inclusive a mais velha,

Jeannie, de sete anos, não sabem muito bem como o pai ganha a vida. Ela assistiu à última luta Liston-Patterson por um circuito fechado de televisão e aceitou a explicação do pai de que participa de uma espécie de jogo em que os homens brincam de derrubar uns aos outros; ele já tivera sua vez de derrubar, agora era a vez dos outros.

A porta do quarto se abriu novamente e Floyd Patterson, balançando a cabeça, parecia estar com muita raiva e muito nervoso.

"Hoje não vou poder treinar", disse ele. "Vou ter de pegar um avião e ir para Scarsdale. Uns garotos estão azucrinando Jeannie novamente. Ela é a única criança negra da escola, e os meninos maiores infernizam sua vida. Alguns a importunam e ficam levantando sua saia o tempo todo. Ontem ela foi para a escola chorando, por isso hoje vou ficar esperando esses rapazes na frente da escola e quando eles saírem..."

"Quantos anos eles têm?", perguntaram-lhe.

"São adolescentes", disse ele. "Têm idade bastante para receber um gancho de esquerda."

Patterson telefonou para Ted Hanson, um piloto amigo seu, que também fica no clube de campo, faz trabalhos de relações públicas para ele, e lhe deu algumas aulas de voo. Cinco minutos depois, Hanson, um homem branco magro, cabelo à escovinha, de óculos, batia à porta; e dez minutos depois estavam no carro que Patterson dirigia de forma quase imprudente pelas estradas estreitas e serpeantes da região, em direção ao aeroporto, que fica a uns dez quilômetros do clube.

"Sandra receia que eu arrume uma confusão; teme que eu faça uma loucura contra aqueles rapazes; ela não quer confusão!", disse Patterson raivoso, dando uma guinada e pisando no acelerador para contornar uma colina. "Ela não tem firmeza! Ela tem medo... teve receio de contar que o dono da mercearia a estava paquerando. Levou muito tempo para me falar que o sujeito que vai consertar a lava-louças a chama de 'baby'. Todos eles sabem que passo muito tempo fora de casa. E o homem da lava-louças já foi lá em casa umas quatro ou cinco vezes este mês. A máquina quebra toda semana. Acho que ele a conserta de modo que quebre toda semana. Da última fez preparei uma armadilha. Esperei por ele 45 minutos, mas ele não apareceu. Eu iria agarrá-lo e dizer: 'O que você ia achar se eu chamasse sua mulher de *baby*? Você ia querer me dar um murro na cara, não ia? Bem, é isso o que eu vou fazer com você — se você fizer isso novamente. Você deve chamá-la de senhora Patterson; ou Sandra, se for conhecido dela. Mas você não a conhece, portanto chame-a de senhora Patterson'. E então eu disse a Sandra que brancos dessa laia querem apenas se divertir um pouco com mulheres negras. Nunca casariam com uma mulher negra, querem apenas se divertir um pouco..."

Agora ele estava entrando no estacionamento do aeroporto. Logo adiante, fixado com cabos no gramado da pista de pouso, estava o monomotor Cessna de cor verde que Patterson comprara e aprendera a pilotar antes da segunda luta contra Liston. Patterson sempre tivera medo de voar de avião, medo que talvez tenha herdado de Cus D'Amato, seu empresário, que ainda se recusa a voar.

D'Amato, que começou a treinar Patterson quando este tinha dezessete ou dezoito anos, exerceu uma grande influência na psique do lutador. Com 56 anos, é um homem estranho e fascinante. Abnegado e adepto de uma disciplina espartana, é dominado pela desconfiança e pelo medo: ele evita o metrô porque receia que alguém o empurre para os trilhos; nunca se casou; nunca revela o seu endereço.

"Tenho de confundir meus inimigos", explicou certa vez D'Amato. "Quando eles estão confusos, posso fazer alguma coisa pelos meus lutadores. O que não quero na vida, porém, é a sensação de segurança; no momento em que uma pessoa se sente segura, seus sentidos ficam embotados... e ela começa a morrer. Tampouco desejo muitos prazeres na vida; acho que quanto mais prazeres você tem em sua vida, mais você tem medo de morrer."

Até uns poucos anos atrás, D'Amato praticamente falava por Patterson e geria os negócios deste como um *padrone* italiano. Mais recentemente, porém, Patterson, o filho amadurecido, rebelou-se contra essa Figura Paterna. Depois de perder para Sonny Liston pela primeira vez — luta que Amato insistiu para que Patterson não aceitasse —, Patterson tomou aulas de voo. Antes da segunda luta contra Liston, Patterson dominara o medo de altura, adquirira total domínio dos controles do avião e uma autoconfiança renovada — e sabia também que, ainda que perdesse a luta, pelo menos dispunha de um veículo que poderia tirá-lo rapidamente da cidade.

Mas não foi assim. Depois da luta, o pequeno Cessna, sobrecarregado de bagagens, ficou superaquecido a 145 quilômetros de Las Vegas. Patterson e seu copiloto, que não tiveram alternativa senão voltar, se comunicaram por rádio com o campo de aviação e trataram de alugar um avião maior. Quando eles aterrissaram, o aeroporto de Vegas estava cheio de gente que estava indo embora, depois de ter visto a luta. Patterson escondeu-se na sombra, atrás de um hangar. Sua barba estava guardada na mala. Mas ninguém o viu.

Mais tarde o piloto levou sozinho o Cessna de volta para Nova York. E Patterson foi embora no avião maior, alugado. Ele foi acompanhado, no voo, por Hanson, um sujeito amistoso de Nevada, de 42 anos, três vezes divorciado, que trabalhara como pulverizador de plantações, balconista de bar e dançarino de cabaré; depois ele se tornou instrutor de pilotos em Las Vegas, e foi lá que conheceu Patterson. Os dois ficaram muito amigos. Quando Patterson pediu a Hanson que o ajudasse a pilotar o avião alugado de volta para Nova York, Hanson não hesitou, embora estivesse levemente indisposto naquela noite — em parte por estar deprimido com a vitória de Liston, em parte por ter sido esmurrado por um bêbado, quando reagiu a um comentário desagradável que este fizera sobre a luta.

Uma vez no avião, porém, Ted Hanson ficou bem alerta. E tinha mesmo que ficar porque, quando o avião atingiu a altitude de cruzeiro aos 3 mil metros, a mente de Floyd Patterson pareceu voltar para o ringue. O avião se desviava da rota e Hanson dizia: "Floyd, Floyd, que tal retomar a rota?". Patterson então levantava a cabeça e seus olhos voltavam-se, atentos, para o painel de controle. A coisa ia bem por algum tempo. Mas aí ele se via de volta ao estádio, revivendo a luta, mal acreditando que ela de fato acontecera...

"... *E eu ficava pensando, enquanto voava para longe de Las Vegas naquela noite, em todos os meses de treino antes da luta, em todas as corridas, em todo o trabalho com os sparrings, em todos os meses longe de Sandra... pensando no tempo que passara no local de treino, em todas as vezes que queria ficar acordado até 11h15 da noite para assistir a alguma coisa no The Late Show mas não ficava, porque tinha que correr na manhã seguinte...*

"... *Lembrava-me também de como me sentira bem antes da luta, de que me deitara na mesa no vestiário. Lembro-me de ter pensado: 'Você está em excelente condição física, em ótima condição mental — mas será que tem garra?'. Mas aí digo para mim mesmo: 'Garra não tem importância nenhuma, você não precisa se preocupar com isso agora; o que está em jogo é um campeonato mundial, é isso que importa. E quem sabe essa garra não vai surgir quando o sino tocar?'.*

"... *E então fico deitado ali tentando dormir um pouco... mas me vejo apenas numa zona nebulosa, meio dormindo meio acordado, sendo interrompido de vez em quando por vozes vindas do* corredor, por algum sujeito gritando: 'Ei, Jack', 'El, Al', ou 'Ei, leve esses pugilistas da luta de abertura para o ringue'. E quando a gente ouve isso, a gente pensa: 'Eles ainda não estão prontos para você'. Então a gente fica ali deitado... e se pergunta: 'Onde eu vou estar amanhã? Onde estarei daqui a três horas?'. Oh, você tem os pensamentos mais variados, alguns sem a menor relação com a luta... você se pergunta se pagou a sua sogra pelos selos que ela comprou para você há um ano... e se lembra daquela ocasião, às duas da manhã, em que Sandra tropeçou nos degraus quando levava a mamadeira para nosso bebê... aí a gente pira e se pergunta: 'Por que estou pensando nessas coisas?'... e tenta dormir... mas então a porta se abre e alguém fala para outra pessoa: 'Ei, alguém vai ao vestiário de Liston para acompanhar a colocação da bandagem?'"

"... E então vê que já é tempo de se preparar... Você abre os olhos. Você desce da mesa. Você coloca as luvas, você as afrouxa. Então o treinador de Liston entra na sala. Ele olha para você e sorri. Ele apalpa as bandagens e diz: 'Boa sorte, Floyd', e você pensa: 'Ele não tinha a obrigação de dizer isso; ele deve ser um cara legal'."

"... E aí quando você sai, é uma longa caminhada, sempre uma longa caminhada, e você pensa: 'Que será de mim quando estiver fazendo o caminho de volta?'. Então você sobe no ringue. Você vê Billy Eckstine perto do ringue, inclinando o corpo para falar com alguém, e vê os repórteres — alguns dos quais você gosta, de outros não — e então é o hino nacional, as câmeras estão ligadas e o sino toca..."

"... Como pôde a mesma coisa acontecer duas vezes? Como? Foi o que fiquei pensando sem parar depois do nocaute... Será que eu estava enganando as pessoas durante todos esses anos?... Será que nunca fui um campeão?... E então eles tiram você do ringue... e lá está você entre as fileiras de cadeiras, passando por aquelas pessoas, e você só pensa em chegar ao vestiário, e depressa... mas o problema é que em Las Vegas eles entraram no corredor errado e quando chegamos no fim, não tinha nenhum vestiário... e tivemos que fazer todo o caminho de volta, passando pelas mesmas pessoas, que deviam estar pensando: 'Patterson está tão zonzo com o nocaute que nem consegue achar o caminho do vestiário...'."

"... No vestiário tive uma dor de cabeça. Liston não me feriu fisicamente — alguns dias depois, eu sentia apenas um nervo contraindo-se em meus dentes — nada como em outras lutas que eu tivera: contra Dick Wagner, por exemplo, em 1953, ele espancou meu corpo de tal forma que fiquei urinando sangue durante dias. Depois da luta com Liston, fui ao banheiro, fechei a porta atrás de mim e me olhei no espelho. Simplesmente olhei para mim e me perguntei: 'O que aconteceu?', e então começaram a bater na porta, dizendo: 'Venha para fora, Floyd, venha; a imprensa está aqui, Cus está aqui, saia, Floyd...'."

"... E então eu saí e eles me fizeram perguntas, mas o que é que a gente pode dizer? Você está pensando é sobre todos os meses de treino, todo o condicionamento, todos os sacrifícios; e você pensa: 'Eu não precisava ter corrido aquele quilômetro a mais, não precisava ter treinado naquele dia, eu podia muito bem ter ficado acordado até mais tarde assistindo The Late Show... Eu poderia ter enfrentado a luta de hoje sem nenhum preparo...'."

"Floyd, Floyd", disse Hanson, "vamos voltar à nossa rota..."

Mais uma vez Patterson acordava de seu devaneio, concentrava-se no painel de instrumentos e retomava o controle do voo. Depois de aterrissar no Novo México, e em seguida em Ohio, Floyd Patterson e Ted Hanson levaram o pequeno avião à pista de pouso de Nova York, perto do clube de treinamento. O Cessna verde que fora trazido pelo outro piloto já estava lá, preso ao gramado com cabos, exatamente no mesmo lugar onde estava naquele dia, cinco meses depois, quando Floyd Patterson tencionava voar com ele para, quem sabe, uma outra luta — desta vez contra alguns estudantes em Scarsdale que andaram levantando a saia de sua filhinha.

Patterson e Ted Hanson desamarraram o avião. Patterson pegou um pano e com ele limpou os insetos esmagados no pára-brisa. Depois foi para a parte traseira do avião, inspecionou a cauda, deu uma olhada sob a fuselagem, depois examinou com cuidado a área entre a asa e os *flaps* para se certificar de que todos os parafusos estavam bem apertados. Ele parecia estar desconfiado de alguma coisa. D'Amato teria gostado daquilo.

"Se um sujeito quiser se livrar de você", explicou Patterson, "basta tirar estes parafusinhos daqui. Aí quando você for manobrar para a aterrissagem, os *flaps* se desprendem e você cai."

Patterson entrou na cabine e ligou o motor. Pouco depois, com Hanson ao seu lado, imprimiu velocidade no pequeno avião, elevou-se sobre o mato e subiu muito acima das colinas e das árvores. Foi uma bela decolagem.

Como se tratava de um voo de apenas quarenta minutos até o aeroporto de Westchester, onde Sandra o estaria esperando com o carro, Floyd Patterson pilotou o avião em todo o trajeto. O voo prosseguiu sem novidades até o momento em que, de repente, depois de passar por uma nuvem, o avião entrou na densa fumaça que pairava sobre um incêndio na floresta. Sem nenhuma visibilidade, Patterson foi forçado a voar por instrumentos. Nesse exato momento, uma mosca que estava zumbindo na parte de trás da cabine foi para a frente e pousou no painel de controle, bem diante de Patterson. Ele olhou com raiva para a mosca, viu-a subir devagar pelo para-brisa e bateu com a mão espalmada contra o vidro. Errou. A mosca passou zumbindo pela orelha de Patterson, foi de encontro à parte de trás da cabine, ficou dando voltas.

"A fumaça logo passa", garantiu Hanson. "Você pode nivelar o avião."

Patterson fez o que o outro sugeriu.

Ele voou sem problemas por alguns instantes. Então a mosca foi para a frente da cabine novamente, ziguezagueou diante do rosto de Patterson, pousou no painel e começou a andar nele. Patterson olhou para ela, semicerrou os olhos e deu uma rápida palmada com a mão direita. Errou.

Dez minutos depois, ainda com os nervos à flor da pele, Patterson começou a descer. Ele pegou o microfone do rádio: "Torre de controle de Westchester... Cessna 2729 uniforme... três milhas noroeste... aterrissando na pista 16, reta final..." — e então, depois de uma aterrissagem sem problemas, ele saiu depressa da cabine e logo se dirigiu para o carro de sua mulher, estacionado na frente do aeroporto.

Mas no caminho um homem baixo que estava fumando um charuto se voltou para Patterson, acenou para ele e disse: "Ei, desculpe-me, mas você não é... você não é... o Sonny Liston?".

Patterson parou. Encarou o homem, espantado. Ele não sabia ao certo se se tratava de uma piada ou de um insulto, e não tinha ideia de como deveria reagir.

"Você não é Sonny Liston?", repetiu o homem, em tom sério.

"Não", disse Patterson, passando rapidamente pelo homem. "Eu sou o irmão dele."

Quando chegou ao carro da mulher, ele perguntou: "Quanto tempo até acabarem as aulas?".

"Uns quinze minutos", disse ela, ligando o carro. Depois acrescentou: "Oh, Floyd, eu devia ter falado com a madre, eu não devia...".

"Você fala com a madre, eu falo com os garotos..."

A sra. Patterson rumou para Scarsdale em velocidade, enquanto Patterson balançava a cabeça e dizia a Ted Hanson, que ia no banco de trás: "Não posso entender essa escola. É uma escola religiosa e eles pedem 20 mil dólares para comprar uma vidraça — e muitos deles ainda têm esses preconceitos raciais, principalmente os judeus que convivem com a gente, e..."

"Oh, Floyd", exclamou sua mulher. "Floyd, eu tenho que ficar nesta cidade... você não está aqui, você não mora aqui, eu..."

Ela chegou à escola exatamente na hora em que o sinal tocava. Era um edifício moderno, no alto de uma colina. No meio do gramado havia a imagem de um santo, e atrás dela uma grande cruz branca. "Lá está Jeannie", disse a sra. Patterson.

"Rápido, chame-a", disse Patterson.

"Jeannie! Venha aqui, querida."

De uniforme e boina azul, os livros junto ao corpo, a menina veio correndo pelo gramado em direção à perua.

"Jeannie", disse Floyd Patterson abaixando o vidro da janela. "Mostre para mim os garotos que levantaram a sua saia."

Jeannie voltou-se e ficou olhando os muitos estudantes que estavam saindo da escola; ela apontou um garoto alto, de cabelos finos ondulados, que vinha andando com outros quatro, todos com doze a catorze anos de idade.

"Ei", chamou Patterson. "Posso falar com você um minuto?"

Os cinco garotos aproximaram-se do carro. Eles encararam Patterson sem o menor sinal de estarem intimidados.

"Foi você que andou levantando a saia de minha filha?", perguntou Patterson ao garoto que a filha apontara.

"Negativo", disse o garoto em tom indiferente.

"Negativo?", disse Patterson, pego de surpresa com a resposta.

"Não foi ele, senhor", disse outro garoto. "Talvez tenha sido seu irmão mais novo."

Patterson olhou para Jeannie, mas ela ficou calada, sem muita certeza. Os cinco meninos continuaram no mesmo lugar, esperando que Patterson fizesse alguma coisa.

"Bem, onde está seu irmão menor?", perguntou Patterson.

"Ei, garoto!", gritou um deles. "Chegue aqui."

O menino aproximou-se deles. Ele se parecia com o mais velho; tinha sardas no narizinho arrebitado, olhos azuis, cabelos negros ondulados. Ao se aproximar da perua, pareceu tão pouco intimidado quanto os outros.

"Você andou levantando a saia de minha filha?"

"Negativo", disse o garoto.

"*Negativo*", repetiu Patterson frustrado.

"Não, eu não levantei a saia dela. Eu só toquei nela um pouco..."

Os outros garotos ficaram em volta do carro, olhando para Patterson, e outros estudantes se aglomeraram atrás deles. Mais adiante, Patterson viu muitos pais de alunos brancos em pé, parados junto aos seus carros estacionados; ele ficou constrangido, começou a tamborilar nervosamente no painel do carro. Não podia erguer a voz sem criar uma cena desagradável, mas ao mesmo tempo não podia recuar; finalmente, em tom brando, ele disse:

"Escute, garoto, quero que você pare com isso. Não vou contar a sua mãe para não lhe criar problemas, mas não faça isso novamente, está bem?"

"Está."

Os garotos se voltaram calmamente e foram andando rua acima.

Sandra Patterson não disse nada. Jeannie abriu a porta, sentou-se no banco da frente junto do pai, tirou um pedacinho de papel azul que uma freira lhe dera e estendeu-o para a sra. Patterson. Mas Floyd Patterson o pegou. Ele o leu, ficou um instante imóvel, depois largou o papel e falou escandindo as palavras: "*Ela não fez a lição de religião...*".

Agora Patterson queria sumir de Scarsdale. Ele queria voltar para o clube de campo. Depois de parar em sua casa em Scarsdale e pegar Floyd Patterson Jr., de três anos, a sra. Patterson seguiu para o aeroporto. Jeannie e Floyd Jr. instalaram-se no banco de trás do avião, e a sra. Patterson rumou sozinha com a perua para o clube de campo, pensando em voltar à noite para Scarsdale com as crianças.

Eram quatro da tarde quando Floyd Patterson chegou de volta ao clube de campo. A escuridão começava a envolver a sede do clube, a quadra de tênis cheia de grama e a grande casa branca, na frente da qual não havia nem um carro estacionado. Tudo vazio e silencioso; era o refúgio de um perdedor.

As crianças correram para brincar dentro da sede do clube; Patterson foi andando devagar para o seu apartamento, pois precisava trocar de roupa para treinar.

"Que é que eu podia fazer com aqueles garotos?", disse ele. "O que se pode fazer com crianças daquela idade?"

Aquilo ainda parecia incomodá-lo — o descaramento dos garotos, a percepção de que ele de certo modo falhara. E o fato de desconfiar que, se aqueles mesmos garotos tivessem incomodado alguém da família de Liston, este teria feito uma carnificina no pátio da escola.

Embora tanto Patterson como Liston sejam oriundos da periferia, e embora ambos tenham começado a vida roubando, Patterson foi reeducado numa escola especial, com a ajuda de uma solteirona negra de boa vontade; mais tarde ele se converteu ao catolicismo e aprendeu a não odiar. Mais adiante ele comprou um dicionário, acrescentando ao seu vocabulário palavras como "vicissitude" e "enigma". E quando reconquistou o campeonato lutando contra Johansson, se tornou A Grande Esperança Negra da Urban League.

Ele provou que é possível não apenas sair de um gueto negro e se tornar um esportista de sucesso, mas também tornar-se um cidadão inteligente, sensível e ordeiro. Ao provar isso, porém, e disso se orgulhando, Patterson parecia perder uma parte de si mesmo. Ele perdeu parte de sua fome, de sua raiva — e enquanto subia os degraus de seu apartamento dizia: "Eu me tornei o cara bonzinho... Depois que Liston ganhou o título, fiquei esperando que ele também se tornasse um cara bonzinho. Isso me aliviaria de minha responsabilidade, e quem sabe eu poderia reassumir um pouco do meu lado mau. Mas ele não fez isso... Tudo bem ser um bom sujeito quando você está ganhando. Mas quando está perdendo, não tem nada a ver ser um bom sujeito".

Patterson tirou a camisa e a calça e, afastando para um lado uns livros que estavam sobre a escrivaninha, nela colocou o relógio, as abotoaduras e um maço de notas.

"Você lê muito?", lhe perguntaram.

"Não. Sabe, na verdade nunca li um livro até o fim em toda a minha vida. Não sei por quê. Eu apenas sinto que atualmente nenhum escritor tem nada para me dizer; quer dizer, nenhum deles sentiu as coisas mais profundamente do que eu, e nada tenho a aprender com eles. No entanto, Baldwin me parece ser diferente dos outros. O que Baldwin anda fazendo atualmente?"

"Está escrevendo uma peça. E Anthony Quinn vai participar da montagem."

"Quinn?", perguntou Patterson.

"Sim."

"Quinn não gosta de mim."

"Por quê?"

"Eu li ou ouvi isso não me lembro onde; Quinn teria dito que fiz uma péssima luta contra Liston, e que ele teria feito melhor. As pessoas sempre dizem isso: *elas* se sairiam melhor! Bem, eu acho que se *elas* tivessem de lutar, não conseguiriam aguentar nem a experiência de esperar a luta começar. Elas ficariam acordadas a noite inteira, bebendo ou se drogando. Certamente teriam um ataque do coração. Tenho certeza de que, se estivesse num ringue com Anthony Quinn, poderia acabar com ele sem nem ao menos tocá-lo. Bastaria pressioná-lo, aproximar-me, ficar bem perto dele. Sem ao menos tocar nele, ele iria afinar, ter um colapso. Mas Anthony Quinn já está velho, não?"

"Está na casa dos quarenta."

"Bom, mas de qualquer forma, voltando a Baldwin, ele parece ser um cara legal. Eu o vi certa vez na televisão e, antes da luta contra Liston em Chicago, ele veio me ver no lugar onde faço meu treinamento. Quem vê Baldwin na rua é capaz de dizer: 'Quem é esse pobre coitado?' — ele parece uma pessoa qualquer; e eu dou essa mesma impressão às pessoas que não me conhecem. Mas acho que Baldwin e eu temos muito em comum, e gostaria de poder algum dia sentar ao lado dele e conversar por um bom tempo..."

Patterson, a calça do abrigo sobre o calção, inclinou-se para amarrar os cadarços e depois tirou da gaveta da escrivaninha uma camiseta onde se lia *Deauville*. Ele tem várias camisetas com essa inscrição, e tem muito cuidado com elas. São lembranças do período mais glorioso de sua vida. São do Deauville Hotel, em Miami Beach, onde ele treinou para a terceira luta contra Ingemar Johansson, em março de 1961.

Nunca ele foi tão popular, tão admirado, como naquele inverno. Ele visitou o presidente Kennedy; ganhou de seu empresário uma coroa cravejada de pedras preciosas avaliada em 35 mil dólares; os jornalistas esportivos lhe reconheceram a grandeza — e ninguém imaginava que Patterson, sem que ninguém soubesse, carregava consigo um bigode postiço e óculos escuros que pretendia usar quando fosse partir de Miami Beach, caso perdesse a terceira luta contra Johansson.

Foi depois de ser nocauteado por Johansson em sua primeira luta que Patterson, escondido numa remota casa de campo em

Connecticut, profundamente deprimido, sentindo-se humilhado, compreendeu que não poderia encarar o público novamente caso perdesse. Então ele comprou um bigode e costeletas postiços, para usá-los quando tivesse de sair do vestiário depois de perder uma luta. Resolveu também que ao sair do vestiário iria ficar por algum tempo no meio da multidão, e talvez reclamar da luta. Em seguida sairia para a noite sem ser notado e entraria num carro que já estaria à sua espera.

Embora os acontecimentos viessem a mostrar que não havia nenhuma necessidade de ter levado o disfarce para a segunda e terceira lutas contra Johansson, ou quando das lutas posteriores contra um obscuro peso pesado chamado Tom McNeeley, Patterson o levou assim mesmo; e depois da primeira luta contra Liston, ele o usou não apenas durante a viagem de carro de trinta horas de Chicago para Nova York, mas também enquanto viajava de avião para a Espanha.

"Você não teria me reconhecido, se me visse entrando naquele avião", disse ele. "Eu estava de barba, bigode, óculos, chapéu, e além disso andava mancando, para parecer mais velho. Eu estava sozinho. Eu nem queria saber em que avião estava embarcando; simplesmente olhei e vi uma placa no aeroporto em que se lia 'Madri', então comprei a passagem e entrei no avião."

"Quando cheguei a Madri", continuou ele, "registrei-me no hotel com o nome de 'Aaron Watson'. Fiquei em Madri uns quatro ou cinco dias. Durante o dia eu vagava pelos bairros pobres da cidade mancando, olhando as pessoas, e as pessoas olhavam para mim, certamente pensando que eu era louco por causa da minha aparência e por andar tão devagar. Eu fazia as refeições no quarto do hotel. Mas uma vez fui a um restaurante e pedi uma sopa. Odeio sopa, mas eu achava que era isso que um velho iria pedir. Então a tomei. Depois de uma semana, comecei a achar que na verdade eu era outra pessoa. Comecei a acreditar nisso. E de vez em quando é bom ser outra pessoa."

Patterson não entrou em detalhes sobre a forma como conseguiu se registrar com um nome que não correspondia ao do passaporte; apenas disse que "com dinheiro a gente consegue fazer qualquer coisa".

Agora, andando devagar pela sala, o robe de seda preta sobre o agasalho, Patterson disse: "Você deve se perguntar o que leva um homem a fazer esse tipo de coisa. Bem, eu também me pergunto. E a resposta é: eu não sei... mas acho que dentro de mim, dentro de cada ser humano, existe uma certa fraqueza. É uma fraqueza que se torna mais evidente quando se está sozinho. E passei a achar que, em certa medida, o que me leva a fazer o que faço, e que me impede de dominar a mim mesmo, é... é que... eu sou um covarde...".

Ele parou. Ficou parado no meio da sala, pensando no que acabara de dizer, provavelmente se perguntando se deveria ter dito aquilo.

"Eu sou um covarde", repetiu ele devagar. "Mas minha carreira de lutador nada tem a ver com isso. Quero dizer que se pode ser um lutador — e um lutador *vencedor* — e apesar disso ser um covarde. Com certeza fui um covarde na noite em que reconquistei o campeonato, lutando contra Ingemar. E lembro-me de outra noite, há muito tempo, quando eu ainda era lutador amador e tive de lutar contra um grandalhão chamado Julius Griffin. Eu pesava apenas setenta quilos. Fiquei com os sentidos embotados, e foi assim que cruzei o ringue. Ele veio se aproximando de mim... e daí em diante não sei de mais nada. Não tenho ideia do que aconteceu. Eu só sei que o vi no chão. Depois uma pessoa comentou: 'Cara, nunca vi uma coisa daquelas. Você pulou no ar e deu uns trinta socos nele...'"

"Quando você começou a achar que é um covarde?"

"Depois da primeira luta contra Ingemar."

"Como é que se pode perceber essa covardia de que você fala?"

"Você vê quando um lutador perde. Ingemar, por exemplo, não é um covarde. Quando ele perdeu a terceira luta em Miami, foi a uma festa no Fontainebleau. Se eu tivesse perdido, não iria a uma festa. E não consigo entender como ele pôde fazer isso..."

"Será que Liston é um covarde?"

"Isso ainda não sabemos", disse Patterson. "Vamos descobrir quem ele é depois que alguém o derrotar. Vamos ver como vai reagir. É fácil fazer qualquer coisa quando se é o vencedor. É na derrota que um homem se revela. Quando sou derrotado, não consigo encarar as pessoas. Não tenho força para dizer às pessoas: 'Fiz o que pude, desculpem-me etc. e tal'."

"Você guarda algum ódio?"

"Eu só odiei um lutador", disse Patterson. "Foi Ingemar, na segunda luta. Passei um ano odiando-o antes daquela luta — não porque ele me venceu na primeira, mas por causa de toda aquela fanfarronada em público e por mostrar o punho direito na televisão, sua direita fulminante, 'demolidora'. Eu estava em casa vendo-o na televisão e *odiando-o*. O ódio é um sentimento desgraçado. Quando um homem odeia, não pode ter nenhuma paz interior. E durante um ano inteiro eu o odiei porque, depois de ter tirado tudo de mim, de me despojar de tudo o que eu era, ele ficou *esfregando isso na minha cara*. Na noite da segunda luta, no vestiário, eu mal podia esperar a hora de entrar no ringue. Ele se atrasou um pouco e eu pensei: 'Ele está me dando uma canseira; está tentando fazer guerra de nervos — bem, vou dar um jeito nele!'."

"Por que você não odiou Liston na segunda luta?"

Patterson pensou um pouco e disse: "Escute, se Sonny Liston entrasse nesta sala agora e me desse um tapa na cara, aí você ia ver o que é uma luta. Você ia ver a maior luta de sua vida. Porque, nesse caso, haveria uma questão de princípio. Eu iria esquecer que ele é um ser humano. E iria esquecer que eu sou um ser humano. E ia lutar de acordo com isso".

"Floyd, será que você errou ao escolher a profissão de lutador de boxe?"

"Como assim?"

"Bem, você diz que é um covarde; você diz que não tem muita capacidade de odiar; e parece ter ficado sem saber o que fazer com os garotos hoje à tarde em Scarsdale. Você não acha que se daria melhor em outra profissão? Quem sabe se você fosse um assistente social ou..."

"Você está querendo saber por que continuo lutando boxe?"

"Sim."

"Bem...", disse ele, sem se irritar com a pergunta. "Antes de mais nada, gosto de lutar boxe. O boxe foi bom para mim. E de minha parte, também posso perguntar a você: 'Por que você escreve?'. Ou: 'Você abandona a escrita toda vez que escreve uma história ruim?'. E sobre como comecei a lutar boxe... bem, como posso lhe explicar... Ouça, vamos dizer que você passou dias e dias num quarto sem comida... então tiram você do tal quarto e o colocam numa sala com comida pra todo lado... e a primeira coisa que você alcança, você come. Quando você está com fome não fica escolhendo muito, por isso escolhi o que estava mais ao meu alcance. Ou seja, o boxe. Um dia eu estava zanzando por um ginásio de esportes e lutei contra um rapaz. E o venci. Então lutei contra outro. E também o venci. Aí continuei lutando. E vencendo. Então eu disse: 'Finalmente achei uma coisa que sei fazer!'"

"Eu não era um sádico", apressou-se ele em acrescentar. "Mas eu gostava de socar as pessoas porque era a única coisa que eu sabia fazer. E independentemente de o boxe ser ou não ser um esporte, eu queria que fosse um esporte porque era uma coisa na qual eu poderia ter sucesso. E quais os requisitos necessários? Sacrifício. Só isso. Para qualquer um que vem de Bedford-Stuyvesant, no Brooklyn, sacrifício é algo que vem fácil. Então continuei lutando, um dia me tornei campeão peso pesado e tive a oportunidade de conhecer gente como você. E você me pergunta como posso fazer tanto sacrifício, como posso me submeter a tudo isso. Você não imagina de onde vim. Você não tem ideia de onde eu estava quando comecei a lutar."

"Naquela época, quando eu tinha uns oito anos, tudo o que eu tinha era roubado. Eu roubava para sobreviver, e sobrevivi, mas parecia que odiava a mim mesmo. Minha mãe me disse que eu olhava uma foto minha que havia no quarto e dizia: 'Não gosto desse garoto!'. Um dia minha mãe viu a fotografia toda riscada com um prego ou com outro objeto qualquer. Não me lembro de ter feito aquilo. Mas lembro-me de que me sentia um parasita dentro de casa. Lembro-me de como me sentia mal à noite, quando meu pai, que era estivador, chegava em casa tão cansado que adormecia na mesa, enquanto minha mãe lhe preparava o jantar. Eu tirava seus sapatos e limpava seus pés. O meu trabalho era esse. E eu me sentia muito mal porque lá estava eu, sem frequentar a escola, sem fazer nada, só vendo meu pai chegar em casa; nas noites de sexta-feira era ainda pior. Ele chegava em casa com o pagamento e colocava até o último centavo na mesa, para minha mãe comprar a comida dos filhos. Eu nunca queria estar por perto para ver aquilo. Eu corria e ia me esconder. Então resolvi sair de casa e começar a roubar — e foi o que fiz. Eu só voltava para casa quando levava alguma coisa que havia roubado. Lembro-me de que certa vez arrombei uma loja e roubei um monte de vestidos, às duas da manhã. E lá ia eu, um menino, carregando todos aqueles vestidos, pensando que eram todos do mesmo tamanho, o tamanho que minha mãe usava, e pensando que os policiais não iriam me ver andando pela rua com a pilha de vestidos na cabeça. Claro que eles viram... e fui parar no reformatório..."

Os filhos de Floyd Patterson, que durante todo esse tempo ficaram brincando em volta da sede do clube, agora estavam impacientes, lhe chamavam, e Jeannie começou a bater na porta. Patterson pegou a bolsa de couro onde carregava as luvas, o protetor para os dentes e a fita adesiva, e levou os filhos para dentro da sede do clube.

Ele acionou os interruptores que ficavam atrás do palco, perto do piano, para acender as luzes. Raios de luz âmbar atravessaram a sala fracamente iluminada e incidiram em cheio sobre o ringue. Então ele foi a um lado da sala, fora do ringue. Patterson tirou o robe, arrastou os pés no pavimento, pulou corda, depois começou a treinar boxe diante de um espelho sujo, contra um adversário invisível, desferindo uma rápida combinação de esquerdos, direitos, esquerdos, direitos, cada *jab* seguido por um *"ref-ref-ref-ref"*. Então, já com as luvas, aproximou-se do saco de boxe, que ficava num canto da sala, e logo esta começou a reverberar com os golpes regulares — rat-tat-tat-*teteta*, rat-tat-tat--*teteta*, rat-tat-tat-*teteta!*

As crianças, sentadas em cadeiras de couro cor-de-rosa, saíram do bar e foram para a beira do ringue, observando-o admiradas, às vezes recuando por causa da força com que ele batia no saco de couro.

E era assim que eles certamente iriam se lembrar do pai nos anos vindouros: uma figura negra, solitária, reluzente, desferindo socos num canto perdido no pé de uma montanha onde outrora as pessoas vinham se divertir — até o dia em que o clube caiu de moda, a pintura começou a descascar, e se permitiu a entrada de negros.

Enquanto Floyd Patterson continuava desferindo esquerdos e direitos, as luvas um mero borrão marrom contra o saco de couro, sua filha saiu de fininho da cadeira, passou pelo ringue e entrou na outra sala. Lá, do outro lado do balcão e para além de uma dezena de mesas redondas, ficava o palco. Ela subiu no palco, se pôs atrás de um microfone que há muito não funcionava e anunciou em voz alta, imitando um locutor de ringue: "Senhoooras e senhores... esta noite apresentamos...".

Ela olhou em volta, intrigada. Depois, vendo que o irmãozinho fora atrás dela, acenou para que ele subisse ao palco e recomeçou: "Senhoooras e senhores... apresentamos esta noite... *Floydie Patterson...*".

De repente, na outra sala, os golpes contra o saco de couro pararam. Por um momento, houve silêncio. Então Jeannie, ainda ao microfone e olhando para o irmãozinho lá embaixo, falou: "Floydie, suba aqui!".

"Não", disse ele.

"Ah, suba aqui!"

"*Não*", gritou ele.

Ouviu-se então a voz de Floyd Patterson, vinda da outra sala: "Parem com isso... Logo, logo, eu levo vocês para passear".

A pancadaria recomeçou — rat-tat-tat-*teteta* — e as crianças voltaram para perto do pai. Mas Jeannie o interrompeu, perguntando: "Pai, por que você está suando?".

"Caiu água em cima de mim", disse ele continuando a bater no saco de couro.

"Pai", perguntou Floyd Jr. "Por que você cuspiu água no chão?"

"Para tirá-la de minha boca."

Quando ele já se aproximava do saco de couro mais pesado, ouviu-se o barulho da perua da sra. Patterson vindo pela estrada.

Logo ela estava no apartamento de Patterson, tentando limpá-lo um pouco, ajeitando almofadas, lavando as xícaras que estavam na pia. Uma hora depois a família estava jantando. Ficaram juntos mais umas duas horas; às dez da noite, a sra. Patterson lavou e enxugou a louça, pôs o lixo do lado de fora — onde ele iria ficar até a chegada dos guaxinins e dos gambás.

Depois de ajudar as crianças a vestir os casacos e entrar na perua, a sra. Patterson deu um beijo de despedida no marido e começou a dirigir pela estrada enlameada, em direção à rodovia. Patterson acenou uma vez, ficou por um instante vendo os faróis traseiros desaparecerem, voltou-se e foi andando devagar em direção à casa.

A psique sensível de Joshua Logan

As luzes do teatro foram diminuindo, e as joias no auditório cintilavam como uma cidade à noite, vista de um avião; a música começou, a cortina ergueu-se, e fileira após fileira de gravatas-borboleta se acomodaram, como uma nuvem de borboletas negras, em suas cadeiras. Era a primeira apresentação de *Mr. president* e, malgrado a impressão negativa e a pouca procura para aquela estreia na Broadway, o público acorreu aos bastidores, quando caiu o pano, com seus casacos de peles e seus rostos de *première* para cumprimentar o diretor, Joshua Logan, com "Que-ri-do, foi maravi-lho-so!", "Parabéns, Joshua!", "Que maravilha, Joshua, que maravilha!".

Como todo mundo, ele sabia que ninguém achara nada daquilo e que não se costuma falar a verdade nos bastidores em noites de estreia; os críticos dos jornais criticaram duramente o espetáculo, e um deles, John McClain, do *Journal-American*, perguntou: "Que aconteceu com a mão infalível do senhor Logan?".

A mão infalível, o sr. Logan gostaria de ter respondido, fora amarrada às suas costas por seus sócios durante os ensaios, mas essa revelação de nada adiantaria, além de não ser nada elegante; e lá estava ele, no outono de 1962, depois de amargar três fracassos sucessivos de crítica (os outros foram *All American* e *There was a little girl*), tendo plena consciência de que seu próximo espetáculo na Broadway, com estreia marcada para dentro de oito semanas, não podia fracassar. Já se comentava no Sardi's que seu discernimento, como diretor, se perdera em vulgaridade, e alguns amigos seus observaram, preocupados, a pressão crescente a que ele se submetia, por causa de *Tiger tiger burning bright*. Em 1941 e 1953, ele passara algum tempo em instituições psiquiátricas.

Desde a primeira semana de ensaio de *Tiger*, no Booth Theatre, na rua 45, sentiu-se uma tensão, reações estranhas e insegurança, e os atores — todos negros, à exceção de um — pareciam desconfiar de Logan e invejar os papéis uns dos outros. Claudia McNeil, a estrela de *Tiger*, uma mulher corpulenta, muito negra, fitava Logan em silêncio todos os dias, medindo-o, ostentando um ar de quem conhecia seus pontos fracos e tinha o poder de destruí-lo; e Joshua Logan, 54 anos, cabelos brancos, bigodes brancos, alto e de ombros largos, mas muito pálido e de aspecto delicado, se postava na frente do elenco negro daquela peça sobre uma mãe que domina os filhos num mundo de sonhos que ela criara em Louisiana — uma peça que pouco a pouco, à medida que avançavam os ensaios, revolvia mais e mais lembranças de Logan, lembranças obsessivas do tempo em que morava em Mansfield, Louisiana, no latifúndio de seu avô, onde, em seus sonhos de menino, ele sempre via a si mesmo como um homem forte cavalgando em pé no cavalo pelas ruas de Mansfield, braços cruzados no alto do peito. Na vida real, o jovem Joshua

Logan não via em si mesmo nada que tivesse a menor semelhança com seu másculo herói. Ele via em si mesmo um menino fraco, sem energia, que, desde a morte do pai, fora educado na fazenda do avô materno, recebendo cuidados quase sufocantes de mulheres. Havia a sua irmã, Mary Lee, que não parava de se preocupar com ele; havia sua babá negra, Amy Lane, sempre brava com ele mas sempre observando-o pela janela da cozinha e dizendo: "Nossa, ele é igualzinho ao velho juiz Logan!"; e havia a sua mãe, Susan, que o vestia com belas roupas, lia-lhe poemas e procurava afastá-lo de tudo o que fosse grosseiro ou vulgar. Certa tarde, no meio de um filme bíblico, pouco antes da cena em que Judite de Betúlia corta a cabeça de Holofernes, Susan Logan, para evitar que Joshua a visse, tapou sua visão empurrando-o para debaixo da cadeira, repetindo num sussurro: "Pense num campo de margaridas amarelas... pense num campo de margaridas amarelas!".

Susan Logan era uma senhora elegante e gentil do Velho Sul, cuja família, assim como a de seu finado primeiro marido (também chamado Joshua Lockwood Logan), tinha se estabelecido na Carolina do Sul. O primeiro Joshua Lockwood viera para a América, procedente do County Kent, Inglaterra, e morrera a 25 quilômetros de Charleston, em meados do século XVIII. Quando os seus despojos estavam sendo levados para serem enterrados em Charleston, o cortejo foi atacado por um bando de lobos, sendo obrigado a enterrar seus ossos à beira da estrada, a catorze quilômetros daquela cidade, e a viúva ficou tão abalada que voltou imediatamente para a Inglaterra. Mas alguns anos depois um de seus filhos, também chamado Joshua, voltou para Charleston, e lá a família dele estreitou laços de amizade com duas outras famílias de Charleston, os Logan e os Lee; mais tarde fizeram-se casamentos entre essas famílias; assim sendo, Susan, descendente dos Lee, é não apenas a mãe do diretor da Broadway, mas também sua prima.

Aí pela década de 1830 alguns ramos da família dos Lockwood, dos Lee e dos Logan tinham se mudado da Carolina do Sul para o Alabama, e uma geração depois outros se mudaram para o noroeste da Louisiana, onde o pai de Susan se estabeleceu numa fazenda de algodão. Foi para essa fazenda que ela se mudou, quando o marido morreu, com seu filho de três anos, Joshua, sua filhinha Mary Lee, e a governanta, Amy Lane.

Susan desprezava Mansfield; era uma cidade inculta, uma cidade de pioneiros, sem restrição ao jogo, ao álcool e à prostituição, dominada por rixas entre famílias e brigas de bar; Mansfield pouco tinha a ver com a tradição do Sul de antes da guerra civil, com a Charleston de seus sonhos, parecendo-se muito mais com o Velho Oeste, com sua forte inclinação para a grosseria e a truculência. Susan fazia o possível para evitar que a rudeza daquela cidade influenciasse Joshua, e ela o conseguiu, ainda que certo dia, talvez devido à chegada de um circo na cidade, de repente tenha ficado gravada na mente de Joshua a imagem de um homem cavalgando em pé no cavalo por Mansfield — um homem maravilhoso, bem-proporcionado; um homem livre, sem peias.

Quando Joshua Lockwood Logan entrou na adolescência, seu avô começou a se queixar de que Susan estava transformando-o num maricas. Joshua adorava o avô ("eu punha Tabasco em meu leite para agradá-lo") e logo se tornou um excelente nadador, começou a seguir o curso de musculação de Charles Atlas, e, na Academia Militar de Culver, em Indiana — que Joshua frequentava porque sua mãe contraíra segundas núpcias, em 1917, com o coronel Howard F. Noble, que trabalhava na administração daquela instituição —, também praticou boxe.

Estimulado pelo coronel Noble, a quem mais tarde Joshua haveria de dedicar sua peça *The wisteria trees,* ele treinava intensamente no ringue, e terminou ganhando o título de boxe do pelotão, da companhia, do batalhão e finalmente do regimento. Mas toda vez que ele ganhava e levantavam sua mão em sinal de vitória, Joshua lamentava-se consigo mesmo: "Oh, Deus" — porque a vitória significava ter de lutar com mais outra pessoa, e ele odiava aquilo.

Depois de Culver houve Princeton, universidade escolhida pela mãe porque era "boa" e porque lá "se bebia menos"; depois de Princeton, onde ele se tornou presidente do Triangle Club, e depois da viagem a Moscou, onde estudou durante seis meses com Stanislavski, Joshua Logan estabeleceu-se em Nova York e iniciou a carreira de diretor de teatro. Quando o coronel Noble morreu, a mãe de Joshua foi morar com o filho em Nova York; mais tarde, quando ele estava dirigindo dois espetáculos ao mesmo tempo — um em Nova Jersey, à noite, outro de dia, em Nova York —, sua mãe o saudava a cada manhã na Pennsylvania Station com uma garrafinha de suco de frutas. "A única maneira de Joshua afastar-se de sua mãe", disse um amigo que o conhecia muito bem, "era desaparecer atrás da porta de um hospício — uma porta que trancasse."

Depois de seu primeiro colapso mental, em 1941, devido ao esgotamento nervoso e desilusões no trabalho, ele se recuperou num sanatório de Filadélfia e, em 1942, estava de volta à Broadway, dirigindo um espetáculo de muito sucesso, *By jupiter.* Em 1953, enquanto ensaiava *Kind sir* e ao mesmo tempo disputava com agentes e advogados os direitos de filmagem do romance de Michener, *Sayonara,* Logan teve outro colapso; um ano depois, ele se recuperou e teve um outro sucesso: *Fanny.*

Agora, quase nove anos depois, naqueles ensaios diários de *Tiger tiger burning bright,* adaptação para o teatro do romance *A place without twilight*, feita pelo próprio autor, Peter S. Feibleman, Joshua Logan percebeu que estava se deixando envolver de tal maneira pelo roteiro e se identificando tão intensamente com seus personagens — e ao mesmo tempo se sentindo intimidado diante dos atores, principalmente Claudia McNeil, que ele sentia que agia como Amy Lane — que lhe parecia estar fazendo o percurso de volta para Mansfield, a fonte de seus velhos traumas e dos problemas de sua meninice; uma viagem, como se pode imaginar, que ele não estava em condições de fazer. Ele precisava do sucesso daquela peça, e tinha muitos compromissos tanto mundanos quanto financeiros; ele e sua mulher, Nedda, tinham dois filhos adotivos estudando numa escola particular; era preciso manter seu fabuloso apartamento às margens do rio East, pagar seus assistentes de direção, gerenciar sua companhia cinematográfica, pagar o motorista, o cozinheiro, o psiquiatra, com o qual ele tem sessões matinais cinco dias por semana, manter sua mansão em Connecticut, com sua vasta área circundante e magníficos e bem cuidados jardins. Embora Logan ganhe cerca de 500 mil dólares por ano, isso quase não é o bastante, e certa noite, depois de um duro dia de ensaio de *Tiger*, Logan saiu do teatro e disse, com voz cansada: "Eu trabalho para jardins e para psiquiatras".

Ele era complacente com os atores. Quando eles se atrapalhavam nas falas, ele tinha paciência. Graças ao conhecimento que tinha do sotaque do sudoeste, ajudava os atores quanto à pronúncia correta — "Lá embaixo eles pronunciam '*LOu*-iz-iana', e não 'Lou-e-*ZEE-ana*'" — e aliviava a tensão (ou pelo menos tentava) contando histórias sobre espetáculos que dirigira na Broadway, sobre Mary Martin em *South Pacific* e sobre *Mister Roberts*, falando sempre de forma calorosa, admitindo ainda não saber todas as respostas sobre a questão de como encenar *Tiger* e aceitando sempre e de bom grado as sugestões dos atores. "Não estou trabalhando com fantoches", ele costumava lhes dizer. "Sou simplesmente um editor, uma espécie de público e um amigo. Estou aqui para estimular, e ninguém precisa ter medo — nem *raiva* — de mim."

Então, na segunda semana de ensaios, as coisas pioraram. Partes do primeiro ato foram reescritas, os atores tiveram de aprender novas falas, esquecer as antigas, e eles se desapontaram com o fato de que o principal papel masculino, o filho esquivo que simbolizava o tigre, seria interpretado por Alvin Ailey, um bailarino. Mesmo alguns dos colegas de Logan, que todo o dia se sentavam na escuridão do teatro assistindo aos ensaios, começaram a se sentir incomodados.

"Diabo, Josh, os movimentos de Alvin em nada se parecem com os de um tigre!"

"Não", reconheceu Logan. "Ele é Nijinsky."

"Para esse papel você precisa de um Marlon Brando negro."

"Sim", disse Logan.

"Vamos estrear dentro de três semanas."

"Meu Deus!", exclamou Feibleman.

"Oh, não se preocupe", disse Oliver Smith, o co-produtor.

"Eu *estou* preocupado", disse Logan.

No dia seguinte, depois de interpretar uma cena ardente com a curvilínea e insinuante Diana Sands, Ailey atravessou de repente o palco correndo e enfiou o rosto num canto, atrás da cortina. Por um instante, houve silêncio. Pouco a pouco, porém, o teatro começou a ressoar com o que parecia uma gargalhada fortíssima; então, numa transição rapidíssima, a gargalhada se transformou em soluços incontroláveis, que beiravam a histeria. Todo mundo ficou estupefato; todos estavam paralisados, tanto no palco como na plateia.

Por fim, Peter Feibleman, que estava sentado no fundo do teatro, desceu depressa pelo corredor para falar com Logan, que se encontrava na sétima fila.

"Josh", sussurrou Feibleman. "Você precisa fazer alguma coisa."

"Que é que eu posso fazer?", disse Logan, passando as mãos pelos cabelos brancos. "Ele vai ter que pôr tudo pra fora."

"Eu queria ter os direitos dessa cena", brincou Joe Curtis, um dos assistentes de Logan, sentado do outro lado do corredor.

"O problema", disse Logan, "é que a coisa toda vai sobrar pra mim." Então, balançando a cabeça enquanto Ailey continuava a soluçar, sendo consolado por Claudia McNeil, Logan disse a Curtis: "Sabe, estou tendo um verdadeiro prazer vicário com isso. Ailey está fazendo exatamente o que eu queria fazer: simplesmente deitar e chorar!".

Não obstante, Logan, Feibleman e Oliver Smith achavam que Ailey conseguiria fazer o papel; todos achavam que ele se encaixava no papel, pois tinha um corpo que parecia mais vigoroso que o de Sonny Liston; além disso, já era tarde demais para sair por aí à cata de um outro tigre. Logan achava que se o texto da peça fosse mais forte, os atores se sentiriam mais confiantes; assim, nos três dias seguintes, Logan desapareceu com Feibleman numa salinha nos bastidores e fizeram alterações no texto — retirando as firulas literárias nos trechos em que, na visão Logan, o público preferiria ação.

"Onde diabos está Logan?", rosnou Claudia McNeil, na terceira manhã de ensaios com o assistente de produção, David Gray Jr. Claudia ainda estava furiosa com o fato de Logan ter saído do teatro no meio da tarde, no começo da semana, sem ter "a delicadeza, a atenção" de informá-la de que não voltaria naquele dia; agora que Logan trabalhava no roteiro em outro lugar, ignorando completamente os ensaios, Claudia estava furiosa. Com os atores ao seu redor nos bastidores, como numa cena familiar da própria peça, ela bradava: "Logan devia estar aqui! Estamos sem direção".

"E nossa reputação está jogo", disse Diana Sands.
"A dele também!", retrucou Claudia. "Se ele está pensando que vai pôr a culpa em mim se a peça for um fracasso, está muito enganado; eu pego o telefone, ligo para Sally Hammond no *Post*, ou para aquele cara do *Tribune* — como é mesmo o nome dele? Um que é casado com uma atriz? Morgenstern, isso mesmo —, e conto a história toda. Conto que viemos aqui e tivemos de ouvir um monte daquelas histórias dele, não sei o que de *LOU--iz-iana*, e depois ele desapareceu por três dias!"

Os outros balançaram a cabeça e ela continuou: "Esse negócio de reescrever o texto deveria ser feito à noite! Que diabos ele faz à noite? Que merda! As pessoas vão olhar para mim e dizer que queimei todos os meus cartuchos em *Raisin in the sun* e que não tenho mais nada a oferecer; bem, isso não seria justo... Já tenho muitos problemas em trabalhar com tantos garotos nesse espetáculo, carregando a responsabilidade por toda a minha raça, atuando há trinta anos em teatro, e esse Logan nem aparece! Que merda!".

Alguns minutos depois a porta se abriu e Logan entrou, seguido de Peter Feibleman, que trazia as páginas reescritas do primeiro ato. Claudia ficou olhando enquanto Logan acenava e descia pela escadinha lateral do palco em direção à orquestra, o viu seguir pelo corredor até o fundo do teatro, e esperou; dez minutos depois, ela teve sua oportunidade.

No meio de um de seus monólogos, Claudia percebeu que Logan estava cochichando no ouvido de Feibleman. Era como se ela fosse Amy Lane flagrando o pequeno Joshua roubando biscoitos. Inflamando-se, Claudia gritou para Oliver Smith, o coprodutor, que estava sentado sozinho umas nove fileiras mais atrás: "*O senhor Logan está falando! Assim não posso continuar!*".

"Eu *não* estou falando", gritou Logan lá de trás, a voz tensa e cheia de raiva.

"Você *estava* falando", disse Claudia. "Eu ouvi o que você estava dizendo!"

"Eu *não* estava falando", insistiu ele. "Era uma outra pessoa, não eu!"

"*Você* estava falando!", gritou ela, arqueando os ombros volumosos e fuzilando-o com seus grandes olhos. "E você quebrou o ritmo de minha fala!"

"Ouça", disse Logan enquanto andava, pisando duro, em direção ao corredor onde estava sentado Oliver Smith: "Não quero mais esses seus ataques de raiva!".

"Você está com raiva, não eu!", disse ela.

"Eu não vou tolerar isso!"

"Você quer que eu vá embora?", perguntou ela em tom de desafio.

"Escute", disse ele num tom mais brando. "Todo mundo aqui está tentando preparar esta peça. Eu não posso *to-le-rar* esses insultos. O que você quer que a gente faça? Que cancele o espetáculo?"

Claudia então se voltou, arqueou novamente os ombros e ficou andando de um lado para outro.

"Agora", disse Logan tentando recolocar as coisas nos eixos, observando que o resto do elenco estava emudecido, petrificados em poses diversas no meio do palco. "Agora, por que vocês não começam novamente?"

"Eu *não consigo* fazer isso", disse ela em tom indiferente. "Você quebrou meu ritmo."

"Oh-h-h, Oliver", gemeu Logan com a mão na testa: "Não aguento esses ataques de raiva!".

"Bem", retrucou ela. "Isso é problema seu."

"*Meu problema é você!*", exclamou Logan.

Agora todos no teatro estavam sentindo-se mal. Felizmente, Claudia não respondeu nada; ela apenas ficou arrastando os pés mais um pouco, como um lutador de sumô esperando a decisão do árbitro; no silêncio interminável, as coisas se acalmaram um pouco, Claudia falou o seu monólogo e David Gray gritou "Pano", e todo mundo suspirou. Fez-se uma pausa.

Na frente do Booth Theatre, as mãos nos bolsos e o vento frio de outono sibilando em seus longos cabelos brancos, Joshua Logan disse: "Eu estou deixando que Claudia faça um monte de coisas só porque confio nela, admiro seu talento criativo e não quero bloqueá-lo, mas apesar de tudo sei que tenho um problema com ela".

"Sabe", continuou ele, "de vez em quando Amy Lane se enfurecia e seu rosto ficava cinza. Quando Amy Lane estava contente seu rosto era marrom, às vezes roxo; mas ela me assustava quando se enfurecia; quando estava contente, ela me ajudava, me vestia, amarrava os cadarços de meus sapatos e abotoava as minhas roupas; e agora tenho em mãos esse espetáculo, com uma espécie de Amy Lane que de vez em quando fica cinza. E eu quero ajudá-la — tenho de ajudá-la — a entender os cadarços e casas de botão criativos. E às vezes me pergunto se sou forte o bastante para fazer isso."

Respirando fundo, ele deu mais uma volta pela Shubert Alley, perto do teatro. "Engraçado", disse ele finalmente. "Mas a verdade é que estou feliz de fazer essa peça. Talvez seja por causa dos negros. De certa forma eu os estou compensando por todas as humilhações que passaram. Não sei. Mas *alguma coisa* deve estar fazendo que me sinta bem. Lembro-me de que, quando criança, eu queria ser um negro; lembro-me da doçura deles, de suas vozes suaves e principalmente de sua liberdade — eles eram livres para correr e correr sem sapatos, sem roupas, eles não tinham de estar limpos, não tinham de ir à igreja três vezes por semana. Eles não tinham, para usar um termo moderno, de se ajustar. De certa forma", acrescentou ele devagar, "eles nos dominavam — era como se nos mantivessem em nosso lugar; eles eram mais fortes, tinham a força dos fracos; só que eles não eram fracos, eles tinham a força da submissão."

Agora ele estava de volta ao teatro escuro, as luzes do palco banhando os atores que ensaiavam uma cena no jardim de sua cabana em Louisiana; a voz de Claudia McNeil agora estava mais branda, porque tivera problemas de laringite alguns dias antes. Mas no final da cena ela levantou a voz em sua altura máxima e Logan, num tom amável, disse: "Não force a sua voz, Claudia".

Ela não respondeu, apenas cochichou no ouvido de outro ator que estava no palco.

"Não levante a voz, Claudia", repetiu Logan.

Novamente ela o ignorou.

"C L A U D I A!", gritou Logan. "Não me venha com essa vingança de ator, Claudia!"

"Sim, senhor Logan", disse ela em tom manso e sarcástico.

"Hoje a coisa já passou dos limites, Claudia."

"Sim, senhor Logan."

"E pare de me dizer 'sim, senhor Logan'."

"Sim, senhor Logan."

"Você é uma mulher extremamente grosseira!"

"Sim, senhor Logan."

"Você está agindo feito uma mula."

"Sim, senhor Logan."

"Sim, senhorita Mula."

"Sim, senhor Logan."

"*Sim, senhorita Mula!*"

De repente Claudia McNeil parou. Ela se deu conta de que ele a estava chamando de mula; seu rosto ficou cinza, os olhos frios, e sua voz quase solene: "Você... me... ofendeu!".

"Oh, Deus", disse Logan batendo na própria testa.

"Você... me... ofendeu!"

Ela ficou lá feito uma rocha, enorme e raivosa, esperando que ele fizesse alguma coisa.

"Oliver!", disse Logan voltando-se para o coprodutor, que abaixara o corpo magro e comprido na cadeira, como se estivesse numa trincheira. Ele não queria ser obrigado a dizer alguma coisa que pudesse ofender Logan, seu velho amigo, e tampouco queria que Claudia McNeil partisse para cima dele, ali no corredor, e o quebrasse em dois.

"Oliver", continuou Logan. "Eu simplesmente não sei o que fazer com ela. Ela age feito uma imperatriz ou como..."

"Você é que é a imperatriz!", rebateu ela.

"Tudo bem, tudo bem, eu sou a imperatriz", disse Logan, cansado demais para discutir sobre isso. "E o que fazemos agora?"

"Arranje outra atriz", disse ela.

"Está bem, ótimo", disse Logan. "Ótimo", repetiu ele. "A gente pode cancelar o espetáculo, e pode..." Agora ele andava pelo corredor, dando a impressão de que iria sair do teatro.

"Ouça", apressou-se em dizer Claudia. Ele parou.

"Ouça", recomeçou Claudia, dando-se conta de que se o espetáculo fosse cancelado ela teria sido a causa do desemprego de todos os outros atores. "Eu... já tenho com quem brigar em casa... e tenho trinta anos de teatro... e ninguém nunca vai me apontar o dedo e dizer que eu abandonei um espetáculo... e..."

Ela continuou nessa toada, e Logan percebeu que levara a melhor; ele podia prolongar o jogo por mais algum tempo, fazendo-a suportar aquela angústia até o fim, mas não o fez. Em vez disso, ele se aproximou do palco, subiu, e então, apressando o passo, aproximou-se de Claudia de braços abertos, abraçou-a, os bigodes brancos contra o rosto dela — e então, de forma dramática, os enormes braços negros de Claudia envolveram-no por sobre a camisa branca e o apertaram.

Ao se encontrarem sob as luzes, aquelas duas figuras, grandes e suaves, estavam à beira das lágrimas; de repente os dois se sentiram exaustos, o elenco se aglomerou em volta deles assobiando, gritando e batendo palmas.

Então, animadamente, Claudia recuou e, agitando o punho e abrindo um sorriso, disse: "Mas quando o espetáculo terminar, vou lhe dar um murro bem grande na boca!".

"Quando o espetáculo terminar", disse ele também sorrindo, "você não vai conseguir me pegar!"

"Vou pegar sim", garantiu ela.

"Não vai ser nada fácil", disse ele, "porque eu já estarei longe!"

Nas duas últimas semanas, depois daquela cena, o espetáculo melhorou incrivelmente. Ninguém dizia que iria ser um sucesso, mas eles acreditavam que pelo menos o espetáculo *iria estrear*. Claudia não tinha certeza de que Logan seria capaz de perdoar outro confronto, então se acalmou. Logan, naturalmente, não foi atrás de problemas. Se, enquanto Claudia estava ensaiando no palco, ele quisesse espairecer um pouco, não saía pela porta próxima do palco (onde seria visto por ela), mas se esgueirava pela porta do fundo da plateia — sendo obrigado, então, a abrir quatro trincos e uma fechadura e sair de mansinho, da mesma forma como sairia de sua casa em Mansfield, torcendo para que Amy Lane não o ouvisse. Na volta, ele tinha o mesmo cuidado; Claudia estaria no palco, mas não o ouviria: ele estava a salvo.

Além das relações muito melhores entre Logan e Claudia, o roteiro também melhorara, e Alvin Ailey conseguira dominar seu difícil papel de tigre porque adquirira autocontrole, em parte devido à ajuda de Logan. A caracterização feita por Al Freeman Jr. do irmão fraco de Ailey resultou em cenas muito engraçadas, e a peça adquiriu mais vigor com o acréscimo de mais dois elementos: Roscoe Lee Browne, que interpretava o sinistro sacerdote que chantageia Ailey, e Paul Barry, o único ator não negro do espetáculo, que ganhou o papel de um acabado caipira da Louisiana, disputando com mais cinco atores, um dos quais era um velho conhecido de Joshua Logan, da peça *Mister Roberts*. Logan saudou calorosamente seu amigo de *Roberts*, mas logo notou que o ator estava representando o caipira como se fosse um oficial da marinha. Logan então apertou a mão dele: "Obrigado, Bob, mas levando em conta a idade e a química, me parece que você não é o cara certo para o papel" — e então disse a Feibleman: "Nunca se pode voltar ao passado, não é, Peter?".

"Não, não se pode, Josh", respondeu Feibleman calmamente.

Mas se Logan pudesse voltar no tempo, não há dúvida de que voltaria para a época de *Mister Roberts*, a que ele se referia como "uma época muito feliz", em companhia daquele trágico jovem romancista, Thomas Heggen. Os dois se deram espetacularmente bem como coautores da peça, dizia Logan, porque "Eu era um maníaco depressivo corpulento e Heggen era um maníaco depressivo magro". Deitados certa noite num tapete vermelho, amarelo e azul que Nedda comprara num brechó de Bridgeport, Logan e Heggen escreveram todo o segundo ato numa única e divertida sessão de trabalho. O espetáculo teve 1157 apresentações na Broadway.

Foi a época em que Howard Lindsay declarou que Logan era um "gênio", e o falecido Oscar Hammerstein II disse que Logan fora agraciado com tudo aquilo que um bom diretor deveria ter — um bom olho para composição pictórica e movimento, um bom ouvido para o diálogo e para a elocução, uma simpatia que mantém uma grande companhia trabalhando contente em equipe e talento para avaliar um roteiro e melhorá-lo, valendo-se da crítica e da revisão. O dramaturgo Paul Osborn afirmou, à época, que Logan não podia "andar pela rua e ver um menino apanhando uma bituca da sarjeta sem que quisesse agarrar o menino e lhe dizer *que pegasse a bituca melhor*".

Em maio de 1949, Heggen, que não estava conseguindo escrever seus próprios textos, se afogou em sua banheira. Ele tinha 29 anos. Mas Logan ainda procurava aferrar-se à lembrança dos dias gloriosos de *Mister Roberts*. Ele batizou o filho com o nome de Thomas Heggen Logan, e ainda guarda o velho tapete vermelho, amarelo e azul — comprado num brechó — num lugar de honra em sua casa de Connecticut.

Logan teve muitos outros sucessos desde então — *South Pacific*, *The wisteria trees*, *Picnic* —, mas ele ainda considera *Mister Roberts* como o ponto alto de sua carreira e ainda repete, devagar e num tom um tanto melancólico: "Aquela foi a época mais feliz de minha vida".

Em 1953 Logan estava de volta à Louisiana para a estreia de *Kind sir* em New Orleans, ao mesmo tempo que lutava para conseguir os direitos de filmagem de *Sayonara*. E então, de forma súbita demais para entender como as coisas se passaram, ele se viu de volta a Mansfield. Ele vagou pela antiga fazenda, olhou a glicínia que seu avô não tinha tido coragem de cortar. Então, quase sem se dar conta do que estava fazendo, Joshua Logan entrou novamente na "Toca da Alegria", a casinha de brinquedo que seu avô construíra para ele e Mary Lee. Depois Logan pegou o carro e voltou para New Orleans. Ele se internou no hospital De Paul.

"Você me pergunta se finalmente vou poder parar de ir ao psiquiatra", disse ele, atravessando certa noite a Terceira Avenida a caminho de seu apartamento, uma semana antes da estreia de *Tiger tiger burning bright*. "Bem, na verdade não sei. Você me pergunta qual é o meu problema, o que me impede de estar muito contente, feliz ou em paz com minha vida, e imagino ser alguma coisa em minha infância que me fez estabelecer para mim um ideal que nunca serei capaz de alcançar. Eu nunca pude ser tão bom como gostaria — nunca fui capaz de cavalgar por Mansfield em pé sobre o cavalo com os braços cruzados no peito."

Isso não quer dizer que Logan não tenha conseguido um pouco de *paz* consigo mesmo nos últimos anos; antes de mais nada porque, diz ele quase com orgulho: "Deixei de ser um jeca. Você sabe o que é um jeca, não sabe? Um daqueles pobres coitados, encolhidos e cheios de falsa modéstia" — e ele fez uma demonstração andando com as mãos nos bolsos, cabeça baixa, arrastando os pés. Não, ele não é nada modesto, confessa, ainda que sua mãe fique um pouco desapontada com ele, e certa vez, quando lembrou a ela que ganhara o prêmio Pulitzer (por *South Pacific*), ela lhe lembrou que seu trabalho fora uma *colaboração* — dando a entender que sabia a diferença entre um homem capaz de ganhar um prêmio como aquele e um homem capaz de andar a cavalo *sozinho*.

"De qualquer forma", continuou Logan, "eu sei do que sou capaz. Sou capaz de organizar o acaso. Sei encher as pessoas de confiança. Sei dar segurança a uma pessoa insegura. Sei que todo artista se encontra em desespero, e aumentar-lhe ainda mais o desespero pode matar a esperança, por isso tento insuflar-lhe esperança e afastar o desespero. Quanto sinto sua aproximação, eu o afasto, quando consigo — nem sempre consigo —, mas sei que se eu entrar em pânico no meio de uma grande produção, a produção vai a pique. Eu dirigi pessoas que, diziam, era impossível dirigir, como Marilyn Monroe, e eu sabia que ela precisava de afeto, de respeito, de amor e de atenção — e foi isso que lhe dei. Independentemente da forma como seu pânico se manifestava, eu nunca me enfurecia nem perdia a paciência."

"Mas", continuou ele, agora mais devagar, de forma mais refletida, "se eu me livrasse dessa coisa que não sei o que é — se eu fosse mais livre —, acho que eu poderia escrever... e escrever mais que Marcel Proust... não conseguiria parar de escrever. Mas é como se tudo ficasse entalado aqui", disse ele levando a mão esquerda à garganta. "E eu tenho uma teoria... que não passa mesmo de uma teoria: se eu escrevesse eu iria agradar a minha mãe *demais*. Eu iria ser o que ela quer que eu seja. E talvez... talvez *então* eu me tornasse como meu pai. E aí eu morreria."

Logan ficou calado em todo o resto do caminho para sua casa. No 14º andar, onde ficava seu esplêndido apartamento com vista para o rio East, foi cumprimentado pelo mordomo e, na sala contígua, por Nedda, uma mulher encantadora, sorridente, de corpo ereto. Nedda fora protagonista de seu primeiro sucesso na Broadway, *Charley's aunt,* e se manteve ao seu lado nos bons e nos maus momentos. Quando Logan saiu por alguns instantes da sala, indo para uma peça contígua, Nedda falou sobre seus dezessete anos de casados, que começaram no dia 8 de dezembro de 1945, com uma cerimônia civil em Greenwich, Connecticut; depois voltaram para Nova York, para comunicar a Susan. Segundo Nedda, Susan comentou: "Ora, que adorável. Vamos tomar um cálice de xerez".

Naquela época Nedda morava no Hotel Lombardy, no número 111 da rua 56 Leste, e a mãe de Joshua no 102; agora que seu endereço era o número 435 da rua 52 Leste, a mãe de Joshua morava no 424 da mesma rua. "Moro à mesmíssima distância da senhora Noble que naquela época", disse Nedda com um sorriso de que só uma boa atriz é capaz.

Quando Joshua retornou e percebeu que a conversa voltara a girar sobre sua mãe, juntou-se a Nedda para contar suas histórias preferidas sobre Susan Noble. Joshua lembrou-se de que certa vez ele recebera uma carta da mãe dizendo-lhe que um dos parentes dele tinha sido convocado pelo exército e fora enviado para Fort Bragg, na Carolina do Norte, e comentando também o quanto era bom, para o tal parente, ter sido convocado para a Carolina do Norte "na época dos rododendros".

E Nedda recordou uma viagem em família que fizeram alguns anos atrás para Charleston, na qual visitaram os cemitérios onde estavam enterrados os primeiros Lockwood, Lee e Logan. Ao ver aqueles nomes familiares nas lápides, aqueles nomes que reverenciava havia tanto tempo, Susan de repente se fez graciosa como uma bailarina, avançando com cuidado e fazendo piruetas; por fim, vendo Nedda com uma máquina fotográfica, Susan puxou Joshua para si e pediu à nora que tirasse uma foto deles dois ao lado do túmulo de um ancestral muito especial. "Fique *aqui*, Josh... bem *aqui*", falou ela num tom autoritário, porque Josh estava longe demais da lápide. "*Aqui* perto de Dorothea... ela é importante; é por causa dela que somos primos!"

Eles contaram outras histórias sobre Susan, e Josh concluiu: "Oh, você iria ficar fascinado com ela!".

"Ela tem setenta e seis anos", disse Nedda. "E vai sobreviver a nós todos."

"Você *deveria* conhecê-la", disse Logan.

Pouco tempo depois, num dos dias de outono mais extemporaneamente quentes de Nova York, Susan Noble abriu a porta de seu apartamento. Atrás dela, na lareira, ardia um grande fogo. "Bom dia", disse ela sorrindo, com um forte sotaque sulista. "Espero que não se incomode com a lareira."

Ela era uma mulher de aparência notável. Tinha olhos azuis acinzentados e não parecia ter mais de cinquenta anos; uma figura alinhada, cabelos ainda pretos entremeados de fios brancos, penteados para trás, o que lhe descobria inteiramente o rosto, que era meigo e de expressão vivaz. No vestíbulo havia um retrato do coronel Noble, empertigado e altivo em uniforme militar; em outra parede, um quadro de William Blake e, na sala de estar, móveis do Sul — da fazenda —, alguns dos quais estavam na família havia várias gerações. Depois de servir café e biscoitos, ela mostrou, a pedido, o que guarda como um tesouro: o álbum de família. Num átimo seus olhos vivos brilhavam, as mãos passando as páginas devagar, a voz rica de modulações admiráveis.

"Olhe", disse ela sorrindo à pequena figura de Joshua em trajes coloniais. "Cetim rosa. Veja! Eu fiz o casaco... E *aqui* é a pequena Mary... E esta era a professora de canto de minha mãe. Ela não era linda? ... E esta, bem, esta era minha tia-avó... E olhe que homem garboso! Oh, eu simplesmente adoro esse homem, um de meus primos, Henry Lee!... E este, este é meu avô Lee, John Bachman Lee, cujo nome é uma homenagem ao velho doutor John Bachman, sabe, amigo do naturalista Audubon, que deu o nome de Bachman a muitos pássaros... E este sentado ao lado de John McHenry Nabors é Nimrod, o cachorro que recebeu o nome do grande caçador da Bíblia..." — e então, à menção de seu pai, ela fez uma pausa. "Ele achava que eu reprimia demais Josh, mas Josh cresceu amando a beleza. Meu pai achava que eu estava transformando Josh num maricas, mas não era verdade. Ele era um *homem* — um *homem*, desde que era criança. E fiz tudo o que pude para fazer dele um homem. Era só o que eu podia fazer! Eu não podia jogar beisebol. Mas", acrescentou ela, "mas também achava que um homem tem direito às coisas belas da vida."

Ela olhou novamente para o álbum. "Olhe", disse, os olhos cintilando novamente. "Esta é Caroline Dorothy Logan, a bisavó de Josh... E aqui é Josh outra vez! E esta acho que é Nedda..."

Na noite de 22 de dezembro, um sábado, na frente do Booth Theatre, vestidos a caráter — como num álbum de fotografias —, eles vieram ver *Tiger tiger burning bright*. Lá estava Susan Noble chegando cedo... ao seu lado, Nedda, com casaco de peles, num vestido de cetim vermelho... e o assistente de Logan, Joe Curtis... e Oliver Smith... e Peter Feibleman, a pele muito branca contrastando com o smoking de corte impecável... e lá estavam Richard Rodgers, Carson McCullers, Geoffrey Holder e Santha Rama Rau...

"Onde está Josh?", perguntou Roger Stevens, o coprodutor, a Nedda.

"Com trinta e nove graus de febre", disse ela.

Ele estava na cama, em seu apartamento, acompanhado apenas dos filhos; pela primeira vez em sua vida, ele estava doente na noite de estreia de um espetáculo. Estava muito pálido e muito calmo, falando sobre a viagem a Acapulco que ele, Nedda e os dois filhos iriam fazer depois do Natal. Depois disso ele não sabia ao certo o que queria fazer. Haveria filmes. Haveria outros espetáculos. Mas ele não sabia. Fora um ano muito duro. Ele continuou falando essas coisas brandamente, até as onze da noite, quando o telefone tocou.

"Querido", disse Nedda, a voz dela soando entre o tilintar de copos no Sardi's. "Querido, Dick Rodgers quer falar com você."

"Alô, Josh?"

"Alô, Dick!"

"Escute, Josh, o espetáculo que você apresentou hoje à noite, sem exagero, Josh, foi maravilhoso!"

Logan parecia incapaz de falar.

"É verdade!", continuou Rodgers. "Acho que foi o melhor trabalho que você fez em muitos anos, Josh. Foi brilhante! Nem consigo dizer o quanto gostei!"

"Oh, Dick." Logan aparentava estar feliz a ponto de verter lágrimas. "Obrigado, Dick... obrigado..."

Então Nedda falou novamente ao telefone, depois Feibleman, depois Oliver Smith, depois outros — todos dizendo que a estreia de *Tiger* fora uma coisa linda e que o público adorara.

Como havia uma greve de jornais em Nova York, Logan viu as críticas pela televisão, sentado em sua cama; Walter Kerr do *Herald-Tribune* gostou de algumas partes, mas não de outras; Howard Taubman, do *Times*, ficou encantado, fazendo possivelmente a sua crítica mais entusiástica do ano; as outras críticas variaram, mas um apresentador de televisão as resumiu como "reverentes".

Isso era tudo o que Logan esperava. Algo digno de respeito. Ele não precisava de um grande sucesso de bilheteria; ele já tivera muitos. E o que ele queria *mesmo* — desconfiava que nunca iria conseguir.

Bem, pelo menos ele deixara de ser um jeca; e — quem sabe? Logo algum jovem gênio poderia aparecer com outra *Mister Roberts*. Então Logan recostou-se na grande cama e ficou esperando por Nedda. Três dias depois, ele, Nedda e os filhos viajaram para Acapulco.

E depois de 33 apresentações, o espetáculo saiu de cartaz.

O outono de um herói

> *"Eu gostaria de levar o grande DiMaggio para pescar", disse o velho. "Dizem que o pai dele era um pescador. Talvez ele fosse tão pobre como nós e pudesse entender."*
>
> — Ernest Hemingway, O velho e o mar

Ainda não chegara a primavera. Estava-se ainda na estação silenciosa antes da busca do salmão, e os velhos pescadores de San Francisco pintavam seus barcos, remendavam suas redes ao longo do píer ou sentados ao sol, conversando tranquilamente, observando o vaivém dos turistas. Eles sorriem quando uma moça bonita para e toma posição para tirar uma foto deles. Ela tem uns 25 anos, aparência saudável, olhos azuis, usa uma malha vermelha de gola alta e tem cabelos longos e loiros esvoaçantes, que afastou para trás algumas vezes antes de acionar a máquina. Os pescadores olham para ela e comentam sua beleza encantados, mas ela não entende nada porque eles falam um dialeto siciliano; ela tampouco nota o homem alto, grisalho, de terno escuro que, de pé, a observa de detrás de uma grande janela do primeiro andar do restaurante DiMaggio's, sobranceiro ao píer.

Ele a ficou observando até ela ir embora, perdendo-se na multidão de turistas recém-chegados que acabavam de descer de bonde a colina. Então ele se sentou novamente à mesa do restaurante, terminando de tomar o seu chá e acendendo mais um cigarro, o quinto na última meia hora. Eram 11h30 da manhã. Nenhuma das outras mesas estava ocupada, e os únicos sons que se ouviam vinham do bar, onde um vendedor de bebidas ria de alguma coisa que fora dita pelo maître. Mas então o vendedor, com a valise debaixo do braço, andou em direção à porta, olhando por um instante a sala de jantar para falar: "Até mais tarde, Joe". Joe DiMaggio voltou-se e acenou para o vendedor. E a sala ficou em silêncio novamente.

Aos 51 anos de idade, DiMaggio era um homem de aspecto muito distinto. Ele envelhecia com a mesma elegância com que jogara beisebol, impecável na forma de vestir, as unhas bem cuidadas, e, com seu 1,88 metro de altura, parecia tão esguio e lépido como na época em que posara para a foto pendurada no restaurante, que o mostrava no Estádio Yankee, girando sobre os calcanhares, rebatendo um arremesso feito vinte anos atrás. Seu cabelo grisalho estava um pouquinho mais ralo no alto da cabeça, seu rosto tinha sulcos nos lugares certos e sua expressão, outrora triste e atormentada como a de um matador, agora estava mais serena, embora, como naquele instante, a tensão voltasse, ele fumasse ininterruptamente, andando de um lado a outro, e olhasse pela janela as pessoas lá embaixo. Na multidão encontrava-se um homem que ele não queria ver.

O homem conhecera DiMaggio em Nova York. Naquela semana ele viera para San Francisco e telefonara várias vezes, mas DiMaggio não ligara de volta porque desconfiava que o homem, que afirmara estar trabalhando num projeto sociológico meio vago, na verdade estivesse querendo se imiscuir na sua vida particular e na de sua ex-esposa, Marilyn Monroe. DiMaggio não toleraria isso de modo algum. A lembrança da morte de Marilyn ainda é muito dolorosa para ele. Mesmo assim, como ele guarda os sentimentos para si, algumas pessoas não se dão conta disso.

Certa noite num pequeno e luxuoso nightclub, uma mulher que estivera bebendo se aproximou de sua mesa, e como ele não a convidou para sentar, ela falou rispidamente:

"Certo, pelo visto eu *não sou* Marilyn Monroe."

DiMaggio ignorou o comentário, mas quando ela o repetiu, ele retrucou, mal conseguindo controlar a raiva: "Não, eu gostaria que você fosse, mas você não é".

O tom da voz dele a comoveu, e ela perguntou: "Será que estou dizendo alguma coisa errada?".

"Você já disse", respondeu ele. "Agora pode fazer o favor de me deixar sozinho?"

Seus amigos do cais, que o entendem muito bem, têm muito cuidado quando conversam sobre ele com pessoas estranhas, pois sabem que, caso revelem algum segredo inadvertidamente, DiMaggio, em vez de os censurar, nunca mais falará com eles; isso deriva de um senso de decência bem conforme ao homem que, depois da morte de Marilyn Monroe, providenciou para que em seu túmulo *para sempre* se colocassem flores frescas.

Alguns dos velhos pescadores que conhecem DiMaggio desde sempre se lembram de quando ele era um menino que ajudava o pai a limpar o barco e um jovem que fugia de suas obrigações e usava um remo quebrado como bastão para jogar beisebol nos terrenos baldios das redondezas. Seu pai, um homenzinho de bigodes conhecido como Zio Pepe, ficava furioso e o chamava de *lagnuso*, preguiçoso, *meschino*, inútil, mas em 1936 Zio Pepe estava entre os que aplaudiram Joe DiMaggio quando ele voltou para San Francisco, depois de sua primeira temporada com os

New York Yankees, e foi carregado ao longo do cais nos ombros dos pescadores.

Os pescadores também se lembram de que, depois que abandonou o beisebol em 1951, DiMaggio trouxe sua segunda mulher, Marilyn, para morar perto do cais, e às vezes os dois eram vistos de manhã cedo pescando no barco de DiMaggio, o *Yankee Clipper*, agora ancorado serenamente na marina. À noite costumavam ficar sentados no píer, conversando. Os pescadores sabiam que eles brigavam, e certa noite Marilyn foi vista gritando e correndo alucinadamente, à margem da rua que partia do píer, seguida por Joe. Os pescadores fingiram não ter visto aquilo; não era de sua conta. Eles sabiam que Joe queria que Marilyn ficasse em San Francisco, longe dos espertalhões de Hollywood, mas naquela época ela andava confusa e dilacerada — "Ela era uma criança", diziam eles — e ainda hoje DiMaggio amaldiçoa Los Angeles e muita gente de lá. Ele não fala mais com Frank Sinatra, outrora seu amigo, que fez amizade com Marilyn em seus últimos anos. Trata com frieza também Dean Martin, Peter Lawford e a ex-mulher deste, Pat, que certa vez deram uma festa na qual ela apresentou Marilyn Monroe a Robert Kennedy; os dois dançaram juntos muitas vezes naquela noite, pelo que contaram a Joe, e ele não gostou nada daquilo. Naquele ano Joe andava muito possessivo em relação a ela, segundo dizem os amigos íntimos dele, porque os dois tinham planejado casar novamente; mas antes que pudessem fazê-lo, Marilyn morreu, e DiMaggio vetou a presença dos Lawford, de Sinatra e de muita gente de Hollywood no funeral. Quando o advogado de Marilyn Monroe reclamou que DiMaggio estava afastando os amigos dela, ele respondeu friamente: "Se não fosse por esses amigos a persuadindo a ficar em Hollywood, ela ainda estaria viva".

Joe DiMaggio passa a maior parte do ano em San Francisco, e todos os dias os turistas, vendo o nome no restaurante, perguntam aos homens do cais se costumam vê-lo. Os homens dizem que sim, que o veem quase todos os dias; esta manhã eles ainda não o viram, acrescentam, mas logo ele deve aparecer. Então os turistas continuam andando pelo píer, passando pelos vendedores de caranguejo, sob as gaivotas que voam em círculos, pelas barraquinhas de peixe com fritas, às vezes parando para contemplar um grande vapor que passa, soltando fumaça, em direção à ponte Golden Gate, a qual, para espanto deles, é pintada de vermelho. Então eles fazem uma visita ao Museu de Cera, onde há uma imagem em tamanho natural de DiMaggio de uniforme, atravessam a rua e gastam 25 centavos para olhar através de um telescópio prateado focalizado na ilha de Alcatraz, que já deixou de ser uma prisão federal. Depois eles voltam e perguntam aos homens se DiMaggio já apareceu. Ainda não, respondem os homens, embora eles vejam seu Impala azul no estacionamento perto do restaurante. Às vezes os turistas entram no restaurante, almoçam e o veem sentado calmamente a um canto, dando autógrafos e mostrando-se extremamente gentil com todos. Em outras ocasiões, como naquela manhã em que o homem de Nova York achou por bem visitá-lo, DiMaggio se mostra tenso e desconfiado.

 Quando o homem entrou no restaurante, vindo pela escada lateral que leva à sala de jantar, viu DiMaggio de pé junto à janela, conversando com um maître idoso chamado Charles Friscia. Não querendo abordar DiMaggio, correndo o risco de ser invasivo, o homem pediu a um dos sobrinhos de DiMaggio que o informasse de sua presença. Quando DiMaggio recebeu o recado, imediatamente deu meia-volta, afastou-se de Friscia e desapareceu pela porta que dava para a cozinha.

 Atônito e desconcertado, o visitante ficou no hall. Pouco depois Friscia apareceu e o homem perguntou: "Joe foi embora?".

 "Que Joe?", perguntou Friscia.

"Joe DiMaggio!"

"Eu não o vi", disse Friscia.

"Você não o viu! Ele estava junto de você há um segundo!"

"Não era eu", disse Friscia.

"Você estava de pé ao lado dele. Eu vi você. Na sala de jantar."

"Você deve estar enganado", disse Friscia em tom brando e sério. "Não era eu."

"Você só pode estar brincando", disse o homem, cheio de raiva, dando meia-volta e indo embora do restaurante. Antes de chegar ao carro, porém, o sobrinho de DiMaggio foi correndo atrás dele e disse: "Joe quer ver você".

Ele se voltou, contando ver DiMaggio esperando por ele. Em vez disso passaram-lhe um telefone. A voz era forte e profunda e tão tensa que as frases se encavalavam.

"*Você está violando meus direitos, não pedi a você que viesse, suponho que você tem um advogado, você deve ter um advogado, chame seu advogado!*"

"Eu vim como amigo", interrompeu o homem.

"Isso não tem nada a ver", disse DiMaggio. "Eu tenho minha privacidade, não quero que ela seja violada, é melhor você arranjar um advogado..." Então, fazendo uma pausa, DiMaggio perguntou: "Meu sobrinho está aí?".

Ele não estava.

"Então espere onde você está."

Pouco depois DiMaggio apareceu. Alto, rosto vermelho, empertigado, vestido elegantemente de terno preto, camisa branca, gravata de seda cinza e reluzentes abotoaduras de prata. Andou a passos largos em direção ao homem e lhe entregou um envelope fechado, que o homem lhe enviara de Nova York.

"Olha aqui", disse DiMaggio. "Isto é seu."

Então DiMaggio sentou-se a uma mesinha. Ele não disse nada, apenas acendeu um cigarro e esperou, pernas cruzadas, a cabeça levantada, um tanto inclinada para trás, de forma a mostrar a complexa conformação do nariz, uma ponta afilada sobrepondo-se às grandes narinas e minúsculos ossinhos apontando a meia altura. Um belo nariz.

"Ouça", disse DiMaggio mais calmo. "Eu não me meto na vida dos outros e espero que ninguém se meta na minha. Há coisas de minha vida, coisas pessoais, sobre as quais me recuso a falar. E mesmo que você perguntasse aos meus irmãos, eles não saberiam falar sobre elas. Há coisas sobre mim, muitas coisas, que eles simplesmente desconhecem..."

"Eu não tenho a intenção de causar problemas", disse o homem. "Acho que você é um grande homem e..."

"Eu não sou grande", interrompeu DiMaggio. "Eu não sou grande", repetiu ele devagar. "Sou apenas um homem que tenta levar a vida."

Então DiMaggio, como se percebesse que ele estava imiscuindo-se em sua vida, interrompeu-se bruscamente e consultou o relógio.

"Estou atrasado", disse ele, voltando a usar um tom formal. "Estou dez minutos atrasado. *Você* está me atrasando."

O homem saiu do restaurante. Ele atravessou a rua e ficou andando pelo píer, dando uma olhadela nos pescadores que puxavam suas redes e conversavam ao sol, parecendo bastante tranquilos e satisfeitos. Depois, quando deu a volta e estava vindo em direção ao estacionamento, um Impala azul parou à sua frente e Joe DiMaggio pôs a cabeça pela janela e perguntou em tom gentil: "Você está de carro?".

"Sim", respondeu o homem.

"Ah", disse DiMaggio. "Se não estivesse eu lhe daria uma carona."

Joe DiMaggio não nasceu em San Francisco, mas em Martinez, uma pequena aldeia de pescadores, uns quarenta quilômetros a nordeste da Golden Gate. O Zio Pepe lá se estabeleceu depois de sair de Isola delle Femmine, uma ilhota na costa de Palermo onde os DiMaggio haviam sido pescadores durante gerações. Mas em 1915, tendo ouvido falar das águas mais promissoras do cais de San Francisco, o Zio Pepe foi embora de Martinez, carregando em seu barco seus móveis e sua família, inclusive Joe, então com um ano de idade.

San Francisco era um recanto plácido e pitoresco quando os DiMaggio chegaram, mas havia uma disputa surda pelo poder ao longo do píer. Ao amanhecer os barcos velejavam para o ponto em que a baía encontra o oceano e o mar é bravo, e mais tarde os homens voltavam depressa com o produto de sua pesca, esperando levar vantagem sobre os outros e vendê-lo enquanto havia compradores. Às vezes vinte ou trinta barcos procuravam ganhar a costa ao mesmo tempo, e o pescador tinha de conhecer cada recife; e na costa tinham de conhecer as manhas dos comerciantes e dos donos de restaurantes, que jogavam os pescadores uns contra os outros para manter os preços baixos. Depois os pescadores ficaram mais espertos e organizados, fixando o máximo que um pescador poderia pescar, mas sempre havia alguns homens que, como os peixes, nunca aprendiam, e às vezes havia cabeças quebradas e redes cortadas, gasolina era derramada em seus peixes e, em sinal de advertência, flores eram colocadas na frente de suas casas.

Mas essa época estava acabando quando o Zio Pepe chegou, e ele esperava que seus cinco filhos o sucedessem como pescadores. Os dois primeiros filhos, Tom e Michael, o fizeram; mas o terceiro, Vincent, queria ser cantor. Ainda jovem, cantava com tanta beleza e potência de voz que chamou a atenção de um grande banqueiro, A. P. Giannini, e pensaram em enviá-lo à Itália para estudar música e ópera. Mas a família DiMaggio não estava bem certa quanto a isso e Vince não foi; em vez disso, passou a jogar na equipe de beisebol do San Francisco Seals e os cronistas esportivos erravam seu nome.

Chamavam-no DeMaggio até que Joe, recomendado por Vince, entrou no time e se tornou uma sensação, sendo seguido mais tarde pelo irmão mais novo, Dominic, que também se distinguiu. Os três jogaram mais tarde nas grandes ligas e alguns escritores costumam dizer que Joe era o melhor batedor, Dom, o melhor interceptador e Vince, o melhor cantor. Casey Stengel disse certa vez: "Vince é o único jogador que vi em minha vida capaz de ser afastado do jogo três vezes, após errar nove rebatidas, sem se incomodar. Ele ia para o vestiário assobiando. Todos ficavam com pena dele, mas Vince sempre achava que estava jogando bem".

Depois que abandonou o beisebol, Vince se tornou barman, depois leiteiro, e agora carpinteiro. Ele mora 65 quilômetros a norte de San Francisco, numa casa parcialmente construída por ele próprio. Vive feliz com a esposa há 34 anos, tem quatro netos, tem em seu armário um dos ternos de Joe feito sob encomenda, que ele nunca mandou ajustar para poder usar, e quando as pessoas perguntam se ele inveja Joe, ele sempre diz: "Não, quem sabe Joe deseje ter o que eu tenho. Ele não admite isso, mas ele gostaria de ter o que eu tenho". O irmão que Vince mais admirava era Michael, "um sujeito simples, um sonhador, um pescador que desejava algumas coisas, mas não as queria receber de Joe, nem trabalhar em seu restaurante. Ele queria um barco maior, mas queria trabalhar para comprá-lo com seu próprio dinheiro. Ele nunca conseguiu". Em 1953, com 44 anos, Michael caiu de seu barco e morreu afogado.

Desde a morte do Zio Pepe, em 1949, aos 77 anos de idade, Tom, o irmão mais velho, hoje aos 62 — duas de suas quatro irmãs são mais velhas que ele — se tornou o chefe da família e administra o restaurante que foi aberto em 1937 com o nome de Joe DiMaggio's Grotto. Mais tarde Joe vendeu sua parte e agora Tom é coproprietário dele com Dominic. De todos os irmãos, Dominic, conhecido como o "pequeno professor" quando jogava no Boston Red Sox, é o mais bem-sucedido nos negócios. Mora num bairro elegante de Boston com sua esposa e três filhos, é presidente de uma fábrica de fibras para almofadas e travesseiros, e faturou em renda bruta mais de 3,5 milhões de dólares no último ano.

Joe DiMaggio mora com Marie, sua irmã viúva, numa casa de pedras castanho-amareladas numa tranquila rua residencial, não muito longe de Fisherman's Wharf. Ele comprou a casa para seus pais, quase trinta anos atrás, e depois da morte deles Joe morou lá com Marilyn Monroe; agora quem cuida dela é Marie, uma mulher esguia e bonita, de olhos negros. Ela ocupa o primeiro andar, e Joe o segundo. Há alguns troféus e placas de beisebol numa pequena sala ao lado do quarto de DiMaggio, e em sua penteadeira há fotografias de Marilyn Monroe. Na sala de estar, que fica no térreo, há uma pequena pintura de Marilyn de que Joe gosta muito: ela mostra apenas seu rosto e seus ombros, e ela está usando um chapéu de abas larguíssimas. Seus lábios esboçam um sorriso doce, seu rosto tem uma expressão de inocente curiosidade, que é como ele a via e como gostaria que os outros a vissem — uma moça simples, "uma moça generosa e afetuosa", como ele a descreveu certa vez, "de quem todo mundo tirou proveito".

As fotos publicitárias que destacavam seu sex appeal sempre o incomodaram. Billy Wilder, que a dirigiu em *O pecado mora ao lado*, narra um episódio memorável: flagrou DiMaggio, no meio de uma multidão que se aglomerara na Lexington Avenue em Nova York para ver a cena na qual Marilyn, de pé sobre as grades do respiradouro do metrô para se refrescar, teve sua saia levantada por uma lufada de vento. "Que diabo está acontecendo aqui?", ouviu-se DiMaggio dizer no meio da multidão, e Wilder relembra: "Nunca vou esquecer a expressão angustiada do rosto de Joe".

À época ele tinha 39 anos, e ela 27. Eles tinham se casado em janeiro daquele ano, 1954, apesar do descompasso de temperamentos e de idade: ele estava cansado dos holofotes, ela florescia sob eles; ele não suportava atrasos, ela estava sempre atrasada. Durante a lua de mel deles em Tóquio, um general americano se apresentou e perguntou se, num gesto patriótico, ela visitaria as tropas na Coreia. Ela olhou para Joe. "É a sua lua de mel", disse ele, dando de ombros. "Se você quiser, vá em frente."

Marilyn se apresentou dez vezes diante de 100 mil recrutas, e ao voltar comentou: "Foi tão maravilhoso, Joe. Você nunca ouviu tantos aplausos".

"Eu ouvi sim", disse ele.

Do lado oposto ao retrato dela na sala de estar, numa mesa de centro junto ao sofá, há um estojo umidificador de charutos de prata de lei que lhe foi presenteado pelos colegas dos Yankees, à época em que era o homem mais famoso da América e em que a orquestra de Les Brown gravou um sucesso que se ouvia dia e noite no rádio:

> *... De um lado a outro do país*
> *Só se fala de Joe, do extraordinário Joe*
> *Ele glorificou a bola de beisebol,*
> *O surpreendente Joe DiMaggio...*
> *Joe... Joe... DiMaggio... nós*
> *o queremos do nosso lado...*

O ano era 1941, e começou para DiMaggio em meados de maio, depois que os Yankees perderam quatro jogos seguidos, sete dos últimos nove jogos, e estavam em quarto lugar, quatro pontos e meio atrás do time que estava em primeiro, o Cleveland Indians.

No dia 15 de maio, DiMaggio só bateu um hit no primeiro inning, num jogo em que Nova York perdeu para Chicago de 13 a 1; ele mal conseguia ter um aproveitamento de 30% no ataque, desapontando enormemente as multidões que o viram terminar com uma média de 35% no ano anterior, e de 38% em 1939.

Ele bateu um hit no jogo seguinte, um no seguinte a este, e mais um no seguinte a este último. No dia 24 de maio, quando os Yankees estavam perdendo de 6 a 5 para o Boston, DiMaggio marcou dois pontos, virando o jogo, e continuou com esse desempenho por dez jogos. Mas isso passou despercebido. O próprio DiMaggio não se deu conta do que se passava até que, em meados de junho, já havia feito o mesmo em 29 jogos. Foi então que os jornais começaram a dar um imenso destaque, o público acordou para o fato, começaram a lhe oferecer todo tipo de amuletos, DiMaggio continuou tendo um bom desempenho no ataque, os locutores de rádio interrompiam seus programas para contar as novidades sobre ele, e então entrava novamente a música: *"Joe... Joe... DiMaggio... queremos você do nosso lado..."*.

Às vezes, quando DiMaggio não fazia boas rebatidas nas três primeiras entradas, era criada uma tensão, havia a impressão de que o jogo acabaria sem que ele tivesse uma nova chance — mas ele sempre conseguia, e então jogava a bola contra o muro do campo esquerdo, ou entre as pernas do lançador, ou entre dois jogadores das bases. No 41º jogo, o primeiro de uma partida dupla em Washington, DiMaggio empatou com um recorde da Liga Americana que havia sido estabelecido por George Sisler em 1922. Mas antes de começar o segundo jogo um espectador entrou sorrateiramente no campo, no banco dos

Yankees, e roubou o bastão favorito de DiMaggio. No segundo jogo, usando outro de seus bastões, DiMaggio foi eliminado três vezes. Mas no sétimo inning, tendo pedido emprestado um de seus velhos bastões que um companheiro de equipe estava usando, deu uma rebatida simples e quebrou o recorde de Sisler; faltavam-lhe apenas três jogos para superar um recorde de 44, das principais ligas de beisebol, estabelecido em 1897 por Willie Keeler, jogando contra o Baltimore, quando este disputava a Liga Nacional.

Um apelo pela devolução do bastão roubado foi divulgado nos jornais. Um homem de Newark confessou o crime e o devolveu, arrependido. E em 2 de julho, no Estádio Yankee, DiMaggio bateu um home run mandando a bola nas arquibancadas do jardim esquerdo. O recorde foi quebrado.

Ele também teve uma boa atuação nos onze jogos seguintes, mas no dia 17 de julho, em Cleveland, num jogo noturno com 67 468 espectadores, ele falhou contra dois lançadores, Al Smith e Jim Bagby Jr., embora o grande herói do Cleveland tenha sido o jogador de terceira base, Ken Keltner, que no primeiro inning saltou para a direita, defendeu espetacularmente atrás da linha da terceira base, atirando a bola na base antes que DiMaggio tivesse tempo de chegar a ela. No quarto inning DiMaggio avançou para a primeira base após quatro bolas lançadas ao batedor. Mas no sétimo ele bateu forte na área da terceira base e de novo Keltner defendeu, eliminando DiMaggio. No oitavo inning DiMaggio bateu forte em direção ao interbase, a bola repicou, mas o homem da segunda base defendeu por cobertura, eliminando dois jogadores de uma só vez, encerrando a participação de DiMaggio em seu 56º jogo. Mas os New York Yankees estavam prestes a ganhar o título na 17ª temporada, e também o campeonato mundial. Assim, em agosto, na suíte de um hotel em Washington, os jogadores fizeram uma festa surpresa para DiMaggio, brindaram-no com champanhe e presentearam-no com o estojo de prata da joalheria Tiffany que agora se encontra em San Francisco, em sua sala de estar...

Marie estava na cozinha preparando torradas e chá quando DiMaggio entrou para tomar o café da manhã; seus cabelos grisalhos não tinham sido penteados mas, por serem bem curtos, não estavam desarrumados. Ele disse bom-dia a Marie, sentou-se, bocejou e acendeu um cigarro. Estava com um roupão azul sobre o pijama. Eram oito da manhã. Ele tinha muito o que fazer naquele dia e parecia animado. DiMaggio tinha uma reunião com o presidente da Continental Television, Inc., uma grande rede de lojas da Califórnia, da qual ele é sócio e vice-presidente; mais tarde teria uma partida de golfe, em seguida participaria de um grande banquete e, se este não demorasse demais e ele não estivesse muito cansado, sairia com uma mulher.

DiMaggio pegou o jornal e, sem se apressar em ir à página de esportes, leu as notícias da primeira página, as crises de 1966: Kwame Nkrumah fora derrubado em Gana, os estudantes estavam queimando seus cartões de convocação (DiMaggio balançou a cabeça), uma epidemia de gripe assolava todo o estado da Califórnia. Então ele abriu o jornal e deu uma olhada na coluna de fofocas, aliviado por não ter sido citado naquele dia — pouco tempo atrás havia uma nota sobre seu encontro com "uma aeromoça estonteante", e também o surpreenderam jantando com Dori Lane, "a dançarina frenética" da gaiola de vidro da casa noturna Whiskey à Go Go — então passou à página de esportes e leu que Mickey Mantle, que sofrera uma contusão, talvez nunca conseguisse voltar à plena forma.

Tudo se passara depressa demais — ou pelo menos assim lhe parecia — na carreira de Mantle; ele sucedera DiMaggio assim como este sucedera Ruth, mas agora não estava surgindo nenhum grande batedor jovem e a administração dos Yankees, quase desesperada, convenceu Mantle a voltar; em 18 de setembro de 1965, ofereceram-lhe um dia de homenagens em Nova York, durante o qual ele recebeu presentes no valor de milhares de dólares — um carro, dois cavalos quarto de milha, viagens de passeio a Roma, Nassau e Porto Rico com tudo pago — e DiMaggio foi de avião para Nova York para anunciar a presença de Mantle diante de 50 mil pessoas: foi um dia impressionante, quase um dia santo para os fiéis que cedo lotaram as arquibancadas para testemunhar a canonização de um novo santo do estádio. O cardeal Spellman integrava a comissão, o presidente Johnson mandou um telegrama, a data foi declarada especial pelo prefeito de Nova York, uma orquestra se reuniu no campo de beisebol, diante da trindade de monumentos a Ruth, Gehrig e Huggins; e no alto das arquibancadas, tremulando na brisa do início de outono, havia bandeiras brancas em que se lia: "Fique, Mick", "Nós amamos o Mick".

Quem segurava as bandeiras eram centenas de jovens cujos sonhos tantas vezes tinham sido realizados por Mantle, mas nas arquibancadas também se viam homens mais velhos, barrigudos e carecas, em cujas mentes de meia-idade DiMaggio ainda era uma figura vívida e invencível, e alguns deles se lembravam de que, um mês antes, durante uma preliminar no Dia dos Veteranos no Estádio Yankee, DiMaggio, numa participação especial de alguns minutos, bateu um *home run,* a bola foi parar nos assentos do jardim esquerdo, e de repente milhares de pessoas se levantaram de um salto, gritando entusiasticamente — o grande DiMaggio voltara, eles eram jovens de novo, era ontem novamente.

Mas naquele dia ensolarado de setembro, o dia dedicado a Mickey Mantle, DiMaggio não usava a camisa número 5 nem um boné preto para cobrir os cabelos grisalhos; estava de terno preto, camisa branca e gravata azul. De pé num canto da cabine dos Yankees, ele esperava ser apresentado por Red Barber, perto da base inicial, atrás de um microfone prateado. No fundo do campo, a Guy Lombardo's Royal Canadian estava tocando músicas suaves; e andando devagar para lá e para cá, sobre o vasto gramado verde entre a área de aquecimento dos reservas e a área interna, havia dois carrinhos dirigidos pelos zeladores, cheios de grandes presentes para Mantle — um salame de quase dois metros, pesando 45 quilos, um rifle Winchester, um casaco de vison para a sra. Mantle, um jogo de tacos de golfe Wilson, um motor de popa Mercury de 95 cavalos, uma máquina de costura portátil Necchi, uma provisão de doces para um ano. DiMaggio fumava um cigarro, mas envolvia-o com as mãos como se quisesse evitar ser visto fumando por um grupo de adolescentes que estava perto o bastante para conseguir olhar para dentro da cabine. Então, dando um passo à frente e esticando o pescoço, olhou para cima. Ele não conseguia ver nada, exceto as arquibancadas verdes lotadas que pareciam estar em movimento e ter mais de um quilômetro de altura. Não conseguia ver as nuvens nem o céu azul, apenas um mar de rostos. Então o locutor chamou seu nome em voz alta — *"Joe DiMaggio!"* — e de repente houve uma explosão de aplausos que aumentava cada vez mais, ecoando e tornando a ecoar dentro do imenso cânion de aço, e DiMaggio esmagou o cigarro com o sapato, subiu os degraus da cabine, entrou no gramado verde e macio, o barulho ressoando em seus ouvidos, mal sentindo a brisa, sentindo sobre si o brado de 50 mil pulmões, 100 mil olhos observando cada movimento seu, e por um brevíssimo instante fechou os olhos e continuou a andar.

Então ele viu em seu caminho a mãe de Mickey Mantle, uma senhora sorridente, com uma orquídea no casaco, e ele gentilmente tomou-a pelo braço e conduziu-a em direção ao microfone, onde se encontravam outros dignitários enfileirados na área interna. E lá ficou ele muito ereto, o rosto sem expressão, enquanto os aplausos no estádio diminuíam.

Mantle ainda estava na cabine, de uniforme, com um pé apoiado no degrau mais alto. Enfileirados de ambos os lados estavam os outros jogadores dos Yankees, os quais, terminada a cerimônia, iriam jogar contra os Detroit Tigers. Então o senador Robert Kennedy entrou na cabine, sorridente, acompanhado de dois jovens assistentes altos, com cabelos ondulados e sardas.

Das pessoas que se encontravam na cabine, Jim Farley foi o primeiro a avistar o senador, e soltou um resmungo alto o bastante para que os outros ouvissem: "Quem diabos convidou *esse cara*?".

Toots Shor e outros integrantes da comissão que estavam perto de Farley olharam para dentro da cabine, e o mesmo fez DiMaggio, que lhe lançou um olhar frio, mas se manteve em silêncio. Kennedy andava de um lado para outro na cabine trocando apertos de mão com os Yankees, mas não entrou no campo.

"Senador", disse o diretor dos Yankees, Johnny Keane, "por que não se senta?" Kennedy balançou a cabeça rapidamente e sorriu. Ele permaneceu de pé, e então um jogador dos Yankees aproximou-se dele e lhe falou sobre a possibilidade de tirar alguns parentes de Cuba. Kennedy chamou um de seus assistentes para anotar os pormenores.

Na área interna a cerimônia continuava, os presentes trazidos para Mantle continuavam a se amontoar — uma Mobilette, uma churrasqueira, um suprimento de café da Chock Full O'Nuts, gomas de mascar Topps para um ano — enquanto os jogadores dos Yankees observavam e, dentre eles, Roger Maris parecia sombrio.

"Ei, Rog", gritou um homem com um gravador, Murray Olderman. "Quero fazer uma gravação rápida com você."

Maris praguejou e balançou a cabeça.

"Vai ser só um segundo", disse Olderman.

"Por que não pede a Richardson? Ele fala melhor do que eu."

"Sim, mas o caso é que é você..."

Maris praguejou outra vez, mas terminou por dar uma entrevista em que afirmou ser Mantle o melhor jogador da sua época, um grande desportista, um grande batedor.

Quinze minutos depois, de pé atrás do microfone na base inicial, DiMaggio falava à multidão: "Tenho orgulho de anunciar a vocês o homem que me sucedeu no meio-campo em 1951", e de todos os cantos do estádio vieram vivas, assobios, palmas. Mantle avançou. Ele estava com sua mulher e filhos e posou para os fotógrafos agachando-se na frente deles. Ele agradeceu à multidão num breve discurso e, voltando-se, apertou as mãos dos dignitários que estavam ali perto, entre eles o senador Kennedy. Cinco minutos antes o senador fora visto na cabine por Red Barber, que o chamou e anunciou a sua presença. Kennedy posou com Mantle para um fotógrafo, depois trocou apertos de mão com os filhos de Mantle, com Toots Shor, James Farley e outros. DiMaggio viu-o aproximar-se e no último segundo se afastou, com toda naturalidade, e dificilmente alguém notou. Kennedy também deu a impressão de não ter notado, e simplesmente foi em frente, apertando outras mãos...

Depois de tomar seu chá e largar o jornal, DiMaggio subiu para se vestir, e logo se despedia de Marie, saindo em seguida para a reunião, no centro de San Francisco, com seus sócios na rede de lojas de televisores. Embora não seja milionário, DiMaggio soube fazer seus investimentos, e desde que deixou de jogar assumiu cargos executivos em grandes empresas, ganhando salários altos. Foi também um dos fundadores do Banco Nacional dos Pescadores de San Francisco, e embora isso não tenha vindo a público, demonstrou uma sagacidade que impressionou os homens de negócios que o viam apenas como um jogador de beisebol. Fizeram-lhe propostas para dirigir times de beisebol da grande liga, mas ele sempre as recusou dizendo: "Já tenho dificuldades demais para resolver os meus próprios problemas, sem ter a responsabilidade sobre 25 jogadores".

Assim, o único contato que tem com o beisebol atualmente, além das aparições públicas, é o trabalho que desenvolve, com os New York Yankees, como treinador de batedores. Para fazer esse trabalho não remunerado, ele vai toda primavera para a Flórida, uma viagem que tornaria a fazer no domingo seguinte, dali a três dias, se conseguisse enfrentar o que para ele sempre é uma terrível obrigação: arrumar as malas, tarefa que não ficou mais fácil ultimamente, pois ele decidiu manter suas roupas em dois lugares — algumas no armário de sua casa, outras numa sala dos fundos de um bar chamado Reno's.

O Reno's é um bar pouco iluminado no centro de San Francisco. Há na parede uma foto de Joe DiMaggio girando o bastão, além de retratos de outros atletas famosos, e sua clientela compõe-se principalmente do povo dos esportes e jornalistas — pessoas que conhecem DiMaggio muito bem e com as quais ele pode falar livremente sobre muitos assuntos. Lá ele relaxa como em poucos outros lugares. O dono do bar é Reno Barsocchini, um homem elegante e de ombros largos de 51 anos, de cabelos ondulados grisalhos, que começou como violinista no bar Dago Mary's há 35 anos. Mais tarde ele se tornou barman, no mesmo bar e em outros, inclusive no DiMaggio Restaurant, e agora ele é com certeza o amigo mais próximo de DiMaggio. Ele foi padrinho do casamento de DiMaggio com Monroe, em 1954, e, quando os dois se separaram nove meses depois em Los Angeles, Reno correu para ajudar DiMaggio a preparar a mudança e o trouxe de volta, de carro, para San Francisco. Reno nunca vai esquecer aquele dia.

Centenas de pessoas se aglomeravam em volta da casa que DiMaggio e Marilyn tinham alugado em Beverly Hills, havia fotógrafos empoleirados em árvores olhando pelas janelas, outros no gramado e atrás das roseiras, esperando para tirar fotos de quem quer que saísse da casa. As manchetes dos jornais daquele dia estavam cheias de trocadilhos — "Joe eliminado pelo ciúme", "Marilyn e Joe fora de jogo" — e os colunistas de Hollywood, para os quais DiMaggio nunca foi um ídolo nem um anfitrião muito gentil, repisaram os casos que confirmavam a incompatibilidade. Oscar Levant afirmou que aquilo provava que ninguém podia ser um sucesso em dois passatempos nacionais.

Quando Reno Barsocchini chegou, teve de abrir caminho por entre a multidão, e bater à porta durante muito tempo antes de poder entrar. Marilyn Monroe estava no andar superior, na cama, Joe DiMaggio no térreo com suas malas, tenso e pálido, os olhos injetados.

Reno levou as valises e os tacos de golfe para o carro de DiMaggio, e então DiMaggio saiu da casa, os repórteres avançando em sua direção, os flashes pipocando.

"Para onde você vai?", gritavam eles. "Vou de carro a San Francisco", disse ele, andando depressa.

"Você vai morar lá?"

"É lá que eu moro e é onde sempre hei de morar."

"Você vai voltar?"

DiMaggio se voltou por um momento, e ficou olhando a casa.

"Não", disse ele. "Não volto nunca mais."

Reno Barsocchini, com exceção de um pequeno desentendimento sobre o qual ele se recusa a falar, tem sido um amigo de confiança desde então. Sempre que pode ele vai ao seu encontro no campo de golfe ou na cidade, ou então espera por ele no bar, com outros homens de meia-idade. Às vezes eles esperam durante horas, mesmo sabendo que, ao chegar, Joe pode querer ficar sozinho; mas isso não parece importar, eles ficam infinitamente estupefatos com ele, com sua mística, pois ele é uma espécie de versão masculina de Greta Garbo. Eles sabem o quanto Joe pode ser caloroso e leal, caso eles se mostrem sensíveis aos desejos dele, mas nunca devem chegar atrasados a um compromisso. Certa vez um dos homens teve dificuldade para estacionar o carro, chegou meia hora atrasado, e DiMaggio passou três meses sem falar com ele. Eles sabem também que, quando vão jantar com DiMaggio, este em geral prefere a companhia masculina, vez por outra uma ou duas jovens, mas nunca as esposas; as esposas fazem fofoca, as esposas reclamam, as esposas são um problema, e os homens que quiserem a companhia de DiMaggio devem deixar suas esposas em casa.

Quando DiMaggio entra no bar Reno's os homens lhe acenam, chamam-no pelo nome, Reno Barsocchini sorri e anuncia: "Cá está o Cortador!", pois seu apelido em seu tempo de jogador era Cortador do Yankee.

"Ei, Cortador, Cortador", disse Reno duas noites antes. "Onde você esteve, Cortador? Que tal um trago?"

DiMaggio recusou a bebida, pedindo em vez disso um bule de chá, que ele prefere a qualquer outra bebida, exceto antes de um encontro com uma mulher, quando ele muda para vodca.

"Ei, Joe", disse um cronista esportivo que estava cavando uma matéria sobre golfe. "Por que quando o jogador de golfe começa a envelhecer, perde primeiro a capacidade de dar tacadas de precisão? Como Snead e Hogan, que ainda conseguem acertar uma bola no *tee*, mas no *green* eles erram as tacadas..."

"É o peso da idade...", disse DiMaggio, girando em seu banco de bar. "Com a idade você fica meio trêmulo. Isso acontece com os jogadores de golfe e com qualquer homem que chegue aos cinquenta anos. Ele já não se arrisca tanto como antes. No *green*, o jogador de golfe mais jovem é mais preciso nas jogadas com o taco de face vertical. O homem mais velho fica hesitante. Um tanto inseguro. Trêmulo. Quando se trata de arriscar, o jovem, mesmo quando está dirigindo um carro, arrisca muito mais do que o velho."

"Falando em riscos", disse outro homem do grupo em volta de DiMaggio, "você viu o cara de muletas que estava aqui ontem à noite?"

"Sim, ele estava com a perna engessada", disse um terceiro. "Esqui."

"Eu nunca praticaria esqui", disse DiMaggio. "As pessoas praticam esqui para impressionar alguma moça. Você vê aqueles caras, alguns com quarenta, cinquenta anos, praticando esqui. E depois você os vê cheios de esparadrapo, pernas quebradas..."

"Mas esquiar é um esporte muito sexy, Joe. Todas aquelas roupas, as calças justas, a lareira no chalé, o tapete de pelo de urso — meu Deus, ninguém vai lá para esquiar. Eles vão para sentir frio e assim poderem se esquentar..."

"Talvez você tenha razão", disse DiMaggio. "Quem sabe você consegue me convencer."

"Que tal um trago, Cortador?", perguntou Reno.

DiMaggio pensou por um instante e respondeu: "Tudo bem — o primeiro trago desta noite".

Era meio-dia, de um dia cálido e ensolarado. A reunião de negócios com os lojistas correu bem; ele sugeriu com firmeza a George Shahood, presidente da Continental Television, Inc., que tem oito lojas no norte da Califórnia, que baixasse os preços dos televisores em cores para aumentar o volume das vendas, e Shahood concordou que poderia valer a pena tentar. Depois da reunião DiMaggio ligou para o bar Reno para saber se havia algum recado para ele. E àquela altura já se encontrava no carro de Lefty O'Doul, passando por Fisherman's Wharf, em direção à ponte Golden Gate, rumo a um campo de golfe cinquenta quilômetros ao norte. Lefty O'Doul era um dos grandes batedores na Liga Nacional do início da década de 1930, e mais tarde ele fora técnico do San Francisco Seals quando DiMaggio era a grande estrela. Apesar de estar com 69 anos, dezoito mais que DiMaggio, O'Doul tem grande energia e disposição, é um sujeito impetuoso, bom bebedor, com uma pança respeitável e olhos atentos; quando avançavam pela rodovia rumo ao clube de golfe, DiMaggio viu uma loira encantadora no volante de um carro e falou: "Olha que avião!". Ouvindo isso, O'Doul girou a cabeça imediatamente, tirando a atenção da estrada e exclamando: "Onde, *onde*?". O desempenho de O'Doul no golfe já foi melhor — ele costumava ter um *handicap* de 2 —, mas ainda tem um escore médio de 80, da mesma forma que DiMaggio.

As tacadas de DiMaggio atingem entre 250 e 280 jardas quando ele não atira as bolas para cima; ele ainda é bom nas tacadas de precisão, mas suas costas doem, o que lhe atrapalha o manejo do *putter*. No primeiro buraco, esperando o momento de dar a tacada inicial, DiMaggio se deixou ficar admirando a facilidade com que duas duplas de jovens estudantes manejavam o taco. "Ah", exclamou ele a certa altura. "Que bom se eu tivesse costas como as deles."

DiMaggio e O'Doul estavam sendo acompanhados no campo de golfe por Ernie Nevers, ex-craque de futebol americano, e dois irmãos que trabalham no ramo de hotelaria e de distribuição de filmes. Eles se deslocam rapidamente pelos verdes gramados ondulantes em carrinhos elétricos de golfe; o desempenho de DiMaggio foi excepcionalmente bom nos nove primeiros buracos. Mas então ele pareceu ter perdido a concentração, talvez devido ao cansaço, talvez por causa de uma conversa que tivera alguns minutos antes. Um dos homens que trabalhavam com cinema estava elogiando o filme *Boeing, Boeing*, estrelado por Tony Curtis e Jerry Lewis, e perguntou a DiMaggio se ele o vira.

"Não", disse DiMaggio. E acrescentou imediatamente: "Faz oito anos que não vejo um filme".

DiMaggio deu algumas tacadas em que a bola descreveu uma longa trajetória curva e foi parar à esquerda do alvo. Ele pegou um ferro 9 e arriscou uma tacada curta. Mas O'Doul tirou a concentração de DiMaggio para lembrar-lhe de manter a face do taco fechada. DiMaggio bateu. O taco acertou de lado, a bola partiu pulando feito um coelho pela grama alta, em direção a um laguinho. DiMaggio raramente demonstra alguma emoção num campo de golfe, mas naquela hora, sem dizer uma palavra, pegou o ferro 9 e atirou-o para cima. O taco foi parar no alto de uma árvore e ficou por lá.

"Bem", disse O'Doul em tom neutro, "Lá se vai *esse* jogo de tacos."

DiMaggio foi andando até a árvore. Felizmente o taco tinha escorregado para um galho mais baixo e DiMaggio subiu no carrinho e conseguiu recuperá-lo.

"Toda vez que ouço um conselho", murmurou DiMaggio consigo mesmo, "eu erro a tacada."

Mais tarde, depois de tomar um banho e trocar de roupa, DiMaggio e os demais foram a um banquete, dezesseis quilômetros a norte do campo de golfe. Alguém dissera que seria um almoço de gala, mas quando chegaram lá perceberam que a coisa estava mais para uma feira agropecuária; agricultores aglomeravam-se na frente de um edifício que parecia um grande celeiro, um candidato a delegado distribuía santinhos na entrada, e lá dentro um grupo de donas de casa estava cantando "You are my sunshine".

"Como viemos parar nesta joça?", perguntou DiMaggio, falando pelo canto da boca, enquanto se aproximava do edifício com seu grupo.

"O'Doul", disse um dos homens. "Ele é incapaz de recusar um convite."

"Vá para o diabo", disse O'Doul.

Logo DiMaggio, O'Doul e Ernie foram rodeados pela multidão, e a mulher que regera o coral aproximou-se depressa e disse: "Oh, senhor DiMaggio, é um prazer tê-lo conosco".

"É um prazer estar aqui, minha senhora", respondeu ele com um sorriso forçado.

"Pena o senhor não ter chegado um pouco antes. O senhor teria ouvido o nosso coral."

"Oh, eu ouvi sim, e gostei muito."

"Ótimo, ótimo", disse ela. "E como vão os seus irmãos Dom e Vic?"

"Muito bem. Dom mora perto de Boston. Vince em Pittsburg."

"Ora, olá, Joe", interrompeu um homem com um forte bafo de vinho, dando tapinhas nas costas de DiMaggio e agarrando-lhe o braço. "Quem você acha que vai ser campeão este ano, Joe?"

"Bem, não tenho ideia", disse DiMaggio.

"Que me diz dos Giants?"

"Meu palpite vale tanto quanto o seu."

"Bem, a gente não pode descartar os Dodgers", disse o homem.

"Claro que não", disse DiMaggio.

"Ainda mais que são feras no arremesso."

"O que é muito importante", disse DiMaggio.

Aonde quer que ele vá, as perguntas parecem ser as mesmas. Talvez as pessoas pensem que ele é capaz de antever o surgimento de novos astros, e aonde quer que vá os homens mais velhos lhe seguram a mão, apalpam-lhe o braço e dizem que ele poderia voltar ao campo. Então o rosto de DiMaggio se abre num sorriso franco. Ele trabalha duro para manter a forma de outrora — faz dieta, sauna, cuida-se bem; os homens balofos dos vestiários dos clubes de golfe às vezes o olham furtivamente quando ele sai do chuveiro, observando-lhe os músculos rijos do peito, a falta de barriga, as longas pernas musculosas. Ele tem o corpo de um rapaz, um tanto descorado e com pouco pelo; o rosto, porém, é bem marcado e queimado do sol de muitas temporadas. Ele ainda chama a atenção em banquetes como aquele — um *imortal*, como o chamou um cronista esportivo — e era nesses termos que escreviam sobre DiMaggio e sobre outros como ele, raramente admitindo que, como todos os mortais, não estavam imunes à tentação das farras, da bebida, das intrigas; admitir isso seria destruir o mito, desiludir os meninos, enfurecer os cartolas, que veem no beisebol apenas uma fonte de lucro e que, para atingir seu objetivo, mercadejam os jogadores medíocres com a mesma indiferença com que crianças trocam as fotos de jogadores que vêm em embalagens de chicletes. Assim, o herói do beisebol deve desempenhar o seu papel, deve preservar o mito, e ninguém o faz melhor do que DiMaggio, ninguém tem mais paciência quando bêbados o pegam pelo braço e perguntam: "Quem vai ser o campeão esse ano, Joe?".

    Duas horas depois, terminados os discursos e o banquete, DiMaggio está afundado no banco do carro de O'Doul, voltando para San Francisco. Mas ele ergueu o corpo quando O'Doul parou num posto de gasolina onde havia uma jovem ruiva sentada num banco, pernas cruzadas, pintando as unhas. Tinha cerca de 22 anos, usava uma calça justa preta e uma blusa branca ainda mais justa.

    "Olhe *aquilo*", disse DiMaggio.

    "É...", disse O'Doul.

O'Doul se voltou quando um jovem se aproximou, abriu o tanque e começou a limpar o para-brisa. O jovem estava com um uniforme branco sujo, e lia-se "Burt" em sua lapela. DiMaggio ficou olhando para a moça, mas ela não tirou os olhos das unhas. Então ele olhou para Burt, e este não o reconheceu. Quando o tanque encheu, O'Doul pagou e foi embora. Burt voltou para sua garota; DiMaggio recostou-se novamente no banco da frente e só abriu os olhos quando chegaram a San Francisco.

"Vamos ver Reno", disse DiMaggio.

"Não, tenho que ver minha velha", disse O'Doul. Ele deixou DiMaggio na frente do bar, e pouco depois a voz de Reno elevava-se na sala enfumaçada: "Ei, cá está o Cortador!". Os homens acenaram e lhe ofereceram um drinque. DiMaggio pediu uma vodca e ficou sentado ao balcão por uma hora, conversando com meia dúzia de homens à sua volta. A certa altura uma jovem loira que estava com os amigos na outra ponta do balcão se aproximou, e alguém a apresentou a DiMaggio. Ele lhe pagou um drinque e lhe ofereceu um cigarro. Ele acendeu um fósforo e ficou o segurando. Sua mão não estava muito firme.

"Sou eu quem está tremendo?", perguntou ele.

"Deve ser", disse a loira. "Eu estou calma."

Duas noites depois, tendo recolhido suas roupas da sala dos fundos de Reno, DiMaggio pegou um jato; ele dormiu com o corpo estendido sobre três assentos e desceu as escadas do avião quando o sol começava a nascer em Miami. Pegou a bagagem e os tacos de golfe, colocou-os no porta-malas do carro que o estava esperando, e em menos de meia hora entrava em Fort Lauderdale, passando por ruas margeadas de palmeiras, rumo ao Yankee Clipper Hotel.

"Tenho a impressão de ter passado a vida na estrada", disse

ele, olhos semicerrados, olhando o sol através do para-brisa. "Eu nunca tenho a impressão de que estou em um lugar determinado." Chegando ao hotel, DiMaggio foi para a maior suíte. As pessoas atravessavam o saguão para apertar-lhe a mão, pedir-lhe autógrafo, para dizer: "Joe, você está ótimo". Na manhã seguinte, bem cedo, e nas trinta manhãs seguintes, DiMaggio chegou pontualmente ao campo de beisebol, envergando o uniforme com o famoso número 5, e os turistas sentados nas arquibancadas ensolaradas batiam palmas quando ele chegava. Eles olhavam, nostálgicos, quando DiMaggio pegava um bastão e ensaiava as primeiras jogadas com os jogadores da equipe dos Yankees, alguns dos quais nem tinham nascido quando, 25 anos atrás, em cada um de 56 jogos consecutivos ele conseguiu bater pelo menos um hit, tornando-se o homem mais famoso dos Estados Unidos.

Mas os espectadores mais jovens do campo de Fort Lauderdale e os cronistas esportivos estavam mais interessados em Mantle e em Maris, e quase todo dia mandavam notícias sobre Mantle e Maris, o que fizeram, o que disseram, ainda que eles tivessem se limitado a andar pelo campo e a franzir o cenho quando solicitados a posar para mais uma foto ou quando os jornalistas lhes perguntaram como estavam se sentindo.

Depois de sete dias nessa toada, chegou o grande dia — Mantle e Maris iriam manejar um bastão — e muitos jornalistas aglomeravam-se em volta da grande gaiola de treino de batedores, situada além da cerca do campo esquerdo; era totalmente fechada por uma tela, o que significava que nenhuma bola de beisebol podia se deslocar mais de nove ou doze metros sem bater contra ela; mas de qualquer forma Mantle e Maris estariam manejando o bastão, e isso, na primavera, dá o que falar.

Mantle entrou primeiro. Estava de luvas para evitar que se formassem bolhas nas mãos. Ele rebateu de direita uma bola lançada por um treinador chamado Vern Benson, e logo estava jogando em ritmo acelerado, atirando bolas contra as redes de proteção, fazendo *ahhh ahhh* enquanto continuava, de boca aberta.

Então Mantle, não querendo se exceder em seu primeiro dia, largou seu bastão sobre a terra e saiu da gaiola. Roger Mantis entrou e pegou o bastão de Mantle.

"Esta porcaria deve pesar um quilo!", disse Maris. Ele jogou o bastão na terra e saiu em direção à cabine do outro lado do campo, para pegar um bastão mais leve.

DiMaggio estava em pé entre os jornalistas atrás da gaiola, e se voltou quando Vern Benson, que estava do lado de dentro, gritou: "Joe, quer dar umas tacadas?".

"Nem pensar", disse DiMaggio.

"Ora, vamos, Joe", insistiu Benson.

Os repórteres esperavam em silêncio. Então DiMaggio foi andando devagar para dentro da gaiola e pegou o bastão de Mantle. Ele tomou posição no quadrilátero do batedor, mas obviamente aquela não era a clássica "posição DiMaggio"; ele segurava o bastão a umas duas polegadas do pomo, os pés não muito separados, e quando tentou rebater o primeiro lançamento de Benson, errou, o bastão não descreveu um círculo completo e o número cinco estampado nas costas largas de seu uniforme não se desdobrou plenamente.

DiMaggio não rebateu o segundo arremesso de Benson, depois desempenhou bem no terceiro, no quarto e no quinto. Mas ele batia na bola de leve, sem muita força, e Benson gritou: "Eu não sabia que você era um rebatedor de empunhadura alta, Joe".

"Eu sou, agora", disse DiMaggio, preparando-se para um novo lançamento. Ele acertou mais umas três jogadas, então manejou o bastão novamente e ouviu-se um som oco.

"Ooh", exclamou DiMaggio, deixando cair o bastão, sentindo dor nos dedos, "eu já esperava por isso." Ele saiu da gaiola esfregando as mãos uma na outra. Os repórteres o observavam. Ninguém dizia nada. Então DiMaggio disse a um deles, sem raiva nem tristeza, mas simplesmente constatando um fato: "Houve um tempo em que ninguém conseguia me tirar de lá de dentro".

Peter O'Toole de volta à terrinha

Todas as crianças da classe estavam de lápis em punho desenhando cavalos, como a freira pedira — todas, exceto um menininho que, tendo terminado, deixava-se ficar em sua carteira sem fazer nada.

"Bem", disse a freira, olhando o cavalo que o menino desenhara, "por que você não desenha mais alguma coisa, uma sela ou outra coisa qualquer?"

Poucos minutos depois ela voltou para ver o que o menino tinha desenhado. De repente, seu rosto ficou vermelho. O cavalo agora tinha um pênis e ele estava urinando no pasto.

Possessa, ela começou a bater no menino com as duas mãos. As outras freiras vieram correndo e também bateram no menino, derrubaram-no no chão, sem ouvir o que ele dizia, perplexo, entre lágrimas:

"Mas, mas... eu só estava desenhando o que eu vi... só o que eu vi!"

"Ah, aquelas putas!", disse Peter O'Toole, agora com 31 anos, ainda sentindo raiva, tantos anos depois. "Aquelas velhas desgraçadas, solteironas, com aquelas mãos mirradas, assexuadas! Só Deus sabe o quanto eu odiava aquelas freiras!"

Ele inclinou a cabeça para trás, terminou de tomar o seu uísque, depois pediu mais um à aeromoça. Peter O'Toole estava num avião que partira de Londres meia hora antes, onde por muito tempo ele tem vivido no exílio, e voava para a Irlanda, sua terra natal. O avião estava cheio de homens de negócios, de irlandesas de faces rosadas, além de alguns padres, um dos quais segurava um cigarro com o que parecia ser uma pinça de arame — certamente para não tocar o tabaco com os dedos que mais tarde haveriam de segurar a hóstia.

O'Toole, sem notar a presença do padre, sorriu quando a aeromoça lhe trouxe o drinque. Era uma loirinha robusta, vestida num uniforme verde de tweed.

"Oh, olhe aquela bunda", disse O'Toole em voz baixa, balançando a cabeça, levantando os olhos em sinal de aprovação. "Aquela bunda está coberta com tweed fabricado em Connemara, onde eu nasci... A Irlanda tem as mais belas bundas do mundo. As irlandesas ainda carregam água na cabeça, arrastam seus maridos dos pubs para casa, e essas coisas são o que há de melhor para a postura, em todo o mundo."

Ele bebericou o seu uísque e olhou pela janela. Agora o avião estava descendo, e através das nuvens já se podiam ver os aprazíveis campos verdejantes, as casas de fazenda brancas, as suaves colinas dos arredores de Dublin, e ele confessou estar sentindo, como os irlandeses de volta à casa costumam sentir, um pouco de tristeza e também de alegria. Sentem-se tristes por reverem as coisas que os obrigaram a ir embora, e também um pouco culpados por terem ido embora, não obstante saberem que nunca conseguiriam realizar seus sonhos em meio a toda aquela pobreza e estranguladora rigidez; mas também se sentem felizes porque a beleza da Irlanda parece inextinguível, imutável desde o tempo de sua infância, e assim cada viagem de volta à Irlanda é um abençoado reencontro com a juventude.

Embora Peter O'Toole continue sendo um irlandês desenraizado por opção, vez por outra ele sai de Londres e volta à Irlanda para beber um pouco, apostar nos cavalos em Punchestown, na pista de corridas nos arredores de Dublin, e passar algumas horas sozinho, pensando. Nos últimos tempos ele teve muito pouco tempo para meditar; houve aqueles dois exaustivos anos no deserto com *Lawrence da Arábia,* a atuação no London Stage na peça *Baal,* de Bertolt Brecht, e depois ele contracenou com Richard Burton no filme *Becket,* atuando em seguida em *Lord Jim,* e mais filmes se seguiriam.

Pela primeira vez na vida, estava ganhando um bom dinheiro. Ele acabara de comprar uma casa de dezenove cômodos em Londres e finalmente tinha condições de comprar pinturas de Jack B. Yeats. Não obstante, O'Toole não estava se sentindo mais contente nem mais seguro do que se sentia quando era um estudante de artes cênicas subnutrido, morando numa barcaça que certa noite afundou quando se encheu de gente que viera para uma festa.

Ele ainda tendia a ser turbulento e autodestrutivo, e os psiquiatras em nada puderam ajudar. Ele só sabia que, em seu interior, cozinhando lentamente na forja de sua alma, estavam a perplexidade e o conflito, certamente responsáveis por seu talento, por sua rebeldia, seu exílio, sua culpa. De certo modo tudo isso tinha a ver com a Irlanda e com a Igreja, com o fato de ter destruído tantos carros que acabara por perder a carta de motorista, de participar de marchas contra a bomba atômica, com o fato de ficar obcecado com Lawrence da Arábia, de detestar policiais, arame farpado e garotas que depilam as axilas; com o fato de apostar em cavalos, de ser um esteta, um ex-coroinha, um bebedor que agora perambula pelas ruas à noite comprando o mesmo livro ("Minha vida está cheia de exemplares de *Moby Dick*") e lendo o mesmo sermão nesse livro ("... e se obedecemos a Deus, precisamos desobedecer a nós mesmos..."); com o fato de ser gentil, generoso, sensível, embora desconfiado ("Você está falando com o filho de um *bookmaker* irlandês, você não consegue me enganar!"); tem a ver com a dedicação pela esposa, a lealdade para com os velhos amigos, a grande preocupação que tem com a visão deficiente de sua filha de três anos, que já usa óculos de lentes fundo de garrafa ("Pai, pai! Quebrei meus óculos!" "Não chore, Kate, não chore — vamos comprar outros"); com o gênio teatral que sempre está em ação seja fazendo pantomima seja interpretando Hamlet; com a raiva que pode ser súbita ("Por que eu tenho que dizer a verdade a *você*? Quem é você, Bertrand Russell?") e com a raiva que logo arrefece ("Escute, se eu soubesse lhe diria por quê, mas acontece que não sei..."); e com as até agora não resolvidas contradições do Peter O'Toole que, neste exato momento, está prestes a descer na Irlanda... onde nasceu 31 anos atrás... e onde tomará o seu próximo drinque.

Dois solavancos, e o avião já aterrissara com toda segurança, no aeroporto de Dublin, correndo pela pista de concreto, dando em seguida uma volta e avançando em direção ao terminal de desembarque. Quando a porta se abriu, uma multidão de fotógrafos e repórteres acorreu, flashes assestados, e logo eles estavam pipocando, enquanto Peter O'Toole, um homem magricela, desengonçado, de 1,90 metro de altura, de paletó de veludo cotelê verde, gravata-borboleta verde e meias verdes (ele não usa meias que não sejam verdes, mesmo quando está de smoking), desceu os degraus sorrindo e acenando sob o sol. Posou para fotografias, deu entrevistas para o rádio, pagou um drinque para todo mundo; ele ria e dava tapinhas nas costas das pessoas, mostrava-se agradável e delicado, encarnava sua imagem pública, sua imagem de aeroporto.

Então entrou numa limusine que o levaria à cidade, e logo avançava pelas estradas estreitas e serpeantes, passando por casas de fazenda, por cabras e vacas, e por um imenso campo verde, muito verde, que se estendia por quilômetros e quilômetros.

"Uma terra encantadora", disse Peter O'Toole com um suspiro. "Meu Deus, a gente pode muito bem amá-la, mas não pode habitá-la. É uma coisa espantosa. Meu pai, que mora na Inglaterra, nunca mais quer pôr os pés na Irlanda. Mas se você disser uma palavra contra a Irlanda ele tem um acesso de raiva..."

"Ah, a Irlanda", continuou ele. "É a porca que devorou a própria ninhada. Diga-me o nome de um artista irlandês que produziu alguma coisa aqui, ao menos um! Meu Deus, Jack Yeats não conseguiu vender um quadro nesta terra, e *todo o talento*... oh, meu velho... Sabe qual é o maior produto de exportação da Irlanda? Homens. Homens... Shaw, Joyce, Synge, eles não conseguiram ficar aqui. O'Casey também não. Por quê? Porque O'Casey prega a Doutrina da Alegria, meu velho, é por isso... Oh, os irlandeses sabem bem o que é desespero, *por Deus, como eles sabem*! Nesse sentido, eles são dostoievskianos. Mas a alegria, meu caro, *nesta* terra!... Oh, Senhor", continuou O'Toole, batendo no peito. "Perdoai-me, Senhor, porque trepei com a senhora Rufferty... Dez ave-marias, filho, cinco pai-nossos... Mas padre, padre, eu não gostei da trepada com a senhora Rafferty... Ótimo, meu filho, *ótimo*..."

"A Irlanda", repetiu O'Toole. "A gente pode amá-la, mas não habitá-la."

Agora ele estava no hotel. Era perto do rio Liffey, não muito longe da torre descrita por Joyce em *Ulisses*. O'Toole tomou um drinque no bar. Ele parecia muito silencioso e sombrio, muito diferente da forma como estava no aeroporto.

"No fundo, no fundo, os celtas são extremamente pessimistas", disse Peter O'Toole tomando uma golada de uísque. Parte de seu próprio pessimismo, acrescentou ele, se deve a sua terra natal, Connemara: "A parte mais selvagem da Irlanda, cheia de carências, uma terra sem horizontes" — uma terra que Jack Yeats pinta tão bem em seus rostos irlandeses, rostos que fazem O'Toole lembrar-se de seu pai, Patrick O'Toole, de 75 anos, ex-*bookmaker*, um cavalheiro elegante, alto e muito magro, como Peter; que quase sempre bebe demais e briga com a polícia, como Peter; que não tinha muita sorte com as apostas nos cavalos, como Peter; e seus vizinhos, em Connemara, muitas vezes balançavam a cabeça à passagem da esposa de Patty O'Toole, Constance ("uma santa"), dizendo "Ah, o que seria de Patty O'Toole sem a Connie?".

"Quando meu pai vinha das corridas de cavalo num dia de sorte", disse Peter O'Toole, encostando-se no balcão, "a sala inteira se iluminava; era um reino de fadas. Mas quando ele perdia, tudo ficava sombrio. Em nossa casa o clima era sempre de velório... ou de casamento."

Quando rapazinho, Peter O'Toole se mudou da Irlanda com a família; seu pai, querendo ficar mais perto das corridas de cavalo que se concentravam no distrito industrial no norte da Inglaterra, mudou com a família para Leeds, uma cidade pobre com muitas casas em petição de miséria.

"Minha lembrança mais remota de Leeds é a de uma vez em que me perdi", disse O'Toole despachando mais um drink. "Lembro-me de estar vagando pela cidade... lembro-me de ter visto um homem pintando um poste de telefone de *verde*... e lembro-me de que ele foi embora, largando seus pincéis e suas coisas... E lembro-me de que terminei de pintar o poste para ele... E também de que fui levado a uma delegacia de polícia... De ter levantado os olhos para o birô, dos ladrilhos brancos como a mão de uma freira, e lembro-me de ver um grandalhão asqueroso olhando para mim..."

Aos treze anos, Peter O'Toole teve de sair da escola, foi trabalhar num armazém e aprendeu a rebentar barbantes, dispensando a tesoura, habilidade que ele nunca perdeu. Em seguida trabalhou como menino de recados e assistente de fotógrafo no *Yorkshire Evening News*, trabalho de que ele gostava muito, até que lhe ocorreu que os jornalistas em geral permanecem à margem da vida, relatando os feitos de homens famosos, raramente ficando famosos eles mesmos, e ele queria muito ficar famoso. Aos dezoito anos de idade, ele copiou em seu caderno de anotações as frases que viriam a ser o seu credo, e agora, neste bar de Dublin, recostando-se no banco, ele as recita em voz alta:

"*Resolvi não ser um homem comum... tenho o direito de ser incomum — se conseguir... Eu procuro uma oportunidade, não segurança... Quero assumir um risco calculado; sonhar e construir, falhar e vencer... recuso-me a trocar o estímulo por uma esmola... Prefiro os desafios da vida a uma existência pacata, a emoção da conquista à pasmaceira da utopia...*"

Quando terminou, dois bêbados que estavam num canto do bar bateram palmas, O'Toole lhes pagou um outro drinque e pediu mais um para si.

Sua carreira como ator, disse ele, começou depois de ter servido na marinha e de um ano de estudo na Royal Academy of Dramatic Art. Um dos seus primeiros trabalhos como ator foi com a Old Vic Company de Bristol, interpretando um camponês da Geórgia numa peça de Tchekov.

"Eu devia entrar no palco e dizer: 'Doutor Ostroff, os cavalos chegaram' e sair", disse O'Toole. "Mas não eu. Eu decidi que aquele camponês na verdade era *Stálin*! Por isso o interpretei coxeando um pouco, como Stálin, e me maquiei como Stálin... e quando entrei no palco, cheio de ressentimento contra a aristocracia, senti um frêmito na plateia. Encarei então o doutor Ostroff... e disse: 'Doutor Cavalo, os Ostroff chegaram!'"

Nos três anos seguintes, na Old Vic de Bristol, ele desempenhou 73 papéis, inclusive Hamlet, mas antes de conseguir o papel em *Lawrence da Arábia* ninguém tinha ouvido falar de Peter O'Toole, disse ele, num tom áspero.

"*Lawrence!*", falou ele com raiva, engolindo seu uísque. "Fiquei obcecado por esse homem, e isso foi ruim. Um verdadeiro artista devia ser capaz de pular num balde de merda e sair cheirando a violetas, mas passei dois anos e três meses fazendo aquele filme, e foram dois anos e três meses pensando em nada além de Lawrence, e eu era ele, era assim dia após dia, foi ruim para mim, pessoalmente, e prejudicou minha atuação posterior."

"Como você sabe, depois de *Lawrence*", continuou ele, "fiz *Baal*, e um grande amigo meu, depois da minha atuação no ensaio geral, chegou para mim e falou: 'Que é que há com você, Peter?'. Perguntei que diabos ele queria dizer com aquilo e ele respondeu: 'Não vi *elā*!'. Meu Deus, suas palavras me aterrorizaram. Eu estava atuando mal! Preguei os olhos no chão... não conseguia controlar minha voz... eu estava fraco, disperso... Mais tarde eu disse comigo mesmo: 'Você está numa enrascada, meu velho', e senti isso até a raiz dos cabelos. Eu estava emocionalmente arrasado depois daquele filme."

Peter O'Toole continuou: "Num programa da BBC, o de Harry Craig — aquele sacana foi longe demais! —, eu disse que depois de *Lawrence* fiquei com medo de ser mutilado. Um filme que levou tanto tempo, dois anos e três meses, e ter toda a responsabilidade acerca de meu desempenho, e nenhum controle... Meu Deus, numa cena do filme vi um close de meu rosto quando eu tinha 27 anos de idade, e daí a oito segundos mais um close mostrando-me já com 29 anos! *Oito desgraçados segundos* e eu perdera dois anos de minha vida!".

"Oh", exclamou O'Toole. "É doloroso ver tudo aquilo na tela, petrificado, embalsamado", disse ele fitando as fileiras de garrafas à sua frente. "Quando uma coisa se cristaliza, deixa de ser viva. É por isso que amo o teatro. É a Arte do Instante. Sou apaixonado pelo efêmero e odeio a permanência. Atuar é transformar palavras em carne, e amo o teatro clássico porque... porque você precisa ter a extensão e o registro de voz de um cantor de ópera... o movimento de um dançarino de balé... você tem de ser capaz de *interpretar*... é transformar todo o seu corpo num instrumento musical que você mesmo toca... É mais do que mero behaviorismo, que é o que se vê nos filmes... Por Deus, e o que são filmes afinal de contas? Só umas merdas dumas fotografias em movimento, nada mais. Mas o teatro! Ah, lá temos a *impermanência*, que eu amo. De certa forma é um reflexo da vida. É... é... como construir uma estátua de neve..."

Peter O'Toole consultou o relógio, pagou ao barman e despediu-se com um aceno dos bêbados que estavam no canto. Eram 13h15, hora de ir às corridas.

O motorista, um homem gordo e sossegado que nesse meio-tempo ficou cochilando no saguão do hotel, acordou com O'Toole cantando e saindo lépido do bar, e se levantou de um salto quando O'Toole anunciou alegremente, com uma leve mesura: "Às corridas, meu bom homem".

No carro, a caminho de Punchestown, O'Toole, que estava muito animado mas de modo algum embriagado, lembrou como ficava alegre quando o pai o levava às corridas de cavalo. Às vezes, disse O'Toole, seu pai calculava mal as chances em sua mesinha de *bookmaker*, ou perdia tanto em suas próprias apostas que ficava sem dinheiro para pagar os prêmios aos seus clientes; por isso, logo que a corrida terminava, antes de os clientes terem tempo de acorrer à sua banquinha de *bookmaker*, Patrick O'Toole pegava Peter pela mão e dizia: "Vamos, filho, vamos dar no pé!"

— e os dois se esgueiravam pelo mato, sumiam do turfe, e só podiam voltar depois de muito tempo.

As arquibancadas de Punchestown já estavam cheias de gente quando o motorista de O'Toole avançou com o carro rumo à sede do clube. Havia também longas filas de pessoas esperando para comprar ingressos, pessoas bem vestidas, com ternos e bonés de tweed, ou com chapéus tiroleses com plumas espetadas. Para além da multidão se via o paddock, um paddock de grama macia e verdíssima, no qual os cavalos andavam pesadamente de um lado para o outro, circulando e girando, narinas dilatadas. Atrás do paddock, fazendo muito barulho, havia fileiras e fileiras de *bookmakers,* todos eles velhos de boné na cabeça, de pé, atrás de suas bancas de madeira pintadas de cores brilhantes, todos eles repetindo as chances de cada cavalo e agitando pedacinhos de papel no vento.

Peter O'Toole observou-os por um instante, em silêncio. De repente, ouviu-se a voz de uma mulher em meio à multidão: "Pi--tah, Pi-*tah,* Pi-*tah* O'Toole, bom, como vai você?".

Peter O'Toole a reconheceu: era uma mulher da sociedade de Dublin, de porte elegante, cerca de quarenta anos, cujo marido tinha cavalos de corrida e muitas ações da Guinness.

O'Toole sorriu, segurou a sua mão por alguns instantes, e ela disse: "Oh, você parece estar cada dia melhor, Pi-tah, melhor até que naqueles diabos de camelos árabes. Quer dar uma chegada em nosso trailer atrás da sede do clube para tomar uns drinques conosco?".

O'Toole disse que sim, mas que primeiro queria fazer uma aposta.

Ele apostou cinco libras num cavalo na primeira corrida, mas antes que este cruzasse a linha de chegada, o jóquei foi derrubado. O'Toole perdeu as cinco corridas seguintes, e a bebida já começava a lhe subir à cabeça. Entre as corridas ele parou no trailer da Guinness, uma grande van branca cheia de homens ricos, champanhe e irlandesas elegantes que chegavam bem perto dele chamando-o de "Pi-tah", dizendo que ele devia vir à Irlanda com mais frequência e, quando ele sorria e as enlaçava com seus braços longos, às vezes se dava conta de que se encostava nelas para não cair.

Pouco antes da última corrida, O'Toole deu umas voltas ao ar livre, ao sol, e apostou dez libras em um cavalo sobre o qual nada sabia; então, em vez de voltar para a van da Guinness, se encostou na grade junto à pista, os olhos azuis injetados fitando os cavalos enfileirados atrás da barreira. O sino tocou, e o cavalo de O'Toole, um grande alazão castrado, largou na frente e, gingando na pista, lançando tufos de gramas no ar, manteve a liderança, pulou uma barreira, lançou-se para a frente, pulou outra barreira, ainda dois corpos na frente. Agora Peter O'Toole começava a acordar, e alguns segundos depois estava brandindo o punho no ar, eufórico, pulando, quando o cavalo passou pela linha de chegada e continuou correndo, o jóquei erguendo-se na sela, tendo vencido sem dificuldade.

"Pi-tah, Pi-tah, você ganhou!", vinham os gritos da van.

"Pi-tah, querido, vamos tomar um drinque!"

Mas Peter O'Toole não estava interessado em beber. Ele correu imediatamente para o guichê antes que o *bookmaker* sumisse. O'Toole pegou o dinheiro.

Depois das corridas, com o sol do final da tarde já em declínio e o ar subitamente gelado, O'Toole resolveu evitar as festas em Dublin; em vez disso, pediu ao motorista que o levasse a Glendalough, um lugar tranquilo, bonito, quase deserto, à beira de um lago entre duas colinas, nos arredores de Dublin, não muito longe de onde os primeiros O'Toole foram sepultados, e onde ele, quando criança, costumava fazer longas caminhadas.

Lá pelas 17h30 o motorista fazia avançar o carro devagar pelas estradas estreitas e enlameadas no pé da colina. A certa altura ele parou, porque a estrada acabara. O'Toole saiu, levantou a gola do paletó de veludo cotelê verde e começou a subir a colina com certa dificuldade, porque ainda estava um pouco tonto com os drinques que tomara.

"Meu Deus, que calor!", exclamou ele, a voz ecoando no vale. "Olhe só aquelas árvores, aquelas árvores novas — elas estão *correndo*, por Deus, elas não estão plantadas ali — e são tão luxuriantes, como pelos púbicos, e o *lago*, não há peixes naquele lago! E não se ouve canto de pássaros, tudo é tão silencioso, não há pássaros cantando em Glendalough porque aqui não há peixes para ouvi-los cantar..."

Ele escorregou, caiu de costas na encosta da montanha e soltou a cabeça sobre a grama. Então levantou as mãos no ar e disse: "Está vendo isso? Está vendo esta mão direita?". Girou a mão direita de um lado para outro, acrescentando: "Veja estas cicatrizes, meu velho". Havia umas trinta ou quarenta pequenas cicatrizes na palma da mão direita e nos nós dos dedos, e o dedo mínimo era deformado.

"Não sei se isso significa alguma coisa, meu velho, mas... mas *eu sou um canhoto que foi obrigado a ser destro*... Oh, aquelas freiras me batiam nos nós dos dedos quando eu usava a mão esquerda, e talvez, não sei, talvez por isso eu odiasse tanto a escola."

Durante toda a sua vida, disse ele, sua mão direita foi uma espécie de arma violenta. Com ela, ele esmurrava vidraças, concreto, as pessoas.

"Mas veja minha mão *esquerda*", disse ele, levantando a mão. "Não há nem uma cicatriz nela. Longa e macia feito um lírio..."

Ele fez uma pausa e depois continuou: "Sabe, eu consigo escrever de trás para a frente, escrever espelhado... Olhe...".

Ele tirou do bolso sua passagem aérea e, com uma caneta esferográfica, escreveu seu nome.

Peter O'Toole

Ele riu. Então, levantando-se e limpando a sujeira do paletó verde e das calças, desceu a colina um tanto trôpego, em direção ao carro, e começou a deixar para trás a quietude fantasmagórica do lago, as árvores em disparada, e a ilha daquelas freiras brancas encarquilhadas.

VOGUElândia

Toda manhã, nos dias de semana, um grupo de mulheres delicadas e à prova de rugas, que chamam umas às outras de "querida" e de "minha cara", que sabem falar italiano e praguejar em francês, entram no Graybar Building, em Manhattan, sobem ao 19º andar e se instalam em suas mesas de trabalho na *Vogue* — uma revista que há muito é o símbolo máximo da sofisticação para toda americana que sempre sonhou em ser vestida por Balenciaga, calçada por Roger Vivier, penteada por Kenneth, ou livre para balançar-se no Arco do Triunfo vestida num casaco de vison estilo juvenil.

Desde Safo ninguém teve tanto impacto sobre as mulheres quanto os editores da *Vogue*. Praticamente a cada número eles apresentam uma deusa deslumbrante que pelo visto fica mais perfeita e mais arrasadora à medida que avançamos página a página. Às vezes vemos a modelo da *Vogue* saltando pelas páginas vestida de seda cor de chocolate, ou pilotando um brigue com proa de teca no Caribe, ou de pé, esguia, em frente à torre Eiffel, ousados Renaults passando à toda por ela — sem jamais atingi-la — enquanto ela posa no meio da rua, uma perna erguida como num chute, boca aberta, dentes brilhantes, dois *gendarmes* piscando os olhos ao fundo, toda Paris apaixonada por ela e por seu vestido de noite de musselina de seda.

Outras vezes a modelo da *Vogue* está usando o "nunca-fora--de-moda" pretinho na ponte Queensboro, com um gato branco agarrado às suas costas, um gato que certamente ela deixa em casa quando, mais tarde, ela vai de jato a Porto Rico para almoçar com Casals, sendo então observada das colinas por mulheres nativas com crianças nuas no colo — mulheres que riem para ela, admiram sua sofisticada saia de tussor, amam-na quando ela joga golfe no velho El Morro.

Enquanto essas modelos da *Vogue* são apenas estupendas, as socialites fotografadas para a revista são ricas, belas, incansáveis, ativas, cheias de vitalidade, brilhantes, espirituosas, participam de mais comissões do que congressistas, sabem mais sobre aviões do que Wolfgang Langewiesche, vicejam no ar do campo mas se sentem igualmente à vontade nos salões de pôquer de Cannes; elas nunca envelhecem, nunca perdem o viço, nunca têm caspas, além de serem (nas palavras dos bajuladores que escrevem as chamadas da *Vogue*) "divertidas", "requintadas", "delicadas", "engraçadas" e "formidáveis".

Num número da *Vogue*, por exemplo, a sra. Loel Guinness, fotografada antes de ir de Lausanne para Palm Beach, foi descrita como sendo "vivaz, cheia de vitalidade, divertida". Em outro número a sra. Columbus O'Donnel "tinha um espírito fino, vivaz e divertido". A rainha Sirikit da Tailândia era "divertida, requintada", e a condessa de Dalkeith era "encantadora" e tão "brilhante" quanto lady Caroline Somerset — que por sua vez era "bela como o luar". A sra. Murray Vanderbilt, que no ano passado era uma "morena esguia com um olhar direto e arrebatador, e um sorriso suave e aberto", este ano é "uma beldade fortemente decidida" — e sua decisão era ir de avião a Paris para ter seu retrato pintado pelo "animado e descontraído" Kees Van Dongen na terça-feira e voar de volta para Nova York na mesma noite, "investindo" nisso, nas palavras da *Vogue*, "apenas 23 horas e 45 minutos".

Quando, num caso deveras extraordinário, uma mulher famosa retratada pela *Vogue* não é "de uma rara beleza" — quando se trata, por exemplo, de uma pessoa quase feia e desgraciosa —, se diz então que é "inteligente" ou "cheia de sabedoria", que ela lembra as heroínas de romances refinados e vívidos. Madame Helene Rochas "parece-se com a heroína de um romance de Stendhal". E quando a *Vogue* faz referência a um tipo fora do estilo da *Vogue,* Ingrid Bergman, por exemplo, que gasta pouco dinheiro com a indústria de cosméticos, diz que ela tem um nariz "bem generoso".

Os narizes das heroínas da *Vogue* em geral são longos e finos, da mesma forma que os narizes de muitas das editoras da *Vogue* — narizes que se empinam com desprezo ante suas parentas (através da Condé Nast) menores, menos sofisticadas, na revista *Glamour,* cuja redação também se encontra no 19º andar do Graybar Building. Mas é facílimo distinguir os dois *staffs* porque as *jeunes filles* da *Glamour,* além de terem narizes que a *Vogue* qualificaria, com desprezo, de "ávidos, arrebatados", costumam usar corpete, broches redondos, sorrir no elevador e dizer "Oi". Uma senhora da *Vogue* certa vez descreveu a equipe de redação da *Glamour* como "aquele pessoal animado que fala 'oi'".

Certo dia, há alguns anos, uma secretária de olhos arregalados, recém-contratada da *Vogue,* entrou de repente na sala de um editor carregando um pacote e falou "Oi" — diante do que o editor deve ter encolhido o corpo, para finalmente retrucar: "*Aqui nós não dizemos isso!*".

"Naturalmente, todo mundo na *Glamour* aspira a abrir caminho para o staff da *Vogue*, uma gente severa e vigilante", diz a escritora Eve Marriam, ex-editora de texto da *Glamour*. "Mas isso raramente acontece. *Vogue* tem que ser prudente. A pessoa recém-chegada pode usar a palavra *charme* em vez de *estilo*; pode falar em dar uma festa, em vez de um *jantar*, ou falar de um 'casaco de camurça para você sair com o carro no fim de semana' em vez de 'ir para sua casa de campo'. Ou falar em ir a uma joalheria em vez de *bijouterie*. E, pior que tudo, poderá falar em termos de uma *economia* em vez de um *investimento*, ou de um *coup*. Ou descrever um *vestido de baile* — a gente se arrepia só em pensar — como sendo *formal*."

Basta a pessoa sair do elevador e entrar no 19º andar para experimentar a súbita sensação de estar na *Vogue*. O piso é preto e brilhante, e a espaçosa sala de recepção — atenção para a elegância — dispõe de "delicada e divertida recepcionista" com sotaque britânico, talvez para manter a coerência com a forma britânica como a revista grafa muitas de suas palavras: "colour", "honour", "jewellery" e "marvellous" (pronuncia-se *MAA*vellous!).

Atrás da recepcionista há um corredor curvo que leva às editorias da *Vogue*. A primeira editoria, a de Beleza, cheira a cremes e a pós cosméticos, rejuvenescedores e outras fontes de juventude. Além daí, e próximo a uma segunda curva, há uma meia dúzia de outros editores e, separando-os, uma ampla e barulhenta Sala de Moda. Das nove às cinco a Sala de Moda e as editorias à sua volta agitam-se com as vozes agudas e efusivas de cinquenta mulheres, o tocar incessante dos telefones, a imagem indistinta de silhuetas de pernas longas passando, os saltos batendo com *élan*. Em um canto, o Editor de Tecidos mexia em amostras de seda; em outro canto, próximo a uma janela, o Editor de Sapatos se pergunta qual a nova tendência para sapatos "deslumbrantes"; ainda em outro, o Agenciador de Modelos vasculha um arquivo que contém dados bastante pormenorizados sobre modelos, que informam por exemplo qual a mais adequada para anúncios de espartilhos, a que tem as pernas mais bonitas, a que tem os dedos que lembram garras (ideais para anúncios de luvas), e a que tem mãos pequenas e bonitas (ideais para fazer que os pequenos e caros vidros de perfume pareçam maiores).

Vindas da sala de uma editora chamada Carol Phillips ("uma beleza delicada, divertida, de perfil impecável"), ouvem-se as vozes, os risos e as conversas bem-educadas de outras pessoas que ditam a moda. Estas se encontram em pé, mãos nos quadris, dedos dos pés à mostra diante da mesa da sra. Phillips. Sua conversa se mistura fatalmente com o diálogo que reverbera pelo corredor, o que muitas vezes perturba ainda mais a concentração do barão de Gunzburg — um editor de moda sênior — nas palavras-cruzadas do *Times* de Londres, que um office-boy lhe traz toda manhã de uma banca de jornais estrangeiros em Times Square. O barão, que as senhoras da *Vogue* chamam de "Nickkee", escreve o número 7 à moda europeia 7, é um ex-bailarino do balé russo e atuou apenas uma vez no cinema, num filme alemão chamado *O vampiro*. (No filme ele interpretou um poeta que passou duas semanas num caixão para ter a oportunidade de matar o vampiro; atualmente o barão raramente deixa de usar uma gravata preta, e diz-se que certa vez ele entrou num elevador da Sétima Avenida sem indicar o andar para onde ia, e foi levado diretamente ao andar de um alfaiate especializado em uniformes para agentes funerários.)

Numa sala que fica acima da do barão, uma das poucas editorias da *Vogue* no vigésimo andar, Allene Talmey, editora de matérias especiais, que Crowninshield certa vez descreveu como um "suflê de pés-de-cabra", escreve sua famosa coluna "As pessoas andam falando sobre..." — uma relação de temas sobre os quais ela e outras senhoras da *Vogue* andam comentando, e acham que *todo mundo* também deveria comentar. Ela escreve:

AS PESSOAS ANDAM FALANDO SOBRE... a atual necessidade da palavra grega *bottologia*, que significa conversa demais, ou repetições inúteis, tal como a usou são Mateus (6:7)...

AS PESSOAS ANDAM FALANDO SOBRE... os presentes de batismo que foram dados à filha do grande maestro austríaco Herbert von Karajan...

AS PESSOAS ANDAM FALANDO SOBRE... Takraw, um jogo muito bonito de ser apreciado...

AS PESSOAS ANDAM FALANDO SOBRE... beija-flores...

AS PESSOAS ANDAM FALANDO SOBRE... a metade oriental do planeta...

Embora alguns críticos da *Vogue* afirmem que a política literária da revista pode ser resumida com "Em dúvida, reedite Colette", cumpre dizer, a propósito da *Vogue*, que esta traz textos de excelentes escritores, entre os quais Marianne Moore, Jacques Barzun, Rebecca West e Allene Talmey. Ainda assim, um dos ex--diretores de arte da *Vogue*, o inimitável dr. Mehemet Femy Agha, comentou certa vez: "Embora Allene seja maravilhosa, sempre lhe digo que ela é como uma pianista num prostíbulo. Ela pode ser uma excelente pianista, mas ninguém vai lá para ouvir música. Ninguém compra *Vogue* para ler boa literatura; as pessoas compram para ver as roupas".

Tendo terminado de fazer as palavras cruzadas do *Times* de Londres, o barão de Gunzburg, que é um dos primeiros a ver os vestidos, se encontra agora no Garment Center, na Sétima Avenida, recostado num elegante divã na sala de exposição do estilista Herbert Sondheim, que está apresentando à revista uma prévia da coleção de primavera. Sentado próximo ao barão está outra editora da *Vogue*, Mildred Morton ("loira de perfil perfeito, sobrancelhas erguidas numa expressão levemente entediada").

"Vocês são as primeiras pessoas em todo o mundo a verem esta coleção", diz o sr. Sondheim, um homem baixo, bastante rijo, de voz áspera e desagradável, esfregando as mãos e abrindo um sorriso de orelha a orelha.

Pouco depois, uma modelo loira surge de detrás da cortina, avança empertigada em direção ao barão e à sra. Morton e colaboradores, e murmura: "Número seiscentos e vinte e oito".

O barão escreve o número em seu livro de anotações encadernado em couro e a vê dar meia-volta e ir embora passando pela cortina.

"Isto é pomécio", diz o sr. Sondheim.

"Caro?", pergunta a sra. Morton.

"Algodão pomécio custa cerca de dois dólares e setenta o metro", responde Sondheim.

"Número seiscentos e quarenta e oito", diz uma segunda modelo, uma morena que passa pelo sr. Sondheim, inclina-se e faz um rodopio na frente do barão de Gunzburg.

"Terrivelmente elegante", diz o barão, enquanto seus dedos sentem a textura do vestido de noite de algodão pomécio da modelo. "Eu simplesmente *amo* o casaco com recorte na manga."

A sra. Morton ergue a sobrancelha direita.

"Você vai viajar neste inverno?", pergunta o barão a Sondheim.

"Provavelmente", diz ele. "Vou para Palm Beach."

O barão parece não se impressionar.

"Número seiscentos e vinte e quatro", anuncia a modelo morena, surgindo novamente, novo meneio de casaco, nova inclinação, novo rodopio.

"Esplêndida textura, essa do algodão pomécio", diz Sondheim, voltando imediatamente ao tom profissional. "Além disso, ele não amarrota."

"Gosta mais dos outros dois, não é Nick-kee?", pergunta a sra. Morton.

O barão fica calado. A modelo dá mais um giro em sua frente e dá as costas para ele.

"Qual o seu número?", pergunta o barão encurtando um pouco as palavras, à maneira britânica.

"Número seis três nove", responde ela com sotaque por sobre o ombro. O barão o anota e observa a modelo desaparecer atrás da cortina, fazendo os suspensores de plástico se entrechocarem com ruído.

Cinco minutos depois encerra-se a apresentação do sr. Sondheim, e o barão lhe informa o número de ordem dos vestidos que a *Vogue* pretende fotografar e mostrar com exclusividade. O sr. Sondheim tem todo o prazer em aquiescer, porque ter seus modelos mostrados em primeira mão nas páginas da *Vogue* é quase uma garantia de sucesso de vendas.

Tudo começou em 17 de dezembro de 1892, quando o "tranquilo e sociável" Arthur Baldwin Turnure (formado em Princeton, classe de 1876), marido de uma das primeiras americanas apaixonadas por golfe, fundou a revista *Vogue*. Em 1895 ele causou sensação mostrando em sua revista os vestidos e as lingeries que seriam usados pela srta. Consuelo Vanderbilt em seu casamento com o duque de Marlborough.

Em 1909 a *Vogue* foi comprada por Condé Nast, e prosperou como nunca antes, e nenhuma outra revista de moda conseguiu rivalizar com ela. A *Harper's Bazaar*, que sempre foi menos conservadora — "Ela passa um pouquinho do ponto", explica uma senhora da *Vogue* —, não oferece aos leitores muito daquilo que Mary McCarthy chama de "esnobismo democrático."

Alguns anos atrás a srta. McCarthy, que fez um estudo bastante extenso sobre revistas de moda feminina para *The Reporter*, concluiu que, à medida que se descia na escala das revistas femininas — examinando revistas como *Charm, Glamour, Mademoiselle* —, se encontrava mais preocupação real com as leitoras e seus problemas — "a dificuldade de ser uma garota de escritório, a inveja dos superiores, inibição, embaraço, solidão, temores sexuais, tímido sentimento de amizade para com o chefe, noites intermináveis com o espelho e pinças, desesperado esforço social no sábado ('Dê uma festa e convide *todo mundo* que você conhece'), luta para construir uma identidade no ambiente claustrofóbico do escritório".

Em outro estudo de revistas femininas, este realizado no *Social Forces* por dois sociólogos, Bernard Barber, do Barnard College, e Lyle S. Lobel, então em Harvard, afirmava-se que, enquanto os símbolos de prestígio da *Vogue* eram "sofisticação e elegância", esses mesmos símbolos eram escarnecidos pelas pessoas respeitáveis das Associações de Pais e Mestres, no *Ladies' Home Journal*, onde há "uma aversão ao 'alto estilo', a tudo o que é 'ousado' ou 'incomum'".

Mas, segundo os sociólogos, acima do nível ultrachique da *Vogue*, existe uma classe de mulheres ainda mais invejada: as ricas fora da moda, de "dinheiro antigo".

"Nesse nível mais alto, onde há pouca necessidade de competir por status por meio do consumo", escrevem Barber e Lobel, "as mulheres podem até manter uma certa independência da cambiante corrente da 'moda'. Suas roupas elegantes podem continuar sendo basicamente as mesmas por muitos anos... Mesmo as excêntricas, como as velhas senhoras da Beacon Street, em Boston."

Descrevendo o nível *Vogue*, continuam eles: "Na classe social imediatamente abaixo do 'dinheiro velho', encontramos a maioria das representantes da 'alta moda', sempre de olho no que se faz em Paris. Atentas para a classe acima delas, talvez desejando integrar-se a ela, essas mulheres procuram combinar opulência com uma 'discreta elegância'. Os 'textos de moda' dirigidos a esse grupo preconizam uma *postura* que revele distinção autoconfiante, superioridade desembaraçada e elegância inata".

Naturalmente para poder mostrar sua *postura* de distinção e elegância, a revista *Vogue* precisa convocar seus modelos da alta moda, mandar fotografá-los por fotógrafos de moda — e naquela tarde a sessão de fotografias coloridas da *Vogue* estava tendo lugar no estúdio do famoso fotógrafo Horst Horst, uma cobertura com uma magnífica vista para o rio East. No estúdio, enquanto Horst Horst ajusta suas câmeras alemãs, japonesas e suecas, seu ajudante chinês prega enormes folhas de cartolina azul celeste na parede, criando um fundo estival. No centro da sala, em frente a uma grande caixa com flores, há um banco de pelúcia marrom-claro no qual a modelo vai sentar-se. No vestiário contíguo, a sra. Simpson, da *Vogue,* faz um bordado copiando um motivo de Matisse, enquanto espera a chegada da modelo Dorothea McGowan.

"Eu ficaria louca, *louca,* sem isso", diz a sra. Simpson referindo-se ao bordado.

Em outro canto do vestiário, a encarregada do guarda-roupa da *Vogue* passa a ferro meia dúzia de vestidos de *chiffon* de Galanos. Finalmente, dez minutos depois, Dorothea McGowan, uma jovem alta, pálida, entra na sala, os cabelos cheios de rolinhos. Ela tira o casaco imediatamente, solta o cabelo, corre ao espelho e logo começa a pincelar o rosto com um pincel japonês.

"Que sapatos, senhora Simpson?", pergunta ela.

"Experimente os vermelhos, querida", diz a sra. Simpson, levantando os olhos do Matisse.

"Vamos", chama Horst da outra sala.

Em poucos minutos, depois de uma hábil pintura facial, Dorothea, de moça pálida e meio sem jeito do Brooklyn que era ao entrar no estúdio, se transforma numa mulher sofisticada e eterna, prestes a posar para sua sétima capa da *Vogue*. Ela entra no estúdio num passo confiante, fica de pé a quatro metros e meio de Horst, alonga os músculos das panturrilhas, afasta levemente as pernas, põe as mãos nos quadris e se prepara para seu romance com a câmera.

Horst Horst, acariciando o tripé com as mãos, inclina o corpo e está prestes a bater a foto quando a sra. Simpson, postada nas linhas laterais feito uma duenha, grita: "Espere". O enlevo é momentaneamente quebrado quando a sra. Simpson diz: "As unhas delas estão horríveis".

"É mesmo?", pergunta Dorothea, não mais uma mulher segura, voltando a ser a moça do Brooklyn.

"Você está com as suas unhas?"

A modelo vai ao vestiário para colocar as unhas postiças e volta para a frente da câmera. A sra. Simpson, agora satisfeita, volta ao seu bordado na sala contígua, e o jovem chinês coloca um ventilador na frente de Dorothea, soprando o vestido de *chiffon* contra seu corpo fino e magro.

Dorothea joga a cabeça para trás.

"Que sensação gostosa quando o ventilador está ligado", diz ela com um riso nervoso.

"Faça alguma coisa com a perna", diz Horst.

Ela dobra-a para trás, abre a boca. E a câmera de Horst faz *clic*. Então ela se reclina no banco, lábios franzidos. Horst clica.

"Oh, assim está bom", diz Horst. "Faça de novo" (clic).

Dorothea sorri (clic); abre a boca (clic); abre mais, um grande O (clic).

"O chapéu está caindo", diz ela com um risinho.

"Só um sorriso, sem mostrar os dentes", diz ele (clic). "Estique o pescoço."

Ela estica (clic).

"Essa é a minha garota", diz ele (clic).

"Siim", repete ele devagar (clic). E então, de moto próprio, ela continua fazendo diferentes poses, que ele vai pontuando com um clic; seu rosto assume um ar ora malicioso, ora pronto para o amor, ora com os olhos em chama, ora tão recatado como uma virgem do Vassar. E durante todo esse tempo Horst apenas repete, excitado, atrás da câmera.

"Isso" (clic), "Isso" (clic), "Isso" (clic).

"Que florezinhas são essas?", pergunta Dorothea finalmente, quebrando o ritmo.

"Azáleas", diz Horst, acendendo um cigarro. Dorothea tira um grande anel imitação de diamante da mão direita, coloca-o na esquerda e diz: "Sabe, se você tira um anel de um dedo e o coloca em outro, ainda sente como se ele estivesse onde estava antes".

Horst Horst olha para ela um tanto surpreso. Então Dorothea vai para o vestiário. O jovem chinês, que tem o físico de um nadador, desliga o ventilador e troca rapidamente o fundo de cartolina azul por outro de cartolina rosa. Quando Dorothea volta, a sra. Simpson volta também para dar mais uma olhada.

"Dorothea", diz a sra. Simpson. "Você está com uns fiozinhos de cabelo arrepiados."

"É?", diz Dorothea, levando a mão à nuca.

Dorothea, voltando-se para o vestiário, vê o fundo cor-de--rosa e seu rosto se anima, na expectativa do que está por vir.

"Oh", ela exclama. "Agora tenho rosa... rosa, ROSA!"

Procurando Hemingway

Lembro-me muito bem da impressão que tive de Hemingway, naquela primeira tarde. Ele era um homem de ótima aparência, de 23 anos. Não muito depois disso, todo mundo tinha 26. Era a época de ter 26 anos. Nos três ou quatro anos seguintes todos os homens jovens tinham 26 anos. Ao que parece, era a idade que se devia ter naquele tempo e lugar.

— Gertrude Stein

No começo da década de 1950, outra geração de americanos expatriados em Paris chegava aos 26 anos, mas não eram Jovens Melancólicos, nem eram uma geração perdida; eles eram os espirituosos e irreverentes filhos de uma nação conquistadora e, embora a maioria viesse de famílias abastadas e tivesse estudado em Harvard ou Yale, pareciam comprazer-se em se fazer de pobres e esquivar-se dos cobradores, certamente porque isso constituía um desafio e porque os distinguia dos turistas americanos, a quem desprezavam, sendo também uma forma de gozar os franceses, que *os* desprezavam. Não obstante, eles viveram em feliz penúria na *Rive Gauche*, por dois ou três anos, entre as prostitutas, músicos de jazz e poetas pederastas, envolvendo-se com pessoas trágicas e loucas, inclusive um ardente pintor espanhol que certo dia cortou uma veia da perna e terminou seu último retrato com o próprio sangue.

Em julho eles dirigiam até Pamplona, para participar da corrida de touros. Ao voltarem jogavam tênis com Irwin Shaw em Saint-Cloud numa magnífica quadra da qual se via toda Paris — e quando eles levantavam a bola para o saque, viam toda a cidade diante deles: a torre Eiffel, a basílica de Sacré-Coeur, a Ópera, as torres da Notre-Dame ao longe. Irwin Shaw divertia-se com eles. Ele os chamava "Os Jovens Altos".

O mais alto de todos, com 1,93 metro, era George Ames Plimpton, um ágil e afável tenista de pernas e braços magros, cabeça pequena, nariz afilado. Ele chegara a Paris em 1952, com 26 anos, porque vários outros jovens americanos — alguns dos quais baixos e tempestuosos — iam publicar uma revista trimestral que seria chamada *The Paris Review* — sob protesto de um de seus organizadores, um poeta, que queria que se chamasse *Druids' Home Companion* e fosse impressa em casca de vidoeiro. George Plimpton se tornou editor-chefe, e logo poderia ser visto vagando pelas ruas de Paris, com um longo cachecol de lã em volta do pescoço, às vezes com uma capa preta de noite nos ombros, inflando ao vento, lembrando a figura de Aristide Bruant, o elegante literato do século XIX, tal como representado na litografia de Toulouse-Lautrec.

Embora muito do que se publicava em *The Paris Review* fosse elaborado nos cafés das calçadas por editores que esperavam sua vez de jogar fliperama, a revista logo se tornou um sucesso, porque eles tinham talento, dinheiro e bom gosto, e além disso evitavam os termos típicos das pequenas revistas como "Zeitgeist" e "dicotômico" e não publicavam críticas mal-humoradas sobre Melville ou Kafka. Em vez disso, publicavam poesia e ficção de escritores jovens e talentosos ainda pouco conhecidos. Começaram também a publicar uma esplêndida série de entrevistas com autores famosos — que os convidavam para almoçar, apresentavam-lhes atrizes, dramaturgos e produtores, e todo mundo convidava todo mundo para festas, e as festas não pararam, ainda que se tenham passado dez anos; o cenário já não é mais Paris, e os Jovens Altos agora têm 36 anos.

Agora eles vivem em Nova York. E a maioria de suas festas se faz no amplo apartamento de solteiro de George Plimpton, na rua 72, com vista para o rio East, apartamento que também é o quartel-general daqueles que Elaine Dundy chama "o grupo da boa literatura", que Candida Donadio, a empresária, prefere chamar de "o grupo de East Side", e que todas as outras pessoas conhecem como *"O pessoal da Paris Review"*. Atualmente o apartamento de Plimpton é o mais animado salão literário de Nova York — o único lugar onde, reunidos numa única sala, em qualquer noite da semana, podem ser encontrados James Jones; William Styron; Irwin Shaw; algumas garotas de programa para alegrar o ambiente; Norman Mailer; Philip Roth; Lillian Hellman; um tocador de bongô; um ou dois junkies; Harold L. Humes; Jack Gelber; Sadruddin Aga Khan; Terry Southern; Blair Fuller; o elenco de *Beyond the fringe*; Tom Keogh; William Pène du Bois; Bee Whistler Dabney (artista que descende da mãe de Whistler); Robert Silvers; um raivoso veterano da invasão da Baía dos Porcos; uma coelhinha aposentada do Playboy Club; John P. C. Train; Joe Fox; John Philips Marquand; a secretária de Robert W. Dowling; Peter Ducain; Gene Andrewski; Jean vanden Heuvel; o ex-treinador de boxe de Ernest Hemingway; Fredrick Seidel; Thomas H. Guinzburg; David Amram; um barman que trabalha na mesma rua; Barbara Epstein; Jill Fox; um distribuidor local de maconha; Piedy Gimbel; Dwight Macdonald; Bill Cole; Jules Feiffer; e nesse cenário, em certa noite de inverno no começo deste ano, entrou uma velha amiga de George Plimpton — Jacqueline Kennedy.

"Jackie!", exclamou George, abrindo a porta para saudar a primeira-dama e também sua irmã e seu cunhado, os Radziwill.

A sra. Kennedy, com um sorriso largo entre brincos brilhantes, estendeu a mão para George, que ela conhece desde os tempos em que frequentava a escola de dança, e conversaram por alguns instantes no corredor de entrada, enquanto George ajudava-a a tirar o casaco. Então, dando uma espiada no quarto e vendo uma pilha de sobretudos mais alta que um Volkswagen, a sra. Kennedy disse, em voz baixa, num tom complacente: "Oh, *George — sua cama!*".

George deu de ombros, e então os conduziu pelo corredor, descendo três degraus, até o ambiente enfumaçado.

"Olhe", disse uma pessoa descolada que estava a um canto. "Aquela é a irmã de Lee Radziwill!"

George apresentou a sra. Kennedy ao escritor indiano Ved Metha. Depois, passando habilmente por Norman Mailer, levou-a até onde estava William Styron.

"Que surpresa! Olá, Bill", disse ela apertando-lhe a mão. "Prazer em vê-lo."

Nos instantes seguintes, falando com Styron e Cass Canfield Jr., a sra. Kennedy ficou de costas para Sandra Hochman, uma poetisa de Greenwich Village, uma loira espalhafatosa vestida num grosso suéter de lã e calças de esqui com o zíper entreaberto.

"Acho", sussurrou a srta. Hochman a uma amiga, inclinando a cabeça para trás em direção ao belo conjunto branco de brocado da sra. Kennedy, "que estou um tanto *déshabillée*."

"Bobagem", disse a amiga, jogando cinza de cigarro no tapete. E, verdade seja dita, nenhuma das outras setenta pessoas que estavam na sala achava que o traje de Sandra Hochman contrastava desagradavelmente com o da primeira-dama; na verdade, alguns nem mesmo tomaram conhecimento da presença da primeira-dama, e um deles a viu, mas não a reconheceu.

"Meu Deus", disse ele olhando de soslaio, através da fumaça, o esmerado penteado da sra. Kennedy, "aquele penteado é mesmo a moda do ano, não é? E aquela garota chegou perto."

Enquanto a sra. Kennedy conversava no corredor, a princesa Radziwill falava com Bee Whistler Dabney a poucos metros de distância, e o príncipe Radziwill estava de pé junto ao piano de 1/4 de cauda, cantarolando baixinho. Ele sempre faz isso em festas. Em Washington ele é famoso por ser um grande cantarolador.

Quinze minutos depois a sra. Kennedy, que logo deveria comparecer a um jantar oferecido por Adlai Stevenson, despediu-se de Styron e Canfield e, acompanhada por George Plimpton, subiu os degraus, indo em direção à entrada. Norman Mailer, que nesse meio-tempo bebera três copos de água, estava de pé nos degraus. Quando ela passou, ele a olhou de forma ostensiva, mas ela não lhe retribuiu o olhar.

Três rápidos degraus, e ela se foi — avançando pelo corredor, novamente com o casaco e as longas luvas brancas, desceu em seguida dois lanços de escada até a calçada, seguida dos Radziwill e de George Plimpton.

"Olhe", guinchou uma loira, Sally Belfrage, olhando pela janela da cozinha as figuras lá embaixo entrando na limusine. "Aquele é *George*! E *veja* que carro!"

"O que é que tem o carro?", alguém perguntou. "É só um Cadillac."

"Sim, mas é *preto*. E tããão fosco."

Sally Belfrage ficou olhando enquanto o grande carro apontava em direção a um outro mundo, afastando-se mansamente.

Na sala de estar, porém, a festa continuava, ainda mais barulhenta, e quase ninguém percebeu o sumiço do anfitrião. Mas havia bebidas a serem consumidas e, além disso, bastava lançar um olhar às fotografias nas paredes por todo o apartamento para sentir a presença de George Plimpton. Uma das fotografias mostra-o enfrentando pequenos touros na Espanha com Hemingway; outra mostra-o tomando cerveja com outros "Jovens Altos" num café de Paris; outras mostram-no em situações diversas: tenente, conduzindo um pelotão em Roma; tenista do King's College; lutador de boxe amador, treinando com Archie Moore no Stillman's Gymnasium, numa ocasião em que o cheiro rançoso do ginásio foi substituído temporariamente pelo almíscar do El Morocco e pelos gritos entusiásticos dos amigos de Plimpton quando ele acertou um forte jab em Archie Moore — mas os gritos logo se transformaram em *"Ohhhh"* quando este revidou com um soco que quebrou parte da cartilagem do nariz de Plimpton, fazendo-o sangrar. Mais tarde Miles Davis perguntaria: "Archie, o que é isso em suas luvas? Sangue preto ou sangue branco?". Ao que um dos amigos de Plimpton respondeu: "Meu senhor, isso é sangue *azul*".

Também na parede se vê a rabeca de Plimpton, um instrumento de uma corda, feito de pele de cabra, que lhe foi dado por beduínos pouco antes de ele fazer uma ponta em *Lawrence da Arábia*, durante uma tempestade de areia. E sobre seu piano de 1/4 de cauda — que ele toca bem o bastante para ter recebido um prêmio (empatado no terceiro lugar) na Noite dos Amadores no teatro Apollo há uns dois anos no Harlem — há um coco que lhe foi enviado por uma nadadora com quem travou conhecimento em Palm Beach, e também uma foto de outra garota, Vali, a existencialista de cabelos laranja conhecida por todos os porteiros da *Rive Gauche* como *la bête*, e também uma bola de beisebol da Liga principal, que Plimpton vez por outra arremessa, fazendo-a atravessar toda a sala, contra uma cadeirinha baixa e estofada, repetindo os movimentos preparatórios que fazia quando arremessava no treino do rebatedor Willie Mays, à época em que pesquisava para seu livro *Out of my league*, cujo tema é o que é ser um amador entre profissionais — o que, aliás, é uma questão-chave não apenas de George Ames Plimpton, mas de muitos outros da *The Paris Review*.

Muitos deles são obcecados pelo desejo de saber como vivem os outros. Assim, procuram o excêntrico, evitam os estúpidos de Wall Street e mergulham no mundo do junkie, do pederasta, do lutador de boxe e do aventureiro em busca de excitação e literatura, influenciados talvez pela gloriosa geração de pioneiros que os precederam em Paris com a idade de 26 anos.

Em Paris, no começo da década de 1950, a grande promessa era Irwin Shaw porque, nas palavras de Thomas Guinzburg — um homem de Yale que era diretor editorial de *The Paris Review* —, "Shaw era um escritor vigoroso que jogava tênis, bebia bem e tinha uma mulher bonita — a coisa mais próxima de Hemingway que tínhamos". Naturalmente, o editor-chefe, George Plimpton, então como agora, mantinha a revista viva, conservava o grupo unido e definia uma forma de romantismo que era — e é — contagiante.

Tendo chegado a Paris na primavera de 1952, com um guarda-roupa que incluía o fraque que seu avô usara na década de 1920 e que o próprio George usara em 1951 quando comparecera a um baile em Londres como acompanhante da futura rainha da Inglaterra, ele se estabeleceu imediatamente num depósito de ferramentas nos fundos de uma casa do sobrinho de Gertrude Stein. Como a porta do depósito estava emperrada, Plimpton, seus livros e o fraque de seu avô tiveram de entrar pela janela. Ele dormia numa cama de campanha comprida e estreita, ladeada por um cortador de grama e por um regador, e se cobria com um cobertor elétrico que ele nunca se lembrava de desligar — por isso, quando ele voltava à noite para o depósito, era saudado pelos miados raivosos de um monte de gatos de rua que teimavam em ficar no calor que seu esquecimento lhes propiciara.

Numa noite solitária, antes de voltar para casa, Plimpton pegou o mesmo caminho, passou pelas mesmas ruas e pelos mesmos cafés por que passara Jake Barnes depois de deixar Lady Brett em *O sol também se levanta*. Plimpton queria ver o que Hemingway vira, sentir o que Hemingway sentira. Encerrado o passeio, Plimpton foi ao bar mais próximo e pediu um drinque.

Em 1952 o quartel-general de *The Paris Review* era um escritório de uma sala na rue Garancière, número 8. Nele havia uma mesa, quatro cadeiras, uma garrafa de conhaque e várias garotas muito animadas, de pernas longas, estilo estudantes da Smith e da Radcliffe, ansiosas por figurar no expediente da revista, para tentar convencer os pais, quando voltassem para casa, de sua conduta impecável no exterior. Era um tal entra-e-sai de moças que o gerente da revista, John P. C. Train, achando que era ridículo tentar lembrar o nome de todas elas, resolveu chamar a todas pelo mesmo nome: Apetecker. E esse grupo de moças chegou a incluir, em alguma época, Jane Fonda, Joan Dillon Moseley (filha de Dillon, secretário do Tesouro), Gail Jones (filha de Lena Horne) e Louisa Noble (filha do treinador de futebol americano de Groton), moça muito trabalhadora mas muito esquecida, que vivia perdendo manuscritos, cartas, dicionários. Certo dia em que John P. C. Train recebera uma carta de um bibliotecário reclamando que a srta. Noble estava um ano atrasada na devolução de um livro, ele respondeu:

Caro senhor:
Tomo a liberdade de lhe escrever de próprio punho porque a srta. L. Noble, da última vez que esteve aqui no escritório, levou consigo a máquina de escrever que eu usava para datilografar as minhas cartas. Quem sabe quando a srta. Noble passar aí na biblioteca o senhor pode lhe perguntar se ela vai devolver a nossa máquina.
Anexo o formulário para assinatura de nossa revista.
Cordialmente,
J. P. C. Train

Como a redação da The Paris Review era pequena demais para atender à necessidade de combinar trabalho e prazer, e como também havia um limite para o número de horas que se podia passar em cafés, todo mundo se reunia às cinco da tarde no apartamento de Peter e Patsy Matthiessen, no número 14 da rue Perceval, onde a essa hora certamente já havia uma festa.

Peter Matthiessen, então editor de ficção da revista, era jovem, esguio, graduado por Yale; quando menino, fora colega de George Plimpton na St. Bernard's School, em Nova York, e agora estava trabalhando em seu primeiro romance, *Race Rock*. Patsy era uma loirinha encantadora e vivaz, de olhos azul-claros e corpo maravilhoso, por quem todos os rapazes de 26 anos estavam apaixonados. Ela era filha do falecido Richard Southgate, que fora chefe de Protocolo do Ministério das Relações Exteriores. Patsy comparecera a festas ao ar livre com os filhos dos Kennedy, tinha motoristas e governantas e, em seu primeiro ano na Smith, em 1948, fora a Paris e conhecera Peter. Três anos depois, casados, voltaram para Paris e compraram, por uma prestação mensal de 21 dólares, aquele apartamento de Montparnasse que ficou vago quando a ex-namorada de Peter se mudou para a Venezuela.

O apartamento tinha o pé-direito alto, terraço e muito sol. Uma parede era tomada por um quadro de Foujita representando uma gigantesca cabeça de gato. A outra parede era toda de vidro, junto à qual se erguiam árvores grandes, cobertas de trepadeiras, e os visitantes do apartamento se sentiam como num gigantesco aquário, principalmente às seis da tarde, quando a sala boiava em gim holandês e absinto, a cabeça do gato parecia maior, e uns poucos junkies vagavam apartamento adentro, balançavam a cabeça e se acomodavam devagar e silenciosamente a um canto.

Na década de 1950, esse apartamento funcionava como um ponto de encontro para jovens escritores americanos, da mesma forma que o apartamento de Gertrude Stein na década de 1920, e já vivia o clima que, na década de 1960, iria caracterizar o apartamento de George Plimpton em Nova York.

William Styron, que estava sempre em casa dos Matthiessen, descreve o apartamento deles em seu romance *Set this house on fire*; outros romancistas que costumavam ir lá eram John Phillips Marquand e Terry Southern, ambos editores da *Paris Review*; às vezes também James Baldwin, e quase sempre Harold L. Humes, um jovem corpulento, incansável e impulsivo, de barba, sempre com uma boina e um guarda-chuva com cabo de prata. Após ser expulso do Massachusetts Institute of Technology por ter levado uma ex-aluna da Radcliffe para velejar até muito depois de sua hora de dormir, e depois de ter passado maus bocados na marinha fazendo maionese em Bainbridge, no estado de Maryland, Harold Humes irrompeu na cena parisiense cheio de rebeldia.

Ele começou a jogar xadrez a dinheiro nos cafés, e ganhava muitas centenas de francos por noite. Foi nos cafés que ele conheceu Peter Matthiessen, e os dois começaram a discutir a criação de uma pequena revista que viria a ser *The Paris Review*. Antes de chegar a Paris, Humes nunca trabalhara numa revista, mas gostara muito de uma pequena revista chamada *Zero*, editada por um grego baixinho de nome Themistocles Hoetes, a quem todo mundo chamava de "Them". Impressionado com o que Them conseguira realizar com a *Zero*, Humes comprou por seiscentos dólares uma revista chamada *The Paris News Post*, que mais tarde John Ciardi definiria como "a melhor imitação de quinta categoria de *The New Yorker* que jamais vi", e em relação à qual Matthiessen sentia uma superioridade condescendente. Humes a vendeu por seiscentos dólares a uma moça inglesa muito agitada, sob a direção da qual a revista fechou no número seguinte. Então Humes e Matthiessen e outros começaram uma longa série de discussões sobre que linha editorial deveriam adotar, se é que iriam adotar alguma, caso *The Paris Review* fosse além das etapas dos drinques e das discussões.

Quando finalmente a revista foi criada, e quando George Plimpton foi escolhido para ser o editor, em vez de Humes, este ficou desapontado. Ele se recusou a sair dos cafés para vender anúncios ou negociar com as gráficas francesas. E no verão de 1952 não hesitou em deixar Paris com William Styron, a convite de uma atriz francesa, mme. Nénot, rumo a Cap Myrt, próximo a Saint-Tropez, para visitar a casa de veraneio dela, de cinquenta aposentos, projetada por seu pai, um grande arquiteto. A casa fora ocupada pelos alemães no início da guerra. Quando Styron e Humes chegaram, encontraram buracos nas paredes, pelos quais se podia ver o mar. A grama estava tão alta e as videiras tão carregadas que o pequeno Volkswagen de Humes ficou preso na vegetação. Então eles se dirigiram à casa a pé, mas pararam de repente quando viram passar correndo uma jovem seminua, bastante queimada de sol, usando apenas lenços amarrados no corpo à guisa de biquíni, com suco de uva a lhe escorrer da boca. Gritando atrás dela vinha um velho agricultor francês de aparência lasciva, cuja parreira ela obviamente saqueara.

"*Styron*", exclamou Humes, animadamente. "*Nós chegamos!*"
"Sim", disse ele. "Estamos *aqui*!"
  Mais tarde surgiram mais ninfetas de biquíni de detrás das árvores, carregando uvas e também meios melões do tamanho de rodas de carro, que elas ofereceram a Styron e a Humes. No dia seguinte foram todos juntos nadar e pescar. À noite eles se deixaram ficar na casa bombardeada, um lugar de deslumbrante beleza e destruição, bebendo vinho com moças que pareciam viver na praia. Era um verão animadíssimo, e as ninfetas pululavam como mariposas batendo contra as telas das janelas. Styron se lembra daquilo como uma cena saída de Ovídio, Humes como o ponto alto de sua vida de epicurista e de homem culto.
  George Plimpton lembra-se daquele verão não de forma romântica, mas como ele de fato foi — um longo e quente verão de desapontamentos com as gráficas e com os anunciantes franceses; os outros integrantes da redação da *Review*, principalmente John P. C. Train, ficaram tão chateados com a partida de Humes que resolveram tirar o nome dele das primeiras linhas do expediente da revista, onde ele figurava como um dos fundadores, colocando-o no final, como responsável por "anúncios e circulação".
  Na primavera de 1953, quando saiu o primeiro número de *The Paris Review*, Humes estava nos Estados Unidos. Mas ficou sabendo do que tinham feito com ele e, furioso, planejava vingar-se. Quando o navio chegou ao píer do rio Hudson, em Nova York, com milhares de exemplares da *Paris Review* para serem distribuídos por todo o país, Harold Humes estava lá esperando por eles, com a sua boina, gritando: "*Le Paris Review c'est moi!*"; logo ele rasgou as caixas e, com um carimbo com tipos maiores que os do expediente, começou carimbar seu nome em vermelho, exemplar por exemplar, sobre o expediente da revista, tarefa que lhe tomou várias horas e o deixou exausto.

"Mas... mas... como você pôde fazer uma coisa dessas?", perguntou George Plimpton ao reencontrar Humes.

Humes agora estava triste, quase às lágrimas; mas, num último ímpeto de vingança, disse: "Fiz muito bem em não aceitar ser descartado!".

Acessos de fúria como esse haveriam de ser bastante comuns na *Paris Review*. Terry Southern ficou furioso quando uma frase de um de seus contos foi mudada de "não se emputeça" para "tenha calma". Dois poetas quiseram linchar John P. C. Train quando, comentando o erro de uma gráfica francesa que fez os dois poemas saírem na revista como se fossem um, Train afirmou em tom indiferente que, a bem da verdade, o descuido da gráfica melhorara o trabalho dos dois poetas.

Outra fonte de confusões era a polícia de Paris, que parecia estar o tempo todo atrás do esquadrão volante de John Train, composto de homens de Yale e jovens árabes, que percorria Paris inteira, à noite, colando enormes cartazes de propaganda da *Paris Review* em cada poste de iluminação, em cada ônibus e em cada mictório público. A grande estrela do esquadrão, um sujeito alto graduado por Yale chamado Frank Musinsky, era tão impressionante que John Train resolveu chamar os outros jovens de "Musinsky" — da mesma forma que chamara as moças de "Apetecker" —, o que Musinsky considerou uma honra, embora esse nem fosse o seu nome verdadeiro. Musinsky ganhou esse nome porque seu avô, cujo sobrenome era Supovitch (*sic*), trocara de nome na Rússia, muitos anos antes, com um camponês chamado Musinsky, para que este, em troca de dinheiro, tomasse o lugar do avô de Frank no exército russo.

Ninguém sabe o que foi feito dele no exército russo, mas o avô de Frank foi para os Estados Unidos, onde mais tarde seu filho fez fortuna na venda de calçados no varejo, e seu neto, Frank, depois de Yale e de sua atuação no esquadrão volante de

Train, arranjou um emprego no *New York Times* em 1954 — de onde logo saiu.

Ele fora contratado como office-boy para o departamento de esportes do *Times* e, nessa função, deveria transportar provas de paquê e encher vasos de cola — e não ficar sentado atrás de uma mesa, com os pés levantados, lendo Yeats e Pound, recusando-se a sair do lugar.

Certa noite um editor gritou: "Musinsky, com certeza você é o pior office-boy da história do *Times*", ao que Musinsky, levantando-se altivamente, retrucou: "Para citar e.e. cummings, de quem com certeza o senhor já ouviu falar, 'tem certo tipo de merda que me recuso a comer'". Frank Musinsky deu meia-volta e foi embora do *Times*, para nunca mais voltar.

A essa altura, o lugar de Musinsky no esquadrão volante de Paris estava sendo ocupado por vários outros Musinskys — um deles era Colin Wilson — e todos ajudavam a preservar a tradicional irreverência da *Review* à burguesia, ao establishment, e até ao falecido Aga Khan, que se ofereceu para pagar um prêmio de mil dólares para trabalhos de ficção e em seguida apresentou originais de sua própria autoria.

Os editores pegaram imediatamente o dinheiro, devolvendo o manuscrito com a mesma presteza, deixando bem claro que o estilo dele não era bem o que a revista estava procurando, ainda que o filho do próprio Aga Sadruddin Khan, amigo de Plimpton de Harvard, acabasse de se tornar editor de *The Paris Review,* a convite de George, aceito por Sadruddin de forma bastante impulsiva, certo dia em que os dois estavam correndo dos touros em Pamplona — circunstância em que ele seria capaz de aceitar qualquer coisa, como George certeiramente previra.

Por mais improvável que possa parecer, apesar de tantas Apeteckers e de tantos Musinskys circulando por lá, *The Paris Review* funcionava muito bem, publicando contos excelentes de escritores como Philip Roth, Mac Hyman, Pati Hill, Evan Connell Jr., Hughes Rudd e, naturalmente, ganhando destaque principalmente com suas entrevistas sobre a "Arte da Ficção" com autores famosos, principalmente uma com William Faulkner, feita por Jean Stein, e uma feita por Plimpton com Hemingway, que começou num café de Madri, quando Hemingway perguntou a Plimpton: "Você vai às corridas de cavalos?".

"Sim, às vezes."

"Então você lê *The racing form*", disse Hemingway. "Lá você encontra a verdadeira Arte da Ficção."

Mas um dos fatores que pesava tanto como os outros na sobrevivência da revista era o fato de ter dinheiro. E os que a produziam se divertiam muito, sabendo que, caso algum dia fossem parar na cadeia, seus amigos ou suas famílias os tirariam de lá. Eles nunca seriam obrigados a viver a experiência vivida por James Baldwin, que passou oito dias e oito noites numa cela francesa imunda, acusado injustamente de ter roubado um lençol de um hotel, o que o levou a concluir que, embora a triste ronda por quartos de hotel, comida ruim e porteiros arrogantes fosse a "Grande Aventura" para os "Jovens Altos", para ele não era, porque, como bem disse, "eu tinha comigo uma dúvida verdadeira, que era a de saber quem acabaria primeiro, a Grande Aventura ou eu".

Naturalmente, a relativa riqueza de *The Paris Review* era invejada pelas outras pequenas revistas, principalmente pela equipe de um periódico trimestral chamado *Merlin*. Alguns de seus editores acusavam o pessoal da *Review* de diletantismo, ressentiam-se de suas brincadeiras, aborreciam-se com o fato de que a *Review* continuaria a ser publicada enquanto a *Merlin*, que também descobrira e publicara novos talentos, logo iria fechar.

Naquela época, o editor da *Merlin* era Alexander Trocchi, nascido em Glasgow de mãe escocesa e pai italiano, homem muito interessante, alto, uma figura literária conspícua, rosto de traços marcados e satânicos, orelhas de fauno, bom escritor e dono de uma presença vigorosa que lhe permitia entrar em qualquer sala e assumir o comando. Logo ele iria se tornar amigo de George Plimpton, de John Phillips Marquand e de outras pessoas da *Paris Review*. Anos depois ele viria a Nova York e moraria em uma barcaça, e mais tarde ainda, em uma sala dos fundos da redação da *Paris Review* em Manhattan, mas eventualmente ele seria preso por uso de entorpecentes e, solto sob fiança, fugiria dos Estados Unidos com dois ternos Brooks Brothers de George Plimpton. Ele deixaria para trás um bom romance sobre dependência química, *Cain's book,* com sua frase célebre: "A heroína leva à dependência, ao delírio e ao filistinismo".

Naquela época a equipe de Alexander Trocchi na *Merlin* se compunha, em sua maioria, de jovens sem senso de humor, rebeldes autênticos, o que não era o caso do pessoal da *Paris Review*; o pessoal da *Merlin* também lia o periódico esquerdista mensal *Les Temps Modernes* e se preocupava com a questão de ser *engagé*. Um dos redatores era Richard Seaver, que foi criado no distrito das minas de carvão na Pensilvânia, na qual trabalhou; em sua garagem úmida, em Paris, os redatores da *Merlin* se reuniam. Havia também Austryn Wainhouse, um homem desiludido de Exeter-Harvard que escreveu um romance forte e esotérico, *Hedyphagetica*; depois de vários anos na França, ele agora mora na ilha Martha's Vineyard, em Massachusetts, onde se dedica à fabricação de móveis utilizando métodos do século XVIII.

Todos os integrantes da equipe da *Merlin* eram pobres, mas ninguém tão pobre quanto o poeta Christopher Logue, sobre quem se disse que, certa vez, quando estava jogando fliperama num café, viu um velha camponesa maltrapilha olhando para uma moeda de cinco francos no chão, perto da máquina. Antes que ela pudesse apanhá-la, ele se apressou a pisar na moeda, manteve o pé no lugar enquanto a velha gritava e continuou a jogar aos arrancos, com as duas mãos, tentando manter a bola em jogo — e conseguiu, até o momento em que o dono do café o agarrou e o pôs para fora.

Algum tempo depois, quando a namorada de Logue o deixou, ele caiu sob a influência de uma figura maligna que então morava em Paris, um pintor sul-africano pálido, cor de cera, discípulo de Nietzsche, cuja máxima era "Morra na hora certa" e que, buscando emoções fortes, estimulou Logue a suicidar-se — o que Logue, deprimido como estava, disse que faria.

Austryn Wainhouse, desconfiando que Logue pensava muito em suicídio, passou todas as noites da semana seguinte sentado na frente do hotel de Logue, observando a sua janela. Certa tarde em que Logue não chegou para um almoço com Wainhouse, este correu para o hotel do poeta e lá encontrou o pintor sul-africano na cama.

"Onde está Chris?", perguntou Wainhouse.

"Não vou lhe dizer", gritou o pintor. "Você pode me bater, se quiser. Você é maior e mais forte do que eu e..."

"Eu não quero bater em você", gritou Wainhouse. Ocorreu-lhe então o quão ridícula era aquela fala do sul-africano, uma vez que ele (Wainhouse) era na verdade muito mais baixo, e nem um pouco mais forte do que o pintor. "Escute, não saia daqui", disse ele finalmente, correndo em seguida para um café onde sabia que Trocchi deveria estar.

Trocchi fez o sul-africano falar e confessar que Christopher Logue partira naquela manhã para Perpignan, perto da fronteira com a Espanha, doze horas de viagem ao sul de Paris, onde ele pensava suicidar-se da mesma forma que a personagem do conto que Samuel Beckett publicara na *Merlin*, intitulado "O Fim" — ele iria alugar um barco e remar mar adentro, cada vez mais longe, e depois tirar as buchas e afundar devagar.

Trocchi tomou emprestados 30 mil francos de Wainhouse, pegou o primeiro trem para Perpignan, cinco horas depois de Logue. Já era noite quando ele chegou, mas começou sua busca na manhã seguinte, bem cedo.

Enquanto isso, Logue tentara alugar um barco, mas não tinha dinheiro suficiente. Trazia consigo, além de algumas cartas da ex-namorada, uma lata de veneno, mas não tinha abridor e tampouco havia pedras na praia, por isso ficou vagando por lá, frustrado e desvairado, até que finalmente chegou a uma lanchonete, onde esperava poder pegar um abridor emprestado.

Foi quando a figura alta de Trocchi o descobriu e lhe pôs a mão no ombro. Logue levantou a vista.

"Alex", disse Logue, enquanto lhe entregava, displicentemente, a lata de veneno. "Você pode abrir isso para mim?"

Trocchi pôs a lata no bolso.

"*Alex*", disse Logue. "O que você está fazendo aqui?"

"Oh", disse Trocchi em tom despreocupado. "Eu vim atrapalhar você."

Logue debulhou-se em lágrimas, Trocchi tirou-o da praia, e os dois voltaram de trem, quase em total silêncio, para Paris.

Imediatamente George Plimpton e vários outros da *Paris Review*, que gostavam muito de Logue e estavam orgulhosos de Trocchi, levantaram dinheiro bastante para dar a Christopher Logue uma espécie de mesada. Mais tarde Logue voltou para Londres e publicou livros de poesia. Suas peças *Antígona* e *The lilywhite boys* foram apresentadas no Royal Court Theatre, de Londres. Algum tempo depois ele começou a escrever canções para The Establishment, um show satírico apresentado num nightclub de Londres.

Depois do episódio com Logue, o qual, segundo George Plimpton, motivou pelo menos meia dúzia de jovens romancistas a se postarem diante de suas máquinas de escrever para criar um romance explorando o tema, a vida em Paris, na *Review*, voltou a ser feliz e dissoluta — mas, um ano depois, com a revista ainda muito bem, Paris parecia estar ficando sem graça.

John P. C. Train, então diretor editorial, pôs um cartaz em sua caixa de entrada de correspondência: "Por favor não coloque nada na caixa de entrada do diretor editorial". E um dia, quando Gene Andrewski, um homem agradável, de olhos azuis, natural de Oklahoma, entrou na sala de Train com um original na mão dizendo que tinha ajudado a produzir a revista de humor de sua faculdade, John Train rapidamente lhe passou uma cerveja e perguntou: "O que você acharia de dirigir esta revista?". Andrewski disse que ia pensar no assunto. Ele pensou no assunto por alguns segundos, olhou em torno, viu todos tomando cerveja e aceitou tornar-se Diretor Editorial Assistente Encarregado de Fazer o Trabalho de Train. "A principal razão que me fez aceitar o trabalho", explicou Andrewski mais tarde, "foi que eu queria aquela liberdade."

Em 1956 Peter Duchin mudou-se para Paris, ficou morando numa barcaça no Sena, e muita gente da redação da *Paris Review* também se instalou no barco. Não havia água na barcaça, e de manhã todo mundo tinha de fazer a barba usando Perrier. Mas o desejo de divertir-se na barcaça não tinha muita razão de ser, porque àquela altura a maioria do pessoal antigo já tinha ido embora. Como Gertrude Stein dissera, Paris era o lugar certo para quem tinha 26 anos, mas agora a maioria estava com trinta. Então eles voltaram a Nova York — mas não com a melancolia dos exilados de Malcolm Cowley, da década de 1920, que eram obrigados a voltar para casa aos primeiros sinais da Grande Depressão, mas com a ideia de que a festa agora devia mudar para o outro lado do Atlântico. Logo Nova York sentiu sua presença, principalmente a presença de Harold L. Humes.

Depois de mudar-se para um amplo apartamento na Upper Broadway com sua mulher, suas filhas e seu terrier de pelo duro e áspero, nunca tosado, e de instalar sete telefones e um grande corta-papel que tinha som cavo, estilo guilhotina do século XVIII, Humes desenvolveu uma série de ideias e se entregou a grandes realizações: apresentou uma teoria de cosmologia que iria desbancar Descartes, concluiu um segundo romance, passou a tocar piano num clube de jazz do Harlem, começou a rodar um filme chamado *Don Peyote*, espécie de versão do Dom Quixote estilo Greenwich Village interpretado por um desconhecido de Kansas City chamado Ojo de Vidrio — cuja namorada eventualmente viria a pegar o filme e fugir. Humes inventou também uma casa de papel, uma casa de papel *de verdade*, à prova de fogo, à prova d'água, grande o bastante para que se pudesse morar nela; ele fez construir um modelo, em escala real, na propriedade da família de George Plimpton, em Long Island; a empresa de Humes, entre cujos acionistas se encontravam alguns membros da *Paris Review*, segurou o cérebro de Humes por 1 milhão de dólares.

Durante a Convenção Nacional do Partido Democrata, em 1960, Humes levou um grupo vociferante de partidários de Stevenson ao local, usando técnicas de invasão dos antigos exércitos de Atenas. De volta a casa, ele propôs que se investigasse a polícia de Nova York. Então o comissário de polícia mandou que se investigasse *Humes* — e descobriu que ele deixara de pagar catorze multas de trânsito. Humes foi para a cadeia, onde ficou por tempo o bastante para ser visto pela comissária correcional Anna Kross, a qual, vendo-o por trás das grades, perguntou: "Ora, senhor Humes, o que o senhor está fazendo *aí dentro*?". Ao que este respondeu citando uma frase de Thoreau para Emerson: "Ora, senhorita Kross, e o que a senhorita está fazendo *aí fora*?".

Quando foi solto, afiançado por Robert Silvers, outro redator da *Paris Review*, repórteres lhe perguntaram o que tinha achado da cela e ele respondeu, ainda com uma frase de Thoreau: "Numa época de injustiças, o lugar de um homem honesto é na cadeia".

Robert Silvers, um dos poucos redatores tranquilos da *Review*, homem sem nenhum vício aparente exceto fumar na cama, estava sem lugar para morar quando voltou de Paris, por isso se instalou temporariamente no apartamento de George Plimpton na rua 72 Leste, e logo começou a fazer um monte de buracos no colchão, que ele tapava com caroços de pêssego. George Plimpton não fazia objeções quanto a isso. Robert Silvers era um velho amigo e, além disso, o colchão não pertencia a Plimpton. Ele pertencia a uma modelo que já havia morado naquele apartamento, e que um dia surpreendeu tanto Plimpton quanto Silvers com uma carta pedindo que eles por favor enviassem o colchão para a casa dela, na França. Eles o fizeram, com os caroços e tudo, e, por não terem ouvido reclamações, ambos sentem certo deleite em pensar que, em algum lugar de Paris, em algum lugar de um apartamento muito chique de uma modelo da alta-costura, há um colchão cheio de caroços de pêssego.

Felizmente para Plimpton, ele não precisou comprar outro colchão para o quarto de hóspedes, porque àquela altura a *Paris Review*, cuja redação funcionava num edifício da rua 82, tinha sido despejada; assim sendo, Plimpton levou para casa a caminha que ficava numa sala dos fundos do escritório da revista — uma sala em que se fizeram muitas festas, que reduziram o local a um amontoado de garrafas quebradas, colheres tortas, ratos e originais amarfanhados.

Quando a revista foi despejada do edifício, a redação da *Paris Review* em Nova York mudou para o tranquilo e improvável distrito de Queens, onde, numa ampla casa entre a Grand Central Parkway e um cemitério, Lillian von Nickern Pashaian, quando não está cuidando de seus três filhos, canários e tartarugas, recebe originais endereçados à *Paris Review* e os encaminha para serem lidos por Jill Fox em Bedford Village, Nova York, ou por Rose Styron, em Roxbury, Connecticut. Quando elas gostam do original, encaminham-no para o apartamento de George Plimpton, na rua 72. Lá, em meio a todas as suas outras atividades, ele decide aceitar ou não o original. Caso seja aceito, o autor normalmente é pago com um cheque de pequeno valor e tudo o que puder beber na próxima festa de Plimpton.

As festas de Plimpton são planejadas apenas algumas horas antes de começar. George pega o telefone e liga para algumas pessoas. Estas, por sua vez, ligam para outras. Logo se ouve o trovejar de passos subindo as escadas de Plimpton. A ideia da festa pode ter nascido de uma vitória de Plimpton naquele mesmo dia, num jogo de tênis no Racquet and Tennis Club, ou da publicação de um livro de alguém da *Paris Review* (caso em que o publicado é convidado a dividir as despesas), ou do retorno a Manhattan, depois de alguma viagem, de alguém do grupo — viagem que pode ter levado John P. C. Train, especulador financeiro, à África, ou Peter Matthiessen à Nova Guiné, para viver com índios ainda na Idade da Pedra, ou Harold Humes ao Bronx, para uma demanda judiciária envolvendo uma multa por estacionamento em local proibido.

Oferecendo tantas festas, distribuindo chaves de seu apartamento, mantendo os nomes dos velhos amigos no expediente da *Paris Review* muito tempo depois de eles terem saído, George Ames Plimpton conseguiu manter o grupo unido durante todos esses anos, criando para si um mundo romântico, um mundo livre e alegre, dentro do qual ele e os outros talvez escapem, por breve tempo, da inevitabilidade de ter 36 anos.

Esse mundo irradia charme, talento, beleza, aventura. É alvo da inveja dos não convidados, especialmente de algumas Apeteckers que hoje são mães, moram em bairros afastados e costumam perguntar: "Quando esse grupo vai sossegar o facho?". Alguns do grupo continuaram solteiros, outros casaram-se com mulheres que gostam de festas — ou então se divorciaram. Outros ainda entendem que, se uma mulher está cansada demais para ir a uma festa, o marido vai sozinho. Trata-se de um mundo composto principalmente de homens, todos marcados pelas lembranças de Paris e da Grande Aventura que partilharam. O grupo teve pouquíssimas defecções. Uma delas foi a de uma bela loira muito conhecida de todos em Paris dez anos atrás, Patsy Matthiessen.

Patsy e Peter se divorciaram. Agora ela está casada com Michael Goldberg, um pintor abstrato, mora na rua 11 Oeste e circula num mundinho restrito de intelectuais e pintores que vivem em Downtown. Há pouco tempo ela passou vários dias num hospital, pois foi mordida pelo cachorro da viúva de Jackson Pollock. Em seu apartamento ela tem uma caixa cheia de fotografias do pessoal da *Paris Review* da década de 1950. Mas ela recorda aquela época com certa amargura.

"Depois de algum tempo a vida parecia totalmente sem sentido", disse ela. "Havia neles algo de muito *manqué* — essa história de ir para a África Ocidental, ir para a cadeia, entrar no ringue com Archie Moore... E *eu* era uma espécie de Stepin Fetchit naquela multidão, levando chá para eles às quatro, e sanduíche às dez..."

A alguns quarteirões dali, num apartamentinho escuro, outro desertor, James Baldwin, disse: "Não demorou muito para que eu deixasse de me sentir como um deles. Eles estavam mais interessados em emoções e em baseados de haxixe do que eu. Eu já tinha feito aquilo no Village, quando tinha dezessete ou dezoito anos. Àquela altura aquilo era meio chato".

"Eles costumavam também ir a Montparnasse, que todos os pintores e escritores frequentavam, mas aonde eu raramente ia. Iam para lá e ficavam vagando pelos cafés, durante horas e horas, procurando Hemingway. Eles não pareciam se dar conta de que Hemingway há muito se fora."

A festa acabou

Nada está acontecendo. É um momento sem significado para a história. Estou aqui num ginásio escuro e barulhento em East Side, Manhattan. Quatrocentas pessoas estão dançando aqui, belas garotas de minissaia, hippies, *honkies*, a turma de Sassoon usando calças de terno, gingando, girando, enquanto no palco um quinteto toca guitarras elétricas e joga cascas de banana por sobre as cabeças, sob a iluminação psicodélica. É uma festa de Andy Warhol. É primavera, é o fim de semana da grande Marcha pela Paz até as Nações Unidas, milhares de manifestantes encontram-se em Nova York e muitos estão aglomerados aqui, neste ginásio-discoteca, inclusive Stokely Carmichael, que acaba de chegar dos protestos em Nashville.

Carmichael está de pé na linha lateral da quadra, com seu sobretudo impermeável e óculos de sol azuis sobre os olhos inquietos; agora o vejo andando devagar em direção a uma loira alta que, agitando os braços e remexendo os quadris, convida-o a dançar. Ele fica em sua frente por alguns instantes, então seu corpo e braços começam a imitar os movimentos dela, mas ele parece indeciso, sem jeito. Ele pára. Não tem ritmo.

Dançando ali perto, um homem corpulento, de meia-idade, banhado de um suor que goteja até em seu cavanhaque branco. Mas ele se mexe muito bem para um sujeito grandalhão e balofo, sorri, inclina a cabeça, sacode os quadris, *Dwight Macdonald*, e não perde a compostura quando, com imperdoável grosseria, vou atrás dele e chamo "Parajornalista!". Este era um termo que ele cunhou na *The New York Review of Books* para atacar uma panelinha do Novo Jornalismo, mas cá está ele, o próprio senhor *Midcult*, engolfado num ambiente pop que ele parecia abominar, lavado de suor, o rosto vermelho arroxeado, afogueado, mas ele não tira o paletó, como o fez Max Lerner, outro crítico que dança ao seu lado.

O paletó de Lerner está enrolado no chão, formando uma bola, junto da bolsa de couro preta de uma morena magra que dança com ele. A cabeça de Lerner está inclinada para trás, a boca aberta, ele parece mais velho que sua fotografia no *New York Post*, mas é um homenzinho musculoso, principalmente na região em volta do pescoço, um pescoço vigoroso que sustenta uma cabeça vigorosa de cabelos brancos e crespos, e seu corpo pequeno se mexe num impulso definido, resoluto, sem nada de indeciso ou desajeitado, como o de Stokely Carmichael. Amanhã, em sua coluna, Lerner fará declarações pomposas sobre de Gaulle e sobre o Vietnã, ou sobre a questão do poder, mas esta noite ele está numa festa de Warhol, dançando de olhos fechados.

Mas não temos que reclamar. Trata-se de algo bem típico de nossa época, que é uma verdadeira Época da Festa na América, e ninguém consegue resistir. O calvinista James Reston foi para o baile de Capote; e Jules Feiffer, depois de recusar-se a ouvir o discurso de Hubert Humphrey nos National Book Awards, em protesto contra a Guerra do Vietnã, mais tarde foi a uma festa na qual Humphrey estava presente. Para existir, a pessoa precisa ser *vista*, porque atualmente não existe outra prova. Já não existe uma identidade na arte, apenas na autopromoção. Não existem atos, apenas cenas. As marchas pela paz são mascaradas, a ativista Selma era um menestrel. As notícias são encenadas para as câmeras. Os críticos dançam de olhos fechados.

A ética étnica de Frank Costello

Da década de 1880 ao princípio da década de 1900, eles cruzaram o Atlântico em navios imundos, porque eram pobres; trabalharam cavando valas, porque não tinham instrução; e era raro o dia em Nova York em que algum irlandês, do outro lado da rua, não gritasse para eles: "Ei, carcamano sujo, por que não volta para o lugar de onde veio?".

Eles não eram da Itália de Da Vinci ou dos Medici; eram em sua maioria da Sicília e do Sul — a Itália das cabras e dos montanheses, das mulheres gordas de pequenos bigodes, rosários e vestidos pretos que vão até os tornozelos.

Eram o povo que, desde os tempos pré-romanos, parecia estar sempre lamentando alguma coisa: as matanças e estupros dos sarracenos, dos gregos, dos franceses; lamentando as erupções vulcânicas, a malária, os impostos, a eterna pobreza. Finalmente, muitos deles não aguentaram mais e vieram para a América. Dois deles, de sobrenome Castiglia, saíram de sua cidade Cosenza, próxima ao dedão do pé da Itália, trazendo Francesco, seu filho de quatro anos, que nunca sonhou que algum dia teria um porteiro anglo-saxão.

* * *

Ele nunca imaginou que, sob o nome de Frank Costello, um dia seria capaz de gastar cinquenta dólares em um chapéu, 350 dólares em um terno, e que poderia esquecer 27 200 dólares no banco de trás de um táxi de Nova York. Tampouco poderia imaginar que um dia a mera menção de seu nome iria despertar o apetite dos homens da lei e fazer que milhares de ítalo-americanos se sentissem incomodados com seus próprios nomes e hipersensíveis a críticas e perguntas...
Você é italiano?
"Meio italiano."
Você é italiano?
"Francês."
Você é italiano?
"Não é de sua conta."
"Ei, carcamano!"
"Veja com quem está falando, seu filho da puta!"

"E o que achou de Roma, senhora Winfred?"
"Uma maravilha, só que tem italianos demais."

"Ouça, Angelo, meu filho, nunca deixe que eles o maltratem só porque você é italiano. Lembre-se de que a América foi batizada com o nome de um italiano, foi descoberta por um italiano, e que os italianos já estavam oferecendo sua arte ao mundo enquanto os desgraçados dos ingleses ainda viviam em cavernas feito selvagens e pintavam o rosto de azul..."

Frank Costello cresceu num bairro pobre de Nova York, com outras crianças de origem camponesa cujos pais desconheciam a língua e as leis do país. Suas mães confiavam inteiramente em Deus. E seus pais confiavam em seus conterrâneos mais instruídos mas pouco confiáveis, os *padrones* — com a mesma fé cega que mais tarde os levaria a acreditar que Primo Carnera iria vencer Max Baer. Esses pais eram homens baixos e humildes — baixos demais para serem policiais, restando-lhes trabalhar na coleta do lixo e na construção de metrôs, embora alguns preferissem trabalhar em fazendas no norte do Estado; houve também quem se mudasse para Ohio e para a Pensilvânia, para empurrar carrinhos de mão carregados de pedras morro acima, para construir casas. E quando eles chegavam ao alto de certa colina em Ambler, na Pensilvânia, ofegantes e suados, um papagaio gritava para eles da janela de uma casa à beira da estrada: *"Carcamano-carcamano-carcamano!"*. A vontade de entrar sorrateiramente na casa e matar o papagaio à noite era grande. Mas os homens nunca o fizeram. Em vez disso, à noite bebiam vinho e caíam no sono.

Por que você não anda no caminho certo, Frank Costello?
Por que você não consegue pegar uma pá e identificar-se com Christ in Concrete?

Ele nunca conseguiu fazer isso. Como muitos filhos de camponeses, Costello menosprezava a humildade e a falta de jeito de seus pais, e procurava ganhar dinheiro fácil e fugir da pequena mercearia do pai. Em 1908, então com dezesseis anos, fugiu de casa, abandonou a escola e foi preso por agressão e roubo. Em 1912 foi preso pelo mesmo motivo. Em ambas as ocasiões ele se apresentou como C*a*stello. Em 1914, quando conseguiu autorização para casar-se, ele afirmou chamar-se C*o*stello e ser "encanador". Em 1915, quando cumpriu pena de dez meses por porte ilegal de arma, disse chamar-se Frank "Saverio", encanador especializado em canos condutores de vapor. Mas quando se apresentou ao tribunal para receber a sentença, disse chamar-se "Stella". Ele tinha pouca vocação para a verdade.

Por volta de 1923 ele contrabandeava rum; trabalhava sob as ordens do famoso ex-estivador Big Bill Dwyer, colaborando na direção de uma vasta operação para trazer bebidas alcoólicas do Canadá com a ajuda de homens corruptos na Guarda Costeira, usando uma dúzia de lanchas blindadas equipadas com metralhadoras. Certa vez, por acaso, as velozes lanchas de Costello cruzaram caminho com uma regata — chegaram à linha de chegada em primeiro lugar e continuaram em disparada. Diz-se que na época da Lei Seca a operação Dwyer-Costello não apenas fornecia a maior parte do uísque da Costa Leste, mas também despachava grandes carregamentos para Chicago e para o Meio-Oeste.

Os detetives começaram a seguir Costello, a visitar guetos italianos e perguntar por ele. Os vizinhos, porém, não abriam a boca. Mesmo que acontecesse no bairro um assassinato em plena luz do dia, diante de cinquenta testemunhas, a resposta à polícia seria sempre a mesma: "*A gente não viu nada*".

Aquela gente não iria delatar um conterrâneo à polícia de Nova York na década de 1920, da mesma forma que não delataria aos conquistadores sarracenos no século IX, aos gregos bizantinos no século X ou aos cruéis franceses no século XIII. Desconfiados de qualquer autoridade estrangeira, tinham aprendido a arte do silêncio — aprenderam-na depois de séculos mordendo os lábios. Aprenderam também a aceitar o pior, porque de há muito o pior fora sempre a sua herança, tanto na Sicília quanto nas redondezas da cidade natal de Costello, Cosenza. Só em 1903 registraram-se mais de 150 deslizamentos de terra em Cosenza; quase simultaneamente as plantações de uva dos vinhateiros da região foram atacadas pela praga da videira, e logo Bordeaux monopolizou o mercado mundial de vinho. A malária fez tal estrago em Cosenza em 1807 que chegou a matar oitocentos soldados franceses — da mesma forma que, em 1173, matara William de Tracy, um dos assassinos do arcebispo Thomas Becket, e em 410 ceifara Alarico, rei dos visigodos, pouco depois de este ter saqueado Roma.

"A confiar nas estatísticas", escreveu o historiador Norman Douglas sobre o belo e selvagem Sul da Itália, "não tenho a menor dúvida de que se pode demonstrar ter sido a febre a grande responsável pelo declínio de sua vida espiritual."

Para sobreviver em meio às pestes, à pobreza, aos impostos escorchantes e à tortura, o camponês tinha de ser esperto e esperar o momento da vingança — como o fez aquele vingativo bando de sicilianos em 1282, antes de massacrar uma guarnição inteira de franceses, porque um soldado estuprara e matara uma jovem de Palermo no dia de seu casamento. Diz-se que essa vingança, celebrada numa ópera de Verdi, serviu de inspiração à Máfia, uma associação que se propõe a vingar afrontas contra um irmão, nunca pede a ajuda da polícia e nunca, nunca — sob pena de morte —, revela nada à Justiça sobre a organização e sobre seus membros.

Tal foi o background de Frank Costello, e ainda hoje se lê num livro de viagem sobre aquele pobre recanto da Itália: "Se estiver num hotel ou pensão na Calábria, discuta tudo em 'termos amigáveis'. É uma questão de princípio. Com essa atitude, que não deve ser exagerada, sua posição na casa tende a mudar gradualmente; de hóspede você passa a ser um amigo, um irmão. Porque você tem de mostrar, antes de mais nada, que não é um *scemo* — imbecil, miolo mole —, o pecado imperdoável no Sul. Você pode ser um falsário ou um matador — por que não? São vocações como quaisquer outras...".

Assim sendo, na Nova York da década de 1920 a polícia se defrontava com o silêncio na área italiana do Harlem, do

Brooklyn e na Mulberry Street, em Manhattan. Depois que a polícia ia embora, os homens murmuravam entre si: "A gente não quer confusão". E concordavam em que Costello não tinha feito nada de errado — a polícia estava atrás dele só porque era italiano. À beira do fogão, suas esposas obedientes balançavam a cabeça concordando. Em seguida colocavam a massa e o vinho na frente de seus maridos, insistiam "*Mangia, mangia*", em seus apartamentos limpíssimos, com madonas sobre o rádio e cruzes por toda parte. "*Coma.*"

O próprio Frank Costello achava que nada fizera de errado. E em 1925 se tornou cidadão norte-americano. Quando lhe perguntaram sobre sua ocupação, ele respondeu com a maior cara limpa e voz clara: "corretor imobiliário".

Terminada a época da Lei Seca, os diversos ramos de negócios de Costello incluíam máquinas caça-níqueis, jogos de azar e comércio legal de uísque escocês. Quando o prefeito Fiorello La Guardia mandou recolher as máquinas e atirá-las no mar, Costello as transferiu para New Orleans, com a ajuda do senador Huey Long, que em 1936 afirmou desejar arrecadar dinheiro extra para os órfãos, as viúvas e os cegos de Louisiana. Para gerenciar as máquinas e recolher o dinheiro, Costello contratou os dois rapazes Geigerman, seus cunhados, ambos ex-taxistas.

"Com certeza Dudley Geigerman é o sujeito mais econômico que conheci em minha vida", escreveu um repórter policial. "À época em que pagava quarenta dólares de aluguel, comprava móveis à prestação e, a contragosto, pagava seis dólares por semana a uma empregada, ele declarava rendimentos tributáveis de mais de 100 mil dólares por ano. Os fiscais da receita federal desconfiavam que se tratava, em sua maior parte, de dinheiro de Costello, e que Dudley o estava ajudando a escapar das faixas de renda com alíquotas maiores. Mas os fiscais não tinham como provar."

Na década de 1930 Costello procurava levar uma vida sossegada, sem dar muito na vista. A temporada de dez meses que passou na cadeia em 1915, por porte ilegal de arma, havia sido a primeira e última vez, até então, que se encontrou por trás das grades. E diz-se que, em 1929, depois do massacre do Dia de São Valentim, em Chicago, Frank Costello convenceu um grupo de gângsteres em Atlantic City da insensatez de andar armado e matar as gangues rivais. Ele achava que as gangues rivais deviam respeitar os direitos territoriais umas das outras. De sua parte, ele se meteu na política de Nova York e contribuiu para as campanhas de seus políticos preferidos. Entre os políticos que teriam visitado a cobertura de Costello em 1942, estava William O'Dwyer, que viria a ser prefeito de Nova York. Mas àquela altura a reputação de Costello ainda não estava firmada. O *New York Times* de 17 de julho de 1942 referia-se a Costello como um "esportista". Ele se mostrava sempre gentil e recebia as pessoas muito bem em sua propriedade em Long Island. Era também um marido exemplar. Ele dava crédito a sua esposa judia — cujo nome de solteira era Loretta Geigerman — para comprar o que quisesse nas grandes lojas da Quinta Avenida, e não disse uma palavra quando ela pagou 241,91 dólares por três chapéus e um lenço na Mr. John, Inc.

Costello dava milhares de dólares às instituições de caridade, às igrejas e a um interminável cortejo de pedintes. Mas ele não se preocupava; o dinheiro lhe chegava de todos os lados. Soube-se que ele recebia 18 mil dólares por ano por seu trabalho com o "dândi" Phil Kastel, no Beverly Club, um restaurante e casa de jogo de Louisiana, embora ninguém soubesse exatamente que tipo de trabalho Costello fazia.

"E o que fazia para ganhar esse salário, senhor Costello?", perguntou-lhe um membro de uma comissão de investigação, tempos depois.

"Bem", disse Costello. "Eu ajudava a contratar diferentes espetáculos e agenciava alguns negócios. Em outras palavras, se alguém estava de partida para Louisiana, eu recomendava um lugar. Eu era uma espécie de relações-públicas para eles. E recomendava diversos shows para o clube."

"Como você escolhia esses shows?"

"Bem", disse ele. "Se eu ouvisse falar de um bom show, eu ia lá e assistia ao espetáculo. Se eu achasse que era bom, ligava para eles e dizia: 'Vejam, é um bom show'."

"E o que o senhor recomendou?"

"Bem, Joe Louis, Sophie Tucker e uma série de grandes espetáculos."

"E era preciso um expert para recomendar gente de sucesso como essa para um nightclub?"

"Sim, bem, eu não me considero um expert. Mas um bom show também pode não dar certo. Sem um bom tema, o show não agrada. Se ele tem um material novo, eu o recomendo."

"Você fazia algum trabalho de preparação ou de análise do material desses shows?"

"Não. Eu apenas os solicitava. Se eu gostasse, eu dizia a eles que tinha gostado."

"E por isso o senhor ganhava dezoito mil dólares por ano?"

"Exatamente."

Frank Costello os deixou perplexos. "Costello", escreveu Herbert Asbury, "terminou por se tornar uma das figuras mais misteriosas criadas pelo submundo americano. Não que os policiais, tanto municipais quanto federais, não o quisessem pegar. Na verdade, eles estavam tentando pegá-lo desde meados da década de 1920, mas de modo geral Costello se mostrou muito esperto; ele os levou a tantos becos sem saída que se tornou um símbolo de frustração para os policiais e agentes do FBI de todo o país."

O FBI grampeou as linhas telefônicas de Costello; o Departamento de Repressão ao Narcotráfico incluiu sua foto em sua lista negra; o prefeito La Guardia chamou-o de "vagabundo". Mas Costello, que nunca guardava menos de 50 mil dólares em dinheiro vivo em seu apartamento na Central Park West, pagava a outros gângsteres para fazer o trabalho sujo. De qualquer modo, nada se podia provar contra ele, ainda que detetives de Nova York o seguissem por toda a cidade: no Waldorf, onde ele costumava almoçar com políticos e com a gente da sociedade; nas saunas do hotel Biltmore, onde ele ficava na mesma sala com James A. Farley, Hank Greenberg, Gene Tunney, Bernard Gimbel e dezenas de distintos executivos; nas barbearias, onde o bajulavam, cuidavam de suas mãos e o empoavam, e onde era cercado por criados que se desdobravam para ganhar uma gorjeta generosa; no Central Park, onde os policiais observavam a vigorosa e bem vestida figura de Costello contemplando as maravilhas da natureza, examinando o céu, olhando os animais por entre as grades do zoológico; e no rinque de patinação do Wollman Memorial, sobre o qual um repórter do *New York Times* escreveu certa vez: "O rinque do Wollman Memorial, no Central Park [...] atraiu grande número de celebridades, entre as quais Frank Costello, o jogador, de quem se diz que não patinou, apenas lançou um olhar cético, resmungou e foi embora".

Quanto aos outros imigrantes, a vida foi melhorando um pouco ao longo das décadas de 1930 e 40. O papagaio que gritava "carcamano-carcamano-carcamano" em Ambler, Pensilvânia, morrera. Havia muito com que se alegrar. Os irmãos DiMaggio não erravam nunca. Pinza era sensacional. E Valli se tornou a primeira estrela de cinema italiana nas telas americanas com algo mais do que peitos grandes. Em Manhattan, o Lambs Club, num rasgo de magnanimidade, homenageou Biaggio Velluzzi, seu engraxate de longa data, com um jantar e ingressos para o teatro. Biaggio, conhecido de todos como "Murph", disse: "Esse pessoal do Lambs gosta de mim e eu gosto deles".

Em todo o país, os filhos dos que empurravam carrinhos de mão e dos pedreiros prosperavam, gerindo suas próprias empresas de construção. Os carregadores de tacos de golfe estavam sendo promovidos a profissionais de clubes e podiam pavonear-se nas tardes de domingo pelos clubes de campo, vestidos de casaco esporte — e *assinar* por seus drinques. Os estudantes ítalo-americanos ainda se sentiam incomodados com seus nomes grandes, e talvez até invejassem os nomes dos negros, mais curtos, mas relativamente poucos italianos os mudavam; era uma questão de orgulho familiar. Ou talvez eles compreendessem que a mudança de nome não enganaria ninguém. Talvez tenha ficado uma lição de Joseph Carrora, o velho pugilista italiano que mudou o nome para Johnny Dundee e que a partir de então fora apelidado de "carcamano escocês".

A Segunda Guerra Mundial criou heróis festejados, mas de fama efêmera, como o capitão Don Gentile, ás da aviação; e a vida no exército deu a muitos rapazes ítalo-americanos a percepção de pertencerem a algo maior que uma paróquia católica, que um sindicato operário ou uma equipe de boliche do Brooklyn patrocinada por um importador de azeite.

"É engraçado", disse o cabo DiAngelo, da Ralph Avenue, Brooklyn. "Quando fui para Nápoles e para Roma, todos os italianos lá me chamavam de *americano*. Foi a primeira vez em minha vida que me senti americano..."

E finalmente os filhos desses imigrantes da Sicília e do Sul da Itália, alguns dos quais tinham posado em 1910 para as fotos de Jacob Riis na Mulberry Street, estavam entrando na vida pública — uns com a ajuda de Costello, outros apoiados pelo vasto eleitorado ítalo-americano. Assim, nessa época da história americana houve uma geração de políticos que nunca teve certeza se eram eleitos *por serem* italianos ou *apesar* disso.

Não obstante, era muito agradável sentar-se na cadeira de juiz e agir como um sacerdote, vestido numa longa toga negra. E era agradável, na qualidade de parlamentar, despedir-se da mulher e dos filhos com um beijo e embarcar num trem para a capital do Estado. Mas não obstante seus lustrosos ternos pretos, sapatos pretos de bico fino, camisas brancas, e gravatas com laço Windsor, raramente esses políticos eram confundidos com ex-alunos da tradicional Choate School.

A ambição pessoal de Frank Costello durante esses anos era a respeitabilidade. Em 1949 ela parecia estar ao alcance, quando ele foi convidado a ocupar o cargo de vice-presidente da comissão organizadora de uma campanha para levantamento de fundos destinados ao Exército de Salvação. Walter Hoving, presidente da Tiffany e à época presidente da comissão, escreveu a Costello que "as pessoas importantes de Nova York" estavam sendo requisitadas e que a comissão estava "bastante ansiosa" para contar com a ajuda de Costello.

Contentíssimo e lisonjeado, Costello mostrou a carta ao seu advogado, George Wolf. Wolf achou que tinha havido um engano. Ele ligou para a comissão e perguntou: "Vocês sabem quem é esse homem? É um ex-contrabandista de bebidas".

Wolf recorda que o Exército de Salvação estava ciente das atividades pregressas de Costello, mas que ainda assim ficaria "encantado" com qualquer ajuda que ele desse. Então Costello organizou uma festa no Copacabana, com convites a cem dólares, e convidou, entre outros, Hugo E. Rogers, o administrador do distrito de Manhattan, muitos juízes da Suprema Corte e políticos de destaque de Nova York. Dessa forma, ele conseguiu levantar 3500 dólares em contribuições e, acrescentando 6500 do próprio bolso, mandou 10 mil dólares para o Exército de Salvação.

Mas quando os jornais tomaram conhecimento da festa e publicaram os nomes dos que haviam comparecido, o episódio virou uma *cause célèbre*. A coisa repercutiu mal, e ficou a impressão de que os presentes eram fantoches de Costello. A situação de Costello piorou, e a reação indignada do público obrigou a que se tomasse uma providência.

Frank Costello, notando que sua imagem pública se deteriora, ficou tão aborrecido com a repercussão do caso que, como escreveu Warren Moscow no *New York Times*, "articulou a saída de Hugo E. Rogers da liderança da Tammany Hall — o comitê executivo do Partido Democrata em Nova York — e a entrada de Carmine G. De Sapio em seu lugar. Costello esperava que De Sapio se mostrasse uma boa e respeitável liderança, e que o público esquecesse dele mesmo, Costello, enquanto este se entregava aos prazeres do golfe e da companhia dos amigos, numa aposentadoria respeitável, livre de política e de conexões com negócios ilícitos". Mas Moscow continuava: "Em 1951, o Comitê de Investigações Criminais do Senado insistiu em vasculhar o passado de Costello, mesmo depois de seu apelo, no começo dos interrogatórios: 'Peço apenas que respeitem direitos e princípios fundamentais, peço que me tratem como um ser humano'".

E então Frank Costello compareceu diante da comissão. Quando ele insistiu para que seu rosto não fosse mostrado na televisão, as câmeras focalizaram seus dedos, que tamborilavam e dançavam nervosamente, oferecendo um balé grotesco aos telespectadores. Ele ficou horas sendo interrogado, as câmeras não paravam de mostrar seus dedos, e certa noite distribuidores de cigarros lhe ofereceram um bom dinheiro para que ele mostrasse sua marca de cigarro diante das câmeras. Mas Costello, sempre fiel aos English Ovals, recusou. A exibição de seus dedos o deixava enjoado, e também não estava bem da garganta, disse ele ao comitê.

"Para um homem que está doente", retorquiu um membro da comissão, "o senhor Costello é um depoente bastante astuto."

"Quando eu deponho", disse Costello asperamente, "eu quero dizer a verdade, e minha mente não funciona."

Além de ser um depoente bastante relutante, Costello também se tornara irritável e desatento.

"Senhor Costello", gritou finalmente o membro da comissão. "O senhor ouviu o depoimento..."

Os olhos cinzentos de Costello brilharam de raiva; seus cabelos cinza-azulados na altura das têmporas se eriçaram. "Não vou responder a mais nenhuma pergunta", disse ele com firmeza. "Eu vou embora."

Seguindo seu advogado, Frank Costello dirigiu-se à saída, desapareceu, e foi para as manchetes de primeira página:

COSTELLO DESAFIA SENADORES
E ABANDONA O DEPOIMENTO;
PODE SER PRESO POR DESACATO
Alega Estar Doente
AS LUZES E AS CÂMERAS ATRAPALHAM
O DEPOIMENTO, DIZ O ADVOGADO

Ir embora foi uma imprudência; Costello fora longe demais. Ele o fizera diante das câmeras que transmitiam para todo o país, e o Senado nunca poderia perdoar um desafio público como esse. Costello logo foi declarado culpado de desacato e condenado a dezoito meses de prisão.

Mas mesmo na cadeia Costello confundia a justiça. Continuava a fumar os seus English Ovals, embora ninguém soubesse como ele os conseguia. Ele comia filés — bem tostados, por fora, rosados por dentro, exatamente como os pedia no restaurante 21 — e era impossível descobrir de onde vinham esses filés. O inacreditável poder que Costello conseguia exercer apesar de estar preso ficou demonstrado alguns anos depois, quando ele realizou, por trás das grades, um milagre em proveito de Edward Bennett Williams, seu advogado.

Durante uma visita a Costello na prisão, Williams parecia um tanto preocupado. Costello, notando isso, perguntou: "O que o preocupa, doutor Williams?".

Williams explicou que naquela noite ia sair com a mulher e os sogros para comemorar o 35º aniversário de casamento dos sogros e que lhes prometera ingressos para *My Fair Lady*; mas a pessoa que normalmente lhe fornecia ingressos, e que nunca falhara antes, dessa vez havia falhado.

"Doutor Williams", disse Costello. "O senhor devia ter falado comigo; quem sabe eu não poderia ter sido útil?"

Williams confessou que não lhe ocorrera que um homem encarcerado pudesse ajudar a conseguir quatro ingressos de última hora para um espetáculo de sucesso na Broadway.

Costello sacudiu os ombros.

Eram cinco horas da tarde.

De volta ao seu quarto de hotel, Williams ouviu uma leve batida na porta. Quando a abriu, um homem de ombros largos e chapéu de aba caída resmungou alguma coisa, entregou um envelope contendo quatro ingressos para a apresentação de *My Fair Lady* daquela mesma noite e desapareceu no corredor.

Enquanto Costello estava na prisão, os netos dos imigrantes iam ficando adultos e, tomando consciência da sutil desvantagem de seus nomes, sentiam-se desconcertados com alguns conflitos que viam em seu ambiente. O que essas crianças ouviam em casa era muito diferente do que liam em livros escritos por autores não italianos, do que ouviam dos padres irlandeses na igreja, do que aprendiam nas escolas com diretores protestantes, do que aprendiam dos editoriais escritos por liberais judeus e do que ouviam nas ruas...

"*Esses italianos são todos iguais... Por que não mandam Costello de volta para...*"

E entre os italianos eles ouviam...

"*Eles estão pegando no pé de Costello porque ele é...*"

"*Meu Deus. Se eles quisessem fazer uma coisa dessas com os judeus, a Liga Antidifamação iria...*"

Frank Costello raramente se defendia verbalmente. Quando os repórteres lhe perguntavam como conseguira tanto dinheiro, ele respondia apenas "sem comentários" ou "eu não vendo Bíblias". Se bem que certa vez ele explicou a um repórter: "Escute, sou um jogador, mas não opero onde não sou bem-vindo".

Mal tinha completado um ano de prisão por desobediência à lei, ele foi acusado de sonegação de impostos. Seus advogados, pagos a preço de ouro, desdobraram-se para resolver o caso no tribunal.

"Agora, pelo amor de Deus, Frank", disse um deles. "Quando você comparecer amanhã diante do juiz, não apareça com seus ternos de 350 dólares, dando a impressão de que está nadando em dinheiro."

"O que você quer que eu vista?", perguntou Costello.

"A roupa que você está usando agora", disse o advogado, indicando com a cabeça o uniforme de sarja azul da prisão.

Costello pensou por um instante, franziu o cenho e disse: "Sinto muito, mas eu prefiro perder essa maldita causa".

Ele perdeu. Em 14 de maio de 1954 lia-se nas manchetes: "Costello declarado culpado de sonegação de impostos!". E os jornais e revistas publicaram uma foto de Costello igual a tantas outras de sua carreira: mostrava-o descendo as escadas do tribunal fumando um cigarro, ladeado de advogados, os olhos cinzentos abaixados, chapéu de feltro cinza enfiado na cabeça, nariz comprido e adunco, semblante taciturno, rosto impenetrável.

Antes de entrar num carro naquela manhã de maio, ele se virou para os repórteres que estavam na calçada e disse: "Acho que isso não passa de politicagem. Um monte de caras querem subir pisando nas minhas costas. Assim é o mundo".

"Qual foi o primeiro erro que você cometeu?", perguntou Walter Winchell.

"Se você quer chamar assim", disse Costello, "acho que meu primeiro erro foi ser filho de pais pobres e ser criado num bairro violento. Se as coisas tivessem sido diferentes, eu poderia ter estudado na universidade e estaria sentado lá em cima com o senhor Kefauver. Mas lhes digo francamente: quando amadureci o bastante para distinguir o certo do errado, tentei viver uma vida limpa. Estou casado com a mesma mulher há trinta e cinco anos. Quantos dos que me criticam podem dizer o mesmo?"

Em 1956, em vez de continuar na prisão, Frank Costello propôs exilar-se voluntariamente, se o governo anulasse a pena de prisão. Ele poderia até voltar para Cosenza. Mas o Ministério da Justiça recusou.

Se Costello tivesse conseguido voltar, porém, teria encontrado uma encantadora mas misteriosa terra ainda na Idade das Trevas — exatamente como ele a deixara, aos quatro anos de idade, e exatamente como era centenas de anos antes de seu nascimento. Ele veria camponesas andando pelas estradas de Cosenza equilibrando potes de argila na cabeça. E os homens montados em jumentos, de rostos bíblicos, queimados de sol. Veria casinhas brancas de pedra espalhadas no lado leste das vastas encostas da montanha; no lado oeste, no verde-azulado Mar Tirreno, garotos trigueiros nadando despidos e fazendo gestos obscenos para os trens que passam.

Frank Costello provavelmente não iria gostar daquela terra; não é nada agradável ver as próprias raízes tão expostas, nem ser lembrado de origens tão humildes. Se Costello fosse para lá, teria visto poucos turistas americanos — à exceção de alguns ítalo-americanos de segunda geração, que àquela altura já estariam em idade de viajar e visitar algum parente no Sul ou ver a terra natal dos avós.

E vez por outra Costello veria um jovem neto na estação ferroviária de Cosenza sendo saudado por grupos de parentes exultantes que fariam o rapaz sentir-se como o Messias, ou uma espécie de Lindbergh latino, num desfile sob uma chuva de papel picado — só que em vez de confete ele receberia uma chuva de beijos molhados de um monte de tios, tias e primos que não entenderiam uma palavra de inglês.

Não obstante, com uma câmera de 8 milímetros o rapaz filmaria cenas com esses parentes da terra de Costello, e os filmes mais tarde seriam mostrados numa cozinha do Brooklyn, onde um lençol de cama fixado sobre o papel de parede florido serviria de tela. E quando as luzes se acendessem nessa cozinha do Brooklyn, ver-se-iam algumas lágrimas nos olhos de algumas das pessoas mais velhas sentadas nessa sala...

No final de 1956, depois que Edward Bennett Williams provou que a prisão se baseara em provas ilegais colhidas por grampos telefônicos, o jogador ficou fora da cadeia por algum tempo, fazendo o que podia para evitar a imprensa. Mas logo ele voltou às manchetes dos jornais do país, porque na noite de 2 de maio de 1957, às 10h55, quando Costello passava por seu porteiro anglo-saxão para subir ao seu apartamento de cobertura, uma bala partiu em direção a sua cabeça, passou de raspão pelo couro cabeludo e atravessou zunindo seu chapéu de feltro de cinquenta dólares.

Frank Costello insistiu na polícia que não tinha ideia de quem fizera o disparo.

"Não é verdade, senhor Costello, que o senhor viu o homem?", perguntou um detetive. "Não é verdade?"

"Não, não vi nenhum homem."

"Você sabe de algum motivo que alguém teria para querer matá-lo, senhor Costello?"

"Não, não sei de nenhum ser humano que tivesse algum motivo."

Era a costumeira cooperação de Costello, como entenderam os investigadores. Mas Frederic Sondhern Jr., escritor e especialista em máfia, afirmou que o silêncio de Costello indicava apenas sua observância da regra mafiosa que proíbe a delação de um conterrâneo. Depois do julgamento o sr. Sondhern citou um alto funcionário federal segundo o qual Costello, fiel a essa tradição, agora se considerava um "bom soldado" do ponto de vista da máfia. "Ele estaria cometendo traição, alta traição, se colaborasse com o inimigo, que é como Costello nos considera", teria acrescentado. "Ele podia ser executado na boca de um 38, mas com certeza receberia uma punição ainda pior — o ostracismo e o desprezo dos irmãos, que são a única gente que ele de fato conhece. O que você acabou de ver foi a lei mafiosa da *omertà* (silêncio em solidariedade a um culpado) em ação, meu amigo; é mais que um código ou um exemplo de fé. É quase uma religião — armada de dentes."

Como Costello se recusou a cooperar e a responder perguntas sobre certas cifras escritas em pedaços de papel encontrados em seus bolsos na noite em que atiraram nele, foi acusado de contumácia. E logo Costello não apenas estava de volta à prisão, mas também privado de sua cidadania, sob a alegação de que, quando ele se naturalizou em 1925 e lhe perguntaram sua profissão, ele respondera "corretor imobiliário". Ele deveria ter respondido "contrabandista de bebidas".

O processo de deportação motivou protestos em toda a Itália.

"Por que deportá-lo para a *Itália?*", diziam eles. "Ele não é italiano — ele é um produto da corrupta civilização americana!" O jornal *Il Secolo d'Italia* classificou aquilo como uma curiosa punição — mandar um homem para um país cuja língua ele não fala. O governo italiano não se importava que lhe creditassem o mérito por ítalo-americanos bem-nascidos como Vicenzo Botta, vice-presidente do seleto Union League Club de 1863 a 1894; como o conde Luigi Palma di Cesnola, um general ianque na Guerra Civil; como o cientista Enrico Fermi; ou ainda como os milhares de outros imigrantes italianos que prosperaram na América, parecendo confirmar a opinião de que os italianos, afinal de contas, são um povo extremamente civilizado e culto — quer os consideremos em seu papel de conquistadores romanos, em sua atuação como artistas no Renascimento, ou em seu papel depois da Segunda Guerra Mundial como cosmopolitas no volante de Ferraris, trajando vestidos Simonetta, atuando em filmes de Fellini, portando bolsas Gucci, datilografando em máquinas Olivetti...

Mas quando se tratou de reconhecer como italianos os sicilianos sem instrução e os camponeses do Sul da Itália cujos descendentes viraram gângsteres, o governo italiano ficou muito, muito melindrado. E quem pode censurá-lo por isso? Parecia haver tantos gângsteres italianos nos Estados Unidos...

"É mentira!", gritou o ex-congressista Alfred E. Santangelo, de Nova York. "E tenho números que o comprovam." Estatísticas recentes sobre as seis maiores prisões dos Estados Unidos mostram que dos 23 605 internos, apenas 588 têm nomes que soam italianos, e a percentagem de reclusos de ascendência italiana é de 2,5%, segundo Santangelo. Ele coletou esses dados em apoio a sua exigência de que o programa da rede de televisão ABC, *Os intocáveis,* parasse de dar nomes italianos aos personagens criminosos fictícios do programa. "*Os intocáveis* é uma vergonha", disse ele. "As crianças o chamam 'A *hora da família italiana*' e dizem: 'Vamos ver "Policiais e Carcamanos" na TV'."

O sr. Santangelo, apoiado por muitas organizações ítalo-americanas, protestou contra as afrontas a nomes italianos, fazendo muita pressão sobre os patrocinadores da ABC, Liggett & Meyers, para obrigá-los a mudar o roteiro.

Essa é a grande diferença entre o ítalo-americano de hoje — ele se defende imediatamente, enquanto seu avô, que era analfabeto, não conseguia; e seu pai, muitas vezes inseguro, não o fazia. A prova dessa mudança no comportamento da atual geração de ítalo-americanos pode ser vista em notícias como as seguintes:

New York Times — A Liga Ítalo-Americana contra a Discriminação anunciou ontem que iria procurar reagir à tendência das campanhas publicitárias de caracterizar os italianos como criminosos...

UPI — O jornal semanal *The Pilot* disse em seu editorial que também existem gângsteres ingleses, irlandeses, holandeses, judeus, alemães, negros...

New York Post — Frank Sinatra quase foi às vias de fato com Desi Arnaz numa discussão sobre a forma como os italianos são mostrados em alguns programas de televisão... O resultado é que Sinatra tirou sua companhia de televisão dos estúdios Desilu, transferindo-a para os estúdios de Sam Goldwyn...

Atualmente os descendentes dos imigrantes que chegaram à América na virada do século estão conquistando a respeitabilidade que Frank Costello não conseguiu conquistar. Como o camponês irlandês antes deles, os filhos e netos dos camponeses italianos estão saindo da classe operária e ingressando na segurança da esfera do colarinho-branco: eles trabalham na administração pública, são auditores independentes, são competentes músicos sindicalizados — e sua música não é "exótica". Esses descendentes de camponeses esforçam-se para *não* ser diferentes na América. Eles jogam na retranca. Muitos trocaram as camisas brancas por trajes de *oxford* mais refinados e tomaram consciência dos riscos do alho. Aos domingos muitos vão aos campos de golfe dirigindo carrões com crucifixos de plástico grudados no painel. Alguns têm filhas que, no dia do noivado, se farão fotografar por Bachrach. Eles já não são famintos o bastante para darem bons pugilistas; Marciano foi o último dos grandes pesos pesados italianos. Eles fazem sucesso como redatores publicitários e jornalistas, mas não criaram nenhuma tradição literária em língua inglesa, e não há nenhum romancista bom entre eles. No rádio e na televisão eles cantam músicas ternas e suaves, mas a maioria das grandes vozes da ópera é importada. Os ítalo-americanos ainda não *chegaram lá*, como os irlandeses, mas a massa dos italianos está em ascensão — aspirando a um sólido status de classe média. Grande número deles mudou-se dos bairros de seus pais e "se integrou". Uns poucos abandonaram a cidade e foram para os subúrbios afastados e elegantes. E quando lhe perguntam por que fizeram isso, eles respondem num tom que beira a indignação: "Ora, quero lá ter vizinhos *porto-riquenhos?*".

Nesse meio-tempo, quando Frank Costello está prestes a completar 74 anos, a atual geração de italianos está, de certo modo, comemorando o declínio dele, porque sua notoriedade lhes lembra uma época que eles preferem esquecer. Costello nunca entendeu as regras do novo mundo porque se filiava à tradição de uma terra que existe no passado. Quando se mudou para a América, cruzando o Atlântico em duas semanas, ele na verdade estava atravessando centenas de anos de civilização. Entrava num mundo no qual os Robin Hoods estavam fora de moda. Mudava-se para uma terra que hostilizava o mais recente camponês a chegar. A maioria dos imigrantes aceitava seu baixo status e trabalhava pacientemente para superá-lo. Costello não.

Logo ele se rebelou contra a sociedade que o chamava de "carcamano". Seu pai, que na Itália devia ter plenos poderes sobre a família, como é de praxe por lá, aqui não passava de um analfabeto e um incapaz. Seu pai era *scemo* — pecado imperdoável para os camponeses da Sicília e do Sul da Itália. Costello não tinha o menor respeito por ele. Aos dezesseis anos fugiu de sua casa entre os cortiços e considerava os que não eram seus amigos como sarracenos. Ele justificava seus roubos tratando muito bem a esposa, dando dinheiro aos pedintes e vitrais para as igrejas.

E vai morrer achando que não fez nada de errado.

Joe Louis: o rei na meia-idade

"Oi, amor!", falou Joe Louis para sua esposa, quando a avistou no aeroporto de Los Angeles, à sua espera.

Ela sorriu, andou em sua direção e estava prestes a se pôr na ponta dos pés para beijá-lo — mas parou de repente.

"Joe", disse ela. "Onde está sua gravata?"

"Ah, bem", disse ele sacudindo os ombros. "Passei a noite inteira fora em Nova York e não tive tempo..."

"A noite *toda*!", interrompeu ela. "Quando você está aqui você só dorme, dorme, dorme."

"Amor", disse Joe Louis com um sorriso cansado, "eu sou um velho."

"É", disse ela. "Mas quando você vai a Nova York tenta ser jovem novamente."

Eles foram andando devagar pelo saguão do aeroporto em direção ao carro, seguidos pelo carregador que levava a bagagem de Joe. A sra. Louis, a terceira mulher do ex-lutador de boxe de 48 anos, sempre vai esperá-lo no aeroporto quando ele volta de viagens de negócios a Nova York, onde ele é vice-presidente de uma empresa de relações públicas para negros. Uma mulher vivaz e agradavelmente rechonchuda, na casa dos quarenta anos, ela é uma advogada de sucesso da Califórnia. Nunca havia conhecido um pugilista antes de Joe. Já fora casada com um colega advogado, membro da Phi Beta Kappa, de quem certa vez ela disse que se relacionava "com os livros e não com a vida". Quando se divorciou, ela confessou querer um homem "mergulhado na vida e não nos livros".

Uma amiga sua da Costa Oeste a apresentou a Joe em 1957 e, dois anos depois, para surpresa de seus colegas do tribunal, ela se casou com ele. "Como diabos você foi conhecer Joe Louis?", não paravam de lhe perguntar, e ela lhes respondia: "Como diabos ele me conheceu?".

Quando chegaram ao carro, Joe Louis deu uma gorjeta ao carregador e abriu a porta para sua mulher. Depois ele dirigiu o carro por alguns quilômetros, entre palmeiras e bairros tranquilos, e finalmente entrou numa estradinha que dava acesso a uma casa imponente, de dez cômodos, em estilo espanhol, no valor de 75 mil dólares. A sra. Louis a comprara alguns anos antes, a mobiliara no estilo Luís XV, equipando-a com oito aparelhos de televisão. Joe Louis é viciado em televisão, explicou ela a seus amigos, acrescentando que havia um aparelho até no banheiro, acima da banheira; o aparelho fica numa posição tal que permite a Joe, quando está no chuveiro no outro extremo do banheiro, olhar por cima da cortina e ver a tela da televisão num espelho colocado estrategicamente.

"Televisão e golfe", disse a sra. Louis, ajudando o marido a levar a bagagem para dentro de casa. "Isso é Joe Louis atualmente." Ela diz isso sem a menor sombra de pesar e, quando mais tarde lhe beija o rosto, se mostra de repente muito menos formal do que no aeroporto. Depois de pendurar o paletó dele no armário, logo se apressa em pôr uma chaleira no fogo para preparar um chá.

"Quer biscoitos, querido?"

"Não", disse ele, sentado à mesa da cozinha com os ombros encurvados, as pálpebras pesando de sono. Logo ela foi para o andar de cima, ajeitou os cobertores de sua cama enorme, e cinco minutos depois Joe Louis mergulhava nela e dormia profundamente. Ao voltar à cozinha, a sra. Louis mostrava um sorriso largo.

"No tribunal, sou uma advogada", disse ela. "Mas quando estou em casa sou mulher da cabeça aos pés." Sua voz era rouca, um tanto maliciosa. "Eu trato um homem muitíssimo bem, trato como a um *rei* — quando ele também me trata bem", acrescentou ela, servindo-se de um copo de leite.

"Toda manhã sirvo café na cama a Joe", disse ela, "e ligo a televisão no canal 4, para ver o *Today Show*. Em seguida desço, trago para ele o *Los Angeles Times* e vou para o tribunal."

"Onze da manhã é a hora em que ele começa a dar tacadas no clube de campo Hillcrest e, quando consegue fazer dezoito buracos, termina lá pelas três da tarde; nesse caso ele muitas vezes pega o carro e vai para o clube Fox Hills para repetir a dose. Mas se ele sente que não está acertando bem as bolas, vai comprar um balde de bolas e fica exercitando-se com elas durante horas. Joe não compra bolas *comuns* — não Joe Louis —, ele compra bolas Select, as melhores, que custam 1,25 dólar o balde. E quando está meio fora de si, ele gasta dois, três ou quatro baldes, isto é, cinco dólares.

Certas noites ele chega em casa agitado e diz: "Bem, querida, hoje finalmente percebi! Depois de todos esses anos jogando golfe, agora descobri o que estava fazendo errado".

"Mas", acrescentou ela, "no dia seguinte ele chega em casa irritado com tantas tacadas, e diz: 'Nunca mais vou jogar!'. Aí eu digo: 'Mas, querido, você não me disse ontem que finalmente tinha acertado a mão?' 'Disse sim', responde ele, 'mas não consigo manter o ritmo!'"

"Quando acontece de estar chovendo na manhã seguinte, eu lhe digo: 'Querido, você vai jogar golfe hoje com essa chuva?'. Aí ele responde: 'Chove no campo de golfe, mas não chove nos jogadores', e então ele vai para o campo."

A atual esposa de Joe Louis, Martha, é tão diferente de suas duas primeiras mulheres como ele é diferente do primeiro marido desta, o tal que é membro da Phi Beta Kappa.

Sua primeira mulher, Marva, uma vistosa estenógrafa de Chicago com quem ele se casou em 1935 e voltou a se casar em 1946, partilhou sua vida na época em que ele nadava em dinheiro e em que ele torrou boa parte dos 5 milhões de dólares ganhos no boxe com joias, peles, viagens ao exterior, apostas nos campos de golfe, investimentos pouco rentáveis, gorjetas generosas e roupas. Em 1939, ano em que ele já comprara vinte ternos, 36 camisas e dois smokings, contratou alfaiates para confeccionar roupas concebidas por ele próprio, como calças folgadas em dois tons de verde, paletós sem lapelas, casacos de pelo de camelo com debruns de couro. Quando não estava treinando nem lutando — ele ganhou o título nocauteando James J. Braddock em 1937 —, Joe Louis badalava pela cidade com Marva ("Eu conseguia fazê-la rir") ou jogando golfe a mil dólares o buraco, um jogo que dois jornalistas esportivos, Hype Igoe e Walter Stewart, lhe apresentaram em 1936. "Um sujeito chegou a construir uma casa na Califórnia com o dinheiro que tirou de Joe em apostas", disse um velho amigo de Louis.

A segunda mulher de Joe, Rose Morgan, a especialista em cosméticos e em estética com quem ele ficou casado entre 1955 e 1958, é uma mulher curvilínea e estonteante, dedicada aos seus prósperos negócios, que se recusava a passar a noite inteira badalando com Joe. "Tentei fazê-lo sossegar", disse ela. "Disse-lhe que não devia mais dormir o dia inteiro e passar a noite inteira sem dormir. Certa vez ele me perguntou por quê, eu respondi que eu ficava preocupada e não conseguia dormir. Então ele disse que ia esperar até eu dormir, e só então sairia de casa. Bem, *eu* fiquei acordada até as 4 da manhã e *ele* acabou dormindo." Além disso, Rose ficou decepcionada com ele em 1956 quando, num esforço para ganhar algum dinheiro que o ajudasse a pagar o milhão de dólares em impostos atrasados, começou a fazer turnês como lutador de luta livre. "Para mim, Joe Louis era como o presidente dos Estados Unidos", disse Rose. "Como você se sentiria vendo o presidente dos Estados Unidos lavando pratos? Era isso o que eu sentia vendo Joe lutando luta livre."

A terceira mulher de Joe, embora não tenha o notável sex appeal das outras duas, conseguiu ser bem-sucedida onde as outras tinham fracassado, porque é mais sensata que as primeiras e porque, quando Joe Louis se apaixonou por ela, estava mais maduro para ser amansado. Ela parece ser muitas coisas para ele: uma combinação de advogada, cozinheira, amante, relações-públicas, consultora tributária, criada de quarto. Em suma, ela se presta a tudo, menos a carregar tacos de golfe. E ficou visivelmente satisfeita quando uma amiga sua, a cantora Mahalia Jackson, notou os armários abarrotados com os pertences de Joe e comentou: "Bem, Martha, acho que agora ele finalmente está pronto para sossegar; essa é a primeira vez na vida em que mantém todas as suas roupas debaixo de um mesmo teto".

Martha parece não se importar com o fato de estar com o Joe em sua fase de declínio — fase em que ele pesa 110 quilos, está ficando calvo, é um pouco menos do que próspero e não mais tem os rápidos reflexos, seja para dar um soco, seja para pagar uma conta. "Que alma tem esse homem, e também uma calma que eu amo", disse ela, acrescentando que seu amor é correspondido. Joe vai à igreja com ela aos domingos e muitas vezes vai ao tribunal assistir à sua atuação. Segundo Martha, embora não fume nem beba, Joe continua a ir vez por outra a nightclubs para ouvir alguns dos muitos músicos e cantores que ele considera como amigos, e ela sabe muito bem que muitas mulheres ainda acham Joe sexualmente atraente e que apreciariam muito passar uma noite com ele. "Se essas mulheres gostam do papel de regra-três na vida de um homem", disse Martha, "não lhes quero mal por isso. Mas eu sou a mulher dele, e quando entro em cena elas têm que dar o fora."

Martha sabe também que seu marido tem relações amigáveis com suas ex-esposas — as quais, depois de terem se divorciado dele, procuraram maridos que são o extremo oposto de Joe Louis. Depois de se separar de Joe, Marva casou-se com um médico de Chicago. Rose divorciou-se de Joe e logo se casou com um advogado. Quando Joe está em Chicago, sempre liga para Marva (a mãe de seus dois filhos) e às vezes vai jantar com ela. Quando está em Nova York, ele faz a mesma coisa com Rose. "Joe Louis nunca rompe totalmente relações com uma mulher", comentou Martha num tom divertido, sem uma ponta de ressentimento. "Ele simplesmente põe mais uma na lista." Na verdade, foi Joe quem cuidou para que suas três esposas conhecessem umas às outras, e fica muito feliz em ver que elas se dão bem. Ele apresentou sua primeira mulher à atual no dia da luta Patterson-Johansson pelo título de boxe em Nova York, e em outra ocasião ele conseguiu que sua segunda esposa cortasse o cabelo da atual — de graça.

Joe Louis já me falara sobre isso durante o nosso voo de Los Angeles para Nova York (onde passei algum tempo seguindo-o em Manhattan e observando sua atuação como diretor de relações públicas). "Liguei para Rose", disse ele, "e falei: 'Rose Morgan, não cobre de minha mulher'. Ela disse: 'Não, Joe, não vou cobrar'. Essa Rose Morgan é uma grande mulher", refletiu Joe, balançando a cabeça.

"Sabe de uma coisa, eu casei com três das mulheres mais

maravilhosas do mundo. Meu único erro na vida foi ter me divorciado."

"Mas então por que se divorciou?"

"Oh", disse ele. "Naquela época eu queria ser livre, e algumas vezes eu só queria ficar sozinho. Eu era louco. Eu saía de casa e ficava semanas sem voltar. Ou então eu ficava em casa, na cama, dias e dias, vendo televisão."

Assim como se recrimina pelo fracasso dos dois primeiros casamentos, assume também a responsabilidade por todas as suas outras dificuldades, como sua incapacidade de segurar o seu dinheiro e sua negligência no pagamento dos impostos. Na sua última visita a Nova York, alguns de seus velhos amigos do boxe lhe disseram: "Joe, se você estivesse lutando nos dias de hoje, estaria ganhando o dobro do que ganhava em sua época, com todo o dinheiro que os lutadores ganham com as transmissões em circuito fechado de TV e tudo o mais". Mas Joe Louis balançou a cabeça e disse: "Não lamento o fato de ter lutado naquela época. Em meu tempo ganhei cinco milhões de dólares, fui à falência e devo um milhão em impostos. Se eu estivesse lutando atualmente, eu teria ganho dez milhões, ainda assim estaria falido, e deveria ao governo dois milhões em impostos".

Para minha grande surpresa, eram comentários como esses, síngelos mas mesclados de um humor quase absurdo, que Joe fazia durante as horas em que o segui em Nova York.

Com ou sem razão, eu imaginara que esse herói negro de meia-idade não passaria de uma versão flácida do campeão lento das ideias que Don Dunphy costumava entrevistar no rádio depois do nocaute de outra Grande Esperança Branca — e eu achava que Joe Louis, aos 48 anos, ainda faria jus ao título de atleta mais calado desde Dummy Taylor, o lançador dos Giants, que era mudo.

Naturalmente, eu tinha conhecimento daquelas poucas observações famosas de Joe Louis — como uma sobre Billy Conn:

"Ele pode até correr, mas não pode se esconder"; e a resposta do soldado raso Joe Louis, na Segunda Guerra Mundial, quando lhe perguntaram o que achava de lutar por nada: "Eu não estou lutando por nada, estou lutando por meu país". Mas eu havia lido também que Joe Louis era incrivelmente ingênuo — tão ingênuo que em 1960 concordou em fazer relações públicas para Fidel Castro. Além disso, eu vira fotografias recentes de Joe posando diante de tribunais com Hulan E. Jack, o ex-presidente do distrito de Manhattan que tentou esconder algumas irregularidades na reforma de seu apartamento. E certa vez o senador John L. McClean insinuou que Louis recebera 2500 dólares para assistir, durante duas horas, o julgamento de James R. Hoffa, acusado de suborno; embora tenha havido desmentidos de toda parte, o que se pensava à época de Joe Louis é que embora fosse "um orgulho da sua raça — a raça humana", agora certamente constituía um fardo para todo mundo.

Assim, foi uma agradável surpresa descobrir que Joe atuava como um sagaz homem de negócios em Nova York, um negociador astuto, um homem com um senso de humor bastante sutil. Por exemplo, quando íamos tomar o avião no aeroporto Idlewild para Los Angeles e tive de trocar minha passagem classe turística por outra de primeira classe para sentar junto de Joe, perguntei a ele em tom indiferente como as companhias aéreas justificavam os 45 dólares que cobravam a mais pela primeira classe. "As poltronas da primeira classe ficam na parte da frente do avião", disse Joe Louis, "por isso você chega a Los Angeles mais rápido."

No dia anterior, vi Louis exigindo mais dinheiro dos executivos de televisão de Nova York que estão produzindo um programa sobre a vida dele.

"Ei", disse Joe, depois de ler com toda atenção cada palavra do contrato antes de assinar. "Aqui diz que vocês vão pagar a passagem de avião de ida e volta Los Angeles-Nova York, mas e quanto às despesas enquanto eu estiver aqui?"

"Mas senhor Louis", disse um executivo nervosamente. "Não combinamos isso."

"E quem vai pagar? Como é que eu vou comer?", perguntou Louis irritado, elevando a voz.

"Mas, mas..."

Louis levantou-se, largou a caneta e não teria assinado se o presidente da emissora de televisão não tivesse dito: "Tudo bem, Joe, com certeza podemos fazer alguma coisa para resolver essa questão".

Estabelecido isso, Louis assinou, apertou a mão de todo mundo, e foi embora.

"Bem", disse ele na calçada, "ganhei esse round."

E acrescentou: "Eu sei o que valho, e não quero receber menos". Ele disse que os produtores do filme *Requiem for a heavy-weight* queriam que ele aparecesse como juiz, mas lhe ofereceram apenas quinhentos dólares e uma diária de cinquenta dólares. Embora sua participação no filme não ultrapasse 45 segundos na tela, Louis disse que valia mil dólares. Os produtores acharam que era demais. Mas alguns dias depois, disse Louis, eles ligaram para Joe. Ele ganhou seus mil dólares.

Embora sua dívida com o fisco tenha lhe custado todos os seus bens — inclusive aplicações que fizera para seus filhos —, Joe Louis ainda é um homem cheio de orgulho. Ele recusou o dinheiro que centenas de cidadãos lhe enviaram, embora ainda deva milhares de dólares e o dinheiro extra com certeza não atrapalhasse. No ano passado Joe ganhou menos de 10 mil dólares, boa parte dessa soma trabalhando como árbitro de luta livre (ele ganha entre 750 e mil dólares por noite) e fazendo apresentações públicas. A última grande soma que recebeu foram os 100 mil dólares que ganhou em 1956, por suas apresentações de luta livre. Ele ganhou todas as lutas — exceto aquelas em que foi desclassificado por usar os punhos —, mas sua carreira terminou pouco tempo depois, quando o caubói de 136 quilos Rocky Lee pisou acidentalmente em seu peito certa noite, quebrou-lhe uma costela e lesou alguns músculos do seu coração.

Atualmente Joe Louis promove lutas de boxe com um grupo da Califórnia que ele mesmo formou (United World Boxing Enterprises), e seu nome ainda é usado pela Chicago Milk Company; a única empresa de que ele detém o controle acionário é a firma de relações públicas de Manhattan, a Louis-Rowe Enterprises, Inc., uma excelente organização, sediada na rua 57 Oeste, que empresaria Louis Armstrong e um cantor novo, Dean Barlow, entre outros artistas negros, e teria bons negócios em andamento em Cuba, não tivesse havido tanta celeuma pelo fato de Joe Louis ter se disposto a representar Castro, tendo afirmado, como o fez em 1960: "Não há melhor lugar para um negro veranear do que Cuba, pois lá não existe discriminação".

Embora não seja racista, Joe Louis atualmente se preocupa muito com a luta dos negros por igualdade e, talvez pela primeira vez na vida, fala com toda a franqueza sobre essa questão. Falando francamente, diz não haver nada de errado em ter considerado a Cuba de 1960 o melhor lugar para os negros americanos, e logo se apressa em ressaltar que cancelou o contrato anual de sua firma, no valor de 287 mil dólares, com o Ministério do Turismo de Cuba, *antes* de os Estados Unidos cortarem relações diplomáticas com o regime de Castro. Ainda hoje, Louis acha que Castro é muito melhor para o povo cubano que a United Fruit Company.

Observei que, quando Joe Louis lê jornais, não vai direito à seção de esportes. Ele se interessa principalmente por notícias como a de que o tenente Samuel Gravely Jr. foi o primeiro negro na história da marinha dos Estados Unidos a comandar um navio de guerra. "As coisas estão melhorando", disse Louis. Certa tarde, quando ele mudou o canal da televisão procurando uma partida de golfe, se deparou por acaso com um programa em que um representante de Gana estava falando; observei que Louis ficou ouvindo a fala do africano até o fim, e só então mudou para a partida de golfe.

Não obstante sua segunda luta contra Max Schmeling ter sido anunciada pelos jornais americanos como uma luta em que Louis, cheio de ressentimento, procuraria se vingar da "raça superior" que considerava os negros uma raça inferior, Joe Louis afirmou que aquilo não passava de um golpe publicitário para aumentar a arrecadação. Louis disse que na verdade nunca sentira a menor hostilidade contra Schmeling, embora não tenha gostado que um dos amigos de Schmeling tenha entrado no local da luta usando uma braçadeira nazista. Louis disse que tinha muito mais raiva da Eastern Airlines do que jamais tivera de Schmeling. Ele nunca perdoou o fato de a Eastern ter lhe recusado o transporte de limusine do hotel em New Orleans para o aeroporto, depois de Louis ter participado de uma luta. Louis, que teria perdido o avião se não tivesse chegado no aeroporto por seus próprios meios, escreveu uma carta de protesto para Eddie Rickenbacker, da Eastern. "Ele nunca respondeu", disse Louis.

Por causa disso, segundo Louis, ele nunca mais voou pela Eastern, mesmo quando isso teria sido o mais conveniente; disse também ter pedido a muitos amigos que evitassem aquela empresa aérea, e acha que com isso ela perdeu bastante dinheiro nos últimos dezesseis anos.

Um dos objetivos de Joe Louis e de Billy Rowe, seu sócio na empresa de relações públicas, é convencer os executivos das grandes empresas de que se perde muito dinheiro ignorando ou negligenciando o mercado representado pelos negros; este, porém, se explorado adequadamente, pode gerar bons lucros. A agência

Louis-Rowe afirma que a cada ano os negros americanos injetam 22 bilhões de dólares nas grandes empresas e são responsáveis por mais de 18% da receita do turismo interno dos Estados Unidos; afirma também que os negros do Harlem gastam 200 mil dólares por dia jogando em loterias esportivas e outras. Os negros poderiam gastar muito mais, dizem Louis e Rowe, se as grandes empresas aumentassem o orçamento da publicidade para o mercado representado pelos negros e fizessem campanhas mais dirigidas — isto é, mostrassem mais modelos negros em jornais destinados ao público negro vendendo determinadas marcas de sabão, de cerveja e assim por diante. Essa é a mensagem que Rowe procura passar quando, acompanhado por Louis, visita as agências de publicidade da Madison Avenue, as empresas de seguro, as corretoras de valores e as agências de corridas; Rowe, um sujeito de fala fácil e rápida, bastante articulado, que se veste como um dândi da Broadway e se parece com Nat King Cole (só que mais bonito), domina quase todas as conversas, embora vez por outra Louis faça boas intervenções.

Billy Rowe, que tem 47 anos e foi subcomissário de polícia em Nova York — ele ainda leva consigo uma pistola, aonde quer que vá —, ocupa um escritório maior e mais elegante que o de Joe na agência deles. Embora Joe tenha apenas uma condecoração na parede — a placa do "Hall da Fama do Estado de Michigan" —, Billy Rowe cobriu uma parede inteira com dezoito de seus distintivos e diplomas, entre os quais elogios por escrito da Câmara de Minisink, cartas do governador e dois troféus de ouro que nem ao menos lhe pertencem. A modéstia não é sua principal virtude.

Rowe, que mora numa casa de catorze cômodos (com quatro aparelhos de televisão) num condomínio elegante de New Rochelle, chega ao escritório uma hora antes de Louis, e já está com uma lista de todos os compromissos do dia — e às vezes até da semana

— quando Joe Louis entra no escritório, em geral por volta das onze da manhã, com uma grande piscadela para a telefonista.

"Olá, meu velho", diz Rowe a Louis. "Vamos ter uma reunião com o prefeito no dia treze. Podia ter sido antes, mas ele anda às turras com o governador."

Louis balança a cabeça, boceja e de repente arregala os olhos quando vê Ann Weldon, uma sensual cantora de um nightclub do Harlem, vindo em sua direção. Sem uma palavra, a srta. Weldon aproxima-se de Louis gingando, chegando bem perto dele.

"Se você se aproximar mais", disse Louis, "vou ter que casar com você."

Langorosa, ela vai embora balançando.

"Ei, tio", fala Rowe. "Você vai almoçar no Lindy's?"

"Sim."

"Quem vai pagar a conta?"

"A Yonkers Raceway."

"Se é assim, vou com você."

Uma hora depois Rowe e Louis saíram do escritório para ir ao Lindy's, entraram no elevador lotado, e quase todos sorriram ou fizeram algum aceno quando reconheceram Joe Louis.

"Olá, campeão", diziam eles. "Olá, Joe."

"Com certeza você não vai querer começar a brigar aqui no elevador", disse o ascensorista.

"Não", disse Joe. "Aqui não tem espaço bastante para eu correr."

"Joe", disse um homem, apertando a mão de Louis. "Você parece em excelente forma."

"Estou em forma apenas para um bife", disse Louis.

"Joe", disse outro homem. "Parece que foi ontem que assisti a sua luta contra Billy Conn. O tempo voa."

"É", disse Louis. "Voa mesmo, não é?"

E a coisa se repetia enquanto Louis andava pela Broadway: taxistas acenavam para ele, motoristas de ônibus buzinavam, e dezenas de pessoas o faziam parar e contavam que certa vez viajaram mais de duzentos quilômetros para assistir a uma de suas lutas e então, quando abaixaram a cabeça para acender um cigarro no primeiro round, antes de terem tido tempo de levantar a cabeça, Louis já tinha liquidado o adversário, sem que eles tivessem visto nada; ou então contavam ter recebido convidados à noite para acompanharem a luta pelo rádio, e quando foram à cozinha pegar gelo, alguém veio da sala de estar dizendo: "Já acabou! Louis o nocauteou com o primeiro soco".

Era espantoso, principalmente para Louis, o fato de se lembrarem tanto dele — e ainda mais que não participara de nenhuma luta desde sua malfadada volta em 1951, quando foi nocauteado por Rocky Marciano. Dois anos antes disso, Louis abandonara o boxe invicto, tendo defendido seu título 25 vezes, mais que qualquer outro campeão.

No Lindy's, atarantados em volta de Louis, os garçons os conduziram a uma mesa em que já se encontrava um funcionário da Yonkers Raceway. Bem antes de terminar o almoço, Louis já abordava o assunto das corridas de cavalos, dizendo que uma boa campanha de relações públicas feita pela Louis-Rowe iria levar mais negros às corridas do que nunca antes. O funcionário disse que apresentaria a proposta à diretoria e informaria Louis e Rowe sobre o resultado.

"Joe, é melhor a gente ir andando", disse Rowe olhando o relógio. "Temos uma reunião com Joe Glaser. Esse Glaser tem tanto dinheiro que o banco cobra uma taxa de almoxarifado." Rowe riu da própria piada e disse a Joe: "Joe, diga isso a Glaser quando a gente o encontrar".

Cinco minutos depois, Louis e Rowe estavam sendo conduzidos ao novo e elegante escritório de Glaser, o agenciador de talentos. Este bateu nas costas de Joe e disse, alto o bastante para que seus assistentes o ouvissem das outras salas: "Joe Louis é um dos melhores homens do mundo!".

Billy Rowe não conseguiu resistir e falou: "Joe Glaser tem tanto dinheiro que o banco lhe cobra uma taxa de almoxarifado".

Todo mundo riu, menos Joe Louis, que olhou atravessado para Rowe.

Depois de se despedirem de Glaser, Louis e Rowe tinham uma reunião na Investors Planning Corporation of America, onde apresentaram propostas para vender mais fundos mútuos para negros; em seguida foram à agência da Cobleigh e Gordon, onde discutiram um boletim para negros, que Rowe e Louis se propunham a produzir; depois disso passaram no Toots Shor's e finalmente foram jantar no La Fonda del Sol, onde duas artistas novatas de nightclubs do Harlem, que tinham sido contratadas por Rowe, ficaram de encontrar-se com eles.

"Oh, Joe", disse uma das garotas, enquanto se ouviam, vindos de trás dela, os acordes de uma guitarra acústica. "Quando você lutava, eu era uma garotinha, lá em casa a gente se reunia em volta do rádio — e eu era proibida de falar."

Joe piscou o olho.

"Joe", disse a outra. "Já que estamos tão perto um do outro, que tal autografar este menu — para meu filho."

Louis deu um sorriso malicioso, puxou do bolso a chave de seu quarto de hotel, balançou-a no ar e a empurrou pela mesa em direção à garota.

"Você não vai querer decepcionar seu filho, vai?", perguntou ele.

Todo mundo caiu na gargalhada, mas ela não sabia se ele estava brincando ou não.

"Se eu fizer isso", disse ela num tom afetado, "tenho certeza de que ele vai entender quando crescer." Ela empurrou a chave de volta. Joe soltou um gemido, e assinou o menu.

Depois do jantar, Louis e os demais resolveram ir a um night-club no Harlem, mas eu marcara um encontro com Rose Morgan, a segunda mulher de Joe. Atualmente ela mora num apartamento amplo num bairro residencial, com vista para o estádio Polo Grounds, onde já moraram, em outra época, Joe e sua primeira mulher, Marva.

Quando Rose Morgan me abriu a porta, vi que estava elegante, penteado impecável, quase exótica em seu conjunto japonês. Andando sobre um grosso e grande tapete, ela me conduziu a um sofá branco em forma de bumerangue; sentada no sofá, pernas cruzadas e mãos nos quadris, ela disse: "Oh, não sei o que havia com o Joe. A gente logo ficava caída por ele".

Mas estar casada com Joe não era tão interessante quanto ser cortejada por Joe, observou Rose, balançando a cabeça. "Quando eu chegava em casa do trabalho, às seis e meia ou às sete horas da noite, Joe estava lá vendo televisão e comendo maçãs." Depois de uma pausa, ela continuou. "Mas agora somos muito bons amigos. Aliás, outro dia escrevi uma carta para ele dizendo-lhe que encontrei algumas coisas dele por aqui e perguntando se ele as quer de volta."

"Que tipo de coisa?"

"O roupão que ele usava quando começou a lutar boxe", disse ela. "Seus tênis esportivos e também um filme da primeira luta contra Billy Conn. Você quer ver esse filme?"

Naquele mesmo instante, o marido de Rose, o advogado, entrou na sala, acompanhado de alguns amigos de Filadélfia. O marido de Rose é um homem baixo, corpulento, com unhas bem tratadas. Depois de apresentar todo mundo, ofereceu uma rodada de drinques.

"Eu vou mostrar a ele o filme da luta de Joe", disse Rose.

"Sinto muito causar tanto incômodo", falei para ela.

"Ah, não é incômodo nenhum", disse Rose. "Faz anos que não vejo o filme, e vou adorar vê-lo novamente."

"Tudo bem assistirmos ao filme?", perguntei ao marido de Rose.

"Sim, sim, por mim tudo bem", disse ele calmamente. Era óbvio que ele estava apenas sendo gentil, e preferiria não ter de ficar sentado vendo aquilo; não havia como fazer Rose desistir, porque ela logo pegou o projetor no armário, apagou as luzes, e a luta começou.

"Com certeza Joe Louis foi o maior lutador de todos os tempos", disse um dos homens de Filadélfia, fazendo o gelo tilintar no copo. "Houve um tempo em que nada era mais importante para as pessoas de cor do que Deus e Joe Louis."

A figura ameaçadora e majestosa, então vinte anos mais jovem, atravessou a tela em direção a Conn; quando ele esmurrou Conn, os ossos deste pareceram sacudir-se.

"Joe não desperdiçava nenhum golpe", disse alguém que estava no sofá.

Rose parecia emocionada vendo Joe em sua melhor forma, e cada vez que Louis acertava um golpe em Conn, ela fazia "Mummmm" (soco). "Mummmm" (soco). "Mummmmm."

Billy Conn estava tendo um belo desempenho até certa altura da luta, mas quando apareceu na tela a indicação 13º Round, alguém disse: "É aí que Conn vai cometer o erro; ele vai tentar decidir a luta com Joe Louis". O marido de Rose permanecia em silêncio, bebericando seu uísque.

Quando Louis começou a acertar uma série de golpes, Rose não parava com seus "Mummmm, mummmmm", e então o corpo branco de Conn começou a desabar na lona.

Billy Conn começou a levantar devagar. O árbitro iniciou a contagem. Conn ergueu uma perna, depois a outra, pondo-se de pé — mas o árbitro o afastou. Era tarde demais.

Mas o marido de Rose, que estava no fundo da sala, discordou.

"Acho que Conn se levantou a tempo", disse ele. "Mas esse árbitro não quis deixá-lo continuar a luta."

Rose Morgan não disse nada — apenas engoliu o resto de seu drink.

Sr. Má Notícia

> *Falemos de túmulos, de vermes e de epitáfios,*
> *Façamos da poeira nosso papel e, com olhos chuvosos,*
> *Escrevamos a dor no seio da terra.*
> *Escolhamos testamenteiros e falemos de testamentos...*
> — *Shakespeare*, Ricardo II

"Winston Churchill foi o culpado por seu ataque do coração", disse a mulher do redator de obituários, mas o redator de obituários, um homem baixo e bastante tímido, usando óculos de aro de tartaruga e com um cachimbo na boca, balançou a cabeça e respondeu delicadamente: "Não, não foi Winston Churchill".

"Então foi T. S. Eliot", apressou-se ela em acrescentar, animadamente, porque os dois estavam em um jantar em Nova York e os outros pareciam estar se divertindo.

"Não", disse o redator de obituários, novamente de forma delicada, "não foi T. S. Eliot."

Se estava ficando irritado com as perguntas da mulher, com sua afirmação de que escrever longos obituários para *o New York*

Times correndo contra o relógio apressava sua própria marcha para o túmulo, ele não dava o menor sinal disso, não elevava nem um pouco o tom de voz; mas ele raramente se exalta. Apenas uma vez Alden Whitman levantou a voz para Joan, sua esposa atual, uma jovem morena — e naquela ocasião ele *gritou*. Alden Whitman não se lembra exatamente por que gritou. Lembra-se vagamente de ter acusado Joan de ter tirado alguma coisa do lugar, mas acha que no final descobriu que o responsável fora ele próprio. Embora o incidente tenha ocorrido havia mais de dois anos, e durado apenas alguns segundos, a lembrança do episódio ainda o incomoda — uma rara ocasião em que ele realmente perdeu o controle; mas desde então ele tem se mostrado uma pessoa calma, previsível, que todo dia bem cedo, enquanto Joan ainda dorme, desce discretamente da cama e começa a preparar o café da manhã: uma xícara de café para ela, uma de chá para si próprio. Depois ele passa uma ou duas horas em seu escritório fumando cachimbo, tomando seu chá, examinando os jornais, levantando as sobrancelhas levemente quando lê que algum ditador está sumido ou algum político está doente.

Aí pelo meio da manhã ele veste um de seus dois ou três ternos e, depois de uma rápida olhada no espelho, coloca uma gravata-borboleta. Ele não é um homem bonito. Tem o rosto comum, um tanto redondo e quase sempre sério, ou até mesmo casmurro, encimado por uma vasta cabeleira castanha que, embora ele tenha 52 anos, não tem um fio de cabelo branco. Por trás de seus óculos de aro de tartaruga veem-se olhos azuis pequenos, muito pequenos, que ele rega com gotas de pilocarpina a cada três horas, para controlar o glaucoma. Ele tem um espesso bigode avermelhado sob o qual aponta, durante a maior parte do dia, um cachimbo firmemente preso entre duas fileiras de dentes postiços.

Todos os seus 32 dentes naturais foram quebrados ou amolecidos, de forma violenta, por três homens, em certa noite de 1936, na cidade natal de Alden Whitman, Bridgeport, Connecticut. À época ele tinha 23 anos, saíra de Harvard um ano antes, estava cheio de entusiasmo, e ao que parece os agressores divergiam das opiniões de Whitman. Ele não alimenta nenhuma mágoa contra os seus agressores, admitindo que eles tinham lá as suas convicções, e tampouco lamenta a perda dos dentes. "Eles estavam cheios de cáries", diz ele, "foi ótimo me livrar deles."

Quando termina de se vestir, Whitman se despede da mulher, mas não por muito tempo. Ela também trabalha no *Times*, e foi lá que, em certo dia da primavera de 1958, ele a viu andando na ampla e barulhenta sala da Editoria de Cotidiano, no terceiro andar, com uma roupa estampada, levando nas mãos uma prova de página ainda úmida para a editoria feminina, no nono andar, onde ela trabalha. Depois de descobrir seu nome, ele passou a lhe mandar bilhetes anônimos em envelopes pardos, pelo correio interno, no primeiro dos quais se lia: "Você fica estonteante com roupas estampadas", e logo depois vinha a assinatura: "Associação Norte-Americana de Estampas". Algum tempo depois ele se identificou, e os dois foram jantar no dia 13 de maio no restaurante Teheran, na rua 44 Oeste, e ficaram conversando até o maître pedir que fossem embora.

Joan ficou fascinada com Whitman, principalmente por sua maravilhosa mente curiosa, atulhada de todo tipo de informação inútil — ele era capaz de recitar a lista de todos os papas de trás para a frente e de frente para trás; ele sabia os nomes de todas as amantes dos reis, e também o período de seu reinado; sabia que o Tratado de Westfália foi assinado em 1648, que as cataratas do Niágara têm cinquenta metros de altura, que as cobras não piscam os olhos; que os gatos se ligam a lugares, não a pessoas, e que os cães se apegam a pessoas, não a lugares; ele tinha assinaturas do *New Statesman* e do *Nouvel Observateur,* assim como de quase todos os jornais de fora da cidade que se podiam encontrar na banca de jornais não locais de Times Square, lia dois livros por dia, viu Bogart em *Casablanca* mais de trinta vezes. Joan sabia que tinha que vê-lo novamente, ainda que fosse dezesseis anos mais nova que ele. Além disso, ela era filha de pastor, e ele, ateu. Eles se casaram em 13 de novembro de 1960.

Quando Whitman sai do apartamento, que fica no 12º andar de um velho edifício de tijolos na rua 116 Oeste, anda devagar, ladeira abaixo, em direção à estação de metrô da Broadway. A essa hora da manhã a calçada está plena de juventude — belas alunas da Columbia em saias justas, apertando os livros contra o peito e andando a toda pressa para a universidade, jovens de cabelos compridos distribuindo panfletos contra a política americana relativa ao Vietnã e a Cuba — e não obstante essa região próxima ao rio Hudson tem um aspecto solene, pois nela abundam sinais de nossa mortalidade: o túmulo de Grant, a sepultura de St. Claire Pollock, as estátuas dedicadas à memória de Louis Kossuth, do governador Tilden e de Joana d'Arc; as igrejas, os hospitais, o Monumento ao Bombeiro, o cartaz no edifício de escritórios na parte alta da Broadway em que se lê "A paga do pecado é a morte", o asilo para velhinhas, os dois velhinhos que moram perto de Whitman — um deles, redator de obituários do *Times,* recentemente aposentado; o outro, redator de obituários do *Times,* que se aposentou antes *dele.*

A morte está na mente de Whitman enquanto ele vai de metrô rumo a Times Square. No jornal da manhã ele lera que Henry Wallace não andava muito bem de saúde, que Billy Graham fora atendido na Mayo Clinic. Whitman planeja, ao chegar no *Times* dez minutos depois, ir diretamente ao arquivo do jornal, onde se encontram recortes de jornais e obituários preparados com antecedência, e examinar em que pé se encontram os obituários do reverendo Graham e do ex-vice-presidente Wallace (Wallace morreu alguns meses depois). Há 2 mil obituários preparados com antecedência no arquivo do *Times*, Whitman bem o sabe, mas muitos deles, como os de J. Edgar Hoover, Charles Lindbergh e Walter Winchell, foram escritos há muito tempo e precisam ser atualizados. Há pouco tempo, quando o presidente Johnson estava no hospital para uma operação de vesícula, seu obituário foi atualizado até os últimos instantes; o mesmo aconteceu com o do papa Paulo, antes de sua viagem a Nova York; e também com o de Joseph P. Kennedy. Para um redator de obituários não existe nada pior do que a morte de uma personalidade mundial antes que se tenha tido tempo de atualizar seu obituário; pode ser uma experiência angustiante, Whitman bem o sabe, exigindo do redator que se transforme num historiador do instante e que aborde a vida do morto com lucidez, precisão e objetividade.

Quando Adlai Stevenson morreu de repente em Londres em 1965, Whitman, que estava começando a desempenhar seu novo cargo de obituarista do *Times* e ansioso para mostrar um bom trabalho, soube da notícia por um telefonema de Joan. Whitman começou a suar frio, saiu da Editoria de Cotidiano, foi almoçar. Ele tomou o elevador para o restaurante do jornal, que fica no 11º andar. Mas logo ele sentiu um leve tapinha no ombro. Era um dos editores assistentes, que lhe perguntou: "Você vai descer logo, Alden?".

Quando desceu, depois de terminado o almoço, deram-lhe uma cesta cheia de pastas com informações sobre Adlai Stevenson. Ele as levou para o fundo da sala, abriu-as e espalhou-as na mesa na 13ª fileira da Editoria de Cotidiano, e começou a ler, resumir, tomar notas, o cachimbo batendo contra os dentes postiços, *cluc-cluc*.

Finalmente ele se voltou, encarando sua máquina de escrever. E então, parágrafo após parágrafo, as palavras começaram a fluir: "Adlai Stevenson era uma figura rara na vida pública dos Estados Unidos, um político culto, gentil, inteligente e articulado cuja popularidade não perdeu nada com a derrota e cuja capacidade de negociar não parou de crescer...". O texto continuou por 4500 palavras e teria se estendido ainda mais, se tivesse tido tempo.

Foi uma tarefa árdua, mas exigiu muito menos que o texto de 3 mil palavras que teve de escrever às pressas sobre Martin Buber, o filósofo judeu, sobre o qual ele não sabia quase nada. Felizmente Whitman conseguiu comunicar-se por telefone com um erudito que conhecia muito bem o pensamento e a vida de Buber, e isso, além dos recortes do arquivo do *Times,* lhe permitiu fazer o trabalho. Mas Whitman não ficou nem um pouco satisfeito com o resultado, e naquela noite Joan ouviu o tempo todo o som de seus passos andando de um lado para o outro no apartamento, um copo de bebida na mão, resmungando palavras de desprezo e de escárnio contra si mesmo: "... fraude... superficial... fraude". Whitman foi para o trabalho no dia seguinte esperando ser criticado. Em vez disso, disseram-lhe que o jornal recebera muitos telefonemas de congratulações de intelectuais de Nova York, e a reação de Whitman, longe de ser de alívio, foi de desconfiança em relação a todos os que o elogiaram.

Os obituários que deixam Whitman tranquilo são os que ele consegue fazer antes da morte da pessoa, como o polêmico texto que escreveu sobre Albert Schweitzer, que simultaneamente homenageava "Le Grand Docteur" por seu espírito humanitário e o censurava por seu paternalismo arrogante; e também o de Winston Churchill, texto de 20 mil palavras, escrito por Whitman e muitos outros jornalistas do *Times,* quase duas semanas antes da morte do estadista. Os obituários de Whitman sobre Father Divine, Le Corbusier e T. S. Eliot foram escritos correndo contra o tempo, mas ele não entrou em pânico porque conhecia muito bem a vida e o trabalho dos três, principalmente de Eliot, que fora poeta-residente em Harvard à época em que Whitman estudou lá. Seu obituário sobre Eliot começou assim: "*É assim que acaba o mundo/ É assim que acaba o mundo/ É assim que acaba o mundo/ Não com uma explosão, mas com um gemido*", e continuou descrevendo Eliot como uma figura que nada tinha de poético, "sem nada de espetacular ou fora do comum na maneira de vestir e de comportar-se, não havia nada romântico a seu respeito. Ele não tinha auras, não lançava olhares sedutores e seu coração, pelo que se podia observar, mantinha-se em seu lugar anatomicamente correto".

Foi quando estava escrevendo o obituário de Eliot que um office-boy colocou em sua mesa o texto de várias frases elogiosas sobre a obra do poeta, uma das quais de outro poeta, Louis Untermeyer. Quando Whitman leu a frase de Untermeyer, levantou a sobrancelha incrédulo. Ele achava que Louis Untermeyer já tivesse morrido.

Isso é parte de um certo astigmatismo profissional que afeta muitos redatores de obituários. Depois de terem escrito ou lido obituários de alguém ainda vivo, eles começam a achar que essas pessoas já morreram. Alden Whitman descobriu, desde que passou de copidesque a obituarista, que em seu cérebro estão embalsamadas muitas pessoas ainda *vivas*, ou pelo menos que viviam da última vez que ele verificou, mas às quais ele constantemente se refere usando o tempo passado. Ele pensa, por exemplo, em John L. Lewis, E. M. Forster, Floyd Dell, Rudolf Hess, Green (o ex-senador de Rhode Island), Ruth Etting, Gertrude Ederle, entre muitos outros, como já mortos.

Além disso, ele confessa que, depois de ter escrito um belo obituário com a pessoa ainda viva, seu orgulho de redator é tão grande que mal consegue esperar que a pessoa caia morta para poder ver sua obra-prima impressa. Embora essa revelação possa mostrá-lo como uma pessoa bem menos que romântica, seja dito em sua defesa que nisso ele não difere da maioria dos redatores de obituários; mesmo dentro dos padrões da Editoria de Cotidiano, eles constituem um tipo muito especial.

Edward Ellis, ex-redator de obituários do *New York World--Telegram & Sun*, que também escreveu um livro sobre suicidas, confessa que gosta de ver, de vez em quando, seus velhos obituários escritos com antecedência cumprindo o seu destino nas páginas do *Telegram*.

Na Associated Press, o sr. Dow Henry Fonda anuncia satisfeito que tem obituários atualizados sobre Teddy Kennedy, a sra. John F. Kennedy, John O'Hara, Grayson Kirk, Lammot du Pont Copeland, Charles Munch, Walter Hallstein, Jean Monnet, Frank Costello e Kelso. A United Press International, que tem uma dezena de arquivos de quatro gavetas com "historinhas preparatórias" — inclusive sobre John F. Kennedy Jr., de cinco anos de idade, e sobre os filhos da rainha Elizabeth —, não tem um obituarista de tempo integral mas faz circular a responsabilidade pelo obituário pela redação, e alguns deles vão para Doc Quigg, repórter veterano de quem se diz, com orgulho, que é capaz de "alisá-los e fazê-los cantar".

A ânsia dos obituaristas de verem seu texto publicado não se deve apenas ao orgulho natural do autor, segundo um veterano do ramo. Talvez seja também um remanescente da época em que os editores só pagavam ao obituarista, que trabalhava como freelance, quando a pessoa que fora objeto do obituário morria — ou, como se costumava dizer naquela época, "passava desta para melhor", "dava o último suspiro", "entregava a alma a Deus". Vez por outra, enquanto esperava que isso acontecesse, o pessoal da Editoria de Cotidiano organizava o chamado "bolão dos papa-defuntos", em que cada um entrava com cinco ou dez dólares e fazia seu palpite sobre qual das pessoas com obituário já escrito morreria antes. Karl Schriftgiesser, o coveiro do *Times* há uns 25 anos, lembra que alguns ganhadores do "bolão dos papa-defuntos" levaram nada menos de trezentos dólares.

Atualmente não se fazem esses bolões no *Times*, mas Whitman, por razões totalmente diferentes, tem em sua gaveta uma lista de pessoas vivas a quem ele dá *prioridade*. As pessoas constam da lista porque ele acredita que os seus dias estão contados, ou porque ele acha que já completaram o seu trabalho e portanto não vê motivo para adiar a inevitável tarefa de escrever-lhes o obituário, ou ainda porque ele simplesmente as acha "interessantes" e quer escrever o obituário com antecedência, por puro prazer.

Whitman tem também uma "lista adiada", composta de líderes de certa idade mas ainda atuantes, *monstros sagrados*, ainda no poder ou ainda presentes nos noticiários por outros motivos, e tentar escrever um obituário "definitivo" sobre esses indivíduos seria não apenas difícil mas também exigiria contínuas alterações e inserções no futuro; assim, ainda que essas pessoas "adiadas" tenham obituários desatualizados no arquivo do *Times* — pessoas como De Gaulle e Franco —, Whitman prefere deixá-las esperar um pouco para o retoque final. Naturalmente, Whitman tem plena consciência de que qualquer desses "adiados" pode morrer de repente, mas também tem candidatos que, pensa ele, irão morrer logo ou ficar fora dos noticiários, e por isso continua dando prioridade aos que não estão em sua lista de *adiados*. Caso ele esteja enganado — bem, não seria a primeira vez.

Naturalmente, existem pessoas cuja morte ele pensa estar próxima, e para as quais já preparou uma homenagem final, mas que podem continuar vivendo por anos e anos; sua importância e influência no mundo talvez possam diminuir, mas elas continuam vivas. Quando é esse o caso — se o nome morre antes da pessoa, como diria A. E. Housman —, Whitman se reserva o direito de reduzir o obituário. Vivissecção. Ele é um homem preciso e nada emotivo. A morte, que obcecava Hemingway e amesquinhou John Donne, representa para Alden Whitman um trabalho de cinco dias por semana de que gosta muito, e ele com certeza morreria mais cedo se lhe tirassem de sua função e o colocassem novamente como copidesque e não pudesse mais escrever obituários.

Assim, durante toda a semana, a cada manhã, no trajeto de metrô entre seu apartamento, na parte alta da Broadway, e a Times Square, Whitman vai imaginando um outro dia no *Times*, uma outra sessão com homens que morreram, que estão morrendo ou homens que, se Whitman não estiver enganado, logo irão morrer. Em geral ele chega ao saguão do edifício do Times às onze da manhã, e seus sapatos de sola de borracha praticamente não fazem nenhum ruído no lustroso soalho de mármore. Cachimbo na boca, na mão esquerda uma garrafa de chá que acabou de comprar no outro lado da rua, no balcão de uma lanchonete de um grego grande que há anos ele conhece de rosto, mas não de nome. Whitman vai então para o terceiro andar, diz bom-dia à recepcionista, entra gingando na Editoria de Cotidiano, dá bom-dia a todos os outros repórteres já em suas mesas, fileiras e fileiras de mesas, e eles respondem a sua saudação. Eles o conhecem bem, ficam satisfeitos em saber que é *ele*, e não eles próprios, o encarregado da página de obituários — uma página que, eles bem o sabem, é lida com toda atenção, talvez com atenção excessiva, por leitores que têm uma curiosidade mórbida, leitores que procuram pistas para entender o mistério da vida, leitores que procuram apartamentos vagos.

Vez por outra todos os repórteres são obrigados a escrever obituários menores, o que já é muito chato, mas os mais longos dão muito trabalho, devem ser precisos e interessantes, devem ter análises impecáveis, e mais tarde serão julgados, da mesma forma que o *Times*, pelos historiadores; apesar disso, não há a menor glória para o redator, sua matéria não é assinada, pois a orientação do jornal é omitir os créditos de textos desse tipo. Mas Whitman não se incomoda. O anonimato combina muito bem com seu modo de ser. Ele prefere ser uma pessoa qualquer, qualquer um, um ninguém — funcionário do Times nº 97353, cartão da biblioteca número 663 7662, possuidor de um Cartão de Cortesia da loja Sam Goody, alguém que toma emprestado o Buick Compact 1963 da sogra nos fins de semana ensolarados, um homem absolutamente discreto, ex-treinador dos times de futebol, beisebol e basquete do Colégio Ludlowe, e que atualmente anuncia os falecimentos para o *Times*. Durante todo o dia, enquanto seus colegas correm de um lado para outro em busca do aqui-e-agora, Whitman se deixa ficar calmamente em sua mesa no fundo da sala, tomando seu chá, habitando seu pequeno mundo dos meio-vivos, meio-mortos, naquela sala enorme chamada Editoria de Notícias Locais.

É uma sala grande como um campo de futebol, talvez duas vezes maior, com fileiras e fileiras de mesas de metal cinza, todas no mesmo tom, e em cada uma delas um repórter conversando por telefone com suas fontes sobre os últimos boatos, informações de cocheira, relatos, declarações, ameaças, roubos, sequestros, acidentes, crises, problemas, problemas — é a Editoria dos Problemas e, de todo o mundo, via cabo, telex, telegrama, teletipo ou telefone, as notícias e comunicados são despejados nesta sala, hora após hora: desastre no Danúbio, alvoroço na Argentina, perigo no Paquistão, tensão em Trieste, rumores no Rio, a situação em Saigon, golpes de Estado, fontes bem informadas afirmam, fontes idôneas garantem, problemas africanos, problemas judeus, Otan, Otase, Sukarno, Sihanuk — e Whitman fica tranquilamente tomando seu chá, importando-se muito pouco com tudo isso; ele está preocupado com o *último ato*.

Ele está pensando nas palavras que vai usar quando esses homens, esses criadores de problemas, finalmente morrerem. Agora ele se debruça sobre sua máquina de escrever, ombros projetados para a frente, pensando nas palavras que, pouco a pouco, comporão os obituários de Mao Tse-tung, de Harry S. Truman, de Picasso. Ele anda pensando também em Garbo e Marlene Dietrich, Steichen e Hailé Selassié. Numa folha de papel, durante uma hora de trabalho, Whitman datilografou: "... Mao Tse-tung, filho de um obscuro plantador de arroz, morreu como um dos governantes mais poderosos do mundo...". Em outra folha: "Às 19h09 do dia 12 de abril de 1945, um homem de quem poucos tinham ouvido falar se tornou presidente dos Estados Unidos...". E ainda em outra: "... havia o Picasso pintor, o Picasso amante fiel e infiel, o Picasso generoso... e até o Picasso dramaturgo...". E anotações mais antigas: "... Como atriz, a sra. Rudolph Sieber era indefinível, suas pernas não eram de modo algum belas como as de Mistinguett. Como Marlene Dietrich, porém, a sra. Sieber foi durante anos sinônimo de glamour e símbolo sexual internacional...".

Whitman, não satisfeito com o que escreveu, repassa palavras e frases com cuidado, então faz uma pausa e pensa em voz alta *Ah, que bela coleção de fotografias vai aparecer na página do obituário do* Times *quando o grande fotógrafo Edward Steichen morrer.* Whitman então anota mentalmente que não pode esquecer de comprar a edição da *Saturday Review* com sua bela matéria de capa sobre o encanecido barão Roy Thompson, magnata britânico das comunicações, agora com setenta. Logo essa matéria lhe vai ser útil. Outro homem que lhe interessa é o famoso humorista Frank Sullivan, que mora em Saratoga Springs, Nova York. Há alguns dias Whitman telefonou a um dos amigos íntimos de Sullivan, o dramaturgo Marc Connely, e quase iniciou a conversa com "O senhor *conhecia* o senhor Sullivan, não é?". Mas ele caiu em si e, em vez disso, falou que o *Times* estava "atualizando os arquivos" — a frase foi essa mesmo — a respeito de Frank Sullivan e será que se poderia marcar um almoço com o sr. Connely para que Whitman pudesse colher algumas informações a respeito do sr. Sullivan? Eles almoçaram juntos. Depois Whitman espera ir a Saratoga Springs para conversar sobre a vida de Marc Conelly durante um almoço com o sr. Sullivan.

Quando Whitman vai a concertos, o que faz com certa frequência, não consegue deixar de observar as pessoas famosas que se encontram no saguão, sobre as quais qualquer dia desses ele vai querer saber mais. Recentemente, no Carnegie Hall, ele notou que um dos espectadores sentados à sua frente era Arthur Rubinstein. Mais que depressa, Whitman levantou o binóculo e focalizou o rosto de Rubinstein, observando a expressão em torno dos olhos, a boca, os cabelos grisalhos e lisos, notando também, com surpresa, quando Rubinstein se levantou no intervalo, o quanto ele era baixo.

Whitman toma nota desses detalhes, sabendo que algum dia o ajudarão a dar vida aos seus textos, pois sabe que os grandes obituários, assim como os grandes funerais, devem ser planejados com bastante antecedência. O próprio Churchill tratou de seu funeral; e os parentes de Bernard Baruch, antes que ele morresse, visitaram a capela funerária Frank E. Campbell para acertar os detalhes; e agora o filho de Baruch, que aparentemente goza de boa saúde, fez o mesmo — da mesma forma que uma pobre faxineira, que recentemente adquiriu um mausoléu por mais de 6 mil dólares, mandou inscrever seu nome nele e agora todo mês viaja a Westchester County, onde fica o cemitério, para dar uma olhada no túmulo.

"A morte nunca pega um homem sensato de surpresa", escreveu La Fontaine. Whitman concorda e mantém seus arquivos atualizados, embora não permita que nenhum homem leia o seu próprio obituário; como disse o falecido Elmer Davis: "Um homem que leu o próprio obituário nunca mais será o mesmo".

Muitos anos atrás, quando um editor do *Times* se recuperou de um ataque do coração, o repórter que escrevera o obituário mostrou-o ao próprio, para que corrigisse os erros e omissões. O editor o leu. Naquela noite ele teve outro ataque do coração. Ernest Hemingway, por outro lado, adorou ler as matérias dos jornais sobre a sua morte num acidente aéreo na África. Ele colou todas elas num livro de recortes e afirmava começar cada dia com "um ritual matinal com uma taça de champanhe gelado e algumas páginas de obituários". Por duas vezes noticiaram, erroneamente, a morte de Elmer Davis em catástrofes, e embora ele confessasse que "aparecer vivo depois de lhe terem noticiado a morte é uma imposição injustificável para com os amigos", mesmo assim ele desmentiu os boatos. Ele ainda disse que "as pessoas de modo geral acreditaram em mim, o que não costuma ser o caso quando se trata de desmentir algo que tenha sido publicado no jornal".

Alguns jornalistas, talvez por não confiarem nos colegas, escreveram os próprios obituários e, sorrateiramente, enfiaramnos nos arquivos onde ficariam esperando o momento certo. Em 1957, um desses obituários preparados com antecedência, redigido por um repórter do *Daily News* chamado Lowell Limpus, apareceu naquele jornal com a assinatura do autor. Ele começava assim: "Este é o último dos mais de 8700 textos que escrevi para o *News*. Deve ser meu texto final, porque eu morri ontem... Eu o escrevi, meu próprio obituário, porque sei muito mais sobre o assunto que qualquer outro, e porque quero-o antes veraz que pomposo...".

Houve um tempo em que a página de obituários era melodramática e melosa. Atualmente, porém, isso acontece raramente, exceto no que se refere à coluna em itálico, em geral publicada do lado direito da página, acima de anúncios floreados das agências funerárias. São anúncios pagos pelos parentes do morto, e neles todo defunto é sempre descrito como um pai "amoroso", um marido "amado", um irmão "querido", um avô "adorado" ou um tio "venerado". Os nomes dos mortos são dispostos em ordem alfabética, em letras maiúsculas e negrito, de forma que o leitor apressado possa localizá-los rapidamente, da mesma forma que os resultados do beisebol, e é raro o leitor que se demora nessa lista. Um desses leitores raros é um senhor de 73 anos chamado Simon de Vaulchier.

O sr. de Vaulchier, bibliotecário aposentado de uma biblioteca destinada à pesquisa, foi por pouco tempo leitor profissional das páginas de obituários dos jornais da cidade de Nova York. Ele fez uma pesquisa, para a revista jesuíta *America*, que serviu de base a um estudo em que se constatou, entre outras coisas, que a maioria dos mortos do *New York Post* era composta de judeus; a maioria dos do *New York World-Telegram & Sun*, de protestantes; e a maioria dos do *Journal-American*, de católicos. Depois de ter lido a pesquisa, um rabino acrescentou uma nota de rodapé dizendo que todos eles pareciam morrer para o *Times*.

A acreditar apenas no que é publicado no *Times*, porém, a mais alta taxa de mortalidade se registra entre diretores de empresas, observou o sr. Vaulchier. Os almirantes, no *Times*, em geral têm obituários mais longos que os generais, continuou ele, os arquitetos têm mais prestígio que os engenheiros, os pintores mais que outros artistas, e estes sempre parecem morrer em Woodstock, Nova York. As mulheres e os negros, ao que parece, raramente morrem.

Os redatores de obituários nunca morrem. Pelo menos o sr. Vaulchier afirma nunca ter visto o obituário de um obituarista num jornal, embora o ataque cardíaco sofrido por Whitman no começo do ano passado o tenha levado bem perto disso.

Quando Whitman foi conduzido ao hospital Knickerbocker, em Nova York, encarregaram um repórter da Editora de Cotidiano de "atualizar as informações sobre ele". Desde que se recuperou, Whitman não viu esse obituário, nem deseja vê-lo, mas imagina que tem uns sete ou oito parágrafos e, quando finalmente for publicado, deverá começar mais ou menos assim:

"Alden Whitman, da redação do *New York Times*, que escreveu muitos obituários sobre as mais destacadas personalidades mundiais, morreu subitamente na noite passada em sua casa, no número 600 rua 116 Oeste, de um ataque cardíaco. Ele tinha 52 anos..."

Ele está certo de que será um texto bastante objetivo e passível de comprovação, e lembrará que ele nasceu em 27 de outubro de 1913, em Nova Escócia, e foi levado por seus pais para Bridgeport dois anos depois; que ele se casou duas vezes, teve dois filhos com a primeira esposa e atuou na Associação dos Jornalistas de Nova York, tendo sido interrogado pelo senador James O. Eastland em 1956, junto com outros jornalistas, sobre suas atividades esquerdistas. O obituário relacionará as escolas que frequentou, mas com certeza omitirá o fato de que no curso primário ele *pulou* duas séries (para a alegria de sua mãe; ela era professora primária e esse feliz acontecimento não lhe prejudicou em nada a reputação na Secretaria de Educação); o obituário dará uma lista de todos os seus empregos, mas não dirá que em 1935 ele teve seus dentes quebrados, nem que em 1937 quase morreu afogado quando estava nadando (uma experiência que ele achou extremamente agradável), nem que em 1940 por uma questão de milímetros não foi esmagado pelo desabamento de parte de um parapeito; não dirá também que em 1949 perdeu o controle do carro e derrapou para a beira de um precipício numa montanha do Colorado; tampouco que, em 1965, depois de fazer cateterismo, repetiu o que vem dizendo durante toda a vida: Deus não existe; não temo a morte porque Deus não existe, não haverá o Juízo Final.

"Então o que vai acontecer quando morrer, senhor Whitman?"

"Não tenho alma que possa ir para algum lugar", respondeu ele. "Trata-se apenas da extinção do corpo."

"Se o senhor tivesse morrido do ataque do coração, qual seria a primeira coisa que, ao seu ver, sua esposa iria fazer?"

"Primeiro ela iria verificar se meu corpo seria disposto da forma como recomendei", disse ele. "Cremado sem maior estardalhaço."

"E depois disso?"

"Feito isso, ela voltaria a atenção para as crianças."

"E depois?"

"Depois, imagino, ela ia ficar arrasada e cair em prantos."

"Tem certeza?"

Whitman fez uma pausa.

"Sim. Eu diria que sim", disse ele finalmente, soltando uma baforada de cachimbo. "Essa é a forma normal de desabafo, em tais circunstâncias."

APÊNDICE

Na ponte

A Verrazano-Narrows e o perfil de Nova York

A ponte Verrazano-Narrows é uma gigante comercial por onde passam diariamente 200 mil veículos, gerando uma receita diária de mais de 630 mil dólares. A ponte é uma construção inspirada, de beleza e utilidade permanentes, e quando estava sendo construída, no início da década de 1960, eu muitas vezes punha um capacete e seguia os operários pelos andaimes e os observava durante horas, enquanto eles se moviam feito aranhas, subindo e descendo pelos cabos e engatinhando sobre as vigas espaçadas, apertando parafusos com chaves inglesas. Às vezes empurravam, com as mãos enluvadas, uma roda girante que tinha emperrado, ou impulsionavam com o ombro toneladas de estruturas pendentes de um guindaste — a estrutura era um dos milhões de elos da pista em forma de arco-íris que haveria de se estender por quatro quilômetros no porto de Nova York, ligando os distritos do Brooklyn e de Staten Island e enchendo de inquietação as pessoas que ali viviam.

Recentemente, cerca de quatro décadas depois de terminada a construção da Verrazano — ela foi aberta ao tráfego em 21 de novembro de 1964 —, revisitei a ponte quando uma equipe de operários fazia um trabalho de recuperação. A ponte é lixada e repintada a cada dez anos, o que custa uns 40 milhões de dólares à Metropolitan Transportation Authority.

O gerente geral da ponte, um homem chamado Robert Tozzi, supervisiona seu funcionamento cotidiano de um escritório de tijolos junto à alça de acesso próxima da ancoragem de Staten Island. É uma pessoa de modos suaves, 52 anos, um 1,90 metro de altura, 113 quilos. Quando estudava na St. John's University, ele trabalhou durante três verões, a partir de 1969, cobrando pedágio na Verrazano. A cabine em que trabalhava fica bem perto de seu atual escritório. Em suas paredes há monitores que mostram o fluxo do trânsito na ponte por 32 câmeras (elas dão uma visão das duas torres, das pistas superiores e inferiores, das ancoragens e de outros pontos), mas nada do que ele vê difere muito do que ele viu no dia anterior, ou do dia anterior ao anterior. Quase todo dia três veículos quebram, causando engarrafamentos. Tozzi espera, como sempre, duas batidas de carro por dia — choques de para-lamas ou outras pequenas colisões sem maiores consequências. As mortes por acidente de trânsito são raras, talvez uma a cada dois anos. Todo ano, em média, duas pessoas escolhem a ponte para pular e acabar com a própria vida. O último suicídio aconteceu no verão de 2001.

O pai de Robert Tozzi trabalhava como contramestre na Triborough Authority, responsável pela construção das obras municipais que cobram pedágio, inclusive a Verrazano, e foi por recomendação dele que o jovem Tozzi conseguiu trabalho no departamento. Depois do trabalho de verão nas cabines de pedágio, ele foi contratado em tempo integral, em 1973, para dirigir um dos guinchos da Verrazano, com a função de retirar os carros quebrados da pista. Em 1974, quando tinha 24 anos, surgiu para Tozzi a oportunidade de trabalhar como motorista de um dos carros da Triborough, a serviço de Robert Moses, então presidente da Triborough, fazendo o trajeto entre os distritos. Durante os cinco anos seguintes, diligentemente e com muito tato, Tozzi conduziu Moses a inúmeros lugares. Ele sabia que Moses, que nunca se distinguira pelos bons modos, mesmo nos melhores tempos, vivia amargurado com as críticas que vinha recebendo da imprensa depois da publicação, em 1974, de sua biografia, escrita por Robert Caro, *The power broker* [O mandachuva], com o subtítulo *Robert Moses e a queda de Nova York*. Moses estava no ocaso de uma longa carreira de planejador urbano de poder quase absoluto — idealizara a construção da Verrazano e de outras grandes obras pelas quais, pensava ele, o público deveria se sentir grato — e se viu acusado pela mídia de destruir vastas áreas de espaço vital e de desalojar multidões para construir novas estradas, pontes, túneis e pedágios.

Faz tempo que Robert Moses morreu, da mesma forma que o engenheiro-chefe da Verrazano, O. H. Ammann, cuja prodigiosa carreira começou com o projeto da ponte George Washington, terminada em 1931. Mortos também estão muitos dos moradores e dos comerciantes do Brooklyn e de Staten Island que, no final da década de 1950, tentaram sem sucesso impedir Moses de destruir seus bairros, situados nas rotas de acesso à futura ponte. Outros moradores e comerciantes, porém, disseram-me recentemente que os lugares onde tiveram de instalar suas residências ou seus negócios não eram tão ruins quanto eles temiam. Em geral, disseram eles, os edifícios para os quais se mudaram estavam em condições melhores que os que foram abandonados à sanha das máquinas de demolição. O que eles perderam em valor sentimental é irrecuperável, e ainda guardam rancor contra o poder arbitrário que Moses exerceu sobre suas vidas. Mas pouco a pouco se conformaram com a inevitabilidade da mudança e com a impossibilidade de se opor a ela. Entre os que se opuseram ao projeto de construção da ponte de Moses estava um dentista, Henry Amen, cujo consultório, na região de Bay Ridge, no Brooklyn, deveria ser demolido pelos construtores de rodovias. O dr. Amen teve a sorte de encontrar um novo espaço, bastante adequado para sua clínica odontológica de Bay Ridge; ele continua trabalhando lá ainda hoje, aos 76 anos de idade, em sociedade com uma filha de 34 anos.

Outro ativista anti-Moses com quem conversei à época dos protestos foi um agente funerário, Joseph V. Sessa, que previu a ruína de sua firma ao saber que a demolição das edificações de seu bairro iria resultar na dispersão de 2500 famílias, "que podiam render bons negócios". Esse número excedia em mais de um terço o total estimado em 7 mil pessoas que seriam expulsas, mas o agente funerário, ao contrário do dentista, não teve seu local de trabalho demolido. Seu negócio ficava a uma boa distância da área a ser atingida, no Fort Hamilton Parkway, e continua no mesmo lugar, ainda cuidando de enterrar as pessoas — inclusive o sr. Sessa, que morreu em 1977, aos 79 anos. Agora seu próspero neto, que herdou o nome dele, dirige o negócio da família, e o expandiu agregando mais duas funerárias em outros locais do Brooklyn.

Também faz tempo que a Verrazano não incomoda nem desperta raiva em Staten Island. Aqui, uma nova geração de colonizadores cresceu com a ponte, e eles a consideram como a grande estrela de seu horizonte e seu elo de ligação com o gigantesco mosaico do Brooklyn e com as torres da orla de Manhattan, que Truman Capote certa vez descreveu como um "iceberg de diamante".

Embora a população de Staten Island, que é de 43 mil habitantes (numa cidade de mais de 8 milhões), seja mais que o dobro da que existia antes da ponte, e embora as vastas fazendas de outrora tenham desaparecido, da mesma forma que as estradas vicinais onde os motoristas avançavam aos solavancos, passando por rebanhos que pastavam, ainda prevalece uma certa atmosfera provinciana. Ao longo de ruas residenciais sombreadas pelas árvores, veem-se fileiras e fileiras de casas brancas de madeira, de janelas com venezianas, caixas de correio à beira da rua, gramados impecáveis e postes onde tremulam bandeiras americanas que ali já estavam expostas bem antes da recente onda de patriotismo que varre o país inteiro, despertada pelos ataques terroristas. Os habitantes de Staten Island são tradicionalmente conservadores, ferrenhos defensores da lei e da ordem. Um número bastante desproporcional deles serve a cidade como policiais e como bombeiros, e dos 343 bombeiros que perderam a vida na tragédia do World Trade Center, 78 moravam em Staten Island.

Historicamente, a paisagem social e política da ilha foi moldada por habitantes de origem irlandesa. Mas esse equilíbrio começou a se romper na década de 1960, com a chegada de milhares de moradores do Brooklyn que perderam suas casas próximas à orla, na época da construção da ponte. "No Brooklyn, essas pessoas eram esquerdistas que moravam em apartamentos de grandes edifícios", explicou-me recentemente Thomas R. Sullivan, um morador de Staten Island de 77 anos que se aposentou no ano passado, depois de trabalhar cerca de catorze anos como juiz do Tribunal do Estado de Nova York. "Mas quando chegaram a Staten Island, compraram casa própria e começaram a pagar impostos para valer, logo se tornaram conservadores." Agora o poder político da ilha passou dos irlandeses para os ítalo-americanos, que professam a mesma religião. Em sua maioria, eles têm ligações ancestrais com aldeias agrícolas do sul da Itália, e reforçaram uma "mentalidade provinciana", um sentimento de isolamento e regularidade, uma propensão a valorizar os fortes laços familiares.

Edward Iannielli é um metalúrgico que trabalhou na Verrazano no começo da década de 1960. Agora está com 67 anos e mora em Amityville, em Long Island. Eu o conheci em 1963, quando ele tinha 27 anos. Era então um homem amargurado. Algumas semanas antes, ele conseguira segurar por algum tempo, e depois deixara escapar, o corpo de um operário chamado Gerard McKee, seu colega de trabalho, que caiu de um cabo no rio Narrows, de mais de cem metros de altura, chocando-se com a água com tanta força que perdeu a vida imediatamente. Embora atormentado pela experiência, Iannielli continuou a trabalhar na ponte até o fim da obra, e mais tarde trabalhou na construção de cerca de cinquenta edifícios de escritórios na área metropolitana de Nova York, e também em outras obras. Em 1991 ele decidiu se aposentar. Homem de fé, que sempre assiste à missa, Iannielli acredita que os acontecimentos do dia a dia têm um sentido especial, e considera coisa do destino o fato de encerrar sua carreira de 36 anos trabalhando na Verrazano, ao lado de mais quarenta colegas operários, removendo a ferrugem das torres e dos cabos da ponte — uma tarefa que, além das velhas e tristes lembranças, trouxe-lhe também o sentimento renovado de orgulho pessoal e de realização profissional.

Ele estava com 55 anos quando, naquele verão, voltou a trabalhar na ponte. Sentia dor nas costas — ele sofria de ciática —, perdera o indicador da mão esquerda, tinha um dedo médio encurvado e um dedo anular decepado na articulação, tudo isso resultado de acidentes de trabalho. Usava um capacete marrom desbotado, um cinturão de ferramentas surrado, jeans e um de seus muitos blusões sujos de tinta. Estava também com um novo par de botas de sola de borracha, sem salto, as botas da sorte, que considerava à prova de tropeções — as últimas que ele iria usar em sua vida para atravessar a viga de uma ponte.

Apesar da idade avançada e das doenças do trabalho, Edward Iannielli assumiu uma das tarefas mais difíceis no projeto de reforma — o de remover a ferrugem dos pontos mais altos das torres. Sua altura (1,70 metro) e seu peso (64 quilos) garantiam que os cabos galvanizados de um quarto de polegada — nos quais ele deveria subir até uma altura de cem metros, no alto das torres — não iriam sofrer nenhuma sobrecarga. Certa manhã, Iannielli andou até a borda inferior da torre do lado do Brooklyn, sobranceira ao patamar superior da pista, mais de setenta metros acima da água, e desceu até um contêiner quadrado, de metal prateado, preso por um cabo; segurando a barra do contêiner com a mão direita, com a esquerda ele apertou a alavanca "Sobe", que acionou o motor elétrico instalado na base do contêiner, logo abaixo do piso onde ele estava. Ao chegar ao alto da torre — um percurso que durou vinte minutos — ele se debruçou no espaço vazio e começou a trabalhar com escovas e raspadeiras de metal para remover a ferrugem; em seguida, com luvas de borracha, pôs-se a espalhar uma pasta antiferrugem em todos os pontos de corrosão que havia na superfície plana e nos parafusos da ponte. Enquanto fazia isso, via a si mesmo trinta anos atrás, colocando os mesmos parafusos no mesmo aço, e mais uma vez se sentiu identificado com aquela grande estrutura. Lágrimas vieram aos seus olhos e, mergulhando a mão esquerda num balde com uma pasta avermelhada, ergueu-a para tocar uma placa de aço sem manchas, fixada por uma série de parafusos. Com o dedo médio encurvado, escreveu, o mais claramente que pôde, em letras maiúsculas, "Catherine" — o nome de sua mulher, de trinta anos de idade, que morrera de câncer havia pouco tempo.

Daquele ponto privilegiado, ele via, estendendo-se por quilômetros, as formas e os matizes variados da cidade: os parques verdejantes e as estradas perlongadas por fileiras de árvores, os campanários das igrejas, fileiras de casas, os edifícios de apartamentos e os arranha-céus — quanto mais altos eram, mais lhe eram familiares. Se participar da construção da ponte Verrazano-Narrows fora o trabalho que lhe dera mais satisfação, o ponto mais baixo de sua carreira foi entre 1968 e 1971, quando trabalhava na construção do World Trade Center. Não é de seu feitio fazer críticas a engenheiros e projetistas, e ele se mostrou um tanto relutante em fazer reparos ao World Trade Center, principalmente agora que o lugar se tornou uma espécie de santuário. Mesmo assim, Iannielli me disse que, durante os três anos de sua construção, ele e a maioria de seus colegas operários se espantavam com a leveza das vigas dos pisos, com a evidente fragilidade de toda a estrutura e com a precipitação com que os obrigavam a trabalhar para dotar o *skyline* de Nova York de duas torres tubulares que lembram um par de gaiolas esticadas.

"Frágil", foi como Iannielli descreveu a construção do World Trade Center em uma de nossas conversas. No dia seguinte ele ligou para dizer que lamentava ter usado aquela palavra, temendo que ela o fizesse parecer insensível aos acontecimentos do 11 de Setembro. Mas eu lembrei a ele que aquela sua impressão já tinha sido expressa por muitos outros operários com quem eu conversara, muitos deles veteranos da Verrazano. Eu lhe disse que a palavra "frágil" fora usada também na Stanford University, por Ronald O. Hamburger, membro de uma equipe de engenheiros estruturais que estava avaliando o desempenho das torres gêmeas durante os ataques terroristas, os incêndios que deles resultaram e, por fim, o desabamento. "A armação dos pisos era relativamente frágil. Quando as torres começaram a ruir, as armações arrebentaram", disse Hamburger. Outros engenheiros disseram que cerca de 95% de todo o complexo era de "ar", que fora construído sem colunas internas, para se obter um máximo de flexibilidade e de espaço para locação; e que isso explica por que o monte de entulho que restou depois do desabamento tinha apenas alguns andares de altura. "Não achamos muito concreto ali", disse um operário da construção civil que trabalhava como voluntário na remoção dos escombros. "Era principalmente pó, poeira — montes de poeira."

Edward Iannielli se lembra da época em que trabalhava na construção do World Trade Center como de um período depressivo. Uma era de conflitos, em que os estudantes que faziam manifestações contra a guerra e os vários representantes da contracultura sentiam-se como a vanguarda moral de Nova York e de outros lugares, enquanto que operários sindicalizados como ele, patriotas e defensores da tradição, contrários à profanação da bandeira, eram muitas vezes apresentados pela mídia como um rebotalho reacionário ou coisa pior.

Um dia, no princípio de maio de 1970, lembrou Iannielli, estourou um conflito próximo a Wall Street, entre multidões de manifestantes contra a guerra e dezenas de trabalhadores que os tinham seguido até ali. Iannielli não tinha acompanhado os furiosos operários da construção, mas quando estes voltaram disseram-lhe que tinham espancado muitos manifestantes e destruído muitos cartazes contra a guerra. Além disso, tinham invadido o City Hall e obrigado o prefeito John Lindsay a hastear a bandeira no alto do edifício, para todo o corpo de funcionários, o que enfureceu os manifestantes contra a guerra, que tinham convencido o prefeito a abaixar a bandeira em memória dos manifestantes de Kent State, mortos no começo da semana pela polícia de Ohio. "Quando penso no World Trade Center, penso em toda a hostilidade, em todos os maus sentimentos que se desenvolveram nele desde o começo", disse-me um dos colegas de Iannielli. "Nós que trabalhamos nele ficamos tão chocados e deprimidos como todo mundo com o que aconteceu a todos aqueles inocentes em 11 de Setembro. Quanto aos edifícios, porém, para nós não foi surpresa que tenham desabado da forma como desabaram."

Alguns dos quinhentos metalúrgicos que trabalharam no World Trade Center vieram para Nova York de uma reserva de índios Mohawks mestiços, situada às margens do rio São Lourenço, próximo a Montreal. Um deles, o operário que eu mais queria rever, era Danny Montour, um homem divertido e amável que me ajudara em 1963, quando o conheci, à época em que ele trabalhava na Verrazano. Ele me levou para passar um fim de semana na reserva e me apresentou a sua mulher, Lorraine, e a outros parentes seus, próximos e distantes. Todos os homens da família trabalhavam na construção de pontes. O pai dele morreu numa obra em 1956, e seu avô em 1907. Quando Danny Montour me apresentou ao seu filho Mark, de dois anos de idade, Lorraine disse esperar que ele procurasse um meio de vida diferente do que fora escolhido pelos homens de sua família.

Liguei para a casa de Montour no verão de 2002, e Lorraine me disse que Dany morrera em 1972, aos 34 anos. Quando trabalhava na construção de um hospital no Bronx, uma laje de concreto ruiu sob seus pés e ele caiu de uma altura de dez andares. Ela me disse que Mark frequentara por algum tempo a Cornell University, mas passara a maior parte do ano anterior com a equipe que está construindo um arranha-céu em Jersey City, com inauguração prevista para 2003. "Está no sangue dele", ela disse.

Quando consegui ligar para o celular de Mark Montour, ele disse que estava falando comigo de pé sobre uma viga de aço, a mais de duzentos metros de altura, de onde avistava o Ground Zero, ao qual antes ficavam as torres gêmeas, do outro lado do porto. Avistava também uma dezena de edifícios que seu pai ajudara a construir — entre eles o Met-Life, quando era chamado de Pan Am, e, naturalmente, a ponte Verrazano-Narrows, que, mesmo nos dias nublados, pode ser vista com nitidez.

Como não entrevistar
Frank Sinatra

Eu, como alguém que, na década de 1960, foi identificado com a popularização do gênero literário mais conhecido como *New Journalism* — uma inovação de origem um tanto incerta, surgida principalmente nas revistas *Esquire, Harper's* e *The New Yorker,* praticada por escritores como Norman Mailer e Lillian Ross, John McPhee, Tom Wolfe, e o Truman Capote da última fase —, me vejo na contingência de admitir, com tristeza, que aquelas notáveis matérias do passado (apuradas à exaustão, organizadas de maneira criativa, distintas pelo aspecto e pelo estilo) agora estão cada vez mais raras, em parte devido à relutância dos editores de revistas em financiar os custos crescentes desse tipo de trabalho, e também à tendência, por parte de muitos jovens colaboradores dessas revistas, a economizar tempo e energia valendo-se desse recurso literário eficiente, mas um tanto embrutecedor: o gravador.

Eu próprio fui entrevistado por escritores munidos de gravadores e, enquanto respondia a suas perguntas, surpreendia-os ouvindo sem muita atenção, balançando a cabeça alegremente, despreocupados porque sabiam que as rodinhas estavam girando. Mas o que eles obtêm de mim (e imagino que também de outras pessoas a quem entrevistam) não é o insight que deriva de um exame aprofundado, de uma análise perspicaz e do velho trabalho de campo; é antes um primeiro esboço do que tenho em mente, um diálogo apressado e superficial — talvez um tanto automático numa sociedade permeada pelo trabalho de afogadilho, impessoal e computadorizado — que muitas vezes reduziu o que outrora foi a fina arte de escrever para revistas a mera transcrição, para o papel, de entrevistas radiofônicas.

Longe de desestimular essa tendência, a maioria dos editores a aprova tacitamente, porque uma entrevista gravada e transcrita com fidelidade protege os periódicos dos entrevistados que depois poderiam alegar que suas afirmações foram distorcidas — acusação que, nesta época de custas cada vez mais altas e de tanto gosto por disputas judiciais, gera muita ansiedade e às vezes um certo temor, mesmo entre os editores mais independentes e corajosos.

Outro motivo que leva os editores a aceitar o gravador é que isso lhes garante artigos publicáveis obtidos na multidão de free-lancers, pagando muito menos do que exigiriam e mereceriam escritores mais ponderados e mais comprometidos com seu trabalho. Hoje, com uma ou duas entrevistas e algumas horas de gravação, um jornalista relativamente inexperiente pode produzir um artigo de 3 mil palavras, baseando-se sobretudo em citações diretas, e (dependendo em larga medida do valor promocional do assunto na banca de jornal), vai ganhar entre quinhentos e pouco mais de 2 mil dólares — o que não é nada mau, considerando-se o tempo e a arte necessários, mas é menos do que se pagava por artigos da mesma extensão e de mesmo grau de interesse quando comecei a escrever para essas mesmas revistas há mais de um quarto de século.

Naquela época, porém, os escritores que eu admirava em geral levavam semanas e meses fazendo o trabalho de apuração e de organização, de escrever e reescrever, antes que os artigos pudessem ser considerados dignos de ocupar o espaço da revista — que hoje é ocupado, por muitos dos nossos sucessores, em um décimo do tempo. Além disso, no passado as revistas se mostravam mais liberais no que diz respeito à remuneração do trabalho de pesquisa.

Eu me lembro de ter sido enviado a Los Angeles pela *Esquire* no inverno de 1965, para fazer uma entrevista com Frank Sinatra, que já tinha sido acertada entre o editor da revista e o relações-públicas do cantor. Mas depois de me hospedar no Beverly Wilshire, de alugar um carro do hotel e de passar a manhã de minha chegada numa sala espaçosa às voltas com um calhamaço de matérias sobre Frank Sinatra, acompanhado de um bife igualmente volumoso e de uma bela garrafa de borgonha californiano, recebi um telefonema do escritório de Frank Sinatra informando que a entrevista marcada para aquela tarde não aconteceria.

O sr. Sinatra estava muito perturbado com as últimas manchetes sobre suas supostas relações com a máfia, explicou a pessoa no telefone, acrescentando que além do mais Sinatra estava resfriado, o que talvez o obrigasse a adiar uma gravação programada para dali a alguns dias num estúdio, onde aliás eu contava poder observar o cantor trabalhando. Talvez quando o sr. Sinatra se sentisse melhor, continuou ele, e também se eu me comprometesse a submeter o texto da entrevista ao escritório de Sinatra antes de publicá-lo na *Esquire*, quem sabe se pudesse marcar uma outra data para a entrevista.

Depois de expressar minha solidariedade com o sr. Sinatra pelo resfriado e pelas notícias sobre a máfia, expliquei delicadamente que não podia contrariar o direito de meu editor de ser o primeiro a julgar o meu trabalho; mas perguntei se podia telefonar alguns dias depois para o escritório de Sinatra para saber se ele tinha melhorado e se dava para me receber numa visita rápida. Eu podia ligar, falou o representante de Sinatra, mas ele não estava prometendo nada.

Pelo resto da semana, depois de informar Harold Hayes, o editor da *Esquire*, sobre a situação, procurei entrevistar alguns atores e músicos, executivos de estúdios e produtores musicais, donos de restaurantes e mulheres que, de um modo ou de outro, tinham mantido contato com Sinatra ao longo dos anos. Consegui tirar alguma coisa da maioria dessas pessoas: um fiapo de informação aqui, uma pequena nuance ali, pecinhas de um vasto mosaico que, esperava eu, iam dar uma imagem do homem que esteve sob os refletores da fama durante décadas, deixando a sua marca na inconstante indústria do entretenimento e na consciência americana.

Enquanto eu continuava com as minhas entrevistas — levando pessoas para almoçar ou jantar fora todos os dias e acumulando despesas que, incluindo os gastos com o hotel e com o carro, ultrapassaram 3 mil dólares depois da primeira semana — quase não tirei a caneta do bolso, se é que o fiz, e com certeza não teria pensado em usar um gravador, se dispusesse de um. Se usasse o gravador, com certeza tiraria a espontaneidade daquelas pessoas, ou interferiria negativamente no clima de descontração, confiança e disponibilidade que acredito ter sido estimulado pela minha atitude pouco investigativa e pela promessa de, por mais que confiasse em minha memória, não atribuir a ninguém nem citar nada do que me dissessem sem consultar a fonte mais uma vez, para confirmar e esclarecer.

Citar as pessoas literalmente nunca combinou muito bem com meu estilo narrativo ou com meu desejo de observar e descrever as pessoas quando estão envolvidas em situações comuns mas reveladoras, em vez de confiná-las numa sala e apresentá-las numa postura passiva de alguém que se entrega a um monólogo. Desde meus primeiros tempos como jornalista, eu me interesso menos pelas palavras exatas que saem da boca das pessoas que pela essência do que elas dizem. Mais importante que o que elas dizem é o que elas pensam, embora num primeiro momento seja difícil para elas articular o próprio pensamento, além de exigir do entrevistador muita ponderação e reflexão sobre o que há na mente do entrevistado — o que eu busco com todo cuidado é encorajar e estimular as pessoas sobre as quais escrevo, ao mesmo tempo que lhes faço perguntas, questões e me identifico com elas, enquanto as acompanho em reuniões, em caminhadas sem compromisso antes do jantar ou depois do trabalho. Seja onde for, procuro estar presente em meu papel de confidente curioso, um companheiro de viagem digno de confiança que procura xaminar o interior do entrevistado, tentando descobrir, esclarecer e afinal descrever com palavras (minhas palavras) o que essas pessoas representam e o que pensam.

Há situações, porém, em que tomo notas. Vez por outra a gente ouve uma observação — um torneio de frase, uma palavra especial, uma revelação pessoal expressa num estilo inimitável — que deve ser anotada na hora, antes que se esqueça parte dela. É então que saco meu caderno de anotações e digo "Mas isso é uma maravilha! Deixe-me anotar exatamente como você disse", e a pessoa, em geral lisonjeada, não apenas repete, mas também desenvolve um pouco mais aquele tópico. Nessas ocasiões pode surgir um grande espírito de cooperação, quase de colaboração, já que a pessoa percebe ter dado uma contribuição que o escritor aprecia a ponto de querer preservá-la num texto impresso.

Em outras ocasiões tomo notas sem que o entrevistado perceba — por exemplo, nas interrupções, nas conversas mais longas, quando a pessoa sai da sala por um tempo, o que me permite anotar às pressas as partes mais importantes de nossa conversa.

Às vezes também tomo notas logo depois da entrevista, quando as coisas ainda estão frescas na minha cabeça. Então, tarde da noite, antes de ir para a cama, sento à minha máquina de escrever e descrevo em minúcias (às vezes enchendo quatro ou cinco páginas em espaço 1) o que ficou na minha memória do que vi e ouvi naquele dia — um relato ao qual vou constantemente acrescentando páginas a cada dia, durante todo o período de pesquisa.

Essas anotações vão sendo guardadas num número cada vez maior de pastas de papelão contendo dados como lugares onde eu e minhas fontes tomamos o café da manhã, almoçamos e jantamos (inclusive recibos de restaurantes, para documentar minhas despesas); a hora exata, a duração, o lugar e o assunto de cada entrevista; as condições, combinadas previamente, em que se deu cada sessão (isto é, se estou livre para identificar a fonte ou se sou obrigado a entrar em contato com aquela pessoa mais tarde para maiores esclarecimentos e/ou para obter sua autorização). E as páginas do relato incluem também minhas impressões pessoais sobre as pessoas entrevistadas por mim, suas idiossincrasias e sua descrição física, o grau de confiança que tenho nelas, e muito sobre meus sentimentos e preocupações pessoais, de acordo com o andamento do trabalho naquele dia — um suplemento de cunho pessoal que hoje, depois de trinta anos que cultivo esse hábito, vem sendo útil num livro um tanto autobiográfico que estou escrevendo. Mas o objetivo original dessas anotações era tornar as coisas mais claras para mim mesmo, reafirmar meu próprio ponto de vista depois de horas ouvindo os outros atentamente, e também, não poucas vezes, desabafar um pouco a frustração que sentia quando minha pesquisa parecia ir mal, como certamente era o caso no inverno de 1965, quando não consegui ficar frente a frente com Frank Sinatra.

Depois de tentar, em vão, remarcar a entrevista com Sinatra durante minha segunda semana em Los Angeles (disseram-me que ele ainda estava resfriado), continuei a me encontrar com pessoas que trabalhavam, nas mais variadas funções, em muitas das empresas de Sinatra — sua gravadora, sua companhia cinematográfica, sua firma imobiliária, sua fábrica de componentes de mísseis, seu hangar de aviões —, travando contato também com gente que tinha uma ligação mais próxima com o cantor, como o filho dele, que vivia eclipsado pelo pai, seu fornecedor de roupas preferido em Beverly Hills, um de seus guarda-costas (um ex-atacante de futebol americano), e uma senhorinha grisalha que viajava com Sinatra pelo país, carregando uma mochila com as sessenta perucas dele.

Consegui dessas pessoas uma boa quantidade de dados e de comentários, mas o que obtive, a princípio, nessas entrevistas, não foi nenhum insight especial nem uma suma eloquente da grandeza de Sinatra; foi antes a percepção de que tantas daquelas pessoas, que viviam e trabalhavam tão distantes umas das outras, encontravam-se unidas no fato de saberem que Frank Sinatra estava resfriado. Quando eu falava disso em nossas conversas, para explicar por que nossa entrevista tinha sido adiada, eles faziam que sim com a cabeça, sabiam de seu resfriado, e também sabiam, através de seus contatos com o círculo mais próximo de Sinatra, que não era fácil conviver com o cantor quando ele estava com a garganta doendo e o nariz escorrendo. Alguns dos músicos e dos técnicos do estúdio tiveram o trabalho de gravação adiado por causa do resfriado, enquanto alguns membros de seu staff pessoal, composto de 75 pessoas, não apenas se mostravam sensíveis aos efeitos da indisposição de Sinatra, mas também davam exemplos de quão instável e irritadiço ele estivera durante toda a semana porque não conseguia atingir o seu nível de excelência de voz. E certa noite no hotel escrevi em meu caderno de anotações:

[...] estamos a poucas noites da sessão de gravação de Sinatra, mas a voz dele está fraca, insegura, e a garganta dói. Sinatra está doente. Ele é vítima de uma indisposição tão comum que a maioria das pessoas tenderia a considerar trivial. Mas quando se trata de Sinatra, ela pode mergulhá-lo num estado de angústia, depressão profunda, dor, e até raiva. Frank Sinatra está resfriado.

Sinatra resfriado é Picasso sem tinta, Ferrari sem combustível — só que pior. Porque um resfriado comum despoja Sinatra de uma joia que não dá para pôr no seguro, a voz dele, mina as bases de sua confiança e afeta não apenas seu estado psicológico, mas parece provocar também uma espécie de contaminação psicossomática que alcança dezenas de pessoas que trabalham para ele, bebem com ele, gostam dele, pessoas cujo bem-estar e cuja estabilidade dependem dele.

Um Sinatra resfriado pode, em pequena escala, emitir vibrações que interferem na indústria de entretenimento e mais além, da mesma forma que a súbita doença de um presidente dos Estados Unidos pode abalar a economia do país [...].

Na manhã seguinte recebi um telefonema do diretor de relações-públicas de Fank Sinatra.

"Ouvi dizer que você anda por toda a cidade encontrando-se com amigos de Sinatra, levando amigos de Sinatra para jantar", principiou ele, num tom quase de acusação.

"Estou trabalhando", disse eu. "Como vai o resfriado de Frank?" (De repente a conversa assumiu um tom de intimidade.)

"Muito melhor, mas ele ainda não vai poder falar com você. Mas se você quiser, pode ir comigo amanhã à tarde assistir à gravação de um programa de televisão. Frank vai tentar gravar uma parte de seu especial para a NBC. ... Espere-me na porta do hotel às três. Eu pego você."

Desconfiei que o relações-públicas de Sinatra queria me examinar mais de perto, mas ainda assim fiquei satisfeito em ser convidado para a gravação do primeiro segmento do especial de uma hora que a TV NBC planejava pôr no ar dentro de duas semanas e cujo título era *Sinatra — O Homem e Sua Música*. Na tarde seguinte, pontual e delicadamente, fui levado em uma Mercedes conversível dirigida pelo atilado relações-públicas de Frank Sinatra, um homem de queixo quadrado, cabelos ruivos, pele bronzeada, trajando um terno de gabardine sobre o qual fiz um comentário elogioso tão logo entrei no carro — o que lhe deu ensejo a confidenciar, com certa satisfação, que o comprara por um preço especial do fornecedor de roupas preferido de Frank. Durante o percurso continuamos a conversar amigavelmente sobre roupas, esportes e o tempo, até chegar ao edifício da NBC e parar num estacionamento de concreto branco em que se viam mais umas trinta Mercedes conversíveis, além de muitas limusines, onde motoristas de ombros curvados e bonés pretos tentavam dormir.

Dentro do prédio, segui o relações-públicas pelo corredor até chegarmos a um enorme estúdio dominado por um palco branco, paredes brancas e, por toda parte, dezenas de lâmpadas suspensas. Aquele lugar parecia uma gigantesca sala de operações. Aglomeradas num canto da sala, atrás do palco, esperando a chegada de Frank Sinatra, havia umas cem pessoas — operadores de câmeras, consultores técnicos, publicitários da Budweiser, jovens encantadoras, guarda-costas de Sinatra e aduladores, e também o diretor do programa, um homem afável, de cabelos cor de areia, chamado Dwight Hemion, que eu conhecia de Nova York porque nossas filhas eram colegas de pré-escola. Enquanto conversava com Hemion, ouvia conversas em toda a minha volta, ouvia também os 43, todos de smoking, que já se encontravam em seus postos fazendo o aquecimento com os instrumentos, e minha mente fervilhava de ideias e de impressões; bem que eu gostaria de sacar meu caderno de anotações ao menos por um instante. Mas eu sabia que era melhor não fazer isso. Ainda assim, depois de duas horas no estúdio — durante as quais o relações-públicas de Sinatra não se afastou um segundo de mim, mesmo quando fui ao banheiro — fui capaz de lembrar à noite, em meu hotel, com precisão de detalhes, o que eu vira e ouvira na sessão de gravação, e fiz as seguintes anotações:

> Frank finalmente chegou ao palco, usando um pulôver amarelo de gola alta, e mesmo da distância em que me encontrava eu vi que seu rosto estava pálido e os olhos pareciam um tanto aguados. Ele temperou a garganta algumas vezes. Então os músicos, que tinham ficado sentados, empertigados e em silêncio desde que Frank se juntara a eles na plataforma, começaram a tocar a música de abertura, "Don't worry about me". Então Frank cantou a música inteira — um ensaio antes da gravação —, e eu achei a voz dele ótima, e ao que parece a ele também, porque depois do ensaio ele de repente se dispôs a gravar.
>
> Ergueu os olhos em direção ao diretor, Dwight Hemion, que se encontrava na cabine de vidro sobranceira ao palco, e gritou: "Por que a gente não grava essa merda?".
>
> Alguns riram lá atrás, e Frank ficou no palco batendo o pé, esperando uma resposta de Hemion.
>
> "Por que a gente não grava essa merda?", repetiu Sinatra, mais alto, mas Hemion continuou ali com seus fones de ouvido, ladeado de outros homens também com fones de ouvido, olhando para os botões da mesa de controle ou para alguma outra coisa. Frank continuou de pé no palco branco, agitado, lançando olhares raivosos à cabine de controle, e finalmente o assistente de palco — um homem que estava à esquerda de Sinatra, também usando fones de ouvido — repetiu as palavras de Frank em seu micro-

fone, para a sala de controle: "Por que a gente não grava essa merda?".

Talvez o *switch* de Hemion estivesse desligado, não sei, e era difícil ver o rosto dele por causa dos reflexos nos vidros da cabine. Mas agora Sinatra, agarrando com força o pulôver amarelo e repuxando-o, gritava para Hemion: "Por que a gente não põe paletó e gravata e grava essa...".

"Tudo bem, Frank", interrompeu calmamente Hemion, que pelo visto não tinha se dado conta do furor de Sinatra, "você não se importaria em repetir..."

"Sim, eu me importaria sim", retrucou Sinatra. "Quando a gente parar de fazer as coisas aqui da forma como fazíamos em 1950, talvez a gente..."

[...] Embora Dwight Hemion tenha conseguido depois acalmar Sinatra e gravar com êxito a primeira música e mais algumas, a voz de Sinatra ia ficando cada vez mais áspera à medida que as gravações prosseguiam — e por duas vezes ela falhou completamente, angustiando Sinatra de tal forma que ele num repente resolveu cancelar a sessão daquele dia. "Pode esquecer, pode esquecer!", disse ele a Hemion. "Você está perdendo seu tempo. O que temos aqui", continuou ele, indicando com um gesto de cabeça sua própria imagem cantando no monitor, "é um homem resfriado."

Por um instante, não se ouviu outro ruído no estúdio que não o dos passos de Sinatra saindo do palco e desaparecendo. Então os músicos largaram os instrumentos e todos os demais dirigiram-se devagar para a saída... No carro, de volta para o hotel, o relações--públicas de Frank disse que iria tentar gravar o programa alguns dias depois, e que me avisaria quando a data estivesse marcada. Disse também que dentro de algumas semanas ele iria para Las Vegas, para uma luta dos pesos-pesados Patterson-Clay (Frank e seus amigos iam até lá para assistir à luta juntos). Se eu quisesse, ele poderia reservar um quarto no hotel Sands e então poderíamos ir no mesmo avião. Claro, respondi... embora pensasse comigo mesmo: por quanto tempo a *Esquire* vai querer continuar pagando minhas despesas? No fim desta semana eu já terei gasto mais de 3 mil dólares, ainda não falei com Sinatra, e pelo andar da carruagem... talvez eu não consiga falar [...]

Naquela noite, antes de ir dormir, telefonei para Harold Hayes em Nova York, informei-o sobre tudo o que estava acontecendo e deixando de acontecer, e falei de minha preocupação com as despesas.

"Não se preocupe com as despesas, desde que esteja conseguindo alguma coisa aí", disse ele. "Você está conseguindo alguma coisa?"

"Estou conseguindo sim", disse eu. "Mas não sei exatamente o quê."

"Então fique por aí até descobrir."

Fiquei mais três semanas, gastei quase 5 mil dólares, voltei para Nova York e levei mais seis semanas para organizar o material e escrever um artigo de 55 páginas, baseado em larga medida nas duzentas páginas de anotações referentes a entrevistas com mais de cem pessoas e que mostravam Sinatra em lugares como um bar em Beverly Hills (onde ele se meteu numa briga), um cassino em Las Vegas (onde perdeu uma pequena fortuna jogando cartas), e no estúdio da NBC em Burbank (onde, depois de se recuperar do resfriado, ele regravou o programa e cantou de forma esplêndida).

Os editores da *Esquire* intitularam a matéria "Frank Sinatra está resfriado" e ela saiu na edição de abril de 1966. Ela foi reeditada numa coletânea de trabalhos meus da Dell chamada *Fama e anonimato*. Embora eu não tenha tido a oportunidade de me sentar e conversar a sós com Frank Sinatra, essa circunstância talvez seja um dos pontos fortes do artigo. O que ele poderia ter dito (sendo ele uma das personalidades mais bem guardadas) teria revelado melhor quem ele era do que um escritor que atentamente o observasse em ação, vendo-o em situações de tensão, ouvindo-o e acompanhando com vagar os aspectos menos espetaculares de sua vida?

Esse método de acompanhar com atenção, ouvir com paciência e descrever cenas que permitem vislumbrar o caráter e a personalidade de um indivíduo — um método que há uma geração foi chamado de *New Journalism* — foi, em sua melhor expressão, reforçado pelos princípios do *velho jornalismo* de incansável trabalho de campo e fidelidade à verdade e precisão dos fatos. Por mais demorada e dispendiosa que tenha sido, foi essa pesquisa que distinguiu meu trabalho sobre Sinatra e dezenas de outros artigos de revistas que publiquei durante a década de 1960 — e havia outros escritores na mesma época que estavam fazendo pesquisas ainda mais extensas do que as minhas, principalmente na *New Yorker*, uma das poucas publicações que podiam se dar ao luxo (e ainda hoje se dispõe a isso) de bancar o alto custo de mandar escritores fazerem pesquisa de campo, permitindo-lhes que levem o tempo que julguem necessário para escrever com profundidade e argúcia sobre pessoas e lugares. Entre os escritores da minha geração na *New Yorker* que encarnam esse ideal de dedicação ao trabalho de campo estão Calvin Trillin e o já referido John McPhee; e o exemplo mais recente na *Esquire* foi a matéria sobre o ex-astro do beisebol Ted Williams, escrita por Richard Ben Cramer, um trabalhador de campo à moda antiga, de 36 anos de idade, cuja fina capacidade de *ouvir* com certeza não foi embotada ou corrompida pelo ouvido plástico de um gravador.

Mas esses exemplos em revistas, como já disse anteriormente, ficaram cada vez mais raros nas décadas de 1980 e 1990, sobretudo entre os free-lancers. Os melhores escritores de não ficção de hoje em dia — os que não estão ligados a instituições com saúde financeira como a *New Yorker* — ou têm as despesas pagas pela indústria do livro (e publicam trechos dos livros em revistas), ou são escritores de best-sellers que podem se dar ao luxo de fazer um artigo de revista bem pesquisado, quando têm interesse especial no assunto, ou então escritores cuja principal fonte de renda são os salários de professor universitário e verbas de fundações. E o que este último grupo de escritores vem publicando atualmente, sobretudo em periódicos literários de remuneração modesta, são trabalhos que dizem mais sobre si mesmos do que sobre outras pessoas. São matérias opinativas de conteúdo intelectual ou cultural, ou artigos eminentemente reflexivos e pessoais, que não dependem de despesas com viagens nem exigem muito tempo de elaboração. São trabalhos que o escritor garimpa em suas próprias lembranças. Elas estão próximas do seu coração e de onde ele mora. A estrada se tornou muito cara. O escritor está em casa.

Posfácio

A arte de sujar os sapatos

Humberto Werneck

O livro que você tem nas mãos foi, durante muitos anos, provavelmente a raridade bibliográfica mais procurada por jornalistas brasileiros. Em outra tradução, com o título *Aos olhos da multidão*, sem prefácio e dois textos que agora vieram torná-la ainda mais rica, essa joia foi lançada em 1973, pela editora carioca Expressão e Cultura — e nunca mais reeditada.

Por falta de leitores interessados não terá sido. Tão logo desapareceram das livrarias, aqueles feios exemplares com capa laranja tornaram-se objeto de caça nos sebos, onde, ao longo de três décadas, eram arrematados a preço de livro recém-saído da impressora. Muitos deles, propriedade de felizardos, se esfrangalharam de tanto entrar em máquinas de xerox, para que o texto pudesse alcançar outras mãos, outras gerações — e não apenas de jornalistas.

Depois de atravessar as páginas que precedem este posfácio, você já não terá dúvidas a respeito do que faz de *Fama e anonimato* um livro tão especial. Terá entendido por que esta coletânea de textos jornalísticos, alguns deles escritos há mais de quarenta anos, guarda ainda o frescor de coisa nova. Não tem data de validade. Números e idades, é óbvio, caducaram; os 34 quilômetros de fio dental que a população de Nova York desenrolava todos os dias no início da década de 1960, por exemplo, estarão hoje várias vezes multiplicados, assim como os 150 mil olhos de vidro que naquela época fingiam ver a cidade.

Nem por isso, contudo, se esmaeceram as histórias e seus personagens, cobrindo-se da sépia das velhas fotografias. São textos que falam ao leitor de hoje, sem rouquidão, com a mesma voz límpida com que falavam ao das revistas para as quais foram originalmente escritos, tanto tempo atrás. São notícia que continua sendo notícia, poderia dizer quem quisesse recorrer à fórmula célebre do poeta Ezra Pound para definir literatura.

Mas não se trata, fique claro, de literatura, esse território onde o escritor está autorizado a se mover com a ilimitada liberdade de um deus que espalhasse galáxias no vazio do Universo. Não há, no que escreve Gay Talese, nada que não tenha sido pinçado da realidade e exaustivamente checado e conferido antes de baixar ao papel. É jornalismo. Mas não o jornalismo usual, predominante, esse em que o repórter, em nome da imprescindível busca da objetividade, se sente desobrigado de servir ao leitor mais que uma pilha de informações descarnadas — como se fosse isso a realidade. Como se a informação devesse ser, goela abaixo do leitor, uma espécie de pílula para astronauta, que nutre sem a obrigação de ser palatável. Como se, provindos da mesma raiz latina, *saber* e *sabor* não pudessem andar juntos.

Não é esse, decididamente, o jornalismo de Gay Talese, que no final dos anos 1950 resolveu pegar uma contramão na mesmice quase unânime da imprensa americana. No rastro de pioneiros como John Hersey e Joseph Mitchell, já publicados nesta coleção da Companhia das Letras, o jovem Talese ajudou a abrir a picada do que veio a chamar-se *New Journalism*, no Brasil mais conhecido como jornalismo literário — aquele que, sem se afastar do trilho da informação, busca torná-la também saborosa, enriquecendo-a com recursos da narrativa de ficção.

Pois não basta que a informação seja bem apurada: é preciso que ela — e, portanto, o leitor — seja bem tratada. Não como atitude de alguém que, no fundo, preferisse estar fazendo literatura. Nada disso. Ao se valer de instrumentos da narrativa de ficção, o bom jornalista, longe de querer embonitar seu texto, está empenhado numa indispensável empreitada de sedução — sem a qual corre o risco de simplesmente não ser lido. O que quer é um relato, não mero relatório. No que se refere à busca da informação, para começar, Gay Talese pertence ao time dos repórteres que saem à rua. O rótulo, que em outros tempos soaria galhofeiro, acabou por se converter em amarga ironia, à medida que se foi tornando rarefeita a categoria dos repórteres que se põem em campo à cata da notícia.

Entrou-se, a certa altura, por um lamentável desvio. Novas e bem-vindas tecnologias, como a internet, que deveriam ser manejadas como ferramentas adicionais, têm sido frequentemente usadas, nessa busca, como ferramentas preferenciais, quando não únicas, dispensando o jornalista de respirar outro ar que não seja o condicionado das redações. Tudo, ou quase tudo, se resolve ali, por telefone ou diante da tela do computador — e aí está, conjugada aos cortes cada vez mais brutais nos quadros e borderôs das empresas, uma explicação para o conteúdo monocórdio que nivelou, por baixo, boa parte dos jornais e revistas. Se as fontes são iguais, por que também os frutos não o seriam?

Distorções dessa natureza só podem acabar mal, e não apenas para o pobre leitor — e foi o que aconteceu, por exemplo, no primeiro semestre de 2003, quando veio à tona o grande escândalo Jayson Blair, o repórter que, por anos a fio, encheu páginas de um dos mais respeitáveis jornais do mundo, *New York Times*, com "reportagens" plagiadas, quando não despudoradamente inventadas.

A imprensa em todo o mundo se ocupou da história de Blair — o mais das vezes, curiosamente, como se se tratasse de um fato isolado, circunscrito ao centenário jornalão nova-iorquino, e não de algo que poderia acontecer em qualquer publicação na qual a prática jornalística tivesse, como ali, se afastado do bom caminho.

Ex-funcionário do *New York Times*, cuja história não-autorizada contou num livro imediatamente clássico — *O reino e o poder*, de 1969 —, Gay Talese fez então um diagnóstico certeiro das circunstâncias que tornaram possível o aberrante episódio Jayson Blair. Uma das causas, disse ele numa entrevista à *Folha de S.Paulo*, seria a quase total ausência de contato entre chefes e chefiados, como se vivessem, uns e outros, em distintos planetas.

Num universo em que um jovem repórter dificilmente terá ocasião de trocar duas palavras com o distante, inacessível diretor de redação — como tantas vezes acontece, e não apenas na redação do *New York Times* —, era previsível que o chefe de Jayson Blair não tivesse mais que uma tênue ideia a respeito do profissional que ele próprio havia contratado. Entre eles reinava não a troca, mas a impessoalidade das estruturas rigidamente hierarquizadas. Esse distanciamento entre repórter e chefias acabou por conferir a Blair uma desmedida autonomia, precipitando-o num vácuo onde ele se sentiu autorizado a fazer o que bem entendesse — inclusive plagiar e inventar matérias.

Mais grave do que isso, no entanto, tem sido a já citada cristalização do hábito preguiçoso de tentar fazer jornalismo apenas no fundo das redações. Em muitas delas — no Brasil, inclusive — as saídas à rua destinam-se não mais à garimpagem de novidades, à investigação de hipóteses, razão de ser do jornalismo, mas a confirmar teses e suposições, e até mesmo a conformar a realidade, se essa não colaborar, a pautas olimpicamente concebidas por chefias iluminadas. Fotos podem ganhar legendas antes de existirem, e redações há em que a rotina do repórter inclui o absurdo pirandelliano das aspas à procura de um autor: "Precisamos de alguém que diga o seguinte, dois pontos", prescrevem editores com receitas prontas, desvirtuando o que deve ser esse serviço público chamado jornalismo. Houve mesmo o caso do redator que, solicitado por um colega a opinar sobre matéria em andamento, não se conteve ao topar com uma declaração entusiástica de Jorge Amado sobre o médium Chico Xavier: "Puxa, ele disse isso!". "Não", pigarreou o autor da matéria, "estamos negociando."

A tal ponto se enfurnaram os profissionais no fundo das redações que alguns anos atrás, na sucursal paulistana do *Jornal do Brasil* (onde, justiça seja feita, isso não acontecia), o repórter Ricardo Kotscho criou o que, infelizmente, não era só uma piada: a expressão "reportagem externa". Hiperbólico, Kotscho chegava a pregar o corte das linhas telefônicas, única forma, argumentava ele, de desentocar os jornalistas de gabinete — pois se chegou a cobrir enchente por telefone. Hoje, mesmo no espaço nobre de publicações graúdas, longas entrevistas são feitas sem que o jornalista veja a cara do entrevistado.

A um colega, intrigado ao vê-lo abancado, quase todo dia, numa cadeira de engraxate na alameda Santos, Ricardo Kotscho explicou: "É que eu preciso! Repórter que vai à rua suja os sapatos".

O elegante Gay (Gaetano) Talese certamente sujava os dele, sem economia de couro nem tempo, enquanto foi repórter. E pôs os pés no jornalismo ainda muito jovem — aos quinze anos de idade, quando começou a escrever sobre beisebol num semanário de

Ocean City, a pequena ilha no estado de Nova Jersey onde nasceu em 7 de fevereiro de 1932.

Não que fosse ligado em esportes. Não tinha sequer o *physique du rôle*, e provavelmente causava espécie no colégio, por ser o único aluno que assistia às aulas de paletó e gravata. Janota em miniatura, funcionava na verdade como manequim ambulante da alfaiataria do pai, Joseph Talese, italiano que em 1922 tomara o rumo da América e a ela já adaptara seu nome, Giuseppe. Nos modos refinados do garoto certamente pesava também a influência da mãe, Catherine DePaolo, responsável pelo setor de compras de uma loja de departamentos. Dela herdou, ainda, uma característica que muito útil lhe seria no ofício de repórter: a paciência para ouvir os mais arrastados relatos sem interromper o interlocutor.

A coluna de beisebol no *Ocean City Sentinel-Ledger* caiu no colo do aluno Talese um pouco por acaso — o técnico do time do colégio pediu que lhe quebrasse um galho —, mas não lhe caiu mal: se não chegava a ser fanático por esportes, foi por essa via que veio a descobrir, no jornalismo, uma opção perfeita para quem, como ele, era curioso, porém tímido. A reportagem, contou mais tarde, lhe daria o pretexto para, superando a timidez, atender à curiosidade por aquilo que mais o fascinava: as pessoas e suas histórias.

Na Universidade de Alabama, onde estudou de 1950 a 1953, a escrita jornalística de Talese começou a se tornar também literária, graças à leitura de autores como Scott Fitzgerald, Ernest Hemingway e Carson McCullers.

Foi nessa altura, lembra a biógrafa Barbara Lounsberry em *Portrait of an (nonfiction) artist*, que Talese atentou para dois diferentes usos da palavra escrita: enquanto os jornalistas escrevem sobre os vitoriosos, os ficcionistas se ocupam, em geral, de gente comum — não raro perdedores. Dirá mais tarde, no prefácio a *O reino e o poder*: "Em cada um de meus livros há um fascínio pelas verdades mais obscuras da natureza humana, um desejo de ir além da fachada e tocar os nervos e as nuances da vida privada. Há muito acredito que o realismo é fantástico, que os sonhos e impulsos da América moderna, se narrados com exatidão, podem ser tão socialmente significantes e historicamente úteis quanto as vidas e situações fictícias criadas por dramaturgos e romancistas".

O jovem Talese se dispôs a fazer na reportagem o que seus autores preferidos faziam na literatura. Mas não o faria imediatamente. Seu primeiro emprego, na redação do *New York Times*, recém-saído da universidade, era tão subalterno que não incluía redigir sequer uma linha para publicação. Foi por insistência sua junto aos editores, aos quais oferecia sugestões de pauta, que aquele foca — cujo capricho no vestir-se ressaltava em meio ao desalinho dos colegas — começou, pouco a pouco, a emplacar matérias.

A partir de 1956, Talese trabalhou na editoria de Esportes do jornal. Já punha em prática, então, o hábito de voltar interminavelmente aos personagens que achava mais interessantes. Sobre o boxeador Floyd Patterson, por exemplo, campeão mundial dos pesos pesados (1956-59 e 1960-62), ele escreveu nada menos de 38 artigos. Perdeu a conta das vezes que o viu esmurrar *sparrings* e sacos de areia nos ginásios onde Patterson treinava. Chegou, arquejante, a correr a seu lado, literalmente suando a camisa para edificar uma intimidade que lhe permitirá dizer: "Eu era a sua segunda pele".

Deslocado, em 1959, para a editoria de Política, Talese deu-se menos bem. Comparados aos atletas, os figurões do meio lhe pareciam desinteressantes. Pior que isso, ele já não dispunha de tanta liberdade para escrever. Os editores mexiam demais no seu texto. Tendo se insurgido contra essas interferências, acabou punido: durante um ano inteiro, esteve exilado na seção de obituários do *New York Times*, onde, ainda por cima, lhe tocava ocupar-se de defuntos de segunda classe. A experiência ali vivida, no entanto, seria proveitosa, como adiante se verá.

Inconformado, Gay Talese deu um jeito de tirar o pé da cova profissional a que os superiores o haviam condenado. Obstinadamente, apresentava pautas à editoria de Cotidiano, e, se eram recusadas, ia oferecê-las, com mais sucesso, ao suplemento dominical da casa. Ao mesmo tempo, começou a escrever na prestigiosa revista *Esquire*. Em meados de 1965, deixou o *New York Times* — e, para sempre, o jornalismo diário. Ganhou respiros mais largos para produzir não apenas reportagens, várias das quais perpetuadas em coletâneas, entre elas *Fama e anonimato*, como também livros monotemáticos.

O primeiro dedicado a um só tema foi *O reino e o poder*, história do *New York Times*, de seu surgimento, em 1851, até 1968. Para surpresa dos próprios editores, o livro se dependurou nas listas de best-sellers e lá permaneceu por seis meses. Nas duas maiores revistas semanais de informação do país, *Time* e *Newsweek*, alcançou o primeiro lugar — mas no *New York Times*, observa Barbara Lounsberry, onde narizes se torceram para a forma como o jornal foi retratado, não passou da segunda colocação.

Outros êxitos de vendas e de crítica haveriam de vir, como *Honrados mafiosos*, história de uma família de imigrantes italianos, os Bonanno, desde a sua chegada aos Estados Unidos, na última década do século XIX, a 1971, ano em que o livro foi publicado. Para conhecer as entranhas da máfia, Talese precisou tornar-se amigo do filho do chefão Joe Bonanno, Bill, ao cabo de delicadas e arrastadas manobras de aproximação que se estenderam por vários anos.

Mais trabalho ainda lhe custariam as pesquisas para escrever *A mulher do próximo*, de 1980, luxuriante (e, eventualmente luxurioso) painel das transformações por que passou a moral sexual americana, de meados do século XX às vésperas do surgimento da aids — revolução em que Talese julgou ver a maior das histórias de seu tempo. Para poder contá-la, foi às últimas (penúltimas, vá lá) consequências, entregando-se às mãos de uma calejada masturbadora, numa casa de massagem, cena que descreve no livro sem omitir seu próprio nome e suas impressões.

Pôs em risco um casamento que lhe era caro, ao penetrar radicalmente nesse universo, primeiro como cliente, depois como gerente, não remunerado, de uma casa — onde, descoberto por um colega, ganhou incômoda notoriedade na imprensa, não como o aplicado pesquisador que era, mas como "um jornalista lúbrico chafurdado em prazeres oleosos".

As aspas são do próprio Talese, que não hesitou em converter-se em personagem ("magro, olhos negros, 43 anos e cabelos castanhos começando a ficar grisalhos") de *A mulher do próximo*. Sempre em terceira pessoa, não esconde ali o assombro que essa imersão no mundo da libertinagem significou para um homem como ele, nascido e criado na comunidade vitoriana de Ocean City, sob um clima tão repressivo que só no segundo ano da faculdade ousou masturbar-se pela primeira vez.

Como se vê, na feitura de um livro como na de uma reportagem Talese nunca deixou de sujar seus sapatos (e até mais que isso, no caso de *A mulher do próximo*) na incansável mineração do ouro jornalístico, reluzente em vários dos textos incluídos neste livro.

Lembre-se, por exemplo, de "Como não entrevistar Frank Sinatra",[*] o instrutivo making of da reportagem "Frank Sinatra está resfriado", no qual Talese fala das longas semanas que per-

---

[*] No Brasil, o artigo foi publicado pela revista *Imprensa* em 1989, em outra tradução e sob o título "Entrevista sem sujeito".

deu, entre aspas, na tentativa de entrevistar "The Voice" para a revista *Esquire*, em 1965. Tentativa que, embora frustrada, lhe permitiu escrever algo ainda melhor do que teria sido uma simples entrevista: um perfil antológico, ainda hoje destrinchado não só por estudantes de jornalismo como por profissionais já rodados, na esperança de aprender uns truques, e saboreado também por leitores que nada têm a ver com o ofício.

Na leitura desse making of, você ficou sabendo que, na impossibilidade de falar com Sinatra, Talese tratou de ouvir dezenas de pessoas de alguma forma ligadas a ele e capazes de contribuir, com pouco que fosse, para a construção de um retrato vívido, sólido, verossímil e original de uma estrela já exaustivamente enfocada pela mídia. Observou Sinatra em diferentes situações, afiou sua antena para captar detalhes — algo que tantos jornalistas não se preocupam em fazer, atentos que estão exclusivamente às palavras, como se aquela pessoa fosse uma emanação de aspas, e não um ser humano com rosto e roupa, jeitos e gestos, características que o tornam singular, diferente de qualquer outro, e já por isso interessante. Às vezes, nem às palavras o repórter presta atenção: não é sem boas razões que Talese verbera o mau uso do gravador, instrumento que frequentemente dispensa o repórter de registrar de fato o que lhe é dito, de desenvolver a memória seletiva — uma vez que "tudo" ficará gravado na fita.

A extensa reportagem que a *Esquire* publicou (e, em 2003, republicou, como encarte, por considerá-la a melhor da revista em seus setenta anos de vida) é primorosa ilustração do que deve ser um perfil jornalístico: um esforço para desvendar o personagem de todos os ângulos, sob diferentes luzes. O que muitas vezes se serve ao leitor sob esse rótulo não passa de uma entrevista em que o repórter meramente põe em texto corrido o que eram perguntas e respostas, sem o cuidado de iluminar o personagem por meio de depoimentos de outras pessoas. Um Procon jornalístico, que talvez fosse o caso de se criar, alertaria o leitor: isto não é um perfil — é, no máximo, um "de frente".

Se escreveu sobre gente famosa, como Sinatra, os pugilistas Floyd Patterson e Joe Louis, o ator Peter O'Toole e o astro do beisebol Joe DiMaggio (em cujo pedigree cintilava o feito eventualmente maior de ter sido casado com Marilyn Monroe), Gay Talese sempre pareceu mais atraído por personagens anônimos — não fosse filho de um imigrante que deu duro para se fazer na América, e que ele, aliás, transformou em personagem no livro *Unto the sons*, de 1992. Homens como Alden Whitman, o "Sr. Má Notícia", redator de necrológios do *New York Times*, permanentemente assombrado pela hipótese de que algum figurão viesse a morrer sem que ele, tão zeloso quanto perfeccionista, pudesse prontamente exumar um texto de seu arquivo de defuntos em potencial. Ou criaturas ainda mais obscuras, mas sempre interessantes, como as faxineiras, os motoristas e os cobradores de ônibus de Nova York, protagonistas do fascinante feixe de reportagens intitulado "A jornada de um serendipitoso".

Impossível esquecer, nesse capítulo dos anônimos, os operários que, entre 1961 e 1964, trabalharam na construção da formidanda ponte Verrazano-Narrows, ligando os distritos de Brooklyn e Staten Island, em Nova York. Trabalho que, como você viu, Talese, por sua conta e risco, acompanhou passo a passo, rebite por rebite, visitando o canteiro de obras, mesmo em seus dias de folga, com tamanha assiduidade que por pouco não entrou na folha de pagamento da construtora. Tornou-se amigo e frequentou a casa de alguns daqueles operários.

Mas o radar sensibilíssimo de Talese não se limitou a registrar o que se passava na obra. Fuçador irrefreável, ele se interessou também pelo transtorno que a construção da ponte estava causando entre os moradores dos lugares onde seriam fincadas as extremidades da Verrazano-Narrows. O desespero e a raiva dos que seriam removidos. O temor do agente funerário Joseph V. Sessa, que, mesmo tendo conseguido preservar o seu negócio, via com inquietude a transferência de 25 mil famílias que ele, pragmática ave de mau agouro, já contabilizara como clientes certos.

Nada disso, evidentemente, era aquela notícia imperiosa de que se alimenta o imediatismo da mídia. Nenhuma daquelas histórias exigia ser publicada no dia seguinte. Mas Talese nunca foi um repórter muito ligado no furo jornalístico. Preferia garimpar tesouros que podem estar embaixo do nariz de todo o mundo, mas que quase ninguém vê — até que um repórter de raça, movido por algo mais que a obsessão do furo, vá lá e conte. Quem poderia imaginar a cornucópia de assuntos fascinantes escondida na construção de uma ponte? Pois Gay Talese fez mais. Não só trouxe à tona esses assuntos, escrevendo a saga de grandes heróis miúdos, como a eles retornou, muitos anos depois, pela curiosidade de saber: que fim levaram?

É algo que, na correria das redações, mas também na imaginação rasa de muito jornalista, poucos profissionais se lembram de fazer. A imprensa costuma tratar intensivamente um determinado assunto — para de repente, como um predador, abandoná-lo no caminho. Raros são os que se interessam por essa, digamos, carcaça da notícia.

(Para ficar entre os brasileiros: depois de muito falar nela, a mídia esqueceu d. Leda Collor, internada fazia meses num hospital de São Paulo — até que um repórter da *Playboy*, Marcos Emílio Gomes, lá se metesse para contar que a mãe do ex-presidente da República continuava viva, em estado vegetativo e praticamente sem receber visitas. Tão abandonada — informa a reportagem, publicada em janeiro de 1994 — que um bolo de aniversário levado por uma filha acabou, por falta de convivas, sendo comido pelas enfermeiras. D. Leda, cujo martírio durou quase novecentos dias, ainda viveria, se assim se pode dizer, mais um ano.)

Em 2002, quatro décadas depois da construção da ponte Verrazano-Narrows, Gay Talese voltou ao lugar e ao tema para rematar velhas histórias na reportagem que se chamaria "Na ponte". Com setenta anos de idade, pique de vinte e a pertinácia de sempre, metido em seus ternos de corte irrepreensível, ele acompanhou uma das reformas por que passa a gigantesca estrutura metálica a cada dez anos. Constatou que O. H. Ammann, engenheiro chefe e autor do projeto, já tinha morrido, e que Robert Tozzi, humilde cobrador de pedágio, era, agora, gerente geral. Talese foi atrás de veteranos da obra — para descobrir que alguns deles haviam participado, também, da construção das torres gêmeas do World Trade Center, àquela altura já postas abaixo pelo ataque terrorista de 11 de setembro de 2001.

A reportagem, publicada na revista *The New Yorker* e aqui reproduzida, revela que ao agente funerário Joseph V. Sessa acabou não faltando, até o fim de seus dias, em 1977, a quem enterrar — da mesma forma, pode-se acrescentar, como jamais faltará assunto a um repórter que, a exemplo de Gay Talese, se disponha a sujar os sapatos na poeira e na lama onde muitas vezes se esconde a melhor notícia.

1ª EDIÇÃO [2004] 7 reimpressões

ESTA OBRA FOI COMPOSTA PELO ACQUA ESTÚDIO EM MINION
E FOI IMPRESSA PELA GEOGRÁFICA EM OFSETE SOBRE PAPEL PÓLEN SOFT
DA SUZANO S.A. PARA A EDITORA SCHWARCZ
EM JUNHO DE 2021

A marca FSC® é a garantia de que a madeira utilizada na fabricação do papel deste livro provém de florestas que foram gerenciadas de maneira ambientalmente correta, socialmente justa e economicamente viável, além de outras fontes de origem controlada.